Quellen und Forschungen
zur Reformationsgeschichte

Im Auftrag des Vereins für Reformationsgeschichte

herausgegeben von Gustav Adolf Benrath

Band XLVII

GÜTERSLOHER VERLAGSHAUS GERD MOHN

EIKE WOLGAST

Die Wittenberger Theologie und die Politik der evangelischen Stände

Studien zu Luthers Gutachten in politischen Fragen

GÜTERSLOHER VERLAGSHAUS GERD MOHN

Als Habilitationsschrift
auf Empfehlung der Philosophischen Fakultät der Georg-August-Universität Göttingen
gedruckt mit Unterstützung der Deutschen Forschungsgemeinschaft

CIP-Kurztitelaufnahme der Deutschen Bibliothek

Wolgast, Eike
Die Wittenberger Theologie und die Politik der evangelischen Stände: Studien zu Luthers Gutachten in polit. Fragen. — 1. Aufl. — Gütersloh: Gütersloher Verlagshaus Mohn, 1977.
(Quellen und Forschungen zur Reformationsgeschichte; Bd. 47)
ISBN 3-579-04308-0

ISBN 3-579-04308-0

Gesamtherstellung: Buchdruckerei Heinrich Schneider, Karlsruhe
Printed in Germany

MEINER SCHWESTER

Helche Elias

ZUM GEDÄCHTNIS

Inhalt

Vorwort

Die vorliegende Arbeit wurde im Wintersemester 1973/74 von der Philosophischen Fakultät der Georg-August-Universität Göttingen als Habilitationsschrift angenommen, die in den Jahren zwischen Vorlage und Drucklegung erschienene Literatur ist nach Möglichkeit eingearbeitet. Nicht mehr möglich war dies bei der neuen Arbeit von Hermann Kunst, Evangelischer Glaube und politische Verantwortung (Stuttgart 1976). Für den Druck mußte der Text in allen Teilen gekürzt werden; einige der Einzelstudien sind ausgegliedert worden, um den Umfang zu verringern: Die innerprotestantische Bündnisdiskussion 1529/1530, die Auseinandersetzung über das Konzil (1533–1537) und die Frage des Gegenkonzils, die Einwirkung Luthers auf Religionsgespräche und Einigungsversuche (1540/41 und 1545/46), der Streit um das Naumburger Bistum (1541/42). Sie sollen an anderer Stelle publiziert werden.

Ich hätte die Arbeit nicht fertigstellen können ohne die großzügige Gewährung eines Habilitandenstipendiums durch die Deutsche Forschungsgemeinschaft; auch der Druck des Buches ist nur durch die Unterstützung der DFG möglich geworden. Daneben bin ich vor allem dem jüngst verstorbenen Heinrich Bornkamm zu großem Dank verpflichtet für die freundliche Bereitschaft, meine Arbeit in die Reihe „Quellen und Forschungen zur Reformationsgeschichte" aufzunehmen. Für vielfache förderliche Gespräche habe ich Professor Richard Nürnberger (Göttingen), für manche Anregung Professor Bernd Moeller (Göttingen) zu danken.

Die Mühe der Korrekturarbeiten haben meine Mitarbeiter Marion Hollerbach und Frank Würker mit mir geteilt; auch ihnen gilt herzlicher Dank.

Heidelberg, im Oktober 1977 *Eike Wolgast*

Einleitung

I. Fragestellung und Methode

Die Geschichte des 16. Jahrhunderts wird in Mittel- und Westeuropa weithin bestimmt durch das Ereignis der Glaubens- und Kirchenspaltung mit ihren Folgewirkungen auf alle Bereiche des politischen, sozialen und religiösen Lebens. Die Änderung der religiösen Bewußtseinslage hat eine Umwälzung zur Folge, die sehr schnell in großen Territorialbereichen alte Institutionen zerstört oder mit neuem Inhalt füllt, Strukturen zerbricht und Kompetenzen neu verteilt. Die Auflösung des corpus christianum in Religionsparteien und Konfessionen führt zu tiefen Einschnitten in die politische Entwicklung, indem sie in Gang befindliche Gruppierungen fördert und religiös-theologisch absichert sowie Frontenbildungen ganz neuer Art bewirkt. Vor allem in Deutschland kommt es im 16. Jahrhundert zu einer so engen Verbindung von Politik und Theologie, daß schließlich kaum noch eine „religionsfreie" Entscheidung gefällt werden kann.

Diese Tatsache muß immer wieder zur Beschäftigung mit den die neue religiöse Bewegung auslösenden Motiven und damit zur Zentralfigur der Reformation selbst zurückführen, da letztlich die Veränderung des religiösen Bewußtseins mit ihren in alle Bereiche des einzel- und zwischenmenschlichen Lebens ausstrahlenden Implikationen das Ergebnis des Auftretens und Wirkens Luthers ist, so sehr auch die politisch-sozialen Gegebenheiten den Boden für die Aufnahme der neuen Lehre vorbereitet und ihre rasche Wirksamkeit begünstigt haben. Auch als schon nach wenigen Jahren die Person des Reformators hinter dem sich von ihr mehr und mehr ablösenden und sich verselbständigenden Werk zurücktritt[1], bleibt Luther für weite Bereiche des öffentlichen, d. h. des politischen und religiösen Lebens die Zentralperson, und sei es auch zum Teil negativ in dem Zwang zur Selbstvergewisserung und -korrektur der in ihrem Wert und Bestand angefochtenen überlieferten Kirchenorganisation.

Die nachfolgende Untersuchung will nicht diese weitgespannten Zusammenhänge und großen Dimensionen erörtern, sondern einen Teilaspekt der Tätigkeit Luthers verdeutlichen: seine unmittelbare Einwirkung auf die Politik seiner Zeit. Das Problem der Wechselwirkung von Theologie und Politik im Deutschland des 16. Jahrhunderts personifiziert sich für die behandelte Thematik in Luther und seinen Wittenberger Freunden und Kollegen auf der einen, den sächsischen Fürsten und den evangelischen Reichsständen mit ihren juristischen und politischen Beratern auf der anderen Seite. Die öffentliche, mehr noch die nichtöffentliche Mitwirkung der Theologen an der Formulierung und Durchführung der Politik Kursachsens und der evangelischen Stände steht im Mittelpunkt der Un-

---

1. Joachimsen, Reformation, 281 sieht diese Ablösung schon nach 1521 beginnen, während Luther in den großen Wendepunkten 1526, 1529 und 1530 im Hintergrund stehe. Aber gerade 1529/30 übt er starke Einwirkungen aus; vgl. dazu unten S. 125 ff.

tersuchung. Dieses Problem bedingt einen doppelten Forschungsansatz: die Untersuchung des Inhalts der Wittenberger Ratschläge für politisches Handeln auf ihren religiösen und politischen Gehalt und die Resonanz, die diese Voten in den politischen Entscheidungsgremien gefunden haben. Mit der Fragestellung soll zugleich die spätere Periode der Wirksamkeit Luthers, der „alte Luther", der in der Forschung weithin im Schatten des Interesses am „jungen Luther" steht, deutlicher als bisher erhellt werden.

Die Rechtfertigung für Luthers unmittelbare politische Diakonie, die er in Briefen, Bedenken und gutachtlichen Äußerungen bis zu seinem Tode geübt hat, lag für ihn wie für seine Zeitgenossen darin, daß es zu seinen Lebzeiten kein politisches Problem gab, das nicht auch religiöse und konfessionelle Elemente einschloß[2]; war der religiöse Faktor nicht von vornherein deutlich, wurde er von außen und mitunter nicht ohne Gewaltsamkeit eingetragen, um ein Problem unter dem Vorwand, es handele sich um eine Religionssache, der Entscheidung durch die Majorität des Reichstags oder anderer Reichsinstitutionen zu entziehen und stattdessen das eigene Gewissen, das mit dem politischen Nutzen dann gut zusammenstimmte, zur verbindlichen Urteilsnorm zu erheben; in diesem Punkt kommt es mit der Steigerung der Auseinandersetzungen zwischen den Religionsparteien zu einer Korrumpierung und Vergröberung des ursprünglichen Ansatzes[3]. Die Sicherung des Gewissens des Handelnden und die pastorale Belehrung über seine Verantwortung für die zu treffenden Entscheidungen war die Aufgabe der Theologen, wie Luther sie verstand und sich für sie in Anspruch hat nehmen lassen. Von daher erklärt sich seine unmittelbare Einwirkung auf die Lösung politischer Probleme, die das Kurfürstentum oder die Gesamtheit der evangelischen Stände betrafen.

Die Wichtigkeit der Wittenberger Voten zur Politik ist in der Forschung seit jeher anerkannt und vielfach berücksichtigt worden. Dabei sind aber zumeist nur einzelne systematische Problemkreise isoliert behandelt worden. Die der nachfolgenden Untersuchung zugrundeliegende Fragestellung will dagegen Luthers Auskünfte und Ratschläge nicht nach Themen systematisieren, sondern herausarbeiten, wie Luther den Ansprüchen der je aktuellen politischen Situation gewachsen gewesen ist, welche Anforderungen an ihn gestellt wurden und auf welche Weise sein Urteil der tagespolitischen Konstellation Rechnung trug. Daraus ergibt sich die methodische Notwendigkeit eines chronologisch-genetischen Vorgehens.

Um den Entscheidungswert der Wittenberger Gutachten zu präzisieren und Alternativmöglichkeiten aus dem gleichen Ansatz heraus aufzuzeigen, werden die Voten mit Auskünften anderer evangelischer Theologen zu denselben politischen Fragen konfrontiert; diese ergänzen und bestätigen die Prämissen und Schluß-

---

2. Vgl. Ranke III, 276: Das Reformationszeitalter als eine „Epoche, in welcher politische und kirchliche, ja dogmatische Entwicklungen auf das engste miteinander verwebt sind." Ähnlich IV, 63: „An jeder Stelle greifen Politik und Theologie ineinander."

3. Ein eklatantes Beispiel dafür liefert die Erklärung des Braunschweiger Feldzugs zur Religionssache auf Betreiben Sachsens und Hessens, um die Rechtmäßigkeit ihres Handelns der Prüfung durch das Reichskammergericht zu entziehen.

folgerungen Luthers oder aber stellen ganz oder teilweise konträre Gegenpositionen auf. Letzteres ist in der späteren Zeit vor allem bei Martin Bucer der Fall, der neben Philipp von Hessen und in Zusammenarbeit mit ihm eine eigenständige Konzeption entwickelt hat, die stärker zur direkten Aktivität drängt und die Politik unmittelbar für die Ausbreitung der Herrschaft Gottes in Dienst nehmen will[4].

Luther hat sich nicht als Politiker verstanden, sondern immer und in jeder Situation als Theologe und Seelsorger. Er hat nie Politik machen wollen. Die Frage nach seinem politischen Gewicht hat er sich nicht gestellt, um politischen Einfluß nicht gekämpft. Seine politische Konzeption ist wesentlich eine „theologische Gesamtschau der Wirklichkeit[5]", der „Politiker" Luther ist ein Derivat des Theologen, der Zentralbegriffe seiner Theologie auf seine Beurteilung der Politik überträgt und versucht, Lehre und Handeln in Übereinstimmung zu bringen und zu halten. Aus diesem Selbstverständnis folgt auch die Frage nach der Bewährung der theologischen Prinzipien in der politischen Praxis.

Es geht im Folgenden um eine historische Thematik. Auf die verständlicherweise gerade bei Luther gern vorgenommene Anwendung der in der Wirklichkeit und unter den Gegebenheiten und Voraussetzungen des 16. Jahrhunderts erarbeiteten Lösungen auf die Fragen der Gegenwart muß daher verzichtet werden; die Gründe dafür ergeben sich aus dem Gang der Untersuchung selbst. Eine durch die Situation bedingte und in ihr mehr oder weniger einflußreiche Anschauungsweise soll freigelegt werden, die auch in Abstraktion vom konkreten Bezug die Probleme unserer Zeit nicht mehr erfaßt[6]. Die politischen Fragen des 16. Jahrhunderts sind nicht die des 20., daher auch die Wittenberger Antworten nicht mehr zu übernehmen. Diese Negation der Möglichkeit eines unvermittelten Gegenwartsbezugs soll jedoch nicht eine Negation der Wirkungsgeschichte der Lösungen, die Luther unter den Bedingungen seiner Zeit und Umwelt erarbeitet hat, bedeuten; im Gegenteil ist unbestreitbar, daß diese Lösungen die politische Anschauung des Luthertums lange Zeit bestimmend geprägt haben, insofern die nachfolgenden Generationen aus der Rüstkammer der Argumente Luthers die unterschiedlichsten und gegensätzlichsten Waffen bezogen haben — gegen die Intention Luthers, der sich gegen eine „Kanonisierung" seiner Aussagen stets gesträubt hat[7], und ohne die Problematik der bewußt nur für die gegebene Situation getroffenen Entscheidungen zu berücksichtigen. Darüber wurde oft die Aufgabe

---

4. In der Gegenüberstellung von Bucer und Luther wird die Unzulänglichkeit der Begrifflichkeit bei Zschäbitz deutlich, der Luther als „Repräsentanten des Besitzbürgertums" (152), als dessen „theologischen Exponenten" (153) versteht, der „stadtbürgerlichen Bindungen verhaftet" ist (112). Bucer vertrat dieser Terminologie entsprechend zweifellos die gleiche soziale Schicht, unterschied sich in seiner Bewertung der Theologie für die Politik aber grundlegend von Luther.

5. Künneth, 65.

6. Vgl. dazu u. a. die Arbeiten von Berggrav und Trillhaas.

7. Vgl. die Zusammenstellung entsprechender Äußerungen bei E. Wolgast, Die Wittenberger Luther-Ausgabe (Nieuwkoop 1971), 14 ff.

versäumt, statt nach formalen Identitäten zu suchen, die den Ratschlägen Luthers zu Fragen seiner Zeit zugrundeliegenden religiösen Denkstrukturen für das Verständnis der eigenen Zeitprobleme fruchtbar zu machen.

II. Terminologische Klärungen

Einer vorausgehenden Erläuterung bedürfen einige der im Folgenden benutzten Termini. Die Schwierigkeiten der Begrifflichkeit im 16. Jahrhundert dort, wo es sich nicht um in ihrem inhaltlichen Gehalt genau festgelegte und in dieser Definition dauernd gültig gebliebene Theologumena handelt, sind bekannt. Das gilt vor allem für den Bereich von Politik und Staatsrecht, für den eine feste Terminologie erst seit der zweiten Hälfte des 16. Jahrhunderts entwickelt wird. Es scheint daher zweckmäßig, die in den Texten benutzten Begriffe beizubehalten und ihren Aussagegehalt möglichst exakt aus den Quellen zu erheben[8].

Der Begriff „Wittenberger Theologie“ bietet sich als Hilfskonstruktion an, um die Aussagen der Gemeinschaftsgutachten der Wittenberger Universitätstheologen und Melanchthons, von dem bei Schriftstücken dieses Genus die Formulierungen zumeist stammen, mit den Texten, die Luther allein verfaßt hat, auf einen gemeinsamen Nenner zu bringen[9]. Der Versuch, zwischen Luthers Einzelvoten und den Kollektivgutachten eine inhaltliche Identität herzustellen, scheint methodisch unter doppeltem Aspekt vertretbar: Luther hat sich von den in derartigen Gemeinschaftsvoten vertretenen Anschauungen nicht nur nicht distanziert, sondern sie durch seine Unterschrift als für sich gültig bestätigt, so daß trotz etwaiger unterschiedlicher Ansätze in der Argumentation, der Situationsanalyse und der Handlungsanleitung der Aussagegehalt dieser Texte als in Übereinstimmung mit Luthers Auffassung des jeweils in Rede stehenden Problems angenommen werden darf. Zu diesem Befund tritt die unmittelbare Wirkung dieser Voten, die am kursächsischen Hof und darüber hinaus als Aussagen der Wittenberger Theologen galten, d. h. als Ausfluß der von Luthers Autorität gedeckten Wittenberger Gesamtautorität.

Auch inhaltlich scheint die Subsumption auf den gemeinsamen Nenner der „Wittenberger Theologie“ gerechtfertigt, da Melanchthons eigenständige Entwicklung in diesem Bereich erst nach Luthers Tod in der Auseinandersetzung mit den Gnesiolutheranern um das Interim und den Herrschaftswechsel im Kurstaat deutlich zu Tage tritt[10]. Damit sollen die dogmatischen Differenzen zwischen Luther und Melanchthon bis 1546 nicht harmonisiert oder eingeebnet werden; sie

---

8. Zum Terminus Obrigkeit und den damit in Zusammenhang stehenden Fragen einer „Staatslehre“ Luthers vgl. unten S. 40 ff.

9. Der entsprechende Begriff „lutherische Theologie“ in der Art, wie ihn Bring, Verhältnis von Glauben und Werken, verwendet, ist nicht so eindeutig festzulegen, da er ein breiteres Spektrum von Brenz bis Rhegius in sich schließt.

10. Für die Theologie vgl. Bring, Verhältnis von Glauben und Werken, passim, bes., 55 ff., für die politische Institutionenlehre vgl. Huschke, 139.

liegen aber auf einem Gebiet, das die Untersuchung der politischen Ratschläge nicht primär erfaßt.

Sind die „Wittenberger Theologen“ auf eine homogene Gruppe weniger Personen einzugrenzen, ist die Schwierigkeit beim Begriff der „kursächsischen (bzw. evangelischen) Politiker“ weitaus größer. Unter „Politiker“ ist dabei der Kreis der beratungs- und entscheidungsbefugten Personen verstanden, also neben den juristischen Räten auch die Fürsten selbst. Dieser Personenkreis ist im Zusammenhang der Arbeit von außerordentlicher Wichtigkeit, insofern sich auf ihn die unmittelbare Einwirkung der Wittenberger Theologen richtet. Die Trennung von Politikern und Theologen ist allerdings nicht dahingehend zu verstehen, als ob erstere ausschließlich nach rationalen Kriterien ohne Rückbezug auf religiöse Motive urteilen[11], sondern zielt auf ihre von den Theologen verschiedene Ausgangslage: Sie besitzen Kenntnisse im Staatsrecht und übersehen die politischen Entscheidungsprozesse im einzelnen, während die Theologen von ihrer religiösen Prädisposition her und auf Grund mehr oder weniger intensiver Einweisung in die Probleme ihre Urteile fällen und zu Entscheidungen gelangen.

Die wichtigen und einflußreichen Hofbeamten der sächsischen Kurfürsten, an die sich in erster Linie neben den Fürsten unmittelbar die Wittenberger Voten richten, sind bekannt, aber noch kaum auf ihren Einfluß auf die Beschlüsse der Landesherren, auf ihre politischen Fähigkeiten und ihren religiösen Standort im einzelnen hin erforscht[12]. Vor allem für die Frühzeit der Reformation wäre es wichtig zu wissen, wie rasch die neue Lehre in welchem Umfang am Hof Fuß gefaßt hat[13] und wer ihre hauptsächlichen Befürworter waren. Zweifellos gehörte Hieronymus Schurff dazu[14], eindeutige Zeugnisse seiner Gesinnung sind auch von Hans von der Planitz überliefert[15]. In Augsburg 1518 und in Worms 1521 haben sächsische Räte als Rechtsbeistand Luthers fungiert[16]. Unter den Kurfürsten Jo-

11. Zum Grundsätzlichen vgl. Lipgens, Theologischer Standort fürstlicher Räte, 28 ff. — Zum Vordringen des bürgerlichen Elements in leitende Stellen am kursächsischen Hof vgl. Blaschke, Sachsen, 22 f.

12. Eine Prosopographie für das 16. Jahrhundert, die auch die landesfürstlichen Beamten erfaßt, fehlt noch immer, nachdem ein erster Ansatz steckengeblieben ist; vgl. dazu W. Maurer, Aus der Werkstatt der Deutschen Biographie der Reformationszeit. In: ARG 37/1940, 80 ff.; ders., Namensliste zur deutschen Geschichte des XVI. Jahrhunderts. 1. (einz.) Lieferung A—E (Leipzig 1941).

13. Vgl. dazu die kurze Bemerkung bei Kirn, 29.

14. Vgl. dazu unten S. 99 Anm. 20.

15. Vgl. seine Berichte vom Reichsregiment bei Wülcker-Virck sowie J. Reimers, Dr. Hans Edler von der Planitz. In: Herbergen der Christenheit. Beiträge zur Kirchengeschichte Deutschlands 2/1957, 95 ff.

16. Wieweit für die untere „Beamtenschicht“ am sächsischen Hof unter Friedrich dem Weisen dasselbe gilt, was zwei zufällig erhaltene Briefe hessischer Beamter von 1521 belegen, steht dahin; immerhin könnten diese privaten Äußerungen auch für Kursachsen charakteristisch sein. Der Kasseler Registrator und Kanonikus am St. Martinsstift Johan Pluck an N. N. auf dem Wormser Reichstag: „Wy ich furmols gebetn hab, doctor Mer-

hann und Johann Friedrich hat vor allem Gregor Brück eine Schlüsselstellung zwischen Politikern und Theologen besessen[17] und die Verbindung zwischen Landesherrn und Wittenberger Gelehrten aufrechterhalten, nicht zuletzt, seit er unter Johann Friedrich als „Rat von Haus aus" in Wittenberg lebte und die Aufträge des Hofes bei den Theologen besorgte, ihnen die Einführung in die zur Erörterung stehenden Probleme gab und sie zugunsten der vom Hof bevorzugten politischen Konzeption in ihrer Beurteilung zu beeinflussen versuchte[18].

Auch die geschäftsmäßige Behandlung der Wittenberger Gutachten in den kurfürstlichen Gremien ist unbekannt. Nach der bis 1536 geltenden Hofratsordnung von 1499[19] waren Gegenstand des täglich beratenden Gremiums „alle und jegliche Händel, Sachen und Geschäfte, was uns, unser Fürstentum, Land und Leute und Verwandte betreffen würde, gar nichts ausgeschlossen[20]". Eine Ressortverteilung, bei der auch die Religionsangelegenheiten berücksichtigt worden sind, ist explizit erst in der 1546 ergangenen Ordnung vorgenommen worden[21]. Protokolle existieren nicht, so daß nicht sicher ist, ob und in welchem Ausmaß die Wittenberger Gutachten zum Gegenstand der Erörterungen im Hofrat gemacht worden sind[22], oder auch, was für die Bewertung der sächsischen Politik von Wichtigkeit wäre, inwiefern Differenzen über die Rücksichtnahme auf die Meinung Luthers und seiner Kollegen unter den Räten bestanden haben. Erst die jeweilige Fest-

---

tins Luther halben new zydung nicht zu vergessen. Ich halt es darfur, es wil solcher grossen merglichen sachen y nicht wider vergessen, dan dy noyd wirdet das fordern, das er nicht geswigen kan werden [= zum Schweigen gebracht werden kann]". Der Kanzleischreiber Jakob Laupach an N. N. in Worms: „Versehet irs und bescheist euch in der weisheit, das ir etwas wider Luthern handelt, so kompt nit wider, wir slagen alle vor dolle hunde thot"; vgl. W. Heinemeyer, „Martinianer" am Kasseler Hofe im Jahre 1521. In: Archiv für hessische Geschichte und Altertumskunde NF 28/1963, 197. 199. Vgl. auch H. Steitz, Die hessische Vertretung auf dem Reichstag. In: F. Reuter (Hrsg.), Der Reichstag zu Worms von 1521, 399 ff.

17. Eine ausreichende Arbeit über Brück, der in weitgespannterem Rahmen die Vermittlerstellung Spalatins zwischen Kurfürst und Reformator für die größere Relation Politiker-Theologen wiederholte, fehlt. Vgl. vorläufig E. Fabian, in: NDB II, 652 ff.; ders., Dr. Gregor Brück. Lebensbild und Schriftwechselverzeichnis (Tübingen 1957; Schriften zur Kirchen- und Rechtsgeschichte 2); ders. Entstehung, 377 ff. (Bibliographie).

18. Vgl. dazu z. B. unten S. 256 f.

19. Vgl. G. Emminghaus, Die Hofraths-Ordnung des Kurfürsten Friedrich des Weisen und Herzogs Johann von Sachsen, von 1499. In: Zeitschrift des Vereins für thüringische Geschichte und Alterthumskunde 2/1857, 97 ff. Vgl. auch Mentz III, 126 f.; Th. Klein, in: Patze-Schlesinger, Geschichte Thüringens III, 174 ff. — Zum Stand von 1531 vgl. auch Burkhardt, Landtagsakten, 220 f.

20. Emminghaus a. a. O., 100.

21. Zur Ordnung von 1546 vgl. Mentz III, 132.

22. Nach Patze-Schlesinger III, 176 war der Hofrat u. a. von Außen- und Religionspolitik völlig ausgeschlossen, nach der bei Mentz III, 129 ff. gebotenen Übersicht über die Kanzlei- und Ratsordnungen von 1536 und 1539 konnten die Religionssachen vor den Hofrat gebracht werden, mußten es aber nicht.

legung der sächsischen Politik läßt Rückschlüsse zu, wann der Hofrat sich den Wittenberger Intentionen angeschlossen hat und wann er sie verwarf – es sei denn, der Landesherr hat gegen sein Beratergremium entschieden, was nicht ausgeschlossen ist, da alle drei Kurfürsten verhältnismäßig unabhängig waren selbst von ihren engsten Vertrauten[23].

Angesichts dieser Sachlage bleiben die kursächsischen Politiker als Partner der Wittenberger Theologen weithin in der Anonymität, sowohl hinsichtlich ihrer Personen wie ihrer Stellungnahme zu den Wittenberger Vorschlägen.

III. Quellenlage

Bei einer Arbeit zur deutschen Reformationsgeschichte ist die Quellengrundlage verhältnismäßig breit; umfangreiches Material liegt im Druck vor. Das trifft im Rahmen des Themas vor allem für die schriftlichen Äußerungen Luthers zu, da hier gesicherte Texte in den verschiedenen Abteilungen der Weimarana vorhanden sind. Das Corpus Reformatorum bietet einigermaßen ausreichende, wenn auch nicht quellenkritisch bearbeitete Texte für die Kollektivgutachten, die im Briefwechsel Luthers nur zu geringen Teilen enthalten sind. Bis etwa 1530 sind auch die „Beiakten" zur Erhellung des Kontextes in verschiedenen Veröffentlichungen greifbar. Für die Zeit danach stellt sich die Quellenfrage wesentlich ungünstiger dar. Zwar liegt alles auf Luther unmittelbar Bezügliche auch für diesen Zeitraum vollständig vor, für die politischen Verhandlungen muß dagegen auch auf ungedrucktes Material zurückgegriffen werden. Eine wichtige Sammlung für diesen Zeitraum stellt neben den verschiedenen Veröffentlichungen von Fabian die Politische Korrespondenz der Stadt Straßburg dar, deren Bände weit über den speziellen Zweck hinausgehen und etwa den Verlauf der Verhandlungen, die zum Nürnberger Religionsfrieden führen, ausreichend dokumentieren. Daneben enthält das Corpus Reformatorum zahlreiche Aktenstücke, die jetzt z. T. ergänzt werden durch die Acta Reformationis Catholicae. Für die Spätzeit und die Auseinandersetzungen mit Bucer bietet dessen Briefwechsel mit Philipp von Hessen wertvolle Aufschlüsse.

Nur außerordentlich lückenhaft läßt sich die Resonanz der Wittenberger Gutachten dokumentarisch nachweisen, da das archivalische Material dazu äußerst spärlich ist. Nur wenn die Gutachten unmittelbar in die politische Diskussion zwischen den evangelischen Reichsständen eingeführt worden sind, wie das Torgauer Votum von Oktober 1530 oder Luthers Gutachten zu den Entwürfen des Religionsfriedens 1532, läßt sich ein Niederschlag von Äußerung und Gegenäußerung aus den Akten erheben.

In der überwiegenden Zahl der Fälle ist dagegen auf das Echo, das die Witten-

---

23. Das gilt besonders für Johann Friedrich, dem Mentz eine „entschiedene Neigung zur Selbstherrlichkeit" bescheinigt (III, 115); vgl. auch Th. Klein, in: Patze-Schlesinger III, 176 f.

berger bei den Politikern ausgelöst haben, nur aus der Praxis der Politik zurückzuschließen.

Bei der Benutzung anderer Quellen als Schriften und Briefe ist bei Luther davon auszugehen, daß zahlreiche – und vielzitierte – Texte nicht von ihm selbst stammen, sondern Ausarbeitungen seiner Schüler auf der Basis von Nachschriften darstellen. Solche Bearbeitungen dürfen in ihrem Aussagewert nicht undifferenziert mit den authentischen Zeugnissen auf eine Stufe gestellt werden; ein Vergleich mit den als Vorlage benutzten unmittelbaren Nachschriften zeigt die Bedenklichkeit der Benutzung dieser Art literarischer Überlieferung sehr deutlich[24]. Etwas größere Freiheit ist bei der Heranziehung der Tischreden möglich, sofern sie in mehreren, voneinander unabhängigen Rezensionen vorliegen. Auf die Anlage von „Stellenfriedhöfen" und auf „Belegkatenen" aus Luthers Werken wird im Folgenden verzichtet, da Häufungen von Nachweisen desselben Zitats oder Gedankengangs in der Regel wenig austragen.

IV. Forschungsstand

Die Einwirkung der Wittenberger Theologen auf die Politik der evangelischen Stände in der ersten Hälfte des 16. Jahrhunderts ist in dem durch das Thema bestimmten Rahmen der vorliegenden Arbeit bislang nicht Gegenstand von Untersuchungen gewesen; jedoch sind einzelne Aspekte dieser Thematik schon mehr oder weniger ausführlich behandelt worden. Allerdings beziehen Arbeiten historischen Charakters nur selten die theologischen Voraussetzungen in genügendem Umfang ein, während theologische Arbeiten oft in der Abstraktion von den konkreten Ereignissen der Geschichte des 16. Jahrhunderts verbleiben[25].

Aus verständlichen Gründen ist eine umfangreiche Literatur vor allem zur Frage des Widerstandsrechts als dem Zentralpunkt der politisch wirksamen Theologie entstanden. Nach der dürftigen Arbeit von Cardauns (1903) hat hier Karl Müller[26] 1915 für die weitere Diskussion ein festes Fundament gelegt, indem er „Luthers Äußerungen über das Recht des bewaffneten Widerstands gegen den Kaiser" im Zusammenhang untersucht hat; im Bemühen um die Herausarbeitung

---

24. Vgl. dazu schon die Mahnung Holls, „endlich auch in der Lutherforschung diejenigen Grundsätze (anzuerkennen), die sonst für jede geschichtliche Forschung gelten, d. h. daß man einem Schriftsteller nur das zurechnet, was sicher von ihm herrührt"; Holl, Luther, 249 Anm. 4. Holl bezieht sich dabei vor allem auf die Benutzung der Wochenpredigten über Mt. 5–7 (WA 32, 299 ff.) in der Forschung für die Erklärung der Zwei-Reiche-Lehre, obwohl hier nur eine, von einem Unbekannten hergestellte, Luthers Gedankengänge zweifellos amplifizierende Bearbeitung des ursprünglichen Textes vorliegt. Entsprechendes gilt für die Genesis-Vorlesung (WA 42–44).

25. Es wird im folgenden nur auf für den Gesamtzusammenhang besonders wichtige Arbeiten hingewiesen.

26. Über ihn vgl. die ausführliche Würdigung von H. Dörries, Karl Müller und sein Werk. In: Wort und Stunde III (Göttingen 1970), 421 ff.

einer gewissen Systematik der von ihm interpretierten Texte ist dabei allerdings deren je nach der aktuellen Situation nuancierte Aussage etwas aus dem Blick gerückt. Eine neue Reflexionsstufe des Problems ist dann erst von Johannes Heckel erreicht worden, der in einem Anhang seiner rechtstheologischen Untersuchung über lex caritatis das Widerstandsrecht bei Luther in seine Interpretation der Zwei-Reiche-Lehre und der Bedeutung des Rechts für Luther integrierte. 1970 hat dann noch einmal Hermann Dörries eine ausführliche Erörterung des Problemkreises Notwehrrecht vorgenommen, die in Anlage und Ergebnis von Müller nicht wesentlich abweicht. Einen wichtigen Entwurf für die enge Verbindung zwischen der Lehre vom Widerstandsrecht und dem theologischen Zentralthema der Rechtfertigung hat Schumann 1956 vorgelegt[27].

Unter der sich mit dem Thema der vorliegenden Untersuchung sehr eng berührenden Fragestellung „Glaube und Politik im Handeln Luthers“ hat Merz 1932 Luthers Verhalten im Bauernkrieg, zu den Fürsten in ihrer Beziehung zum Kaiser und zum Kampf seiner Glaubensgenossen um die reichsrechtliche Anerkennung 1530 in Augsburg untersucht und ist dabei unter Berücksichtigung der Wechselwirkung von Politik und Theologie zu wichtigen Ergebnissen gekommen. Elert (1931/32) bietet in den entsprechenden Kapiteln neben einer kurzen Darlegung der Position Luthers vor allem Material zur Wirkungsgeschichte und zur Veränderung des ursprünglichen Konzepts in der Theologie des Luthertums. Verschiedene Bereiche politischer Einflußnahme Luthers sind von Zahrnt erörtert worden, um „Erfolg und Mißerfolg im Licht des Evangeliums[28]“ zu konkretisieren. Aland, Luther als Staatsbürger (1960)[29] und Kunst (1973) zeichnen auf Grund des Briefwechsels die Beziehungen Luthers zu verschiedenen Fürsten und Städten nach, verzichten aber auf die Einordnung in größere Zusammenhänge. Aus der Literatur, die in Untersuchung von Einzelfragen die Wechselwirkung von Theologie und Politik berücksichtigt hat, sind vor allem Brandenburg (1896/1897), v. Schubert (1910), Braune (1933) und Dülfer (1958) zu nennen[30].

---

27. Die Anwendbarkeit der Lösungen des 16. Jahrhunderts auf die Fragen des 20. wird natürlich in allen theologischen Ethiken der Politik erörtert.

28. Untertitel seiner Arbeit „Luther deutet Geschichte“.

29. L. Winckler, Martin Luther als Bürger und Patriot (Lübeck-Hamburg 1969; Hist. Studien 408) behandelt das „Reformationsjubiläum von 1817 und den politischen Protestantismus des Wartburgfestes“ (Untertitel).

30. Erst nach Abschluß des Manuskripts ist mir zugänglich gewesen E. Neuß, Luthers Stellungnahme zu den Kriegsfällen seiner Zeit. Luthers Seelsorge und Paränese in den politischen Auseinandersetzungen der Reformationszeit und ihre Bedeutung für das Verständnis der Zwei-Reiche-Lehre (masch.-schriftl. theol. Diss. Halle 1971; vgl. die Zusammenfassung in ThLZ 97/1972, 713 ff.). Diese Arbeit beschränkt sich auf der Basis des theologischen Sachregisters zu WAB auf die Aneinanderreihung verschiedener Fälle der politischen Einwirkung Luthers, bei denen dann im wesentlichen nur der Inhalt der Texte ausführlich referiert wird, und erörtert im übrigen die Stellung Barths, Gollwitzers und Thielickes zu Luthers politischer Lehre sowie die Zwei-Reiche-Lehre. Das Problem der Wechselwirkung von Theologie und Politik bleibt, der Themenstellung entsprechend, ausgeklammert.

I. Voraussetzungen

1. Theologische Grundlagen des politischen Urteils Luthers*

1.1 Das Schriftprinzip

Luthers „Politik" ist immer ein Derivat seiner Theologie gewesen, ein Akzidens seines Denkens und Handelns, das ohne die Verbindung zur theologischen Substanz jeden Eigenwert einbüßt[1]. Nicht nur seine Anschauungen vom Wesen der politischen Institutionen und ihrem Wirkungskreis, von Untertanschaft und Gehorsam, seine Auffassung des Verhältnisses von Kaiser und Reichsständen sind ohne das Ganze seiner Theologie als Basis und Hintergrund uneinsichtig, sondern ebenso stehen seine unmittelbaren Fallbeurteilungen in unaufhebbarem Zusammenhang mit seiner Theologie. Luther hat selbst seine Aufgabe als Ratgeber in politischen Fragen ausschließlich geistlich aufgefaßt; das Bemühen seiner Lebensarbeit: „conscientias stabilire"[2], bildete auch den Leitgedanken aller seiner Gutachten, in denen er sich als Theologe in der Aufgabe einer „politischen Diakonie" herausgefordert sah, um die Gewissen der Handelnden für das zu schärfen, was nach seinem an der Schrift orientierten Verständnis der jeweiligen Situation gefordert war. Er sprach dabei den Christen im obrigkeitlichen Amt an, ohne allgemeinverbindliche Leitlinien in der Art eines Fürstenspiegels vorzuzeichnen[3].

Der theologische Ansatz seines politischen Urteils hat die Übertragung des Schriftprinzips[4] auf die tagespolitische Aktualität zur Folge. Da Luther unmittelbar aus der Bibel lebt[5] und ihr Inhalt Grundlage und Maßstab seines Denkens ist,

---

* Es kann im Zusammenhang der Thematik der Arbeit nicht darum gehen, im Folgenden ein Kompendium der Theologie Luthers vorzulegen; nur bestimmte, für das Verständnis von Luthers Reaktion auf politische Anforderungen unmittelbar wichtige Elemente sollen beleuchtet werden, um das politische Urteil im Einzelfall vor dem Hintergrund seiner prinzipiellen theologischen Überzeugungen verstehen zu können. Dieses Ziel bestimmt auch die Auswahl der herangezogenen Literatur.

1. Vgl. Elliger, Stellung, 283, der als „unaufgebbare Forderung aller wissenschaftlich akzeptablen Lutherhistorie" postuliert, „zunächst den religiösen Ansatz- und Ausgangspunkt des Reformators sachlich festzustellen". In Bezug auf die Interpretation der einschlägigen Texte warnt entsprechend W. Maurer, Studien über Melanchthons Anteil an der Entstehung der Confessio Augustana. In: ARG 51/1960, 158 davor, die Momente politischer Taktik zu stark, die theologischen Aussagegehalte zu schwach zu werten. Vgl. auch Künneth, 64 f.

2. WA 18, 749, 21.

3. Auch der dritte Teil der Schrift „Von weltlicher Obrigkeit" hat den Christen als Amtsträger im Blick; von daher hat Luther von vornherein eine andere Intention verfolgt als die mittelalterlichen Fürstenspiegel.

4. Vgl. dazu Østergaard-Nielsen, passim; Beisser, bes. 122 ff.

5. Das hat Bornkamm, Luther und das AT, überzeugend gerade am Beispiel des Alten Testaments nachgewiesen.

setzt er in seinen Stellungnahmen „zuerst das Wort wider alle Erfahrung[6]" und bezieht die Vernunft nur subsidiär ein, sofern sie geeignet scheint, die Auskunft der Schrift zu ergänzen[7]. Die Übertragung des sola-scriptura-Prinzips auf die Bewertung politischer Vorgänge ist oft nicht ohne eine gewisse Gewaltsamkeit möglich[8], geschieht aber immer in der vollen Unbefangenheit vermeintlicher Parallelität der Vorgänge und Situationen.

Die bei den politischen Voten verwendeten Allegate des Alten und Neuen Testaments umfassen ein verhältnismäßig beschränktes Argumentationsfeld biblischer Zitate und Beweisstellen, die meist im gleichen Bezug repetiert werden. Dazu gehören vor allem die loci classici der Lehre von den Obrigkeit-Untertan-Beziehungen, Röm. 13, 1 ff. und 1. Petr. 2, 13, die zumal in der Debatte über das Widerstandsrecht immer erneut herangezogen und bis 1530 als nicht widerlegbare Begründung zur Absage an jede Auflehnung der evangelischen Stände gegen die kaiserliche Obrigkeit eingesetzt werden[9]; zur Korrektur dieser Gehorsamsforderung dient die clausula Petri Act. 5, 29[10]. Gegen die Etablierung eines Widerstandsrechts zur Abwehr eines obrigkeitlichen Angriffs führt Luther bis 1530 das von ihm auch als Norm des Naturrechts gekennzeichnete Verbot der Selbstrache Röm. 12, 19 ins Feld, während die Mahnung Mt. 22, 21, dem Kaiser das Seine nicht vorzuenthalten, von ihm vorwiegend in der Betonung des Gehorsamstopos herangezogen ist, ohne daß dabei die eigentliche Interpretationsarbeit in der Applikation des Inhalts auf den je aktuellen Fall geleistet wird[11]. Die Warnung vor einer nicht durch Amtsaufgabe legitimierten Gewaltanwendung sieht Luther in Mt. 26, 52 begründet; in diesem Wort liegt der Grund für die Verurteilung des Aufruhrs als mit der Schrift unvereinbar und für seine Überzeugung vom zwangsläufigen Scheitern jedes Aufruhrs, wie er es paradigmatisch im Ausgang des Bauernkrieges zu erkennen glaubte. Gegen die Selbsttäuschung, sein Vertrauen auf menschlichen Beistand zu setzen, als deren exemplarischen Ausdruck er lange Zeit jede Bündnisabsprache auffaßte, wird außer mit alttestamentlichen Beispielen vor allem mit Schriftallegaten wie Jes. 30, 15 und Ps. 55, 23 argumentiert, denen in positiver Entsprechung für das richtige Verhalten des Christen die Verheißungen von Prov. 21, 1, Phil. 1, 6 und 1. Petr. 5, 7 entgegengestellt sind[12]. Als sich in den späteren Jahren für die evangelischen Stände die

---

6. Mann, 184.

7. Für Hillerdal, Geschichtsdeutung, 108 vollzieht sich der Prozeß allerdings genau umgekehrt, indem Luther für seine Einschätzung und Bewertung geschichtlicher Ereignisse nachträglich eine Bestätigung und Rechtfertigung in der Bibel sucht.

8. Die eigentliche allegorische Ausdeutung ist dagegen in seinen politischen Voten kaum anzutreffen.

9. Vgl. dazu unten S. 101 ff. und S. 125 ff.

10. Vgl. dazu im einzelnen unten S. 76 f.

11. Die Gefahr der Verwendung dieses Schriftworts als stark variierenden Deutungen ausgesetzte Formel zeigt sich im Oktober 1530 bei den Beratungen in Torgau; vgl. dazu unten Seite 180.

12. Vgl. dazu auch unten S. 33 ff. 1542 im Streit um das Burggrafenamt von Halle

Frage nach ihrer Verpflichtung zum Schutz von Glaubensbrüdern außerhalb des eigenen Territoriums immer drängender stellte, haben die Wittenberger Kollektivgutachten, deren Text meist von Melanchthon stammt, von Luther aber durch seine Unterschrift inhaltlich mitvollzogen wurde, eine Theorie der durch die materiellen Möglichkeiten eingeschränkten Hilfeleistung entwickelt, zu deren Begründung im Umkehrschluß das Gebot Luk. 11, 41, Almosen vom Vermögen zu geben, und 1. Tim. 5, 8 herangezogen worden sind[13].

Die von Luther in seinen politischen Gutachten angeführten alttestamentlichen Exempel dienen vor allem dazu, das Gott wohlgefällige oder von ihm mißbilligte und bestrafte Handeln an Beispielen des Glaubens oder Unglaubens zu demonstrieren, an denen das eigene Handeln ausgerichtet werden sollte[14]. Da das Alte Testament Luther als „Spiegel des Lebens[15]", auch des politischen Lebens, diente, stellte er unbefangen unmittelbare Bezüge zwischen der Geschichte des alten Israel und seiner eigenen Gegenwart her. So führte er gegen die Bündnispläne das Ahab-Josaphat-Bündnis gegen Syrien aus 1. Kön. 22 ins Feld, um an dessen Ausgang die Gefährlichkeit der sächsisch-hessischen Bemühungen aufzuweisen. Die Erlaubnis Elisas für den syrischen Feldhauptmann Naeman, seinen König in den heidnischen Tempel begleiten zu dürfen (2. Kön. 5, 18 f.), wurde dazu verwendet, zwischen Anwesendsein und Mitvollzug von Mißbräuchen zu differenzieren und 1530 ein Nachgeben in der Frage des vom Kaiser angeordneten Messebesuchs zu empfehlen[16]. In den Exempeln des Alten Testaments lagen abgeschlossene und in ihren Folgen überschaubare Verhaltensmuster vor, an denen Luther daher seine Ratschläge und Handlungsanweisungen in den verschiedenen politischen Konstellationen seiner Zeit ausrichtete[17].

---

hat Luther Phil. 1, 6 allerdings im aktivistischen Sinne angewendet; vgl. dazu unten S. 258.

13. Vgl. dazu unten S. 279 f.

14. Über die Bedeutung der historischen Beispiele der Schrift für Luther vgl. Østergaard-Nielsen, 71 ff. Zur Bedeutung der Geschichte für die Auslegung der Schrift vgl. Beisser, 63 ff.

15. Bornkamm, Luther und das AT, 9.

16. Vgl. WAB 5, 313, 20. – Calvin hat das alttestamentliche Beispiel in analoger Weise angewendet; vgl. CR Calv. 20, 112.

17. Diese Gebundenheit an die Schrift in der Beurteilung politischer Fragen ist nicht ohne Kritik geblieben; vgl. Philipp von Hessens Bemühungen um ein differenziertes und und relativiertes Verständnis von Röm. 13; unten S. 152. 169 ff.

1.2 Die anthropologischen Voraussetzungen

An der Schrift sind auch Luthers anthropologische Vorstellungen orientiert[1], die als Hintergrund für seine politische Theologie und seine konkreten Ratschläge unmittelbare Wichtigkeit besitzen, da sich für ihn das richtige Verständnis des Menschen aus seinem Bezug zu Gott ergibt[2]. Die Beziehung zur Welt ist Folge und Ausprägung seines Gottesverhältnisses[3]. Alle nicht aus der theologischen Bestimmtheit der Anthropologie herrührenden Versuche, zum Verständnis des Menschen zu gelangen, hat Luther als unzulänglich abgewiesen, da sie die eigentliche Existenz des Menschen nicht zureichend erklären, sondern mehr verhüllen als aufdecken: „Si comparetur philosophia seu ratio ipsa ad theologiam, apparebit nos de homine paene nihil scire[4]".

Der Schrift folgt Luther daher auch in der „nach der Natur" konzipierten Dreiteilung des Menschen in Geist, Leib und Seele mit je einem besonderen Beziehungsbereich[5]. Diese horizontale Gliederung wird durch eine vertikale Dichotomie von Fleisch und Geist durchschnitten, die jeden der drei Teile und den Menschen als totum in ihrem Wert qualifiziert, indem sie „nach der Eigenschaft", nach seiner Existenzweise[6], trennt. Der Mensch denkt, verhält sich und handelt „im Fleisch" böse, „im Geist" gut, wobei „gut" und „böse" theologische, nicht moralische Kriterien sind. Das Leben als homo carnalis bedeutet in Emanzipation von Gott ein Pendeln zwischen „praesumptio" und „desperatio", da der Versuch, ohne Gott zu handeln, für Luther notwendig im vordergründigen Erfolg Selbstüberschätzung und Vertrauen auf die eigene Kraft und Vernunft zeitigt, im Unglück aber die totale Verzweiflung und das Bewußtsein völligen Verlorenseins zur Folge hat[7]. Beides sind Verhaltensweisen, die von der via media, die nur der Christ einhalten kann, da der Glaube ihr sachgemäß korrespondiert[8], verderben-

---

1. Zur Anthropologie Luthers vgl. die Zusammenfassung bei Schott, Anthropologie, 585 ff.; ausführlicher ders., Fleisch und Geist; außerdem Joest, Ontologie, bes. 138 ff.

2. Vgl. WA 39/I, 175, 36 f.: Die Selbsterkenntnis als Erkenntnis der anima, der „praecipua pars" des Menschen, ist nicht möglich, ohne sich in der Quelle, „qui Deus est", zu sehen; vgl. dazu auch Löfgren, 66 ff.

3. Vgl. Bornkamm, Geistige Welt, 84 ff.

4. WA 39/I, 175, 24 f. Zur hier wichtigen Trennung von Theologie und Philosophie bei Luther vgl. Schott, Fleisch und Geist, 28 ff.; Link, passim, bes., 82 ff.; Hägglund, 13 ff.

5. Zur Trichotomie vgl. WA 7, 550, 19 ff.; zum Beziehungsbereich vgl. Schott, Anthropologie, 585 ff.; Joest Ontologie, 163 ff.; Löfgren, 71 ff.

6. Vgl. WA 7, 550, 24 ff.; vgl. auch WA 6, 295, 12 f. Zum Begriff „Existenzweise" vgl. Maurer, Freiheit, 93.

7. Vgl. dazu neben der Literatur über Anfechtung bei Luther, die von H. Beintker, Die Überwindung der Anfechtung bei Luther (Theologische Arbeiten 1, Berlin 1954), 38 ff. referiert ist, zuletzt Barth, 130 ff. Zu praesumptio und desperatio vgl. auch Wingren, 92 f. Zur Applikation auf das politische Handeln vgl. auch unten S. 50.

8. Zur media via vgl. WA 54, 408, 16 ff.; vgl. auch WA 15, 372, 6 ff.; WA 51, 593, 26 ff. Zum Ganzen vgl. Jacob, Bild, 84 ff. Vgl. auch unten S. 38 f.

bringend abweichen. Nur der Christ kann „mit ruhigem Herzen leben“[9], da er sein Handeln unter den Willen Gottes stellt und ihm die Ergebnisse seines Tuns anheimgibt.

Allerdings liegt es für Luther nicht im rationalen Ermessen des Menschen, sich für das Leben des homo spiritualis gegen den homo carnalis zu entscheiden. Als der Sünde während seines ganzen Lebens in immer neuen Übertretungen verhaftet, kann der Christ zwar das Leben des homo spiritualis im Glauben führen, bleibt aber daneben aus eigener Unzulänglichkeit und aufgrund immer erneuten Fehlverhaltens der caro unterworfen. Er steht ganz unter der Gnade Gottes und ganz unter seinem Zorn, denn er ist spiritus und caro jedesmal ganz, wie es von Luther in der logisch unauflöslichen Formulierung des „Sunt duo toti homines et unus totus homo“ gefaßt wird[10]. Für den Glauben folgt daraus das Bekenntnis, daß das Christsein als homo spiritualis kein ein für allemal erworbener Besitzstand ist, sondern ein immer neuer Anfang; „dits leben (ist) nit ein frumkeit, sondern ein frumb werden ..., nit eyn wesßen, sunderen ein werden, nit ein ruge, sondern eyne ubunge[11]“.

Aus der Teilung des Menschen in die Existenzweisen Geist und Fleisch mit den diesen zugeordneten Eigenschaften des bösen und guten Seins und Handelns folgt für Luther die Begründung der zwei Regimente, die den Menschen unterweisen, leiten und zügeln sollen. In der Beurteilung des menschlichen Verhaltens in der Welt und in den Zusammenhängen des sozialen Lebens hat er dabei vor allem den Menschen als homo carnalis, in seiner Existenz als peccator im Blick, da er sich an zwei Überzeugungen ausrichtet: „Die Welt will und mus böse seyn“ und: „Kein Mensch ist von Natur Christ oder fromm, sondern sind alle Sünder und böse[12]“. Diese Voraussetzung von der Verderbtheit der Welt und des einzelnen begründet das weltliche Regiment, das dazu dient, das Fehlverhalten des Menschen koerzitiv oder punitiv in Schranken zu halten[13]. An dieser Aufgabe mißt Luther in der aktuellen Situation seine politischen Ratschläge.

1.3 Luthers eschatologisches Denken

Der Mensch und sein Handeln in der Welt sind in Luthers Theologie das Kampffeld, auf dem der Teufel das Werk Gottes stören und destruieren will. In diesen Streit gegen die gute Schöpfung, der in Luthers Sicht gerade in seiner Lebens-

9. Vgl. WA 15, 374, 25.

10. WA 2, 586, 16 f.; vgl. dazu Schott, Fleisch und Geist, passim. Bornkamm, Geistige Welt, 87 bezeichnet die Formel als „Luthers grundlegende anthropologische Intuition“.

11. WA 7, 337, 30 ff.; vgl. Stomps, 141, die für diesen Zusammenhang auf WA 3, 404, 24 f. verweist: Anima „vocatur ... currus, quia festinat semper ex hoc mundo et semper in via est.“ Über das Christsein als „progressus“, der aber kein kontinuierliches Fortschreiten bedeutet (vgl. WA 56, 486, 7: „proficere, hoc est semper a novo incipere“), vgl. Joest, Gesetz, 68 ff.; ders., Ontologie, 324.

12. WA 15, 302, 27; WA 11, 250, 26 ff.

13. Zur Aufgabe der Obrigkeit vgl. unten S. 53 ff.

zeit ein solches Maß an Intensität angenommen hatte, daß notwendigerweise „hanc commotionem corporum et animorum maximam rerum mutationem afferre. Neque enim hoc modo stare aut durare potest mundus[1]", hat Luther seine Endzeitnaherwartung eingetragen, die er wie die apokalyptische Stimmung mit seinen Zeitgenossen teilte[2]. Er hat jedoch die Tradition des phantastischen Beiwerks und der massiven Verdinglichung beiseitegeschoben und die Naherwartung in eine neue Qualität erhoben. Seine Theologie des Vertrauens auf die Erlösungstat Christi und auf die väterliche Liebe Gottes stieß durch die Angst hindurch und überwand die Furcht vor dem tremendum mit der Predigt der freudigen Erwartung des Jüngsten Tags, da mit ihm die Wiederkunft des Herrn geschah, die nur für die Gottlosen und Verfolger des Evangeliums bedrohlich und schreckenerregend sein konnte[3]. Demzufolge setzte er den Charakter des Gerichtstags für Gottlose und Gläubige disjunktiv an: Christus wird kommen als „iudex ille et redemptor noster[4]". Damit verlor der Gerichtsgedanke zwar nicht seinen Ernst für den Christen, der in seiner Weltverhaftetheit immer auch Sünder ist[5], und die apokalyptische Spannung, die die Zeit bewegte, ist nicht aufgehoben, aber sie wurde in die neue Dimension der Hoffnung und Freude auf den Tag Gottes als den Tag der Erlösung transponiert.

Luther hat mit dem Neuen Testament auch die Eschatologie in den unmittelbaren Erfahrungshorizont der christlichen Existenz zurückgeholt[6]. Der Christ lebt für ihn in der eschatologischen Dialektik des „schon jetzt" und des „noch nicht[7]";

---

1. WAB X, 553, 5 ff. (1544).

2. Vgl. Andreas, 202 ff.; W. Peuckert. Die große Wende (Hamburg 1948), 152 ff., 544 ff.; vgl. auch E. Döring-Hirsch, Tod und Jenseits im Spätmittelalter (Studien zur Geschichte der Wirtschaft und Geisteskultur 2, Berlin 1927), bes. 16 ff. Zur massiven Verdinglichung dieser Naherwartung in Luthers Umgebung vgl. Michael Stifel, der den Jüngsten Tag datumsmäßig fixierte und sich darauf einrichtete; vgl. RGG[3] VI, 371 (mit Lit.).

3. Vgl. die Zusammenstellung entsprechender Äußerungen bei Foerster, 40 ff.

4. WAB VI, 513, 6 f. (an Spalatin, 25. Aug. 1533); vgl. auch ebd. 417, 18: „dies ille veniet, sic ab istis provocatus, sic a piis vocatus" (an Amsdorf, 14. Jan. 1533).

5. Dieser Aspekt wird gelegentlich bei den Zitaten zu Luthers Freude über das Bevorstehen des Endes übersehen.

6. Nahezu überall in der theologischen Literatur über Luther wird die eschatologische Dimension seines Denkens mehr oder weniger ausführlich behandelt. Eine Zusammenfassung vgl. zuletzt bei Asendorf, der die ganze Theologie Luthers um den eschatologischen Aspekt zentriert; vgl. auch G. W. Forell, Rechtfertigung und Eschatologie bei Luther. In: Reformation 1517–1967. Wittenberger Vorträge (Berlin 1968), 145 ff. und Torrance, Eschatology, 36 ff. Headley, 257 ff. zeigt Luthers Eschatologie an den Coburg-Briefen von 1530 auf, die eschatologische Paränese in der Gemeindepredigt wird anhand der Predigten von 1529/30 deutlich bei H. Werdermann, Luthers Wittenberger Gemeinde (Gütersloh 1929), 299 ff. Luthers Vorstellungen über das Jüngste Gericht sind gesammelt und systematisiert von Foerster; vgl. auch Preuss, 168 ff. Eine Entwicklung der Endgerichtsvorstellungen Luthers wäre nachzuzeichnen an seinen zahlreichen Predigten über Luk. 21, 25 ff. und seiner Auslegung von Mt. 6, 9.

7. Vgl. dazu Torrance, Eschatology, 42.

die Rechtfertigung wird als „Einbruch des Eschaton in die Zeit[8]“ verstanden. Daß seine Zeit die letzte sei, hat Luther ernstgenommen und die Anzeichen des nahen Endes den von ihm erlebten Tagesereignissen adaptiert[9]. Neben dem Topos von der „senectus mundi[10]“, mit dessen Verwendung er lediglich einer Tradition folgte, bildete die Identifizierung des Antichrists mit den das weltliche und geistliche Leben bedrohenden Mächten des Türken und des Papsttums die theologische Basis dieser Naherwartung[11]. Papst und Türke waren für ihn die Manifestation der Apokalypse in actu. Die Überzeugung, daß vor allem das Papsttum in seiner gegenwärtigen Gestalt der Inkarnation des Antichrists sei, steigerte die eschatologische Komponente von Luthers Denken mit der zunehmenden Schärfe der Auseinandersetzung zwischen alter Kirche und evangelischer Lehre. In dem gleichen Maß, in dem die konfessionelle Polarisierung im Reich zunahm, wirkte die Antichristvorstellung bestimmend auf Luthers politische Theologie ein, um 1539 in der Bejahung des Notwehrrechts gegen jeden Mandatar des Papstes und des von ihm einberufenen Konzils zu kulminieren[12].

Kennzeichnender Ausdruck des unmittelbaren Endzeitbewußtseins, das Luthers ganzes Leben durchzieht[13], ist nicht die fatalistische Erwartung des Endes, sondern die Hoffnung auf das baldige Zerbrechen der durch die Folgen der Sünde korrumpierten irdischen Ordnung. Fraglos ist allerdings dieser theologische Grundzug der futurischen Eschatologie je länger, desto massiver überdeckt und überlagert worden von der Sehnsucht nach dem Jüngsten Tag als Ausweg aus den wachsenden Schwierigkeiten, die Luther mit menschlicher Kraft nicht mehr entwirrbar schienen, mochten sie globale politische, kirchenpolitische und -organisatorische Ereignisse betreffen oder sich in Alltäglichkeiten verdeutlichen[14]. Der Zweifel an einer wirklichen und nachhaltigen Besserung der Verhältnisse in Politik und Kirche, die niederziehende Last der Querelen seines Alltags, ließ ihn das Hervorbrechen des Eschaton herbeiwünschen, das „als supranaturaler Akt dem immer zäher und hoffnungsloser werdenden Kampf ein Ende machen“ sollte[15].

---

8. Asendorf, 127.

9. Vgl. die Zusammenstellung bei Foerster, 32 ff. Zur Naherwartung des Jüngsten Gerichts vgl. auch Modalsli, 97 ff.

10. Vgl. dazu Preuss, Luther 235 f. (Stellenangaben).

11. Zu Papst und Türken als Antichrist vgl. Lamparter, Türkenkrieg, 40 ff. Zu Luthers Antichristvorstellung im allgemeinen und seiner Identifizierung mit dem Papsttum vgl. Preuss, 100 ff.; Jacob, Gewissensbegriff, 62 ff.; Foerster, 20 ff.; Hillerdal, Geschichtsdeutung, 108 ff.; Asendorf, 173 ff.; E. Wolf, Leviathan. In: Peregrinatio I, 135 ff.; Schuurman, 147 ff.

12. Zu den politischen Folgerungen vgl. unten S. 243 ff.

13. Alle Zitatsammlungen erweisen, daß die freudige Erwartung des Eschatons keine Alterserscheinung bei Luther darstellt; vgl. Preuss, 168 Anm. 2; Foerster, 11 ff.

14. So knüpft 1540 der Wunsch nach dem Kommen des Jüngsten Tages an die Feststellung großer Hitze und Dürre an; vgl. WAB IX, 175, 16 ff. Vgl. auch Foerster, 12 ff. 28 ff.

15. Jacob, Gewissensbegriff, 60. Vgl. auch Hillerdal, Geschichtsdeutung, 122 f. Allerdings darf diese Bitte um den Jüngsten Tag als Ausweg aus den Schwierigkeiten nicht,

Die berühmte Bitte: „Kom, lieber jungster Tag[16]", kennzeichnet diese Hoffnung auf ein endgültiges Eingreifen Gottes in einer Situation, die nach menschlicher Rechnung und Erwägung unhaltbar geworden war.

Dennoch hat die Fixierung der Gedanken Luthers auf das Ende niemals einen Indifferentismus zur Folge; die Eschatologie wirkt nicht handlungslähmend[17]. Die Einsicht in die Verworrenheit der Verhältnisse, aus der nur noch der Jüngste Tag erretten kann, führt Luther nur selten, wenn auch in seinen letzten Lebensjahren verstärkt, zur Resignation der Sinnlosigkeit allen Handelns angesichts des nahen Endes. Die Naherwartung schließt prinzipiell die Arbeit des Menschen und die Daseinsfürsorge nicht aus, stellt sie aber unter die Verantwortung jeder Entscheidung vor Gottes Gericht. Nichts wird von Luther mit dem Hinweis auf das Ende der Welt aufgeschoben[18], daher verzichtet er auch nicht auf den Kampf gegen die antichristliche Macht, die in Papsttum und Türken inkarniert ist. Trotz des starken eschatologischen Moments sind Luthers Türkenschriften Kriegspredigten[19] und enthalten keine Absage an das menschliche Handeln, fordern im Gegenteil dazu auf, solange es noch möglich ist.

Aus der Absage an resignierende Passivität angesichts der Naherwartung des Gerichts erklärt sich auch die geringe Berücksichtigung des eschatologischen Aspekts in Luthers Ratschlägen zu politischen Ereignissen. Allerdings bleibt die Eschatologie in der Mahnung, nur das vor der Forderung des Wortes Gottes und vor dem Gewissen als dem Ort der Gottesbeziehung des Menschen Verantwortbare zu tun, auch in den politischen Voten gegenwärtig.

---

wie bei Matthes, Obrigkeit, 163, lediglich als „Sprung des religiösen Gemüts hinweg über alle Schwierigkeiten, die die Diskrepanz zwischen dem idealen von Gott geschaffenen Zustand und der ganz anderen empirischen Wirklichkeit schafft", verstanden werden. Der Jüngste Tag diente bei Luther nicht als Flucht aus der Realität der Welt.

16. WAB IX, 175, 17. Vgl. weitere entsprechende Zitate bei Preuss, 168 f. Anm. 2; Modalsli, 101 Anm. 31.

17. Vgl. dazu die Darstellung über den Einfluß der Eschatologie auf „Luthers Beurteilung einzelner kultureller Probleme" bei Foerster, 65 ff.; vgl. auch Modalsli, 101.

18. Nur bei einer Aufgabe verweist Luther mit der Begründung, daß sich eigene Anstrengungen nicht mehr lohnten, auf die baldige Lösung durch das Weltende hin: der Fixierung des Osterdatums auf einen festen Tag; vgl. WA 50, 558, 12 ff. (1539). Nach Holl, Luther, 336 Anm. 3 ist es die einzige derartige Stelle bei Luther. — Nach Loewenich, Theologia crucis, 175 Anm. 170 hängt Luthers Abneigung gegen den Aktivismus grundsätzlich mit seiner stark eschatologischen Einstellung zusammen.

19. Zum eschatologischen Aspekt der Türkenkriegsschriften vgl. Lamparter, Türkenkrieg, bes., 122 ff. 147 ff.; Lind, 47 ff.

1.4 Cooperatio-Gedanke und Instrumentum-Begriff

Die wichtigste theologische Kategorie für Luthers Beurteilung politischer Situationen und für die daraus resultierenden Handlungsanleitungen ist die Konzeption vom Zusammenwirken Gottes mit dem Menschen. Der Begriff der cooperatio[1] bildet für Luther den Integrationspunkt für zwei einander scheinbar ausschließende Vorstellungen, den Gedanken der Alleinwirksamkeit Gottes und das Postulat des verantwortlich selbständigen Handelns des Menschen in der Welt. Die Alleinwirksamkeit Gottes[2] hat dabei für Luther eine doppelte Dimension, genereller und spezifischer Art. Sie bedeutet einmal das übergreifende, alles menschliche Tun als vom göttlichen Tun abgeleitet mitumfassende Weltregiment, die perennierende Fürsorge Gottes für seine Schöpfung, zum anderen das unmittelbare geschichtliche Handeln Gottes, das ohne Mitwirkung von Menschen geschieht, unsichtbar ist und nur im Glauben verstanden werden kann[3]. Gott steht seinen Gläubigen in den Nöten und Anfechtungen der Welt unmittelbar bei, was allerdings im Verborgenen, ohne äußerlich sichtbaren Erfolg geschieht, so daß oft selbst die davon Betroffenen nicht zur Kenntnis darüber gelangen[4].

Das äußere Handeln in der Welt geschieht durch Menschen, die sich in ihrem Tun als bewußte oder unbewußte Mitarbeiter Gottes ausweisen. Zwar sind Schöpfung und Erhaltung gleicherweise ein Akt der „voluntas omnipotentis virtutis et bonitatis Dei nos sine nobis creantis et conservantis", aber daneben gilt auch: „non operatur in nobis sine nobis[5]". Die Aussage: „creatura Deo operanti cooperatur[6]" enthält beide Momente, die Anerkennung, daß Gott der eigentlich Handelnde ist, und die Bestimmung des Ortes des Menschen, der im Mit-Handeln dem göttlichen Handeln zugeordnet ist.

Gottes operatio geschieht im opus factum, der „ohn mittel der creaturn" unsichtbar wirkenden göttlichen Barmherzigkeit, die cooperatio des Menschen vollzieht sich im sichtbaren opus actum „durch mittel der creaturn[7]". Gott gibt dem Menschen die Freiheit zur cooperatio, ohne damit sich und sein Werk an das menschliche Tun auszuliefern; er bleibt Herr des Zusammenwirkens. Er kann

---

1. Vgl. dazu vor allem Seils, Gedanke; daneben Nilsson, 79 ff.; Wingren, 86 ff. 135 ff.; Joest, Ontologie, 310 ff.; Bidinger, 345 ff.

2. Vgl. dazu Lilje, 44 ff. Nach Kooiman, 49 ist der Gedanke der Alleinwirksamkeit Gottes eines der charakteristischen Elemente in Luthers Theologie.

3. Vgl. vor allem WA 7, 585, 33 ff.

4. Vgl. ebd., 586, 19 ff.

5. WA 18, 754, 3 ff. Vgl. dazu Duchrow, 513 ff. Zum Handeln „sine nobis" vgl. Seils, Gedanke, 159 ff.; Nilsson, 95 f.

6. WA 18, 753, 21.

7. Vgl. WA 5, 41, 13 ff. und WA 7, 585, 24 ff. Vgl. Maurer, Freiheit, 88 f. 109 ff.; Seils, Gedanke, 41 ff. Luther benutzt traditionelle Begriffe, die ursprünglich bei Aristoteles, Met. IX 1050 a 30 begegnen, dann in der Scholastik Verwendung finden; vgl. Thomas, S. th. I/II q 57 a 4. Nach Seils a. a. O., 41 werden sie von Luther nur in seiner „vorreformatorischen Theologie" verwendet.

alles auch ohne den Menschen tun, es ist eine Gnade, daß er ihn zu seinem Werk heranzieht und ihm relative Selbständigkeit des Handelns in der Welt gewährt[8], damit er den Auftrag von Gen. 1, 28 eigenverantwortlich ausführen kann[9]. Diese Vollmacht zur Herrschaft über die res inferiores ist aber kontingent; gegenüber Gott bleibt der kooperierende Mensch passiv, empfangend, erwartend.

Der Zweck der cooperatio ergibt sich aus der Zielsetzung allen vernünftigen menschlichen Handelns überhaupt; es ist bestimmt zur Erhaltung der Schöpfung gegen die Angriffe der satanischen Macht. Feld der cooperatio ist die Geschichte, das aktive Handeln des Menschen in der Zeit, und zwar in beiden Regimenten[10]. Im geistlichen Regiment erweist sich der Mensch als Mitarbeiter im Predigen und Tun des Wortes Gottes, im weltlichen durch seine Berufserfüllung[11]. Allerdings sind Dignität und Qualität der cooperatio hier und dort verschieden, da im weltlichen Regiment der Glaube nicht zur Voraussetzung des Handelns und damit der cooperatio gemacht werden kann[12]. Das Mitwirken im weltlichen Beruf wird von Luther meist nicht ausdrücklich als cooperatio bezeichnet, sondern mit dem Werkzeug-Begriff erfaßt[13]. Als instrumentum dei fungiert jeder Mensch, als bewußter Mitarbeiter nur der Christ, der um die Gebundenheit seines Willens an den göttlichen Willen weiß und diese Existenz akzeptiert, indem er nicht der eigenen Leistung zuschreibt, was Gott durch ihn tut, und damit zugleich das Fehlverhalten der praesumptio und der damit im Gegenpol untrennbar verbundenen desperatio vermeidet.

Um die Funktion des Menschen als Werkzeug Gottes deutlicher zu artikulieren und im Bestreben, auch im Handeln des Menschen das Handeln Gottes ins Bewußtsein zu heben, führt Luther das Bild der Larve oder Maske Gottes ein, versteht die Geschichte als Gottes Mummerei oder Turnier und Reiterei[14]. Diese Vorstellung ist für ihn allgemein gültig, alle Erscheinungen ohne Ausnahme tragen diesen Larvencharakter[15]. Als Masken und Larven weisen sie zurück auf den deus

---

8. Vgl. WA 6, 227, 29 ff. auf den Einwand, warum Gott nicht selbst handelt: „Ja, er kans wol, ehr wil es aber nit allein thun, er wil, das wir mit yhm wircken und thut uns die ehre, das er mit uns und durch uns sein Werck wil wircken." Für Hermann, Theologie, 171 ist Luthers Konzeption, daß Gott auch ohne uns handeln könnte, ein „fataler occamscher Nebengedanke"; vgl. auch ebd., 178. Vgl. dagegen Seils, Gedanke, 119; die frühere Kritik Hermanns an dem Cooperatio-Gedanken wird ebd. 16 ff. zusammengefaßt.

9. Vgl. WA 18, 671, 19 ff.

10. Vgl. dazu Seils, Gedanke, 130 ff. 186 ff.; außerdem Lilje, 68 ff.; Krumwiede, Glaube, 42 ff. 109.

11. Zur Verbindung cooperatio-Beruf vgl. Wingren, bes., 86 ff.

12. Vgl. dazu unten S. 46 ff.

13. Vgl. Seils, Gedanke, 152.

14. Zur Welt als Gottes Mummerei vgl. WA 15, 373, 16 f., als Gottes Turnier und Reiterei vgl. WA 19, 360, 8 ff. Zur Larven-Vorstellung Luthers vgl. vor allem Lilje, 76 ff.; Diem, 150 ff.; Kooiman, 49 ff.; Seils, Gedanke, 163 ff.; Nilsson, 91 ff. 162 ff. K. D. Schmidt, 164 schlägt vor, ‚Larve' mit ‚Marionette' wiederzugeben, die für den Zuschauer selbständig zu handeln scheint, aber in Wahrheit abhängig ist.

15. Zur täglichen Arbeit des Menschen als Maske vgl. WA 31/I, 436, 7 ff.

absconditus, der unter und hinter den Masken wirkt, im Verborgenen bleibt und dadurch das geschichtliche Handeln des Menschen erst ermöglicht[16]. „Sub rebus", in der Verborgenheit, handelt Gott, nicht „per res", also direkt und unverhüllt ohne menschliche Mithilfe[17]. Je nach Akzentuierung und Zielrichtung der Aussage betont Luther in der Explikation des instrumentum-Begriffs und der Masken-Vorstellung stärker die Ermöglichung geschichtlichen Handelns des Menschen in Erfüllung des Herrschaftsauftrages von Gen. 1, 28 oder die Alleinwirksamkeit Gottes, die sich unter der Larve des menschlichen Tuns verbirgt. Trotzdem ist das Wirken in der cooperatio keine bloße Scheinaktivität, sondern Realisierung eines Angebots Gottes an den Menschen; die Larven-Metapher bedeutet nicht schlechthin die Vorstellung der Welt und des irdischen Tuns als eines Puppenspiels, dem der letzte Ernst fehlt, obwohl dieser Aspekt bei Luther in Abwehr jeglichen Autonomiedenkens des Menschen durchaus auch vorhanden ist[18], sondern soll die in der Verborgenheit wirksame Gegenwart Gottes als des absoluten Beherrschers der Welt im geschichtlichen Leben anzeigen. Der Christ weiß um diesen Hintergrund und erkennt damit zugleich die Verantwortung, die er als cooperator trägt und die ihn immer wieder vor die Frage stellt, was Gott jetzt, in dieser Situation, von ihm verlangt. Im Bereich der Ausübung und Verwaltung von Macht fungiert als Werkzeug Gottes die Obrigkeit in der Aufgabe, Recht und Frieden zu sichern und ein geordnetes soziales Leben der Menschen zu ermöglichen[19]. Zur Erfüllung dieser Aufgabe darf sie die ihrer Vollmacht unterworfenen Mittel als von Gott für sie bereitgestellt benutzen[20]. Allerdings war für Luther die Gefahr nie ausgeschlossen, daß der Anspruch auf die irdischen Mittel Gottes von rationaler Zukunftsberechnung infiziert wurde und dem Bemühen diente, Gott für die eigenen Pläne verfügbar zu machen.

Eine Sonderform der cooperatio ist das Handeln Gottes durch die viri heroici[21],

---

16. Vgl. Lilje, 68 ff.; Kooiman, 57. Hermann, Theologie, 169 macht auf einen besonderen Gesichtspunkt der „Larvenlehre" Luthers aufmerksam, die Barmherzigkeit der Verhüllung Gottes, der sich dem Menschen unter der Larve naht, da dieser Gott als den deus revelatus nicht schauen kann. Durch die Larve wird er uns erkennbar.

17. Vgl. WA 14, 691, 33 ff.: „Non ... per arma nec per apparatum, sed sub armis et apparatu vult (deus) eum (Israelem) vincere".

18. Vgl. Kooiman, 55 ff.

19. Zur Aufgabe der Obrigkeit vgl. unten S. 53 ff. Zur cooperatio im Staat vgl. Seils, Gedanke, 182 f. 186 ff.

20. Hier wird von Luther die Differenzierung von „brauchen" und „trauen" dem Gewissen des Handelnden eingebunden; vgl. dazu unten S. 37 f.

21. Die deutlichste Entwicklung der vir-heroicus-Konzeption vgl. WA 51, 200 ff.; die meisten einschlägigen Zitate finden sich in der Genesis-Vorlesung, die allerdings in diesem Abschnitt nicht verwertet worden ist, da ihr Gehalt an originalen Lutherana noch immer nicht im Einzelnen geklärt ist. Die Literatur zum vir heroicus ist kaum übersehbar. Scheel, Evangelium, 67 ff. 78 ff. hat das Verdienst, die Diskussion begonnen zu haben; vgl. ferner Lau, Ordnung, 50 ff. (wesentlich auf Grund der Genesis-Vorlesung; ebd., 53 Anm. 4 die frühere Literatur verzeichnet); ders., Lehre, 79 ff.; Diem, Luthers Lehre, 151 ff.; R. Hermann, Zur Frage: Vorsehungs- und Heilsglaube bei Luther. In: Zeit-

in denen die creatio continua besonders deutlich wird. Signum der viri heroici ist ihre Freiheit von der Norm, vom herrschenden Gesetz. Sie erweisen sich darin als die Ausnahme von der Regel, daß sie im Gegensatz zum „iustum lege“ der Träger der Schwertgewalt „iustum natura“ regieren[22]; Luther setzt ihr Recht daher als „Heldenrecht[23]“ vom herkömmlichen ab. Ihre Dignität liegt in der unmittelbaren Bestallung durch Gott, der durch sie in seine Schöpfung korrigierend und vorwärtstreibend eingreift. Der ihnen erteilte göttliche Auftrag bestimmt sie zur selbsttätigen und ungehinderten Umgestaltung des Rechts, zur Heilung und Konstituierung neuen Rechts[24]; als Gottes Werkzeuge erneuern sie die zerrüttete Schöpfung in ihren verdorbenen Teilen. Ihre Regierung vollzieht sich in einer Ausnahmesituation durch eine Art „Revolutionsrecht“, insofern sie sich bei ihrem Handeln nicht auf äußere Legitimität oder Tradition stützen können, sondern ihre Berufungsgewißheit aus einer unmittelbaren Beglaubigung durch Gott ableiten[25]. Die äußerlich wichtigste Kategorie ihres Wirkens ist der Erfolg, denn Gott gibt ihnen „guten wind auff erden[25a]“. Allerdings ist gerade im Erfolg die Gefahr des Scheiterns und der Entartung besonders groß, wenn sie im Übermut des Gelingens ihre Gebundenheit an Gottes Willen vergessen und ihre Erfolge der eigenen Aktivität zuschreiben. Indem sie der praesumptio, dem Stolz auf die scheinbar aus eigener Kraft vollbrachte Leistung verfallen, werden sie zu Werkzeugen der schöpfungsfeindlichen Macht[26].

Das exzeptionelle Moment in dieser Konzeption kann nicht übersehen werden. Es geht bei der vir-heroicus-Vorstellung nicht um ein kontinuierliches, direktes Eingreifen Gottes mittels dieses besonderen Instruments, sondern um ein je singuläres „Bewegungsmoment[27]“, das nur im Notfall und in Kontingenz wirksam wird. Das Auftreten des vir heroicus entspringt dem freien Entschluß Gottes und

---

schrift für systematische Theologie 16/1939, 215 ff.; Hillerdal, Gehorsam, 61 ff.; ders., Geschichtsauffassung, 42 ff.; Wingren, 102 ff.; Wölfel, 104 ff. Zur vordergründig-politischen Interpretation vgl. vor allem Deutelmoser, 270 ff.; vgl. aber auch Scheel, Evangelium, 67 ff.

22. WA 51, 214, 14 ff.; „iustum natura“ wird von Hillerdal, Gehorsam, 62 mit „schöpfungsmäßiger Ursprünglichkeit“ erklärt.

23. WA 51, 214, 36.

24. Ritter, Weltwirkung, 171 Anm. 10 weist auf das Besondere der Konzeption in Bezug auf das Rechtssystem hin, die Durchbrechung des mittelalterlichen Rechtsgedankens der Kontinuität.

25. Hillerdal, Geschichtsauffassung, 46 bezeichnet sie wegen ihrer heilsgeschichtlichen Bedeutung als „Propheten des weltlichen Regiments“.

25a. WA 51, 207, 24; zum Aspekt des Erfolgs vgl. Hillerdal, Geschichtsauffassung, 45 f.; Seils, Gedanke, 176 f.

26. Vgl. WA 51, 207, 37 ff.; vgl. dazu Bornkamm, Geistige Welt, 204 f.; Hillerdal, Geschichtsauffassung, 52 f.

27. Vgl. Hillerdal, Gehorsam, 66, der den im vir heroicus zum Ausdruck gelangenden stark dynamischen Charakter von Luthers Auffassung des weltlichen Regiments hervorhebt.

ist nicht automatisch mit einem bestimmten Grad an Zerrüttung des Rechtslebens oder einer anderen menschlichen Ordnung verbunden.

Die eigentliche Begründung der vir-heroicus-Konzeption scheint nicht in Luthers Schöpfungstheologie, sondern in einer exegetischen Not motiviert zu sein, die ihrerseits auf die Überzeugung von der Einheit der Schrift zurückgeht. Bei der Lösung des Problems, wie sich der Widerspruch zwischen dem Moralkatalog, der dem Verhalten der Helden des Alten Testaments zugrundeliegt, und den von Christus verkündeten Geboten erklären läßt, wird der vir heroicus zur Brücke zwischen den Vorschriften des Neuen Testaments und dem Handeln der Helden des Alten, indem mit Hilfe dieser theologischen Figur die Abweichungen von der Regel auf einen unmittelbaren Befehl Gottes zurückgeführt werden können. Folgerichtig liegt daher das exegetische Fundament des vir heroicus, als dessen Archetyp Simson erscheint[28], auch im Alten Testament[29].

Gegenüber den subjektiven Ansprüchen sendungsbewußter Enthusiasten oder Revolutionäre seiner eigenen Zeit, von Gott zur Umformung von Kirche oder Welt berufen zu sein, hat Luther stets an der Forderung festgehalten, sich durch einen „newen sonderlichen befelh von Gott[30]" zu legitimieren, und beharrte im Bewußtsein der in diesen Ansprüchen implizierten möglichen Anarchie auf einer nachprüfbaren Manifestation jeder prätendierten göttlichen Beglaubigung. Da er den Akteuren der evangelischen Politik seiner Zeit niemals die Qualität des vir heroicus zuerkannte, hat er sie beharrlich vor jedem Verstoß gegen das geltende Recht gewarnt, um Anarchie und Umsturz der Ordnung zu verhindern. Vermutlich aus demselben Grund hat er den 1523 entwickelten theoretischen Ansatz, die vir-heroicus-Konzeption für die Politik seiner Zeit fruchtbar zu machen[31], nicht weiter verfolgt und die Möglichkeit, die geschichtstheologische Figur des Wundermannes Gottes zur Überwindung der gegebenen Verhältnisse zu nutzen, bewußt nicht wahrgenommen.

---

28. Vgl. Hermann, Simson, bes. 26 ff.

29. Ritter, Weltwirkung, 171 Anm. 10 glaubt dagegen die Konzeption aus der Lektüre antiker Historiker durch Luther ableiten zu können; die viri heroici seien Heroen nicht der Religions-, sondern der profanen Geschichte. Griewank, 82 Anm. 30 macht darauf aufmerksam, daß die Vorgeschichte des Begriffs auf Aristoteles zurückgeht, was in der Lutherforschung bisher nicht beachtet worden sei. Zur Traditionsgeschichte des Begriffs vgl. auch Heckel, Lex, 75 Anm. 533 (Cicero). In der Tat bezieht Luther in die Reihe der viri heroici auch die Heiden ein, aber ebenso deutlich ist der stete Bezug auf das Alte Testament. Zur alttestamentlichen Basis vgl. vor allem Hillerdal, Geschichtsauffassung, 49 f. Zum vir-heroicus-Gedanken bei Calvin vgl. die Literatur bei Griewank, 133 Anm. 19 sowie R. Nürnberger, Die Politisierung des französischen Protestantismus (Tübingen 1948), 24 ff. Melanchthon übernimmt Luthers Konzeption in den Loci; vgl. CR XXI, 547 f. (II. Aetas); 987, 996 (III. Aetas).

30. WA 18, 304, 11 f.

31. Vgl. unten S. 104 f.

1.5 Kairos-Denken und Denkstruktur des „Simul“

Luthers politische Theologie verweist den Menschen an die Gegenwart als den Ort seines Handelns und an die Aufgaben im Dienst für den Nächsten. Sein politisches Denken ist punktuell und präsentisch, ausschließlich der Analyse des je aktuell Notwendigen zugewendet und auf den Augenblick konzentriert. Trotzdem ist dieses situationsbezogene Denken, das Luthers politische Gutachten und Voten bestimmt, kein okkasionelles Denken; die ad hoc gefällte Stellungnahme ist orientiert an einem gegenwartsentbundenen Zentrum und wird in theologischen Kriterien gemessen, dem Gottesbegriff und dem Gewissen. Nur innerhalb dieser grundsätzlichen Konstanz herrscht Variabilität je nach den gegebenen Umständen. Die Systemlosigkeit der Auskünfte zu politischen Problemen und die Mitte des Glaubens als Orientierungszentrum sind bei Luther keine Widersprüche. Wenn er „immer nur Beiträge zu Zeit- und Streitfragen“ liefert[1], darf dies nicht über die unveränderliche Gesamtposition als Bezugspunkt hinwegtäuschen.

Kriterium des ad-hoc-Urteils und der situationsbezogenen Entscheidung Luthers ist das Gewissen des Beteiligten, das als Richtschnur zutreffenden und sachgemäßen Verhaltens dient[2]. Das Gewissen als „Ort der Gottesbeziehung[3]“ fungiert als Seismograph des guten oder falschen Handelns; kann eine Handlung mit gutem, d. h. befreitem Gewissen geschehen oder nur mit bösem, in Schuld verstricktem Gewissen — an diesem Bezugspunkt orientiert sich das Urteil über das richtige Verhalten in der jeweiligen Situation. Auf diesem Fundament sind Luthers Stellungnahmen zu politischen Fragen begründet, bei denen er nicht den Ehrgeiz hegte, als Theologe die politischen Entscheidungen seinen Urteilskategorien zu unterwerfen, sondern es als seine Aufgabe verstand, als Seelsorger die Gewissen der Politiker zu beraten und sie darüber zu belehren, was mit ihrer Verantwortung vor Gott vereinbar war und was ihr zuwiderlief. Das Gewissen verlangt Handeln in bestimmten Konstellationen, es verwirft es in anderen. Jeder Schritt muß zuvor sorgfältig auf seine Konsequenzen geprüft werden, wobei die Prüfung der politischen Faktoren den Politikern zustand, während Luther das Urteil über die Konsequenzen für die Gewissen der Handelnden für sich in Anspruch nahm.

Im Blick auf das Handeln des Menschen und sein Verhalten zu den politischen Vorgängen entfaltet Luther das präsentische Denken in doppelter Weise: Er rät zur Konzentration auf den Augenblick ohne den Versuch einer Antizipation der Zukunft — mit der biblischen Begründung u. a. in Pred. 3, 1 und Joh. 7, 30b[4] — sowie zum Ergreifen des Augenblicks als einer besonderen Gnadengabe Gottes.

---

1. Böhmer, Luther im Lichte der neueren Forschung, 27.
2. Zum Gewissensbegriff Luthers vgl. außer Alanen und Jacob, Gewissensbegriff, Siegfried, bes., 29 ff.; Loewenich, Theologia crucis, 56 ff.; Schott, Fleisch und Geist, 36 ff.; E. Wolf, Vom Problem des Gewissens in reformatorischer Sicht. In: Peregrinatio I, 81 ff. Eine Zusammenstellung der Zitate, in denen sich Luther auf sein Gewissen beruft, vgl. Alanen, 6 ff.
3. Vgl. Alanen, passim, bes., 82. 89 f.
4. Vgl. dazu Nilsson, 123 f.

Beide Arten, zeitliches Handeln zu denken, sind in seiner Theologie eingeordnet in den größeren Zusammenhang des Problems von arbitrium servum und liberum und der Freiheit Gottes, die in ihrem Handeln nicht determiniert ist und durch die der Autonomie des Menschen und seiner Vernunft Grenzen gesetzt werden. Die unabdingbare Voraussetzung des richtigen Sich-Verhaltens des Menschen zum Augenblick ist das Vertrauen auf Gott, der Glaube an seine gnädige Fügung. In der vorbehaltlosen Unterwerfung unter seinen Willen und in der Anerkennung seiner schöpferischen Freiheit beweist sich das Vertrauen auf das Unsichtbare. „Haec est natura fidei, quod in tali periculo incedit, ubi racio semper disputat: Whue nhue aus?, sed fides ipsa modum et viam et racionem servandi clausis oculis committit deo[5]". Dieses Vertrauen auf Gott lebt von der Überzeugung der Allwirksamkeit der göttlichen Macht[6], die sich das Handeln vorbehält und in voller Freiheit die Stunde dafür bestimmt[7]. Die Lehre von Zeit und Stunde als von Gott verfügt und ihm vorbehalten ist einer der Grundgedanken auch in Luthers Beurteilung politischer Vorgänge. Als der Herr jedes Augenblicks bestimmt Gott, nicht der Mensch über die Zeit und ersieht die geeignete Stunde des Handelns[8]. Jeder Versuch des Menschen, sich hinsichtlich der Stunde des Handelns als Mitwisser Gottes zu etablieren und mit oder neben ihm in eigener Vollmacht über die Zeit bestimmen zu wollen, ist für Luther verwerfliche theologia gloriae und mit dem Glauben unvereinbar. Das einzige Mittel, auf Gott einzuwirken, auf die eigene Not hinzuweisen und Abhilfe zu erbitten, bietet das Gebet als „sola omnipotens imperatrix in rebus humanis[8a]"; Gebet als demütige Bitte ist zugleich Zeichen des Bekenntnisses, nicht über Gott verfügen zu können.

Das präsentische Denken in der Kategorie der Stunde Gottes, des Kairos, bedeutet für den Menschen, die Zukunft nicht gedanklich zu antizipieren und in die eigenen Berechnungen einzubeziehen, sondern sich mit der Aufgabe, die der Augenblick stellt, zu begnügen. In der gläubigen Bereitschaft des Christen, das Kommende Gott anheimzustellen und aus seiner Hand entgegenzunehmen, ist beides enthalten, das Wissen: „res non sunt in manu nostra, sed dei[9]", verbunden mit dem Zutrauen, daß Gott seine Zusagen zur Erhaltung seiner Schöpfung nicht rückgängig machen wird, und die Hinwendung zur Pflicht des Berufs, die der Gegenwart und ihren Aufgaben gilt[10]; dieser Gedanke ist Luther so wichtig, daß

5. WA 31/II, 321, 10 ff.

6. Zur Wichtigkeit dieser Überzeugung für die Verhinderung eines Dualismus in der Geschichtstheologie vgl. Hillerdal, Geschichtsauffassung, 30 f.

7. Vgl. dazu besonders Haar, 18 ff.

8. Zum Stündlein-Gedanken und Kairosdenken vgl. u. a. Lilje, 116 ff.; Krumwiede, Glaube, 48 ff.; Wingren, 135 ff.; Wölfel, 172 ff.; Nilsson, 123 ff.; Headley, 10 f.; Seils, 103 ff. 116 ff. In allen genannten Werken werden vor allem Luthers Annotationes in Ecclesiasten (1532; WA 20, 58 ff.) und die Wochenpredigten über Joh. 6–8 (1530–32; WA 33, 400 ff.) herangezogen.

8a. WAB IX, 89, 13 f. — Zur Funktion des Gebets in diesem Zusammenhang vgl. Wingren, 139; Seils, 117.

9. WA 20, 47, 15 f.

10. Zum Zusammenhang von Stündlein-Denken und Berufslehre vgl. Wingren, 140 ff.

er den Beruf als ein immerwährendes „Stündlein" Gottes bezeichnet[11]. Nichts gelingt aus eigener Kraft, in allem ist der Mensch abhängig von Gott, der die Stunde für das Handeln festsetzt. Diese Überzeugung hält Luther auch in seinen Voten zu politischen Problemen von einer vorwegnehmenden Erörterung zukünftiger Gefahren ab.

Das Vertrauen auf Gott und seine Stunde als Motiv Luthers bei der Beratung seines Landesherrn konkretisiert sich in besonders signifikanter Weise im Gutachten über die Leistung der Türkenhilfe 1538, in dem er ausdrücklich als Maxime seines Rates angibt, „auff Gottes gnaden ym tunckel hinein" zu fahren[12]. Im Vertrauen auf Gott verliert dieses Dunkel den Schrecken der Unsicherheit und Ungewißheit der Zukunft, weicht der von der ratio ausgeübte Zwang, die Zukunft im Vorgriff zu berechnen, mit der Konsequenz, als Resultat dieser Berechnung in unchristliche, sündhafte Sorge und Angst zu geraten. Der Christ läßt sich ins Unbekannte und nicht von der Vernunft Gesicherte und Kalkulierte führen, weil er auf Gott und seine väterliche Fürsorge vertraut. Der Wille zur Antizipation und zur Vorausberechnung, die Überzeugung von der Determiniertheit der gegenwärtigen Konstellation, der Festgelegtheit auf nur die eine rational erkannte Variante des Spektrums der Möglichkeiten des Handelns Gottes erscheint Luther demgegenüber als eine Korruption des Gottvertrauens, durch die Gottes schöpferische Freiheit, jederzeit gegen alle Berechnung einzugreifen und die Situation unerwartet völlig neu zu gestalten[13], unzulässig angetastet wird. Der Versuch, Gottes Entschlüssen vorzugreifen, mit eigenmächtigem Handeln sich anzumaßen, in seine verborgenen Absichten einzudringen bzw. deren Richtung nach den beschränkten Erkenntnismöglichkeiten menschlicher ratio festzulegen, bedeutet, Gott zwingen zu wollen, so zu handeln, wie der Mensch es sich in Sorge und Hoffnung zurechtgelegt hat.

Aus dieser Überzeugung, daß die Zukunft ganz in der Gewalt Gottes und nicht der Menschen steht, folgt bei Luther für die Beurteilung politischer Vorgänge, daß er jede Zwangsläufigkeit auch bei scheinbar eindeutig angelegten Entwicklungen negiert, mit der Folge, daß er nur sehr selten wirkliche Entscheidungssituationen,

---

11. Vgl. WA 33, 406, 14 f.: „das die Eltern die Kinder auffziehen, das ist jr stündlin."; vgl. dazu auch Seils, 148 f.

12. WAB VIII, 235, 57; auch WA 18, 526, 30 ff. Vgl. dazu Wünsch, Bergpredigt, 165: „Luther faßt dieses Wort (Mt. 6, 33) manchesmal so buchstäblich, daß seine Erklärung in mystisch-religiös motivierten Leichtsinn ausartete, wollte man sie praktisch verwirklichen". In der Praxis hat sich Luther vor allem 1535 bei der Befürwortung der Reise Melanchthons nach Frankreich von dem Gedanken des getrosten Vertrauens auf die dunkle Zukunft leiten lassen; vgl. unten S. 231 f. Als bezeichnendes Beispiel des Vertrauens auf die undeterminierte Zukunft vgl. auch Luthers Antwort vom 9. Juli 1530 auf Befürchtungen Melanchthons: „Esto res, sequatur bellum scilicet et vis, at nondum coepit, interim fiet aliquid; et incipiat sane, nondum processit; procedat quoque, nondum vicit" (WAB V, 457, 16 ff.).

13. Luther beruft sich dazu auf Prov. 21, 1, um damit auf die Uneindeutigkeit der Situation hinsichtlich der weiteren Entwicklung hinzuweisen; vgl. WAB V, 209, 15 ff.

die nezessitär auf einen bestimmten Punkt hinzielen, anerkannt hat. Gegen die politisch-rationale Beurteilung setzt er die Haltung und das Vertrauen des „interim fiet aliquid".

Das präsentisch orientierte Stündlein-Denken, das in der jeweiligen Situation stets die Möglichkeit des „subito", der unvorhergesehenen Umkehr aller scheinbar fest und ausweglos gefügten Verhältnisse durch ein Eingreifen Gottes im Blick behält, ohne über die Formen dieser Hilfe Spekulationen anzustellen, fordert für das praktische Handeln ein Verhalten des Temporisierens[14], den Verzicht auf eigenmächtige Aktivität, weil nur dadurch vermieden wird, im unzulässigen Vorgriff die Zukunft auf eine Handlungsvariante determinativ zu fixieren und Gottes Hilfe zu usurpieren. Aus dieser Begründung erhellt zugleich, daß das Verhalten des Temporisierens keinen Eskapismus oder ein unzulässiges Ausweichen vor aktuellen Schwierigkeiten bedeutet, ebensowenig wie das „fiet aliquid" als Zeichen verantwortungslosen Leichtsinns verstanden werden darf. Der fast alle Voten in ihrem Entscheidungstelos bestimmende Rat, nichts zu überstürzen oder zu präjudizieren, nicht Gott zuvorkommen zu wollen oder — in politischer Aussage — die eigentliche Krisensituation, die durch das Handeln kupiert werden soll, erst auszulösen[15], gewinnt seine letzte Legitimation aus der Gebundenheit an die Zusage der Schrift, wie sie Luther vor allem in Phil. 1, 6 gesehen hat; in seinen Stellungnahmen hat er immer wieder auf diese Verheißung verwiesen[16].

Das Offenhalten der Situation durch Temporisieren und Abwarten der zukünftigen Entwicklung ist aber für Luther nicht identisch mit quietistischer Passivität. Abwarten bedeutet für ihn nicht Inaktivität, sondern fordert Bereitschaft zum Gehorsam gegen den Wink Gottes und Vorbereitung auf das Handeln in der von Gott vorgeschriebenen Stunde. Für die weltliche Obrigkeit implizieren die aus ihrem Beruf erwachsenden Verpflichtungen die Notwendigkeit, ihre Aufgabe zum Schutz der Ordnung wahrzunehmen. Zwar scheint hier die Diskrepanz zu dem Postulat des Wartens auf die Stunde Gottes evident, denn mit dem obrigkeitlichen Amt ist die Pflicht, Vorsorge zu treffen, verbunden[17], aber auch, wenn die Obrigkeit als Dienerin Gottes fungiert[18], kann sie im Hinblick auf ihr Verhalten gegenüber der unverfügbaren Zukunft nicht an die Stelle Gottes treten wollen. Die Vorsorgepflicht muß der Haltung des Offenseins für das, was Gott jeweils verlangt, kongruent sein.

---

14. Dieser von Luther selbst nicht verwendete Begriff soll in diesem Zusammenhang nicht negativ vorgeprägt sein, wie Ende des 16. Jahrhunderts Politiker pejorativ als „Temporisanten" bezeichnet werden, die angeblich aus Gründen der „Staatsräson" die zeitliche Wohlfahrt dem ewigen Heil vorzogen; so der Jesuit A. Ernstberger in seiner Schrift De autonomia (1585) (zitiert nach M. Heckel, Autonomia, 148). Zur Auswirkung des Rates zum Temporisieren vgl. unten S. 141. 202. 204.

15. Luthers Kairos-Denken ist besonders anschaulich in seinen praktischen Folgerungen in der Krise von 1528 zu beobachten; vgl. dazu unten S. 123.

16. Vgl. dazu auch oben S. 21.

17. Vgl. dazu unten S. 53 ff.

18. Vgl. dazu unten S. 44 ff.

Diese Forderung an die Obrigkeit, tätig zu werden in der Erfüllung ihrer Vorsorgepflicht, ohne die Zukunft zu präjudizieren, bedeutet die Übertragung der theologischen Kategorie des „Simul" als des durchgängig wirksamen dialektischen Elements in Luthers theologischem Denken[19] auf das politische Gebiet. Durch das Simul-Prinzip wird Luthers Theologie zur „Theologie des Gegensatzes[20]", im „Simul" wird das Zugleich zweier Seinsweisen deutlich gemacht, deren Gleichzeitigkeit nach den Regeln der Logik ausgeschlossen ist. Diese Theologie des In-Eins-Sehens von Gegensätzen, die für die Vernunft unvereinbar sind, überträgt Luther auf das Verhalten des Christen in der Welt; sie prägt die Konzeption seiner Lehre von den Zwei Reichen Gottes[21] und ist auch in die cooperatio-Vorstellung eingegangen[22]. Mit dem Postulat des Zugleich von Handeln und Nichthandeln hat Luther das „Simul" unmittelbar in seine Beurteilung der Tagespolitik eingeführt. Um als Instrument der Vollstreckung des göttlichen Willens dienen zu können, muß der Mensch zum Handeln auch äußerlich vorbereitet sein, darf aber nicht die eigenen Handlungskonzeptionen um jeden Preis in die Tat umsetzen wollen.

Politisch wirksam wird Luthers präsentisches Denken unter der Signatur der Simul-Struktur und mit der dieses Denken konstituierenden Voraussetzung des Vertrauens auf Gott in seiner Stellung zum politischen Bündnis und zu Rüstungen. Prophylaktische militärische Vorbereitungsmaßnahmen hielt Luther für erlaubt und geboten, da Rüstungen als inhärenter Bestandteil der obrigkeitlichen Pflichten zum Schutz der Untertanen legalisiert sind, so daß „wer nicht Rustung sucht, wo er sie haben kan, der brauchet des nicht, das Gott gegeben hat[23]". Aber nicht die Frage, ob präventive Rüstungen oder nicht, ist entscheidend, sondern das sachgemäße Verhalten zu diesem Mittel. Alles kommt auf den richtigen Gebrauch an. Wer in Krisenzeiten die militärischen Vorbereitungen vernachlässigt, obwohl Gott ihm die Möglichkeit dazu bereitgestellt hat, verfehlt den Usus ebenso wie derjenige, der sich auf seine Rüstungen verläßt. Der richtige Gebrauch bzw. die Möglichkeit des Abusus entscheidet sich an der von Luther herausgearbeiteten Differenzierung von Brauchen und Trauen[24]. Das Vertrauen auf irdische Möglichkeiten ist für ihn immer zugleich ein Votum des Mißtrauens gegenüber Gottes Hilfe. Jeder, auch der Träger der obrigkeitlichen Gewalt, soll nach Luthers Anweisung in dem Beruf, in dem er steht, arbeiten, als gäbe es keine Hilfe und als

---

19. Vgl. über dieses Problem die Monographie von Nilsson; vgl. auch Link, 77 ff.
20. Maurer, Freiheit, 94.
21. Vgl. dazu unten S. 40 ff.
22. Vgl. oben S. 28 ff.
23. WA 54, 408, 18 ff.
24. Vgl. z. B. WA 31/I, 114, 10 ff. Hinsichtlich des Verhaltens des Fürsten heißt es schon 1523 in „Von weltlicher Obrigkeit": „Befehlen und wagen solltu, vertrawen und dich drauff verlassen solltu nicht, on alleyn auff Gott"; WA 11, 275, 25 f. Vgl. auch WA 14, 691, 35 ff.

hinge alles von der eigenen Tätigkeit ab, aber er darf sich nicht auf sein Tun verlassen[25].

Vor dem Streben nach einem Bündnis hat Luther bis in die dreißiger Jahre gewarnt[26], da er nicht Gottes Willen, sondern rationale Kalkulation, mithin in seinem Verständnis Absage an Gott als Basis entsprechender Pläne ansah. „Gott (ist) solchen Bündnissen ganz feind und schafft auch, daß sie nicht halten", Bündnisse sind „Menschengedanken und Anschläge, ohn Gottes Wort und Befehl, aus eigener Witze fürgenommen[27]". Wer sich um Bündnisse bemüht, zeigt, daß ihm das Vertrauen auf Gottes Hilfe fehlt. Hier gerät die Voraussetzungslosigkeit des Glaubens in Gefahr. Prinzipiell gilt allerdings auch für das Bündnis das Kriterium des sachgemäßen Usus, die Unterscheidung von Trauen und Brauchen. Luther hat die Möglichkeit eines Bündnisses, das von Gott als Mittel für menschliches Handeln gegeben wird, nicht ausgeschlossen[28], Kriterien für das Vorliegen eines solchen Falls aber nicht aufgestellt, wie überhaupt die religiös begründeten Anweisungen Luthers zum Handeln und Nichthandeln nur schwer in die praktische Politik zu übersetzen waren. Seine Ablehnung bezieht sich auf die „selbstgesuchten", aus Menschenfurcht und unzulässiger Sorge eingegangenen Bündnisse. Die theologisch-anthropologische Formel von Verzweiflung und Vermessenheit als Lebenspolen des gottfernen Menschen überträgt er auf das Verhalten in der Politik, indem er neben der unfrommen Resignation und dem ungläubigen Nicht-Annehmen der angebotenen Mittel aus Verzagtheit gegenüber drohenden Gefahren die Versuchung der Selbstsicherheit im Vertrauen auf die eigene Stärke und auf Bündnisabsprachen als Fehlverhalten aufzeigt[29]. Die desperatio wird von Luther allerdings nicht ausdrücklich in den Zusammenhang der Bündnisproblematik einbezogen, da ihr das Bündnis gerade vorbeugen soll; außerdem war bei den Bündnisplänen auch die Gefahr der praesumptio zunächst größer als die der desperatio[30]. Die via media[31] zwischen Verzweiflung und Übermut, Sorge und Vermessenheit schließt in Luthers Beurteilung das Bündnis wegen seiner immanenten Versuchung, sich der Extremposition der praesumptio zu nähern, fast immer aus: „Deinde pii magistratus et Politiae non ponunt spem aut fiduciam ullam in opibus, potentia, sapientia et aliis humanis praesidiis, quae nec firma nec diuturna sunt, sed consolantur, admonent et exuscitant sese, ut in omnibus afflictionibus et

---

25. Vgl. WA 15, 373, 7 ff.

26. Vgl. dazu unten S. 128. 141.

27. WAB VI, 261, 57 ff. (an Johann von Sachsen, Febr. 1532).

28. Vgl. dazu unten S. 130 und unten S. 234. Vgl. auch die Aufzeichnung einer Tischrede, in der zugunsten von „pacta pia et necessaria" Gen. 14, 24; 26, 26 ff.; 1. Sam. 18, 1; 1. Kön. 15, 18 f.; Neh. 10, 29 angeführt sind; WATR V, Nr. 6138.

29. Vgl. dazu vor allem WA 54, 408, 16 ff.

30. Jacob, Bild, 89 zeigt allerdings, daß im theologischen Bezug praesumptio letztlich nur eine Weise der desperatio ist, „die als verzweifeltes Man-selbst-sein-wollen ... an der Vergebung der Sünde verzweifelt."

31. Vgl. dazu oben S. 23 f.

periculis ad Deum confugiant eique confidant tanquam vero et unico auxiliatori et salvatori[32]".

Mit der Haltung des Temporisierens steht die Verpflichtung zur Ergreifung des Augenblicks, in dem Gott das Handeln fordert, in unmittelbarem Zusammenhang. Luther läßt neben der Mahnung zur Vorsicht immer auch die zur Wachsamkeit ergehen, um auf dem Plan zu sein und den Kairos, in dem Gott sich anbietet, nicht zu versäumen[33]. Seine Kairos-Konzeption ist dabei nicht zwingend verknüpft mit der Dignität der besonders ausgezeichneten geschichtlichen Stunde, in der wichtige, den Gang der Ereignisse bestimmend beeinflussende Entscheidungen fallen[34], sondern bezeichnet jeden Augenblick, in dem Gott das Handeln freigibt und erkennen läßt, wie er sein Werk vorangetrieben haben will. Nur waren in der Praxis für Luther die jeweils seiner Beurteilung unterbreiteten Konstellationen fast immer noch nicht eindeutig und damit für jede Entwicklung offen. In einer Aufforderung, den Kairos zu ergreifen, wäre diese Offenheit für zukünftiges Handeln geschlossen worden.

In der Empfehlung zum Temporisieren bzw. zum Ergreifen des Kairos ist bei Luther immer die Mahnung enthalten, sich mit dem jeweils Erreichbaren als dem von Gott Angebotenen zu begnügen. Mit dieser Selbstbescheidung hat Luther gelegentlich den Widerspruch anderer, die Möglichkeiten einer Situation optimistischer beurteilender Theologen und auch Politiker ausgelöst. In den späteren Jahren hat vor allem Martin Bucer sich im Gegensatz zu Luther um konkretere und aktivere Umsetzung des von Gott in der Schrift Geforderten in die Tagespolitik bemüht und entsprechend Stellung zu Problemen der Tagespolitik genommen. Über die bloße Wortverkündigung hinaus sah Bucer als weitere Aufgabe des Theologen, die Träger der politischen Gewalt unmittelbar und weniger eingeschränkt als Luther für das Reich Gottes in Dienst zu nehmen, ihre Pflichten auf die Fürsorge für alle tatsächlichen oder potentiellen Glaubensbrüder zu erstrecken. Der Dienst an der ungläubigen, aber für das Evangelium zu gewinnenden Welt und die Sorge für die unterdrückten Brüder, die wesentlichen Momente von Bucers Missionstheologie, wurden von ihm konkretisiert in der Aufforderung zu politischen Schritten, gegebenenfalls auch zu Konzessionen, um dieses Ziel zu erreichen[35]. Im Gegensatz zu Bucer, der mit der Politik dem Wirken Gottes zu Hilfe kommen wollte, hat Luther die Sorge für die auswärtigen Brüder Gott anheimgestellt, aus Mißtrauen gegen alle Aktivität des Menschen und im Vertrauen auf die Selbstdurchsetzungskraft des Wortes. In der Konfrontation mit der von Bucer vertretenen Richtung aktiver evangelischer Politik, die die Pflicht der caritas proximi extensiv auslegte und im Unterschied zu Luther bereit war, für ihre

---

32. WA 31/II, 587, 16 ff.

33. Die Aufforderung, den Kairos zu nutzen, ist am bezeichnendsten vermutlich in der bekannten Aufforderung, das jetzt angebotene Gotteswort nicht auszuschlagen, zu fassen; WA 15, 32, 4 ff. Vgl. auch WA 34/II, 84, 7 ff.

34. Vgl. dazu oben S. 28 ff. Auf den Zusammenhang von Kairos-Gedanken und vir-heroicus-Konzeption weist besonders Wingren, 136 f. hin.

35. Vgl. die Auseinandersetzung Luther-Bucer unten S. 220. 235 ff.

Verwirklichung politische Mittel einzusetzen, zeigt sich die Konzentration des präsentischen Denkens Luthers auf den Augenblick, sowohl im Temporisieren wie im Ergreifen des angebotenen Kairos, besonders prägnant, werden aber auch die Folgen, die die Durchsetzung dieses Denkens in der Politik Sachsens oder der evangelischen Stände insgesamt zeitigte, deutlich.

2. Obrigkeits- und „Staats"-lehre Luthers

2.1 Begriff der Obrigkeit

Die theologische Prädisposition prägt auch Luthers Vorstellungen über politische Gewalt und Herrschaftsformen; seine Obrigkeitslehre ist orientiert an der Zwei-Reiche-Lehre, die das Sein des Christen im Zusammenleben der Menschen in der Organisation der politischen und sozialen Bezüge klären und die bis dahin als Antipositionen verstandenen Faktoren: biblische Weisung und politisches Handeln, mit Hilfe der Liebesgesinnung und des Glaubens als Katalysatoren in einer neuen Einheit des „Simul" aufheben will[1]. Die von Luther entwickelte Lehre von den Zwei Reichen Gottes konnte zwar formal an traditionelle Vorstellungen seit Paulus und vor allem Augustin anschließen[2], war aber inhaltlich seine eigene Leistung ohne spezifisches Vorbild[3]. In der Lehre vom Handeln Gottes in zwei

---

1. Es ist im Folgenden nicht beabsichtigt, das Problem der Zwei-Reiche-Lehre ausführlich und mit dem Anspruch auf eine neue Interpretation zu diskutieren. Literatur zum Thema der Zwei Reiche bei Luther ist im Überfluß vorhanden, ausgelöst im 20. Jahrhundert nach den Anstößen von Troeltsch vor allem durch Harald Diem, Luthers Lehre von den zwei Reichen (1938). Eine ausführliche Bibliographie bietet Schrey, 557 ff., auf die hier verwiesen sei; Forschungsberichte vgl. bei E. Wolf, Die „lutherische Lehre" von den zwei Reichen, 255 ff.; S. Grundmann, Kirche und Staat nach der Zwei-Reiche-Lehre Luthers. In: Im Dienste des Rechtes in Staat und Kirche. Festschrift F. Arnold (Wien 1963), 38 ff. Neben Lau, Luthers Lehre, ist aus der neueren Literatur vor allem zu nennen H. Bornkamm, Luthers Lehre, der intensiv und erhellend Trennung und Zugehörigkeit beider Reiche in Luthers Theologie behandelt; ferner Gloege, Thesen, 79 ff., der die Problematik knapp zusammenfaßt und auf ihren Kern zuspitzt. Bei Schrey nicht genannt sind an wichtigen Arbeiten Bidinger, 337 ff.; Nilsson, 139 ff. 413 ff.; Hermann, Luthers Theologie, 199 ff.; Duchrow, 437 ff. Zur Zwei-Reiche-Lehre als Maskenspiel, hinter dem sich Gott verbirgt, vgl. Kooiman, 68 f. Eine Systematisierung der Mißverständnisse der Zwei-Reiche-Lehre vgl. bei Künneth, 74 ff. Eine Übersicht über die verschiedenen Interpretationsansätze der Zwei-Reiche-Lehre in der Theologiegeschichte des 20. Jahrhunderts gibt Hillerdal, Gehorsam, 123 ff. und Hakamies. Zur unmittelbaren politischen Konsequenz der Lehre vgl. E. Wolf, Kirche im Widerstand? Protestantische Opposition in der Klammer der Zwei-Reiche-Lehre (München 1965). Zu Bemühungen, Teile der Zwei-Reiche-Lehre in die Bewältigung von Gegenwartsfragen einzubringen, vgl. auch Trillhaas, 22 ff.; E. M. Carlson, Der Begriff der zwei Reiche und die moderne Welt. In: Lutherische Rundschau 15/1965, 486 ff.; Duchrow, 575 ff.
2. Vgl. dazu vor allem Kinder, Gottesreich und Weltreich, 24 ff.; Duchrow, 183 ff.
3. Zur mittelalterlichen Vorgeschichte von Luthers Zwei-Reiche-Lehre vgl. G. Kretsch-

Modi und der Durchsetzung seines Willens durch das regnum spirituale (Christianum) und regnum corporale (mundanum) proklamiert Luther die kontinuierliche Schöpfung, das fortwirkende Interesse Gottes an seinem Werk[4], das sich, der Intention nach eines, auf zwei selbständig und voneinander unabhängige Weisen zur Geltung bringt. Die beiden Reiche, in denen Gottes Handeln sich vollzieht, enthalten daher keinen alternativen Dualismus einer „Anspruchskonkurrenz[5]" im Sinne der gegenseitigen Ausschließung, sondern stellen eine Dualität, zwei Weisen derselben Sache dar; sie bestehen für sich, aber nicht gegeneinander, sondern nebeneinander[6]. Beide sind abhängig von Gott, von ihm eingesetzt für den Dienst an seiner Schöpfung. Er handelt in beiden, aber auf verschiedene Art: im geistlichen Reich direkt durch die Verkündigung seines Wortes, im weltlichen indirekt und in der Verborgenheit mittels der Menschen durch Gesetz und Schwert[7]. In diesem Bezug versteht Luther unter Schwert „alles, was zum weltlichen regiment gehört als weltliche rechte und gesetze, sitten und gewonheite, geberden, stende, unterscheidene empter, person, kleider etc.", während das Wort alles umfaßt, „was zum geistlichen regiment gehört, als die geistlichen Empter 1. Cor. xij, Eph. iiij, Ro. xij und die sacrament und der gleichen[7a]". Beide stehen auf ihre je eigene Weise im Dienst der Erhaltung und Bewahrung der Schöpfung Gottes.

Luther hat die Funktionen und Attribute beider Reiche und der ihnen entsprechenden Regimente – die Begriffe werden von ihm zumeist undifferenziert zur Beschreibung desselben Sachverhalts verwendet[8] – in vielen Schriften und

---

mar, Die zwei Imperien und die zwei Reiche. In: Ecclesia und Res Publica. Festschrift K. D. Schmidt (Göttingen 1961), 89 ff.; Bornkamm, Luthers Lehre, 16 ff.; S. Grundmann, Kirche und Staat, 38 ff.; Gloege, Politia divina, 69 ff.; H. Junghans, Das mittelalterliche Vorbild für Luthers Lehre von beiden Reichen. In: Vierhundertfünfzig Jahre lutherische Reformation. Festschrift F. Lau (Berlin 1967), 135 ff.

4. Vgl. dazu Löfgren, bes., 21 ff. Zu der zu weitgefaßten Schöpfungstheologie bei Löfgren vgl. die kritischen Bemerkungen von F. Lau, in: ... und fragten nach Jesus. Festschrift E. Barnikol (Berlin 1964), 140 ff., die ihrerseits das Feld der creatio continua dei etwas zu sehr einengen.

5. Vgl. Bidinger, 341.

6. Vgl. dazu Ebeling, Notwendigkeit, 415 f. Bring, Glaube und Recht, 153 vergleicht das Verhältnis beider Regimente zueinander dem der zwei Naturen Christi nach der Definition des Chalcedonense.

7. Vgl. etwa Von weltlicher Obrigkeit (WA 11, 245 ff.). Zur politischen Herrschaft als „poena et externum remedium peccati" vgl. vor allem WA 6, 53, 17 ff.

7a. WA 23, 514, 1 ff.

8. Heckels scharfsinnige Systematisierung in „Lex charitatis" baut wesentlich auf der Unterscheidung der beiden Begriffe „regnum" und „regimen" auf und differenziert daher zwischen Reichslehre und Regimentslehre. Zur Kritik vgl. vor allem Bring, Glaube und Recht, 140 ff.; E. Schott, in: ThLZ 79/1954, 692 ff.; E. Wolf, Der christliche Glaube und das Recht, 225 ff.; P. Althaus, Die beiden Regimente bei Luther. In: ThLZ 81/1956, 129 ff.; F. Lau, Leges Charitatis. In: Kerygma und Dogma 2/1956, 76 ff.; Hermann, Luthers Theologie, 207 ff. Zu dieser Kritik vgl. die Metakritik von J. Heckel, Im Irrgarten der Zwei-Reiche-Lehre. Zu Heckel vgl. Steinmüller, 17 ff.; Hakamies, 95 ff.

Predigten in großer Zahl zueinander geordnet[9], um den Zweck der beiden Reiche zu charakterisieren: Glaube und äußere Ordnung, Hinleitung zum ewigen Leben und Bewahrung und Erzwingung eines geordneten und befriedeten zeitlichen Lebens[10]. In der Anwendung auf den Einzelnen als persona publica und persona privata, als in der Welt und für andere Lebender und Handelnder und als Christ, besteht ein existentielles und Identitätsverhältnis[11], wobei die Entscheidung für das Handeln in dem einen oder dem anderen Regiment in der konkreten Situation jeweils dem im Glauben gesicherten Gewissen des zum Tun Aufgerufenen überlassen werden muß, ohne daß objektive und allgemeinverbindliche Normen in Form einer Verhaltenskasuistik aufgestellt werden können[12].

Neben dieser Dualität der Regimente Gottes besteht bei Luther der traditionelle Dualismus der zwei Reiche in regnum dei (regnum Christi) und regnum mundi als regnum diaboli fort; neben die konträre Relation des Nebeneinander wird damit die kontradiktorische des Gegeneinander, die Dimension der gegenseitigen Ausschließung gestellt[13]. In diesem Dualismus prägt sich das eschatologische Ringen zwischen Gott und Teufel um den Bestand der Schöpfung und um den Menschen aus. Zwei-Reiche-Lehre der Dualität und Zwei-Reiche-Lehre des Dua-

---

9. Zu den Gegenüberstellungen vgl. vor allem „Von weltlicher Obrigkeit“ (WA 11, 249 ff.); ferner „Ob Kriegsleute“ (WA 19, 628 f.). Zur Unterscheidung (vgl. die Attributenliste bei Törnvall, Regiment, 94 f.) vgl. grundlegend ebd., 70 ff. Zur Terminologie vgl. auch Scharffenorth, Anh. 7 ff. Zu den für das Verständnis der Zwei-Reiche-Lehre wichtigen Predigten Luthers über Mt. 5—7 (1530—32) vgl. oben S. 18 Anm. 24.

10. Vgl. etwa WA 54, 237, 23 ff. (Vom Papsttum zu Rom, 1545). Vgl. auch die knappe Formel WA 40/I, 395, 7 f. (Gal.-brief-Vorlesung): „Deus habet duplicem benedictionem: Corporalem pro hac vita et spiritualem pro vita aeterna“.

11. Vgl. Gloege, Thesen, 79 f.

12. Vgl. dazu unten S. 51 f.

13. Diese doppelte Relation ist besonders bei Ebeling, Notwendigkeit, 414 ff. herausgearbeitet. Althaus, Ethik, 55 f. glaubt eine Wandlung in dem Verständnis des „weltlich“ bei Luther feststellen zu können, so daß der Begriff, als Luther in das weltliche Regiment auch Ehe und Eigentum u. a. einfügte, die Bedeutung des Zeitlichen, Irdischen, Leiblichen bekommt; vgl. ders., Luthers Lehre, 54, wo die Übertragung des Dualismus Gottesreich-Teufelsreich auf die Zwei-Reiche-Lehre abgelehnt wird. Neuser, 70 vereinfachend: Luther denkt beide „Reiche“ im augustinischen Dualismus. Aber gerade 1523 in „Von weltlicher Obrigkeit“ wird das weltliche Regiment ausdrücklich als Dienst in Gottes Auftrag verstanden (vgl. WA 11, 254, 34 ff.), während 1525 in „De servo arbitrio“ die Dualismus-Konzeption der Ausschließlichkeit zur Abwehr des Postulats des freien Willens verwendet wird; vgl. WA 18, 782, 30 ff. Vgl. dazu Kinder, Geistliches und weltliches Regiment, 11 ff. Zum Dualismus vgl. auch Lilje, 52 ff.; Matthes, Obrigkeit, 118 ff.; Törnvall, Regiment, 186 ff.; Cranz, 166 ff. Löfgren, 125 ff. sieht in dem Widereinander der Reiche nicht so sehr einen institutionellen „Dualismus“ als vielmehr ein „Kampfmotiv“, ein „antagonistisches Motiv“, indem er auf die Entscheidung des Menschen, der nicht neutral zwischen den Reichen stehen kann, abhebt. Zur Entscheidungssituation des Menschen zwischen Gott und Satan vgl. auch Wingren, Beruf, 107 f. Zu diesem Schema der Lunder Lutherforschung: Grundmotiv des Kampfes Gottes mit dem Teufel, vgl. E. Wolf, Lutherische Lehre, 265 Anm. 32.

lismus schneiden sich im Begriff „mundus“, ohne daß Luther bei Verwendung dieses Begriffes immer ausdrücklich zwischen den beiden Verständnisweisen: Welt als Herrschaftsgebiet der teuflischen Macht und Welt als weltliches Reich Gottes differenziert hätte, so daß bei jeder entsprechenden Aussage geprüft werden muß, welche Bedeutung von „mundus“ intendiert ist. Das weltliche Regiment gehört aber eindeutig in die Zwei-Reiche-Lehre der Dualität, selbst wenn seine irdischen Repräsentanten durch Fehlverhalten und Teilhabe am Status des peccator immer auch zu einem Teil Angehörige des mundus diaboli bleiben.

Ausdruck des weltlichen Regiments ist für Luther die Obrigkeit[14]. Dieser Begriff bezeichnet für das Verständnis des 16. Jahrhunderts ansatzweise denselben Aufgabenkreis, für den bei kontinuierlicher Extension der Aufgaben und Rechte in der Neuzeit der Begriff Staat verwendet wird, ohne daß beide Termini synonym gebraucht oder identifiziert werden dürften[15]. Beide kommen nur in der generellen und damit zugleich am wenigsten stringenten Definition der Machtverwaltung und -ausübung zur Deckung. Den modernen Staat als transpersonale Größe, als Verwaltungsapparat und Militärmaschine, anonym, wertneutral und frei von metaphysischen Bezügen, kennt Luther nicht[16], da zu seiner Zeit die Voraussetzungen für ein solches Verständnis — mindestens im Reich — noch gänzlich fehlen. Luther hat auch keine Staatsphilosophie entwickelt, da er theologisch und konkret-aktual dachte[17]; seine Begründung der politischen Gewalt hat er nicht aus einer staatsrechtlichen Theorie übernommen, sondern aus der Bibel entwik-

---

14. Im Folgenden wird Luthers Sprachgebrauch der Obrigkeit beibehalten, trotz der Warnung Carrs, daß der Historiker sich nicht durch den Gebrauch unbekannter und veralteter Begriffe in die Vergangenheit einschleichen könne (vgl. E. H. Carr, Was ist Geschichte, Stuttgart 1963, 25). Dennoch wird durch Verwendung der zeitgenössischen Begrifflichkeit der für das Verständnis von Luthers „Staatslehre“ notwendige Distanzierungseffekt gewonnen und jeder kurzschlüssigen Identifizierung mit dem modernen Staatsbegriff vorgebeugt. Eine begriffsgeschichtliche Untersuchung anhand des Materials zu „Obrigkeit“ in den Sammlungen des Deutschen Rechtswörterbuches bietet E. Maschke, „Obrigkeit“ im spätmittelalterlichen Speyer und in anderen Städten. In: ARG 57/1966, 7 ff. Vgl. auch O. Brunner, Souveränitätsproblem und Sozialstruktur in den deutschen Reichsstädten der früheren Neuzeit. In: Vierteljahrsschrift für Sozial- und Wirtschaftsgeschichte 50/1963, 329 ff.; vor allem 340 ff. Vgl. für Süddeutschland Naujoks, 14 f. Zum Begriff bei Luther vgl. vor allem Lenz, Luthers Lehre, 426 ff.; Liermann, Untersuchungen, 319 ff.; H. Bornkamm, Die Frage der Obrigkeit im Reformationszeitalter. In: Das Jahrhundert der Reformation, 292 ff.

15. Zum Verhältnis von Luthers Obrigkeitslehre zum modernen Staatsbegriff vgl. Trillhaas, 22 ff. Unbefangen verwenden diesen modernen Staatsbegriff viele der älteren Arbeiten, vor allem Jordan (brauchbar als Zitatensammlung), Binder (der Jordan weitgehend folgt) und Pauls (unter völliger Vernachlässigung des theologischen Aspekts).

16. Vgl. Nürnberger, Exousia, 89 f.; Gloege, Thesen, 88.

17. Vgl. dazu WA 30/III, 129, 24 f. (Vom Kriege wider die Türken, 1529) Luthers erhellende Selbstinterpretation: „Mir zymet nicht weiter zu reden, denn einem jglichen sein ampt anzuzeigen und sein gewissen zu unterrichten.“

kelt[18]. In der Praxis orientiert sich seine Obrigkeitslehre, wie sie sich in den Gutachten zu politischen Problemen niederschlägt, an der deutschen Wirklichkeit des 16. Jahrhunderts, d. h. Luther kennt nur den „schwachen Territorialstaat des 16. Jahrhunderts[19]" ohne eigenständige Außenpolitik, ein Gebiet überschaubarer Größe und unkomplizierter Struktur, dessen Macht sich im Fürsten und im städtischen Magistrat verkörpert.

Diese Anschauungswirklichkeit des Reiches und der Territorien mit der Machtrepräsentanz in einer Person bzw. einer begrenzten Personengruppe bestimmt Gestalt und Inhalt des Obrigkeitsverständnisses Luthers. Obrigkeit ist für ihn keine Abstraktion oder lediglich Chiffre einer Institution, sondern wesentlich Person. Er versteht Obrigkeit als Auftrag Gottes an Menschen, durch das Amt, das weltliche Regiment zu führen, eine Machtfunktion auszuüben; sie ist Auftrag und Amt, die zwar bestehen bleiben, auch wenn die ausübende Person wechselt, sich aber an die Person wenden und nur an sie. Die Alternative: Obrigkeit als Institution oder als bloße Personalrelation, stellt sich für Luthers Denken nicht in dieser Schärfe. Im Begriff Obrigkeit, auch wenn er im Sinne der Funktion des Amts verstanden wird, steckt immer vor allem der personale Bezug, auch bei transpersonaler Dauer des Amts[20]. Die Institutionen als solche interessieren Luther nicht, nur die in ihnen handelnden Menschen[21]; darin wird zugleich der religiöse, seelsorgerlich-pastorale Ansatz seiner Obrigkeitskonzeption deutlich.

Allerdings darf die personale Betrachtungsweise auch nicht absolut gesetzt werden, da zum Begriff der Obrigkeit eben auch der Begriff des Amts gehört, das die Person überdauert. Kriterium des Amts ist die göttliche Stiftung und Einsetzung, seine Handhabung ist abhängig von Berufung und Befehl Gottes[22]. Im Amt ist die objektive res zu fassen, die Luther nicht in Frage stellt[23], um das Amt

---

18. Vgl. dazu die bei Matthes, Obrigkeit, 70 Anm. 14 und Lau, Luthers Lehre, 24 Anm. 43 zusammengestellten mehr als zwanzig Schriftzitate, die Luther als Beleg für seine Überzeugung, daß das Amt der Obrigkeit von Gott stammt, verwendet.

19. Holborn, Machtpolitik, 24.

20. Vgl. Bornkamms hilfreiche Unterscheidung von personal und subjektivistisch; H. Bornkamm, Geistige Welt, 239; vgl. auch Gloege, Politia divina, 103 f.

21. Das aktuelle Interesse an der Herausstellung der institutionellen Komponente von Luthers Obrigkeitslehre – vgl. vor allem Scharffenorth, 115 ff. und ihr folgend Duchrow, 523 ff. – ist vor allem in der Gegenwartsproblematik begründet, um die „Weltverantwortung" des Christen heute in den Griff zu bekommen. Wie wenig in diesem Zusammenhang die Diskussion um die Zwei-Reiche-Lehre beendet ist, beweist die Furcht, daß über ihrer Erörterung die „dringenden ethischen Probleme der Gegenwart" zu kurz kommen; vgl. Schweitzer, 52. Vgl. auch E. Wolf, Königsherrschaft, 62, wo die Suspension der Diskussion vorgeschlagen ist. Wolf ist es andererseits 1946/47 gewesen, der vor der Gefahr der Aktualisierung der „Staatslehre" Luthers gewarnt hat; vgl. Wolf, Luthers Erbe? In: Peregrinatio II, 74 ff. (ebd., 74 Anm. 62 die Literatur aus den 30er Jahren zu diesem Thema).

22. Vgl. dazu Wingren, Luthers Lehre vom Beruf, passim; Lieberg, 95 ff. (für das Predigtamt).

23. Vgl. etwa WA 51, 555, 29: „Est differentia inter rem et personam"; vgl. auch WA

der Obrigkeit nicht abhängig zu machen von der Integrität des jeweiligen Inhabers. Die Korruptibilität des Amtsinhabers berührt das Wesen des Amts als göttliche Stiftung nicht: „Umb des Misbrauchs willen mus man Gottes gute Creatur [sc. die Ordnung] nicht verachten[24]". Wenn Luther die Traditionsformel: „Abusus non tollit substantiam rei", in diesem Zusammenhang anführt[25], erhellt auch daraus, daß neben dem personalen Bezug der objektive nicht aufgegeben wird[26].

Seine Obrigkeitslehre hat Luther erstmals ausführlich 1521 in einer Auseinandersetzung mit Melanchthon über das ius gladii entwickelt[27]. Entgegen Melanchthons Zweifeln war für Luther die weltliche Gewalt in der Schrift nicht nur zugelassen („permissum"), sondern bestätigt und empfohlen ("confirmatum et commendatum"); als Beweis wurde vor allem Röm. 13, 1 und 1. Petr. 2, 13 — Obrigkeit als „minister dei" — angeführt, daneben die Legitimierung des Soldatenstands durch Johannes den Täufer Luk. 3, 14. Mit Hilfe dieser Schriftallegate[28] schien Luther ein ausreichender Nachweis für die These erbracht, daß die „potestas huius mundi" im Evangelium „tot modis confirmata, commendata, honoranda, oratione Deo commendanda" sei[29]. Entsprechend wird die Begründung der weltlichen Gewalt dann 1523 in „Von weltlicher Obrigkeit" vorgenommen[30]. Allerdings lehnte Luther es ab, generelle „technische Richtlinien" aus der Schrift für das Handeln der obrigkeitlichen Amtsträger abzuleiten[31], wenn er auch im je konkreten Fall der Gewissensunterweisung seiner Landesherren seinen Rat mit Schriftzitaten und Verhaltensbeispielen vor allem aus dem Alten Testament begründete und absicherte.

Die von Luther mit der Zwei-Reiche-Lehre begründete Eigenständigkeit der weltlichen Gewalt, unabhängig von einer Vermittlung oder Legitimation durch die geistliche, hat er selbst als eines seiner großen Verdienste angesehen: „Nach-

---

19, 624, 18 ff. Diese Trennung begegnet nach Cranz, 168 f. erst seit der theoretischen Abklärung in „De servo arbitrio". Sie ist aber bereits angelegt in der Auslegung des Magnificat; vgl. WA 7, 590, 3 ff.; nach 1525 vgl. WA 19, 627, 21; WA 19, 360, 8 ff.; WA 31/I, 196, 16 f. Zum Problem vgl. auch Duchrow, 528 ff.

24. WA 30/II, 521, 9 f.; die Erklärung creatura = Ordnung übernommen aus Lau, Ordnung, 12; vgl. ebd., 74 f.

25. Vgl. dazu Törnvall, Regiment, 63. 189; vorher schon Lau, Ordnung, 65 ff.

26. Zur Konsequenz für den aktuellen Gehorsam gegenüber der „bösen Obrigkeit" vgl. unten S. 76 ff.

27. WAB II, 357, 32 ff. (an Melanchthon, 13. Juli 1521). Zur Rekonstruktion der verlorenen Anfrage Melanchthons bei Luther vgl. K. Müller, Jus gladii, 236; vgl. auch Nürnberger, Kirche und weltliche Obrigkeit, 4 ff. Zur Wirkung von Luthers Antwort auf Melanchthon vgl. Sperl, 96 ff.

28. In diesem Zusammenhang werden neben alttestamentlichen Exempeln genannt: 1. Tim. 2, 2; 2. Petr. 2, 10; Jud. v. 8; Joh. 19, 11.

29. WAB II, 359, 100 f.

30. Auf die Entsprechungen zwischen „De iure gladii" von 1521 und Teil I der Schrift von 1523 verweist besonders Müller, Jus gladii, 235 f.

31. Darauf weist in besonderer Weise Holstein, Staatsidee, 7 ff. hin.

dem ich von der weltlichen öberkeit also herlich und nützlich geschrieben habe, als nie kein lerer getan hat sint der Apostel zeit (Es were denn S. Augustin), des ich mich mit gutem gewissen und mit Zeugnis der Welt rhümen mag[32]". Zwar war diese Unabhängigkeit schon in der kaisertreuen Publizistik des Mittelalters mit der Modifizierung oder offenen Ablehnung der Zwei-Schwerter- und Zwei-Lichter-Theorie postuliert worden, aber Luther hat sie theologisch fundiert, indem er die Aussagen von Röm. 13 nur für die weltliche Gewalt in Anspruch nahm, dem geistlichen Regiment aber diese Stütze als Fixpunkt für seine Gehorsamsansprüche entzog. Mit der Zwei-Reiche-Lehre erhielt die weltliche Macht eine nur ihr zukommende Würde und wurde unmittelbar mit dem göttlichen Willen und dem göttlichen Weltregiment als dessen Instrument in Verbindung gebracht. Ohne Zwischenschaltung hierarchischer Ansprüche wird sie zum „bilde, schatten und figur der herrschaft Christi[33]". Sie wird konstituiert als Dienerin Gottes für die politischen und sozialen Lebensbezüge, durch sie übt Gott indirekt seine Herrschaft aus.

Indem die Obrigkeit in Gottes Ordnung steht, ist sie zugleich gesichert gegen jeden Autonomismus[34]. Luther erkennt ihr nur eine relative Autonomie zu[35], die in der Abweisung hierokratischer und kirchlicher Machtansprüche, der Behauptung kirchlicher Präferenz und daraus abgeleiteter Einflußanmaßung besteht, in der Überwindung der bisher in der christlichen Staatsphilosophie gelehrten Heteronomie des Weltlichen, das von geborgter Autorität und von außer seinem Wesen liegenden Zwecken bestimmt war. Das Proprium der Eigenständigkeit der weltlichen Gewalt ist nicht ihre Totalautonomie, sondern ihre Theonomie, ihre ohne Zwischeninstanzen erfolgte Einsetzung durch Gott als eines eigenen Modus seines Handelns. Sie bleibt dem Willen ihres Stifters unterworfen, der zudem jederzeit durch die viri heroici[36] dirigierend und bessernd eingreifen kann. Die Lösung von der Subsumption unter die geistliche Gewalt befreit nur zur Gleichberechtigung und zur Aufhebung des bisherigen Abhängigkeits- und Konkurrenzverhältnisses, impliziert aber nicht eine Befreiung von den Geboten Gottes zugunsten einer Eigengesetzlichkeit. Wie das geistliche Reich und Regiment ist auch

32. WA 30/II, 110, 1 ff.; die ausdrückliche Beziehung auf Augustin verdient hinsichtlich Luthers Selbsteinordnung in die Tradition besondere Beachtung; vgl. dazu Duchrow, 441 ff. WA 30/II, 109, 7 f. wird im Kontrast eine Beschreibung des Urteils über die weltliche Obrigkeit vor seinem Auftreten gegeben: „heidenisch, menschlich, ungötlich ding, als were es ein ferlicher stand zur seligkeit".

33. WA 30/II, 554, 30 f. Allerdings erfolgt diese Bewertung im Kontext in Abstufung zur Herrschaft Christi, die sich im geistlichen Regiment ausspricht. Zum Begriff der Figur vgl. WA 23, 219, 15 ff.

34. Vgl. Künneth, 75 ff. Mit der Abwehr des Autonomismus als Kennzeichen der „Staatsidee" Luthers verbindet sich die negative Antwort auf die Frage nach der Säkularisierung des Staates durch Luther; vgl. dazu zuletzt zusammenfassend Nürnberger, Reformation und Säkularisierung, 18 ff. Vgl. auch Heckel, Entwicklung, 9.

35. Vgl. dazu Gloege, Politia divina, 94 ff.

36. Vgl. dazu oben S. 30 ff.

das weltliche in Gottes Ordnung eingebunden. Trotzdem besteht, wenn Luther beide Reiche und Regimente einander gegenüberstellt, zwischen ihnen ein deutliches Dignitätsgefälle, das sich aus den Aufgabenbereichen beider Regimente ergibt. Gleichberechtigung und Eigenständigkeit involvieren nicht Gleichwertigkeit der Aufgaben, so wie auch die verwendeten Mittel nicht gleichwertig sind, insofern das Wort höher steht als das Schwert. Je nach der zur Erörterung stehenden Sachlage und der Beziehung der Regimente auf sie sowie je nach dem gerade angesprochenen Gegner variiert Luther zwar in der Einstufung des weltlichen Regiments, hält aber grundsätzlich an dessen Zweitrangigkeit fest. Es ist zwar eine „grosse gabe Gottes und ... unter den zeitlichen gaben die aller grösseste[37]", aber doch ein „gering ding für got[38]". Erst nach und hinter dem Predigtamt ist es der „höhest Gottes dienst und nützlichst amt auff erden[39]".

Diese unterschiedliche Dignität der Regimente spiegelt sich für Luther auch in der verschiedenen Kompensation der Dienste der Amtsinhaber wider. Weltliches Tun empfängt weltlichen Lohn, so daß die Träger der obrigkeitlichen Gewalt sich mit einer Satisfaktion innerhalb ihres Kompetenz- und Wirkungsbereiches begnügen müssen, wenn auch mit dem „frölichen trost, das Gotte solche [sc. weltliche] werck so wol gefallen[40]". Ihr Lohn besteht in der äußeren Ungleichheit der Menschen und in der Zuerkennung einer je nach Verantwortung und äußerem Rang fixierten Stellung innerhalb der ständisch-hierarchischen Stufung, in der der höhere Amtsträger höhere Ehren und größeres Ansehen genießt[41], während das geistliche Regiment durch die prinzipielle Gleichheit aller Glieder in der Gleichheit der Menschen als Geschöpfe Gottes charakterisiert ist[42]. Die mindere Dignität des weltlichen Regiments führt aber den Vorzug der geringeren Gefährdung der unter ihrer Herrschaft lebenden Menschen bei Fehlverhalten der Obrigkeit mit sich, da die Irrtümer und Exzesse der weltlichen Obrigkeit nur Leib und Besitz ihrer Untertanen treffen, das geistliche Regiment im Fehlverhalten aber die Menschen um ihr Heil bringt[43]. Zwar tragen beide Regimente für ihren Aufgabenbereich dieselbe Verantwortung vor ihrem Stifter, aber unter der für Luther

37. Vgl. WA 31/I, 77, 33 f.

38. WA 6, 259, 34.

39. WA 31/I, 198, 24 f.

40. WA 30/II, 560, 34 f.; vgl. auch WA 39/I, 101, 3 f.

41. Zur Belohnung der weltlichen Obrigkeit mit zeitlichem Gut vgl. WA 19, 629, 25 ff.

42. Vgl. zur existentiellen Gleichheit unter Christen Luthers Auskunft von 1540: „In morte nemo iuvat nec princeps, sed Deus" (WA 49, 13, 22). — Allerdings macht Liermann, Untersuchungen, 319 zu Recht darauf aufmerksam, daß die reformatorische Gleichheit vor Gott sich nicht nur auf das geistliche Regiment erstreckt, sondern bis zu einem gewissen Grad in der Gemeinsamkeit des Christseins und der gegenseitigen Anerkennung als creatura dei — bei aller Aufrechterhaltung der äußeren Rangunterschiede — den Unterschied zwischen Herrscher und Untertan überbrückt. Zum Problem von Gleichheit und Ungleichheit vgl. die bei Lezius, 287 ff. zusammengestellten Nachweise aus Luther.

43. Vgl. WA 6, 259, 19 ff. Vgl. in diesem Zusammenhang Luthers Vorstellung vom päpstlichen tyrannus universalis als Seelenmörder; unten S. 248 f.

selbstverständlichen Voraussetzung der geringeren Wertigkeit des irdischen Lebens und unter der eschatologischen Überzeugung des endzeitlichen Gerichts und Urteils ist Fehlverhalten und exzedierendes Handeln im geistlichen Regiment für den Menschen wegen der Heilsgefährdung gravierender als im weltlichen, obwohl hier die Folgen vordergründig tiefgreifender und unmittelbarer zu sein scheinen.

Luthers theologische Begründung der Notwendigkeit der Existenz eines weltlichen Regiments folgt aus seiner anthropologischen Prämisse der verderbten Natur des infralapsarischen Menschen[44] und der damit verbundenen Überzeugung der Diaspora der Gläubigen in einer feindlichen Welt. Unter der Voraussetzung, daß die Gesellschaft aus Christen besteht, die nach der Schrift leben und befreit sind von egoistischem Handeln, frei für den Nächsten und dessen Wohl, bedarf es keines weltlichen Regiments. Jedoch gilt: „Die wellt und die menge ist und bleybt unchristen, ob sie gleych alle getaufft und Christen heyssen. Aber die Christen wonen ... fern von eynander"; zudem muß die Chiffre „Christen" immer gebrochen erscheinen durch das theologische Grundkonzept des Simul-peccator-et-iustus-Charakters jedes Menschen. Ein christliches Regiment ist daher nicht möglich in der Gegebenheit dieser Welt nach dem Sündenfall, „denn der bößen sind ymer viel mehr denn der frumen[45]". Da durch die Verderbtheit der menschlichen Natur die Schöpfung permanent bedroht ist, hat Gott die weltliche Gewalt gestiftet, die im infralapsarischen Zustand der Welt als „externum remedium peccati[46]" das geordnete Zusammenleben der Menschen ermöglichen und aufrechterhalten soll. Dieser Auftrag gilt bis zum Ende der irdischen Zeit, so daß eine Selbstaufgabe der Obrigkeit aus Resignation an der zufriedenstellenden Realisierung ihrer Pflichten gegenüber dem Bösen in der Welt nicht nur eine Deser-

---

44. Vgl. oben S. 23 f.

45. WA 11, 251, 35 ff.; der Diaspora-Charakter der Christen in der Welt der Un- oder Namenschristen wird von Luther geradezu toposartig verwendet, um die Notwendigkeit des weltlichen Regiments zu begründen; vgl. WA 15, 302, 13 f.; 17/I, 149, 4 ff.; 20, 579, 4 f.; 30/II, 117, 6 ff; 31/II, 727, 15 ff.

46. Die Frage, ob im Gegensatz zur Erlösungsordnung des geistlichen Reiches die weltliche Obrigkeit lediglich Erhaltungsordnung und mithin infralapsarischen Ursprungs oder aber Schöpfungsordnung und von Anfang vorhanden gewesen sei, hat zu lebhaften Auseinandersetzungen geführt, da sich aus der Zuordnung der Obrigkeit zur Schöpfung eine größere Dignität des Staates zu ergeben schien. Die verwendeten Termini stammen allerdings aus sehr viel späterer Zeit (vgl. Clausert, 19) und fassen die behandelte Sache daher kaum adäquat. Nach Hillerdal, Gehorsam, 54 Anm. 6 ist theologisch die Distinktion belanglos, wie aus der Struktur der Regimentenlehre mit ihrem Wissen um die ständige Neuschöpfung Gottes angesichts des in der Welt vorfindlichen Pervertierten der ursprünglichen Schöpfung hervorgeht; vgl. entsprechend schon Lau, Luthers Lehre, 36 f., der den Streit für eine Randfrage hält. Zu den gegensätzlichen Stellungnahmen vgl. die Übersicht bei Bornkamm, Lehre, 27. Die Quellen bei Luther sprechen m. E. deutlich für die Ablehnung einer Herrschaftsordnung schon im Urstand, außerdem hätte der supralapsarische Zweck dem infralapsarischen konträr sein müssen. Für Luther ist aber „der Sinn der Staatsordnung ... nicht zu lösen von dem Gegenbegriff der Unordnung durch die Sünde" (Bornkamm, a. a. O., 28). Vgl. zum Problem auch Nilsson, 140 f. Anm. 21.

tion aus der von Gott gestellten Aufgabe wäre, sondern auch einen Eingriff in das Recht Gottes, der sich die Auflösung der weltlichen Gewalt und die Überführung in eine andere Ordnung selbst vorbehalten hat, darstellte[47].

Die Obrigkeit fungiert als Notordnung. In diesem Begriff ist der Doppelaspekt des weltlichen Regiments umfaßt: das Provisorium, der Notbehelf, der im Schöpfungsplan ursprünglich nicht enthalten war, da erst der Sündenfall die Schöpfung bedroht, und die Notwendigkeit eines Dammes gegen die äußeren Auswirkungen der Sünde. Obrigkeit ist ein notwendiges, nicht ein arbiträres Amt. In der Begrenzung ihrer Aufgaben auf das Ende der Welt hin ist ihr zugleich ein starker eschatologischer Bezug zuerkannt.

Ihre Zuständigkeit umfaßt alles nicht Heilsnotwendige, also alle Verhältnisse und Beziehungen im zwischen- und mitmenschlichen Bereich des sozialen und politischen Lebens[48]. Diese nur negativ zu fassende Begrenzung hält sich bei Luther in allen entsprechenden Ausführungen durch[49]. Eine prinzipielle Ausweitung ihrer Befugnisse kann es vor allem deswegen nicht geben, weil der Geltungsbereich des Komplementärregiments von vornherein durch die Schrift eindeutig festgestellt ist. Die Aufrechterhaltung und Sicherung der äußeren Ordnung geschieht mit Hilfe der Gewalt, in Luthers Terminologie: mit dem Schwert. Die Gewalt ist jedoch kein Selbstzweck, sondern lediglich Instrument im Dienst an den Menschen. Die in Röm. 13, 1 definierte Aufgabe impliziert eine doppelte Funktion: die prohibitive Wirksamkeit in der prophylaktischen Verhinderung des bösen Tuns zur Aufrechterhaltung der Ordnung und eine koerzitive Funktion in der Bestrafung des Fehlverhaltens zur Restitution der verletzten Rechtsordnung. Mit diesem Doppelmandat „peccantes castigare – alios in timore servare[50]" erfüllt die Obrigkeit nicht nur einen Auftrag für den eigenen Kompetenzbereich, sondern leistet zugleich dem geistlichen Regiment Hilfsdienste, indem sie durch Erhaltung der äußeren Ordnung dessen Dienst an den Seelen erleichtert und dem Evangelium zur Sicherung der äußeren Bedingungen seines Lebensrechtes verhilft[51].

In der Aufgabe der Ordnungserhaltung sind zwei Faktoren vorgegeben: Verantwortung und Gefährdung des Amts. Der Amtsträger muß bei allen Hand-

---

47. Vgl. WA 7, 590, 5 ff.; WA 36, 568, 2 ff. 574, 4 ff. Diese Überzeugung wird konkretisiert in Luthers Aufforderungen an die Fürsten im Bauernkrieg.

48. Vgl. die Definition oben S. 41.

49. In Frage kommen vor allem die Auslegung des Magnificat (1521) (vgl. dazu H. W. Beyer, Gott und die Geschichte nach Luthers Auslegung des Magnificat. In: Luther-Jahrbuch 21/1939, 110 ff.; vor allem aber Maurer, Freiheit, 96 ff.); Von weltlicher Obrigkeit (1523); Ob Kriegsleute (1526); Das schöne Confitemini (1530); Der 82. Psalm ausgelegt (1530); die Schulpredigt (1530). Zur Gruppierung der „politischen" Schriften Luthers nach ihrem Zweck vgl. Scharffenorth, Anh. 13 f.; Schwiebert, 107 ff.

50. WA 17/I, 149, 13 f.

51. Vgl. dazu unten S. 64 ff.; Luther hat vor allem in den späteren Jahren herausgestellt, daß die Staatsgewalt als Erhaltungsordnung auch im Dienst der Kirche steht; angelegt ist diese Überlegung aber bereits 1521 in der Erörterung des ius gladii (vgl. WAB II, 357, 44 ff.).

lungen im Auge behalten, daß die Folgen seines Tuns nicht so sehr ihn als die seiner Sorge übergebenen Menschen treffen[52], und danach sein Handeln einrichten. Eine zureichende Erfüllung der Aufgaben wird gefährdet durch den Widerstand der satanischen Macht gegen die Obrigkeit, die ihrer Pflicht nachzukommen sich bemüht[53], aber der Gegengewalt der Sünde nur selten gewachsen ist; in der menschlichen Unzulänglichkeit der Machtinhaber liegt außerdem die Gefahr der Selbstkorruption durch kontagiöse Berührung mit der Sünde[54]. Das Fehlverhalten der Obrigkeit zeigt sich im Abweichen von der Mittelstraße des Rechts in zu großer Sorge oder Vermessenheit[55] und in der Annahme des Habitus der desperatio oder der praesumptio mit den Folgen von Anarchie oder Tyrannis. Gibt die Obrigkeit angesichts der ihr entgegengesetzten Widerstände ihr Amt preis, weicht mithin freiwillig den widergöttlichen Kräften der Unordnung und verzweifelt an ihrer Sendung und an der Hilfe Gottes, so läßt sie die ihr anvertraute Herrschaft in Anarchie verfallen. Diese Selbstaufgabe im Unglück wird von Luther ebenso verworfen wie die Selbstzurechnung der Verdienste, bei der in prinzipieller Selbstüberhebung gleichfalls Gott ausgeklammert wird. Das weltliche Regiment entartet hier zur Tyrannis[56] in der Anmaßung, Gott gleich zu sein.

Mit der Deskription der weltlichen Gewalt und des Umfangs ihrer Kompetenzen war jedoch ebensowenig wie mit der Erkenntnis, daß es sich bei ihr um eine göttliche Stiftung für den Menschen handelt, schon die entscheidend wichtige Frage entschieden, ob der auf Gewaltlosigkeit und Hinnahme von Unrecht verpflichtete Christ in einem Amt, für das sich der Gebrauch von Gewalt als konstituierender Faktor erwies und das nicht für die Christen, sondern für die von Gottes Ordnung Abgefallenen und sie Bedrohenden eingerichtet war, tätig sein durfte. Luthers Antwort war 1521 nur vorläufig gewesen. Er hatte sich im wesentlichen mit dem

---

52. Ein praktisches Beispiel vgl. in Luthers Paränese anläßlich der Frage der Wahlanerkennung Ferdinands, wo er Johann von Sachsen an die Verantwortung für sein Land erinnert und rät, nicht auf gegenteilige Ratschläge zu hören, denn: „Wer nicht ein furst ist, (da mehr anliegt denn an einer eintzeln person), dem ist leicht zu trotzen und kriegens zu erwarten, denn er nicht viel zuverlieren hat oder yhe zum wenigsten leichter aus dem schlam wider komet denn der furst selbst, den er hinein gefurt hat" (WAB VI, 264, 46 ff.) vgl. auch unten S. 201 f.

53. Vgl. dazu etwa WA 5, 569, 22 ff.

54. Die Aufzeichnung von 1531 WATR I Nr. 50: „(Magistratus) necessario peccat; quanto enim quisque in maiore est officio, tanto plus et gravius peccat", kann allerdings kaum als grundsätzliche Aussage angesehen werden, da die Obrigkeit bei sachgemäßer Erfüllung ihrer Aufgabe als minister dei fungiert, wenn auch wie jeder Mensch in jedem Amt im infralapsarischen Stand des Zusammenhangs mit dem peccatum. Luther will an dieser Stelle offenbar auf die besonderen Gefährdungen aufmerksam machen, die im obrigkeitlichen Amt durch die Machtversuchung enthalten sind. Zur Schwere des Amtes und seiner Gefahren vgl. auch WA 6, 467, 29 f.: „... wie schrecklich es sey zuregiern und oben an sitzenn". Vgl. auch WA 5, 569, 22 ff., wo das obrigkeitliche Amt als „dies tribulationis" bezeichnet wird.

55. Vgl. dazu oben S. 23 f.

56. Zur Tyrannis vgl. unten S. 81.

Nachweis der göttlichen Sanktionierung der weltlichen Gewalt als positiver Einrichtung durch die Schrift begnügt, um im Umkehrschluß zu folgern, daß, wenn der Christ aufgefordert war, die Obrigkeit als Dienerin Gottes zu verehren, er auch berechtigt war, ihre Funktion auszuüben[57]. Die Vorläufigkeit dieser Auskunft hat Luther 1523 ergänzt[58]. Entstanden aus dem aktuellen Anlaß der Frage nach dem richtigen Verhalten des Christen zur Anordnung verschiedener Fürsten, die lutherische Übersetzung des Neuen Testaments und andere evangelische Schriften abzuliefern[59], untersucht die Schrift „Von weltlicher Obrigkeit" auf breiterer Basis erneut die scheinbare Inkompatibilität des Seins im Christenstand und des Handelns im weltlichen Amt. Das Problem: der Christ als Obrigkeit, umschließt dabei für Luther drei Fragekreise: Ist das Christsein für das obrigkeitliche Amt notwendig; ist dieses Amt dem Christen verboten; hört der Christ im Amt auf, Christ zu sein? Die Antwort auf die erste Frage ergab sich ohne weiteres: Da das weltliche Regiment zur Regelung der Externa geschaffen ist und daher von jedem vernunftbegabten und verantwortungsbewußten Menschen ausgeübt werden kann, ist der Glaube kein wesensnotwendiger Bestandteil des obrigkeitlichen Amts. Für die zweite und dritte Frage schien die Ausgangslage eindeutig zu sein: die Schrift verbietet dem Christen die Inanspruchnahme des ius talionis und damit auch die Gewalt[60]. Luther läßt jedoch eine schematisch-literale Anwendung der biblischen Vorschrift nicht zu, sondern rekurriert auf das zugrundeliegende Prinzip, das Liebesgebot als Antrieb für alles Handeln des Christen: „Die liebe gehet durch alles und uber alles und sihet nur dahyn, was andern nutz und nott ist[61]". Dieser Bezug auf den Mitmenschen und der „Nachfolgeansatz[62]" als Konstituens christlichen Verhaltens sind für Luther die entscheidenden Faktoren für das Leben des Christen in der Welt. Auf die eigene Person bezogen, bedeutet der Nachfolgeansatz gewaltlose Hinnahme des Unrechts, äußere Passivität und Verzicht auf

---

57. Vgl. WAB II, 358, 88 ff.

58. Vgl. WA 11, 245 ff. (Von weltlicher Obrigkeit). Die Beurteilung der Schrift ist nicht einheitlich. Rieker, 58 ff. hält die hier dargelegte Ansicht über das Verhältnis zwischen geistlicher und weltlicher Gewalt für untypisch bei Luther, da der verwendete Staatsbegriff noch die mittelalterliche Geringschätzung der weltlichen Gewalt verrate; ähnlich Hermelink, Idealgemeinden, 273 („weltfeindlich-apokalyptische Stimmung"). Beide übersehen m. E. die besondere Dialektik der Zwei-Reiche-Lehre Luthers und den jeweiligen Bezugspunkt von „Welt" im dualen oder dualistischen Verständnis. Allen, 20 hält „Von weltlicher Oberkeit" dagegen für „the most complete explanation of his (sc. Luthers) political views that he ever made"; entsprechend auch Schwiebert, 109 f. Vgl. auch Clausert, 37 Anm. 1, für den die Obrigkeitsschrift die „sicherste Orientierung" für Luthers Lehre von den zwei Reichen ist. In der Tat haben sich die 1523 vorgelegten Lösungen nicht mehr grundsätzlich verändert.

59. Luther knüpft formal an seine Schrift „An den christlichen Adel" von 1520 an; vgl. WA 11, 245, 6; 246, 17.

60. Zitiert werden in „Von weltlicher Obrigkeit" in diesem Zusammenhang Röm. 12, 19; Mt. 5, 38 f. 44; 1. Petr. 3, 9.

61. WA 11, 256, 19 f.

62. Vgl. dazu Clausert, 38 ff. Der Nachfolgeansatz verbindet Mt. 5 ff. und Röm. 13.

Selbstrache, im Wirken für andere in einem obrigkeitlichen Amt erweitert er sich zur Verantwortung für den Lebensbereich des Mitmenschen. Der Christ im Amt muß bei jeder gegen ihn gerichteten Handlung differenzieren, ob sie ihm persönlich gilt oder ihn in der Verantwortung für andere aufruft. Hier ist in jeder Situation eine neue Gewissensentscheidung gefordert, die in der Alternative: Leiden oder die Amtsfunktion wahrnehmen und notfalls Gewalt anwenden, ein je anderes Verhalten zum Resultat hat. Nur in einer Ausnahmekonstellation kann es zur Koinzidenz von verletztem eigenem Recht und legitimem Anspruch auf Restitution verletzten Rechtes im Amt kommen, so daß dann scheinbar das ius talionis für die eigene Sache in Anspruch genommen wird, in Wahrheit aber, um das in eigener Person erlittene Unrecht zugunsten des Gemeinwohls zu strafen und die Rechtsordnung zu restituieren[63]. Allerdings ist dieses Zusammenfallen von eigenem Vorteil und Sorge für das Gemeinwohl, für das Simson den Archetyp darstellt[64], für Luther ein „wunder", das zwar nicht ausgeschlossen, aber doch „gar seltzam und ferlich" ist[65].

Der Christ im Amt ist mithin beides in einem, Christperson und Weltperson, im Sein und in der Verantwortung für sich und im Sein und in der Verantwortung für den Anderen[66]; die zwei Reiche des göttlichen Regiments gehen durch ihn hindurch. Es ist die entscheidende Frage an das Gewissen, in welcher Relation in bestimmter Situation gehandelt werden muß, als persona privata in der Beziehung coram meipso oder als persona publica in der coram mundo; dabei sind aber beide Relationen orientiert an der Relation coram deo, die beide Verhaltensweisen übergreift. Die Zweipersonalität impliziert die ständige Selbstprüfung und Selbstvergewisserung, sie bedeutet in der Frage an das Gewissen die Entscheidung für je verschiedenes, der Herausforderung entsprechendes Verhalten des einen Menschen. Aber in beiden Verhaltensweisen bleibt für den Christen die Kraft, aus der heraus das aktive Tun für andere oder das Ertragen des Unrechts für sich geschieht, erkennbar dieselbe, jedesmal ist er der im Glauben Handelnde[67].

Über die Legitimierung des obrigkeitlichen Wirkens des Christen geht Luther noch hinaus mit der Behauptung, daß letztlich trotz der infralapsarischen Bestimmung des weltlichen Regiments nur die Gläubigen befähigt sind, das obrigkeitliche Amt dem Willen Gottes gemäß zu führen. Der Grund hierfür liegt im Wissen des Christen vom Amt als einer supranaturalen Ordnung und einer Aufgabe für den

---

63. Vgl. dazu WA 2, 152, 2 ff.

64. Vgl. Hermann, Simson, 19 f. — Zu Simson als Archetyp des vir heroicus vgl. oben S. 32.

65. WA 11, 261, 12.

66. Zum Stand der Diskussion über das Problem Christperson — Weltperson vgl. Duchrow, 536 ff. Zur Kontroverse Holl-Troeltsch über den Vorwurf der doppelten Moral bei Luther (Troeltsch, Soziallehren, 473 ff.) vgl. jetzt Hakamies, 24 ff. Vgl. auch H. Fischer, Luther und seine Reformation in der Sicht Ernst Troeltschs. In: Neue Zeitschrift für systematische Theologie und Religionsphilosophie 5/1963, 132 ff.

67. Zum je verschiedenen Handeln von Christen und Nichtchristen vgl. WA 6, 204, 25 ff.; vgl. auch WA 45, 672, 1 ff.

Handelnden, über deren Erfüllung der Inhaber dieses Amtes Rechenschaft vor dem Stifter ablegen muß. Die Einsicht in die Gefährdung der sachentsprechenden Amtsausübung durch menschliche Unzulänglichkeit und die Erkenntnis, daß die Obrigkeit abhängig von Gott ist, lassen den Christen tiefer als andere in die Wesensbestimmung des Amts eindringen; er wird daher leichter die Gefahren von praesumptio und desperatio vermeiden und das jeweils Richtige in der richtigen Gesinnung tun, in der Verantwortung vor Gott, in der Erkenntnis seiner eigenen begrenzten Kraft und im Vertrauen auf Gottes Hilfe.

Allerdings war Luther realistisch genug, zwischen der Abstraktion des christlichen Amtsinhabers und der fehlenden Konkretion zu differenzieren: „Hohe Fürsten stende ..., wo einer oder zween Christlich sind, die sind Wilt bret im Himel, die andern alle bleiben helle brende mit dem Teuffel[68]". Auch „der Christ im Amt" ist nur Klassifizierung eines Idealtypus, der mit der an der Gegebenheit orientierten Anthropologie nicht ohne Rest konkordiert. So wie der Christ wie jedermann zugleich des geistlichen und des weltlichen Regiments bedarf, da die infralapsarische Natur in Anfechtung und Versuchung seinen Christenstand immer erneut in Gefahr und zu Fall bringt, ist auch der christliche Amtsträger als der Sünde Verhafteter Teil dieser Welt[69]. In der Dialektik des Simul ist er „Bürger zweier Reiche[70]", und das nicht nur in der „horizontalen" Struktur seines Lebens im weltlichen und geistlichen Regiment, sondern als peccator auch in der „vertikalen" Struktur des göttlichen und des widergöttlichen Reiches.

2.2 Aufgabe der Obrigkeit

Die Aufgabenbestimmung der weltlichen Gewalt in der Definition von Röm. 13, 4: „Rächerin zur Strafe über den, der Böses tut", und 1. Petr. 2, 14: eingesetzt „zur Rache über die Übeltäter und zu Lob den Frommen", konkretisiert sich für Luther in Friedenssicherung und Kriegführung, Rechtswahrung und Sozialordnung. Dabei umschließt die Pflicht zur Friedenswahrung nach innen die Garantie des ruhigen Zusammenlebens (Polizeiaufgabe), nach außen den Schutz des Landes und seiner Bürger (militärische Aufgabe). Der „zeitliche friede" ist „das grösseste gut auff erden ..., darin auch alle andere zeitliche güter begriffen sind[1]", denn:

---

68. WA 51, 406, 26 ff.; dieselbe Überzeugung begegnet auch in früheren Schriften sehr oft.

69. Darauf weist vor allem Ebeling, Luther, 210 f. hin; vgl. auch Mann, 185 f.; Nilsson, 413 ff.

70. Vgl. dazu Törnvall, Regiment, 166 ff. J. Heckel, Luthers Lehre von den zwei Regimenten. In: Zeitschrift für evangelisches Kirchenrecht 4/1955, 259 f.; ders., Lex, 134 f. wendet sich gegen den Begriff (vgl. dazu Hakamies, 103 f.). Ihm folgt Forck, 31 f.; vgl. auch Wolf, Peregrinatio II, 224 f. Zur Bejahung dieses Begriffs vgl. die Literaturübersicht bei Steinmüller, 53. Anm. 15, bes. Lau, Luthers Lehre, 30 f. Vgl. auch Bornkamm, Lehre, 28 f.

1. WA 30/II, 538, 18 ff.; vgl. auch ebd., 560, 25 f.: „der liebe fride" — ein „unaussprechlich gut"; vgl. auch WA 31/I, 77, 32 ff.; WA 26, 234, 40 ff.

„Wir (haben) ja vom friede unser leib und leben, weib und kind, haus und hoff, ja alle gliedmas, hende, füße, augen und alle gesundheit und freyheit und sitzen sicher yn dieser mauren des friedes. Es ist wol ein halb himelreich, wo friede ist[2]". Der Frieden ist „das Telos der Wirksamkeit der Ordnungen[3]", die Friedenssicherung das eigentliche Proprium des obrigkeitlichen Amts. Als Grundstruktur sozialen Lebens und als Voraussetzung des Lebens in der Welt beansprucht seine Aufrechterhaltung absolute Dominanz im Aufgabenkatalog der politischen Gewalt, die nicht dazu eingesetzt ist, „das sie solle friede brechen und kriege anfahen, sondern dazu, daß sie den friede handhabe und den kriegern were[4]". Im Prioritätskonflikt zwischen Rechtsposition und Friedenswahrung besitzt der Frieden den höheren Stellenwert, so daß das Interesse an der Rechtsbehauptung hinter dem der Friedenssicherung zurückzustehen hat[5].

Der dauerhafte Frieden scheitert für Luther in der Realität allerdings an der Verderbtheit der menschlichen Natur. Seine Sicherung gewinnt damit aber den besonderen eschatologischen Rang eines bewußten Mitwirkens am Kampf Gottes gegen die schöpfungszerstörende Macht. Insofern es um Bekämpfung der Folgen der Sünde geht, liegt in der Befestigung der Friedensgesinnung auch eine spezifische Aufgabe des Predigtamts[6]. Andererseits wird für Luther besonders nach den Erfahrungen des Bauernkriegs zum letzten Sinn der Friedenssicherung durch die Obrigkeit mehr und mehr die Ermöglichung der Predigt des Wortes Gottes in einer wenigstens äußerlich befriedeten Welt. Schon im März 1525 verbindet er die Funktionsfähigkeit der weltlichen mit der Wirkungsmöglichkeit der geistlichen Obrigkeit: „Quando non pax est et mundana potestas non habet honorem, so ligen die ij [= zwei] ernider, non potest praedicari, non est gottfurchtig wesen[7]". Das bedeutet zwar nicht, die Predigt und die Durchsetzung des Wortes Gottes letztlich von der Pflichterfüllung der weltlichen Obrigkeit abhängig zu machen, gibt aber der obrigkeitlichen Friedensaufgabe über das Faktum der Friedenswahrung als Ermöglichung ungestörten irdischen Lebens hinaus ein transmundanes Telos[8]. Zugleich wird eine wechselseitige Beziehung postuliert, da die Obrigkeit

2. WA 31/I, 202, 8 ff.

3. Lau, Ordnung, 132.

4. WA 19, 645, 14 ff.

5. Vgl. WA 30/III, 223, 27 ff.

6. Vgl. WA 30/II, 538, 20, wo der Frieden als „frucht des rechten predig ampts" bezeichnet wird.

7. WA 17/I, 158, 2 f. (Nachschrift der Predigt vom 27. März 1525); vgl. auch WA 23, 9, 24 ff. Daß das weltliche Regiment als Erhaltungsordnung im Dienst der Kirche steht, wird von Luther schon 1521 in seiner Bestimmung des ius gladii festgestellt; vgl. oben S. 45.

8. Matthes, Obrigkeit, 83 ff. setzt in der Gliederung des natürlichen Pflichtenkreises der Obrigkeit die „Sorge für Bestand und richtige Tätigkeit der Kirche" folgerichtig an die erste Stelle vor die „Sorge für den eigenen Bestand und die eigene Funktionsmöglichkeit" und die „Sorge für die Ordnung der Familie" (als Summe aller Berufe). Diese Freihaltung des Wirkungsraums für die Kirche leitet über zur cura religionis der weltlichen Obrigkeit; vgl. dazu unten S. 64 ff.

ihrerseits von der Predigt, deren Inhalt auch in der Einschärfung der Ehrerbietung gegenüber dem weltlichen Amt als von Gott geschaffen besteht, gestützt wird.

Das Problem der Friedenssicherung erhält seine äußerste Zuspitzung im Augenblick seiner scheinbaren Negation, im Kriegsfall. Luther hat der Obrigkeit nicht jedes Kriegführen untersagt[9]; indem er ihr aber die Höchstwertigkeit des Friedens einschärfte, hat er die Verantwortung für den Krieg auf das Gewissen der Handelnden gelegt. In seiner theologischen Interpretation erscheint der Krieg als Anfechtung und Mittel der Katharsis; er übt damit hinsichtlich des zivilen Lebens die gleiche Funktion aus, die die Sekten gegenüber der Kirche haben: beide verhindern die Ausbreitung der securitas, die Einrichtung in einem vermeintlich stabilen, der eigenen Verfügbarkeit unterworfenen Zustand[10]. Den Begriff der Anfechtung, die für Luther ein notwendiges Element des Glaubens ist, überträgt er damit ohne Schwierigkeiten auch auf das weltliche Leben. Die durch die Anfechtung des Kriegs bzw. der Sekten verursachte Erkenntnis der eigenen Machtlosigkeit und der Brüchigkeit menschlicher Sicherungen, die daraus resultierende Notwendigkeit des Rückbezugs auf Gott sind für weltliche und geistliche Ordnung gleichermaßen notwendig. Luther versteht den Krieg zwar nicht als Heilmittel gegen die Trägheit, geht aber von der anthropologischen Voraussetzung aus, daß die menschliche Natur das Beharren weder im Status der prosperitas noch in dem der tribulatio erträgt, ohne im Fehlverhalten von superstitio bzw. desperatio zu enden. Er begreift daher den Krieg unter einem Doppelaspekt: Werk des Teufels und Strafe Gottes. Durch die erste Klassifizierung wird jede Heroisierung ausgeschaltet, da in der Verführung zur Gewaltanwendung die widergöttliche Macht am Werke ist, um der Schöpfung zu schaden; wichtiger aber ist innerhalb des politischen Verständnisses Luthers die Inanspruchnahme des Krieges als „virga et flagellum dei“[11], durch die er ihn in den infralapsarischen Zusammenhang der Folgen der menschlichen Sündhaftigkeit einordnet. Hier hat der Krieg eine Koerzitionsaufgabe zu erfüllen, durch ihn straft Gott den Menschen.

Diese theologische Bewertung impliziert nicht nur das Verbot des Angriffskriegs, sondern auch des Präventivkriegs, letzteres vor allem wegen des darin manifestierten Mißtrauens gegenüber Gottes Eingreifen und wegen des mit Präventivkriegsplanungen verbundenen Versuchs, die Zukunft zu präjudizieren, deren Bestimmung Gott vorbehalten bleiben muß[12]. Legitime Kriegshandlung kann nur vom Ethos der aufgezwungenen Verteidigung getragen sein[13]. Nur bei Zu-

---

9. Zu Luthers Kriegslehre vgl. zusammenfassend Lamparter, Krieg, 85 ff. sowie H. Kunst, Martin Luther und der Krieg (Stuttgart 1968), daneben J. Richter, Kriegsdienst, 28 ff.; ders. Luthers Gedanken, 125 ff.; Künneth, 337 ff.; Maurer, Freiheit, 128 f.; Zahrnt, 88 ff.; Brunner, Welt, 24 ff.

10. Vgl. WA 31/II, 659, 4 f.; 701, 5 ff.; 705, 23 f.; vgl. Lamparter, Türkenkrieg, 18 f. Zur Anfechtung der securitas vgl. auch Zahrnt, 57.

11. Auch als „omnium poenarum maxima“ hat Luther den Krieg definiert; vgl. WATR V, 566, 15 f.

12. Vgl. als praktisches Beispiel die „Packschen Händel“ unten S. 116 ff.; vgl. auch oben S. 34 f.

13. Lamparter, Krieg, 91 nennt neben dem Präventivkrieg in Luthers Terminologie

rückweisung eines Angriffs trifft die Definition zu, derzufolge Krieg nichts anderes ist „denn unrecht und böses straffen[14]". Der einzig vertretbare Krieg ist wesentlich ein Rechtsvorgang[15], der sich auf das Prinzip der Besitzkehr („Vim vi repellere licere") stützt[16].

Bei seiner Rechtfertigung der Gewalt stützt sich Luther auf die Schriftbelege Luk. 3, 14 (Bestätigung des Soldatenstands durch Johannes den Täufer) und Joh. 18, 36 (Christus vor Pilatus); zudem zieht er die Heldengeschichten des Alten Testaments heran als Beweis, daß die Obrigkeit mit Gottes Einverständnis Kriege geführt hat[17]. Mit dieser Schriftgrundlage bekämpft er auch die von den Täufern vorgenommene prinzipielle Verwerfung des Krieges[18], da sie für ihn identisch ist mit der Verwerfung des Schwertamts überhaupt und damit zugleich mit der Negation einer von Gott zum Wohl der Menschen geschaffenen Einrichtung. Die Frage nach der Berechtigung des Krieges hat ihr Kriterium nur im Kriegsgrund. Zweck eines legitim geführten Krieges ist lediglich die Restituierung des durch die Aggression zerstörten Friedenszustands. In dieser Zielrichtung wird auch der Krieg, wenn er als Verteidigungs- und Notwehrkrieg unternommen wird, Mittel zur Sicherung des Friedens und damit in der Gegenüberstellung seiner Nachteile zu denen, die ein von der Furcht vor eben diesen Nachteilen diktiertes Ausweichen vor der Abwehr einer Aggression zur Folge hat, zum kleineren Übel; das Teilinteresse muß dem Gesamtwohl geopfert werden[19].

Aus der Definition des erlaubten Krieges als Verteidigungskrieg folgt für Luther, daß die „cupiditas gloriae aut praedae" nicht nur als Movens beim Kriegsentschluß, sondern auch als Antrieb während der Kriegshandlungen ausgeschlossen werden muß. Luther verlangt im Gegenteil als Voraussetzung für den mit gutem Gewissen geführten Krieg neben dem Zwang zur Verteidigung das Vorhandensein der richtigen Gesinnung, d. h. wichtiger als Machtmittel ist die humilitas als

---

den Raubkrieg und den Rachekrieg als verboten. Elert II, 369 (und Anm. 1) verweist auf WA 19, 626, 8, wo Luther in einer Aufzählung der durch Krieg zu bewahrenden Werte neben dem Schutz der Frommen und der Erhaltung von „Weib und Kind, Haus und Hof" auch „Gut und Ehre" nennt, um daraus zu folgern, daß Luther die Ehre zu den im Notfall durch Krieg zu schützenden Gütern rechnet; vgl. auch Pauls, 61. Gegen Elert läßt sich aber aus der von ihm zitierten Stelle nicht ableiten, daß Luther die Verteidigung der Ehre als legitimes Movens zum Kriege angesehen habe. „Gut und Ehre" ist vielmehr in lockerer Assoziation an die vorhergehenden Begriffspaare gereiht und darf nicht isoliert als selbständiger Faktor behandelt werden.

14. WA 19, 625, 23 f.

15. Vgl. dazu Zahrnt, 91 f.

16. Die Geltung dieses Satzes wird von Luther zwar in der Diskussion 1529/30 als für den Christen unverbindlich abgelehnt (vgl. unten S. 156 f.), doch muß hier der Zusammenhang mit dem Widerstandsrecht gegen die Obrigkeit beachtet werden. In der pares-Relation (vgl. dazu unten S. 59 und Anm. 37) bleibt die Gültigkeit unangefochten.

17. Vgl. WA 19, 627, 15 ff.

18. Vgl. Hillerbrand, 52 ff.

19. Vgl. WA 19, 626, 30 ff. den Vergleich mit dem chirurgischen Eingriff des Arztes, durch den der Gesamtorganismus gerettet wird unter Preisgabe eines Teils.

die Grundrelation des Verhältnisses des Menschen zu Gott[20]. Zwar gehört die Vorbereitung auf den Notfall zu den Aufgaben der Obrigkeit, aber die Diskrepanz zwischen „Brauchen“ und „Trauen[21]“ darf dadurch nicht verdeckt werden. Das Prinzip des „Simul“ findet Anwendung auch in Luthers Anweisungen für die mit dem Gewissen vereinbare Kriegführung.

Luthers Kriegslehre erstreckte sich vor allem auf zwei Anwendungsbereiche: auf den Türkenkrieg und auf den bis 1546 theoretisch gebliebenen Fall des Krieges zur Verteidigung des Glaubens[22]. In der Zurückführung des Türkenkriegs auf seinen Kern als weltlichen Krieg unter Absage an die Kreuzzugsideologie hat Luther dessen Legitimation allein aus der Verpflichtung der Obrigkeit, Land und Untertanen gegen Angreifer zu schützen, hergeleitet. Nicht „seines falschen glaubens und lebens halben, sondern seines mordens und verstorens halben[23]“ war der Türke mit Gewalt zu bekämpfen. Mit diesem Postulat, durch das der ungläubige Gegner zunächst[24] als mit jedem beliebigen Aggressor gleichrangig eingestuft wurde, hat Luther zugleich seine Ablehnung jeder mit dem Schwert vorgetragenen oder durch Gewalt unterstützten Mission dokumentiert und auch darin mit der mittelalterlichen Tradition gebrochen.

Auch der Türkenkrieg durfte nicht als Angriffskrieg unternommen werden. Lag aber die Voraussetzung eines Defensivkriegs vor, war die Obrigkeit verpflichtet, ihre Schutzaufgabe für ihre Untertanen wahrzunehmen[25], was für die evangelischen Stände Beteiligung am Reichskrieg bedeutete. Das Mittel, durch die Drohung, die Türkenhilfe zu verweigern, religionspolitische Konzessionen der Gegenseite zu erzwingen, wie Hessen und Sachsen zeitweise erwogen und auch in die Tat umzusetzen versuchten[26], hat Luther daher nicht akzeptiert. Als Philipp von Hessen 1538 unsicher war, wie die Stände auf das Hilfeersuchen König Ferdinands[27]

20. Diese Haltung soll aber nur gegenüber Gott gelten: gegenüber der Welt soll der obrigkeitliche Amtsträger „kecke, frei und trotzig, ... mit trotzigem, getrostem gemut sie schlahen“ (WA 19, 651, 11 f.). Zur humilitas als konstituierendem Bestandteil des Amtsbewußtseins vgl. Lau, Ordnung, 73.

21. Vgl. dazu oben S. 37 f.

22. Zum folgenden vgl. die drei Schriften Luthers zur Türkenkriegsproblematik: Vom Kriege wider die Türken (1529; WA 30/II, 81 ff.); Heerpredigt wider den Türken (1529; ebd., 149 ff.); Vermahnung zum Gebet wider den Türken (1541; WA 51, 577 ff.). Sie weisen die gleiche Disposition auf: Aufruf zu Buße und Gebet — Aufruf zum Widerstand. — Über Luthers Stellung zum Türkenkrieg vgl. Lamparter, Türkenkrieg; daneben vor allem Lind. Wenig ertragreich ist neben diesen beiden Arbeiten H.-W. Vielau, Luther und der Türke (phil. Diss. Göttingen 1936), 17 ff. Vgl. auch G. W. Forell, Luther and the War against the Turks. In: Church History 14/1945, 256 ff.; H. Buchanan, Luther and the Turks 1519—1529. In: ARG 47/1956, 145 ff.; Zahrnt, 119 ff.

23. WA 30/II, 143, 2 f.

24. Zur apokalyptischen Dimension vgl. unten S. 58.

25. Vgl. WA 30/II, 132, 21 ff.

26. Vgl. dazu Fischer-Galati, 38 ff.; besonders auf dem Schmalkaldischen Bundestag von 1537 und dem Braunschweiger Bundeskonvent von 1538 war jede Türkenhilfe ohne vorherigen politischen Frieden abgelehnt worden.

reagieren sollten, hat Luther sich entschieden für die Leistung der Türkenhilfe ausgesprochen, da nichts geschehen durfte, „das ergerlich und unserm gewissen hernach ferlich sein mocht[28]". Die evangelischen Stände waren zur Hilfeleistung verpflichtet, um „unser Vater land[29]" und die unschuldig Leidenden nicht ins Verderben stürzen zu lassen.

Das Spezifikum der Beurteilung des Türkenkriegs durch Luther gegenüber anderen Kriegen liegt in der stark eschatologisch bestimmten Kategorisierung[30]. Indem der Türke wie der Papst als apokalyptische Macht verstanden wird[31], verliert die gegen den Kreuzzugsgedanken zugespitzte These, daß dieser Krieg als weltlicher Konflikt zu verstehen ist, ihre Eindeutigkeit, da gegen den Antichrist schlechterdings anders gekämpft werden mußte als gegen einen beliebigen Aggressor. Die eschatologische Einordnung des Türken, der mit seiner falschen Lehre die Seele, mit seinem Schwert den Leib bedroht, sollte allerdings in erster Linie die Notwendigkeit einer vorangehenden religiösen Auseinandersetzung mit dem Angreifer als Werkzeug des Teufels einschärfen[32]. Die Türkenaggression war für Luther das markanteste Zeichen des göttlichen Zorns[33], gegen das er vor allem das Gebet als Waffe verwendet wissen wollte. Erst mußte die innere Haltung zu dieser bedrohlichen Erscheinung geklärt sein[34], ehe der „weltliche" Kampf bestanden werden konnte gegen einen Gegner, der von Gott als Strafe geschickt worden und der zugleich Ausdruck der widergöttlichen Macht war. Auch der Türke fällt damit unter die Simul-Struktur lutherischen Denkens: zugleich Rute Gottes und Werkzeug des Teufels[35].

Weitaus schwieriger als beim Problem des Türkenkriegs war die Fixierung der Vorbedingungen für eine legitime Verteidigung bei einem Angriff um des Glau-

---

27. Von Philipp nach Kursachsen weitergeleitet; vgl. WAB VIII, 232 f. (Vorgesch.); Fischer-Galati, 66 f. Das Ersuchen wurde zum auslösenden Moment für den Wiederbeginn der Religionsverhandlungen, die zum Frankfurter Anstand führten.

28. WAB VIII, 235, 35 f.

29. Ebd., 234, 21; nach ebd., 236 Anm. 8 ein nahezu singulär verwendeter Begriff bei Luther (die dort nachgewiesene weitere Stelle WAB VIII, 476, 278 ist nicht eindeutig Luther zuzuschreiben).

30. Zu Luthers Naherwartung des Endes in diesem Zusammenhang vgl. Lind, 47 ff.

31. Zur Interpretation des Türken als Antichrist vgl. Lamparter, Türkenkrieg, 40 ff. Zum Zusammenhang Papst-Türke vgl. WA 30/II, 162, 1 ff.; Lind, 49 f. 53 f. In der Zirkulardisputation über Mt. 19, 21 wird der Papst 1539 unter religiöser Deutung in negativer Wertordnung über den Türken gesetzt, der zwar auch „Werwolf" sei, „sed mitior" (WA 39/II, 58, 8 ff.).

32. Von daher erklärt sich auch die oben Anm. 22 erwähnte Zweiteilung der Türkentraktate; vgl. dazu Lind, 56 ff.

33. Vgl. dazu Pinomaa, Zorn Gottes, 157 ff.

34. Vgl. dazu WAB IX, 491, 18 ff. (Luther an Georg Weiß, 14. Aug. 1541); WAB VI, 343 ff. den „geistlichen Bericht" für den gegen die Türken ins Feld ziehenden brandenburgischen Kronprinzen.

35. Lamparter, Türkenkrieg, 16 ff. handelt die beiden Beurteilungen „Die Zornesrute Gottes" und „Der Diener des Teufels" nacheinander ab, ohne sie in Beziehung zueinander zu setzen.

bens willen, da hier theologische, moralische und juristische Elemente in ganz anderer Weise wirksam wurden. Der Konfliktfall der causa fidei ließ sich theologisch nicht in den Katalog zulässiger Kriegsgründe integrieren, weil das Wort Gottes nicht mit Gewalt verteidigt werden und der Christ den Konsequenzen seines Bekenntnisses nur mit dem Wortzeugnis begegnen durfte. Die richtige Zuordnung von Leidenspflicht, Überzeugung von der Selbstdurchsetzungskraft des Evangeliums und Schwertgebrauch der Obrigkeit wurde Luther ermöglicht durch sachgemäße Übertragung der Zwei-Reiche-Lehre auch auf dieses Problem, da ihr zufolge die Obrigkeit Christ sein konnte und doch bei Gewaltanwendung ihrem Schwertmandat entsprechend handlungsfähig war. Der göttliche Auftrag der Schutzpflicht des Fürsten und die Leidenspflicht des Christen behinderten einander nicht, auch wenn beide Funktionen in einer Person zusammenfielen, da sie diese Person in voneinander getrennten Lebensbezügen als „Person fur andere“ oder als „Person fur sich[36]“ ansprachen. Von dem umstrittenen Rechtsgut hing es demnach sehr viel weniger ab, wann die Verpflichtung zum Gehorsam oder Leiden als Folge des notwendigen Ungehorsams und wann die Verteidigungspflicht gegeben war, als vom Rechtsgefüge, innerhalb dessen die Aggression erfolgte, und vom proklamierten Erstreckungsbereich der Aggression. In dem nur theoretisch denkbaren Fall, daß ein Glaubenskrieg lediglich dem Fürsten als Person galt, mußte dieser, unabhängig vom rechtlichen Rang des Angreifers, als zum Leiden bereiter Christ Unrecht hinnehmen, ohne sich gewaltsam zu widersetzen. Sollten in seiner Person und über sie hinaus zugleich das Territorium und die dort lebenden Christen angegriffen werden, war er als persona publica aufgerufen, innerhalb des weltlichen Regiments als Obrigkeit sein Schutzamt wahrzunehmen, wenn nicht Hindernisse, die sich aus der rechtlichen Dignität des Angreifers ergaben, dem entgegenstanden[37].

Luthers Lehre vom Krieg blieb – ausgenommen den Türkenkrieg – bis 1546 Theorie und brauchte die Probe auf ihre Stichhaltigkeit in der Praxis zu seinen Lebzeiten nicht zu bestehen. Die Erfahrung der Auseinandersetzung zwischen Kaiser und Schmalkaldischem Bund, die wenige Monate nach seinem Tode die Probleme seiner politischen Theologie, Gehorsam und Gehorsamsrestriktion, Widerstand mit dem Wort und mit der Tat, konkretisierte, blieb ihm erspart.

Nahezu gleichrangig neben dem Aufgabenziel der Friedenssicherung stehen für Luther die Aufgaben des Recht und Gerechtigkeit handhabenden Polizeistaats[38],

---

36. WA 19, 648, 19 ff.; vgl. auch oben S. 52.

37. Vgl. WA 19, 645 f. Für die Relation zwischen rechtlich Gleichgestellten gilt: „Par in parem imperium non habet“; vgl. auch ebd., 651, 17 ff. Für das Verhalten gegenüber dem Kaiser wird Luthers Verfassungsverständnis wichtig; vgl. dazu unten S. 87 ff.

38. Diesen Begriff verstanden in dem von H. Maier, 116 ff. definierten ursprünglichen Wortsinn des 16. und 17. Jahrhunderts; zur Aufgabe dieses Staates vgl. ebd., 93 ff. Vgl. auch K. D. Schmidt, 167 ff.

39. Formulierungen wie „officium nobile eines jeden Staates muß die Achtung der Menschenwürde sein“ (Gerstenkorn, 222) oder Abzielen auf „die größtmögliche psychosomatische Gesundheit des gesellschaftlichen Gesamtkörpers“ (Duchrow, 535) pressen Lu-

der in der Daseinsfürsorge nach innen ein geordnetes Miteinanderleben der Untertanen innerhalb des jeweiligen territorialen Zuständigkeitsbereichs ermöglicht und garantiert[39]. In den Tätigkeitskreisen des Helfens, Nährens und Erhaltens erweist sich die Obrigkeit als „Heiland, Vater, Retter" ihrer Untertanen[39a]. Während sich die „Retter"-Funktion im wesentlichen auf die Aufgabe der Sicherung nach außen bezieht, konkretisieren sich in den Funktionen des „Nährens" und „Helfens" die sozialen Aufgaben der weltlichen Gewalt in weitgespanntem Umfang. Bezugspunkt dieser Aufgaben ist die Gerechtigkeit sowie die Verwirklichung und Aufrechterhaltung des jeweils gültigen Rechtszustands[40]. Wie der Schwertgebrauch ist der Rechtszwang ein Mandat Gottes im weltlichen Regiment, durch die Rechtsordnung wird die Gewaltanwendung limitiert, aber auch für den Notfall legitimiert[41]. In der Praxis des Verwaltungsalltags ist das Recht für Luther die wichtigste Richtschnur, um dem Versinken des sozialen Lebens in Anarchie zu steuern, indem – in Abkehr von der mittelalterlichen Rechtstradition – an die Stelle von Selbstrache und einer notfalls gewaltsamen Rechtsbehauptung der Rechtszug an die Obrigkeit als Rechtswahrungsinstanz festgelegt wird[42].

Als Rechtsdenker hat Luther zweifellos keine originäre Bedeutung. Durch die Konsequenzen seiner Theologie vor allem in der Ablehnung des kanonischen Rechts war er zwar „der Rechtserschütterer seiner Zeit", aber trotzdem eine „durch und durch unjuristische Natur"[43], die sich durch juristische Kriterien in ihrem Urteil selten hat bestimmen lassen; stattdessen hat er stets den religiösen

---

thers Vorstellungswelt völlig inadäquate Begriffe auf. Die modernen Termini treffen nicht das von Luther für das 16. Jahrhundert Gemeinte.

39a. WA 31/I, 205, 19. Bard, 126 ff. faßt die Aufgabenkreise der Obrigkeit entsprechend unter die Stichworte Schwert, Brot, Zucht, Freiheit.

40. Zu Luthers Verhältnis zum positiven Recht vgl. außer der vor allem als Stellensammlung wichtigen Arbeit von G. Grotke, Martin Luther und das Recht (masch.-schriftl. jur. Diss. Marburg 1952) Heckel, Lex, passim; Liermann, Der unjuristische Luther, 69 ff.; H. Dörries, Das beirrte Gewissen als Grenze des Rechts. Eine Juristenpredigt Luthers. In Wort und Stunde III, 271 ff. Zu „Luthers Meinungen über die Juristen" vgl. A. Stein, in: ZRG 85 Kanon. Abt. 54/1968, 362 ff. Zum Verhältnis von Glaube und Recht vgl Bring, Glaube, 140 ff.

41. Zu Macht und Recht bei Luther vgl. vor allem Lau, Ordnung, 125 ff.; Scharffenorth, 77 ff. über die Bedeutung des Rechts als Mandat Gottes.

42. Das gilt auch für die Schlichtung politischer Konflikte; vgl. dazu unten S. 265 f. Auf die Bedeutung des Rechtsunterrichts weist besonders Scharffenorth, 156 ff. und ihr folgend Duchrow, 549 ff. hin. Vgl. auch Mayer, Christ, 358 ff.

43. Liermann, Der unjuristische Luther, 69 f. Auch Heckel, der im Gegensatz zu diesem Urteil Luther gute juristische Anlagen bescheinigt, räumt ein, daß Luther Kenntnisse in größerem Umfang nur im kanonischen Recht gehabt habe; vgl. J. Heckel, Recht und Gesetz, Kirche und Obrigkeit in Luthers Lehre vor dem Thesenanschlag von 1517. In: ZRG 57 Kanon. Abt. 26/1937, 296 ff. Liermann, 74 bezieht in die Erklärung des Phänomens des „unjuristischen Luthers" die Überlegung ein, daß diesem auch das Gefühl für das ordnende Prinzip des Rechnens sein Leben hindurch gefehlt habe. – Im Gegensatz zu Luther ist Melanchthon eine durch und durch juristische Natur; vgl. Kisch, Melanchthons Rechts- und Soziallehre, passim.

Aspekt an die erste Stelle seiner Überlegungen gesetzt. Das positive Recht wird von ihm für die weltlich-irdischen Zusammenhänge und für die Regelung von Fragen des sozialen Lebens unangezweifelt übernommen als gültig für seine Zeit und Umwelt. Zwar trat er anfangs für die „eigenen kurzen Recht", für „Landrecht und Landsitten[44]" ein, denen das römische Recht lediglich als Subsidiarrecht dienen sollte, zumal der privatrechtliche Charakter des römischen Rechts nach seinem Verständnis einseitig auf den Vorteil der Einzelperson gerichtet war[45], aber er hat sich mit der Tatsache der Rezeption abgefunden: „Unser regiment in deudschen landen (muß sich) nach dem Römischen Keiserlichen recht richten ..., Welchs auch unsers regiments Weisheit und vernunfft ist, von Gott gegeben, So folget, das solch regiment nicht kan erhalten werden, sondern mus zu grund gehen, so man solche recht nicht erhellt[46]". Zweierlei wird hier deutlich: die Anerkennung des römischen Rechts als Reichsrecht und die untrennbare Verbindung von Obrigkeit und Recht; weder ist Recht ohne Zwangsgewalt zu seiner Aufrechterhaltung und Durchsetzung möglich noch eine Herrschaft ohne Rechtspflege, wenn sie nicht „frevele Gewalt", d. h. tyrannische Gewaltübung ohne Rechtsgrundlage sein will[47].

Neben der Aufgabe der Rechtswahrung weist Luther der Obrigkeit „innenpolitisch" eine positive Fürsorgeaufgabe zu, damit „land und leute wol stehen ym friden und zu nemen an gütern, haus, hoff, weib, kind, gesind und was mehr weltlich ist[48]". Zur Erreichung dieses Ziels, das zugleich die Erziehungsaufgabe der Versittlichung des Menschen und der Beziehung der Menschen zueinander impliziert, wird der Obrigkeit ein breiter Einflußbereich auf Leben und Handeln ihrer Untertanen eingeräumt[49], von der Unterstützung der Bedürftigen durch institutionalisierte Armenfürsorge[50] über Polizei- und Landesordnungen zur Verhinderung von Unzucht, Kleiderluxus und Völlerei bis zum Verbot des Zinskaufs, sofern er Wucher ist, und zur Abschaffung der Monopole und Handelsgesellschaften[51]. Abweichungen von der gesetzten Norm, die allen ein geregeltes Leben bürgerlicher Nahrung garantieren soll, müssen wegen ihres Verstoßes gegen die Sozialethik und wegen ihres volkswirtschaftlichen Schadens unterdrückt und bestraft

---

44. WA 6, 459, 30 ff. Liermann, Der unjuristische Luther, 78 macht auf die Inkonsequenz aufmerksam, daß Luther zwar das römische Recht bekämpft, es aber auf der anderen Seite gegen das kanonische Recht ausgespielt habe.

45. Vgl. WA 14, 591, 17 f.

46. WA 30/II, 557, 32 ff.; vgl. auch WA 51, 242, 20 ff. Anders als Luther hat Melanchthon das römische Recht bejaht; vgl. dazu zuletzt Kisch, 116 ff.

47. Vgl. dazu Lau, Ordnung, 126 f.

48. WA 26, 587, 28 ff. Zum ökonomischen Denken Luthers vgl. zuletzt Fabiunke, passim.

49. Zur sozialen Aufgabe des Staates vgl. vor allem Joachimsen, Sozialethik, bes., 12 ff.; Bard, 132 f.; Fabiunke, bes., 80 ff.; Holborn, Machtpolitik, 23 ff. Wenig ergiebig ist Monsheimer und W. Betcke, Luthers Sozialethik (Gütersloh 1934).

50. Vgl. dazu zusammenfassend Grimm, 222 ff.

51. Solche Kataloge der Wohlfahrtspflege vgl. WA 6, 261, 23 ff.; 465, 25 ff.; 51, 594, 30 ff.; 616, 32 ff.

werden[52]. In der Trias: Erhaltung von zeitlichem Frieden, Recht, Leben[53], kommt der sozialen Pflicht der Obrigkeit in ihrer edukativ-positiven Funktion, zu der auch die Jugenderziehung und -bildung gehört[54], wie in der regulierend- prohibitiven Komplementärfunktion der Bestrafung bei Übertretung der verbindlichen Normen ein Wert zu, der dem der Erhaltung von Frieden und Recht an Gewicht gleich kommt[55].

Wichtigstes Mittel bei der Erfüllung der der Obrigkeit von Gott übertragenen Aufgaben ist die Vernunft, die im Gefüge der irdischen Werte für Luther den Rang einnimmt, den das Evangelium innerhalb der geistlichen Werte besitzt[56]. Als Gottes vornehmste Gabe an den Menschen ist sie „principalis pars hominis[57]", so daß auf Grund dieses göttlichen Geschenks die Obrigkeit zwar „on gottis wort, doch nit on gottis radt[58]" regiert. Die ratio erweist sich als das Proprium der Obrigkeit; „potentia wil nicht thun, sed sapientia[59]". Wenn Luther die ratio als „omnium rerum res et caput et prae ceteris rebus huius vitae optimum et divinum quiddam" bezeichnet[60], liegt darin allerdings neben der hohen Bewertung zugleich deutlich die Einschränkung ihrer Kompetenz; sie ist nicht schlechthin das „optimum", sondern nur hinsichtlich der „res huius vitae". Für diese besitzt sie aber die Sanktionierung durch Gen. 1, 28, da der Herrschaftsauftrag Gottes nur mittels der ratio zutreffend ausgeübt werden kann[61]. Dieser überragenden Bedeutung der Vernunft für die Ordnung des irdischen Lebens entspricht ihre Frei-

---

52. So ist in „Von den guten Werken" die Abschaffung des Kleiderluxus wegen seines „unchristlichen Wesens" empfohlen, das „Abtun des Fressens und Saufens" wegen des volkswirtschaftlichen Schadens: „nit ein kleiner abgang zeitlicher guter" aus dem Lande; vgl. WA 6, 261, 23 ff.

53. Vgl. WA 30/II, 554, 33 f.

54. Hier liegt ein Ansatz zu dem von Wünsch, Ethik, 154 f. postulierten kulturellen Zweck des Staates, der bei Luther nur schwach entwickelt sei; vgl. dazu auch W. Reininghaus, Elternhaus, Obrigkeit und Schule bei Luther (Pädagogische Forschungen 38, Heidelberg 1969).

55. Pinomaa, 202 glaubt dagegen, Luther habe dem Staat kaum soziale Verpflichtungen gegenüber den Untertanen aufgebürdet. Zutreffender Fabiunke, 86, Luther fordere das aktive Eingreifen des Staates in nahezu alle gesellschaftlichen Verhältnisse und Beziehungen.

56. Zur Vernunft und ihrer Bedeutung für das weltliche Regiment vgl. Lohse, bes., 119 ff.; Schweitzer, 53 ff. Zum Verhältnis ratio-fides in der Auseinandersetzung mit der Tradition vgl. Hägglund, passim, bes. 64 ff.

57. WA 18, 741, 1 f.

58. WA 6, 318, 27 f.

59. WA 28, 526, 2. Vgl. ebd., weiter: „Es ist noch nie kein regnum mit potentia bestanden ... Plus oportet utatur Cesar verbo quam gladio, i. e. sapientia, Sapientia est keyserin, quae in corporali regimine, ut yhr recht und gsetz kennen et secundum eas iudicent". Vgl. auch WADB 11/II, 147 die Randglosse zu Dan. 4, 13 (1530): „Weisheit mus am ersten weggenomen werden, wenn ein Herr fallen sol, Das man sehe, wie allein die weisheit und nicht gewalt regiert."

60. WA 39/I, 175, 9 f.

61. Vgl. dazu ebd., 175 ff.

heit von der Stringenz der Setzungen des positiven Rechts bei der Beurteilung des Einzelfalls; sie steht über den Gesetzen und wendet sie kasuistisch an. Auf die aequitas als Ausdruck der ratio, die sich nicht bedingungslos an das ius strictum hält, kommt es Luther als Regierungsprinzip entscheidend an[62], wobei er sich der Traditionszusammenhänge durchaus bewußt war[63]. In der Berücksichtigung der Umstände des jeweiligen Falls zeigt sich für ihn die Weisheit des Amtsträgers, der die Abstraktion des Gesetzes auf die Konkretion des Falls anzuwenden hat[64]. Erst die Anwendung der aequitas gibt dem Recht seinen eigentlichen Sinn, Gerechtigkeit zuteil werden zu lassen, ohne mit schematischer Gerechtigkeitsverteilung Unrecht zu erzeugen; Erfahrung und Vernunft müssen andererseits verhüten, daß durch ungehemmte Ausschaltung der Rechtsnormen zugunsten von Billigkeitserwägungen die Rechtssicherheit erschüttert und wiederum Recht in Unrecht verkehrt wird[65].

Über die Aufgabe der Rechtspflege hinaus reicht die Forderung Luthers an die Obrigkeit, bei allen prohibitiven und koerzitiven Handlungen das Prinzip der Verhältnismäßigkeit der Mittel zum angestrebten Zweck zu berücksichtigen. In dieser Verpflichtung zur Güterabwägung und in der Aufgabe, vor jedem Tätigwerden die Relation von Mittel und Zweck zu prüfen und nur Maßnahmen zu ergreifen, die zu dem zu erreichenden Gut in ausgewogenem Verhältnis stehen, besteht für ihn eine Grundmaxime verantwortlichen politischen Handelns. An der Bewältigung dieses Problems beweist sich das vernunftgemäße Handeln der Obrigkeit schlechthin. Die Ahndung von Unrecht muß unterlassen werden, wenn dabei größerer Schaden angerichtet als Nutzen gestiftet wird, damit nicht – nach dem von Luther oft angeführten Beispiel – der Handelnde durch Inadäquatheit der eingesetzten Mittel „eyn leffel auffheb und zutrett eyn schussel[66]“. Zur Abwendung von Schaden muß es unter Umständen beim Rechtsbekenntnis bleiben unter Verzicht auf seine gewaltsame Durchsetzung[67]. Das Gerechtigkeitsverlangen

---

62. Zur Epikie bei Luther vgl. vor allem F. X. Arnold, Zur Frage des Naturrechts bei Martin Luther (München 1937), 111 ff.; Lau, Ordnung, 42 ff.; Heckel, Lex, 85 f.; Heintze, 198 ff. Zur Epikielehre Melanchthons vgl. Kisch, 168 ff.

63. Vgl. WA 19, 632, 8 ff.

64. Vgl. WA 51, 296, 7 f.: „Maße ist jn allen dingen gut, Da höret kunst, ja Gottes gnade zu, das mans treffe.“ Im Zweifelsfall soll nach Luthers Rat die Gnade Vorrang vor dem Recht haben.

65. Zur Gefahr, durch Überziehung der Billigkeit Recht in Unrecht zu verwandeln, vgl. WA 19, 633, 8 ff. (Ob Kriegsleute, 1526). – Über den Sinn der Strafe bei Luther vgl. Mayer, Strafrechtstheorie, 77 ff., der darauf hinweist, daß bei Luther der Vergeltungsgedanke und der Nutzen der Strafe unverbunden nebeneinanderstehen; zum Vergeltungsgedanken vgl. ebd., 96 ff. Ebenso vertritt Melanchthon eine utilitaristische Straftheorie. Theologisch fungiert die Obrigkeit auch in der Strafe der Übeltäter an Gottes Statt, indem sie dessen zeitliche Gerichte als Vorgriff auf das eschatologische Gericht des Endes vollzieht; vgl. dazu Modalsli, 102 ff.

66. WA 11, 276, 13 f. u. ö. Vgl. das entsprechende Beispiel in der Warnung, am Strick zu zerren, um den Gefangenen zu befreien; WA 8, 686, 32 ff. Auch in dem berühmten Gutachten vom 6. März 1530 bezieht sich Luther auf diesen Rat; vgl. unten S. 158.

67. Vgl. Luthers Stellungnahme zur Königswahl unten S. 201 f.

muß durch rationale Überlegung kontrolliert werden, um nicht in der Rechtsdurchsetzung ins Gegenteil umzuschlagen. Nur diese Haltung entspricht der Sorgepflicht für die Untertanen und der Verantwortung für das Gemeinwohl. Die Weisung, notfalls Unrecht zu tolerieren, wenn es nur um den Preis größeren Unrechts beseitigt werden kann, hat Luther durch Mt. 13, 29 gedeckt gesehen[68]. Der obrigkeitliche Verzicht auf gewaltsame Rechtsdurchsetzung bei damnum maius verlangt dann aber auch vom Untertanen den gleichen Verzicht und eine Beschränkung seines Freiheits- und Rechtsraumes[69].

2.3 Das Problem von cura religionis und ius reformandi

Das Amt der weltlichen Obrigkeit erstreckt sich für Luther seiner Definition nach nur auf das äußere Leben. Eine besondere geistliche Aufgabe in Gestalt der cura religionis kommt ihm an sich nicht zu und ist daher in den von Luther aufgestellten Pflichtenkatalogen[1] nicht enthalten. Dennoch hat er die weltliche Obrigkeit auch für die Kirche und ihre Organisation in Anspruch genommen, die dabei drohende Vermischung der Zuständigkeiten aber durch Einschränkung der weltlichen Gewalt auf eine Hilfsfunktion zu vermeiden versucht. Im Beharren auf der Trennung der beiden Aufgabenbereiche der Regimente hat er die Indienstnahme der politischen Gewalt für Gott und die Verkündigung des Evangeliums nicht als eine auf Dauer berechnete Extension des der Obrigkeit zugewiesenen Bereichs verstanden. In dieser Ablehnung einer obrigkeitlichen Reglementierung der Kirche zugunsten der Betonung einer nur temporär gültigen, durch akuten Notstand bedingten Hilfsfunktion stand Luther gegen die Tendenzen seiner Zeit, in der ein spätestens seit den Konkordaten des 15. Jahrhunderts angelegtes und seither ausgebautes landesherrliches Kirchenregiment nur noch der formalen Legalisierung und der Erweiterung bedurfte[2]. Diese Tradition wurde aber von Luther umgeformt in der Berufung auf die prinzipielle spirituelle Gleichrangigkeit des weltlichen und geistlichen Stands, manifestiert im allgemeinen Priestertum der Gläubigen. Aus der eigengewichtigen Dignität und Macht der Obrigkeit innerhalb des weltlich-diesseitigen Lebenszusammenhangs leitete er auch die Aufgabe und Pflicht für sie her, bei einem Amtsversagen der eigentlich dazu Berufenen ersatz- und hilfsweise an deren Stelle zu treten, für die christliche Gemeinde als ihr Vertreter zu handeln, um die Kirche zu reformieren und vor dem Versinken in anarchischen Zuständen zu bewahren.

---

68. Dieses Schriftallegat vgl. z. B. WA 7, 583, 29 f.

69. Vgl. ebd., 583, 26 ff.

1. Vgl. oben S. 61 Anm. 51. Daß Luther nur vorübergehend unter dem Zwange der konkreten Verhältnisse dem Staat allein seine „natürlichen Aufgaben“ überlassen habe, wie bei Matthes, Corpus, 18 behauptet wird, ist kaum richtig; eher trifft die umgekehrte Aussage zu.

2. Zum Problem des Wachsens des staatlichen Einflusses auf die Kirche des eigenen Territoriums im Spätmittelalter vgl. Bertrams, 88 ff. 184 f. Vgl. ferner Hashagen, passim,

Neben der Supposition des Amtsversagens der Hierarchie und des daraus resultierenden kirchlichen Notstands mußte für das Wirksamwerden einer geistlichen Aufgabe der Obrigkeit eine zweite Voraussetzung bestehen: das Vorhandensein einer christlichen, und das hieß für Luther: evangelischen Obrigkeit. Das Christsein der obrigkeitlichen Person ist für ihn unerläßliche Bedingung für die Übernahme von Ordnungspflichten innerhalb der Kirche.

Die cura religionis zeigt sich für Luther vor allem negativ, in Abwehr und Fernhalten von Gefahren, nicht so sehr in positiven Bestimmungen über die innere Ordnung der Kirche selbst. Das eigentliche Kirchenregiment überließ er der politischen Gewalt nicht[3], da diese dafür keine Legitimation besaß: „Si enim futurum est, ut aulae velint gubernare ecclesias pro sua cupiditate, nullam dabit deus benedictionem et fient novissima peiora prioribus[4]". Bei einer Reglementierung der Kirche durch die weltliche Obrigkeit mußte es unausweichlich zu einer confusio regnorum, der unzulässigen Vermischung der Zuständigkeiten der beiden Reiche Gottes, kommen, die letztlich nur zum Untergang von Kirche und Obrigkeit führte[5]. Jedoch blieb der Erstreckungsbereich der Not- und Hilfsfunktion der weltlichen Obrigkeit trotz der theoretischen Absicherung in der Praxis unklar bzw. verschob sich von Anfang an fortlaufend zugunsten der politischen Gewalten[6].

---

bes., 558 ff.; ders., Die vorreformatorische Bedeutung des spätmittelalterlichen landesherrlichen Kirchenregiments. In: ZKG 41/1922, 63 ff.; ders., Laieneinfluß auf das Kirchengut vor der Reformation. In: HZ 126/1922, 377 ff.; Reller, 44 ff.; Rankl (der den Begriff allerdings sehr weit faßt), 84 ff. Zu den vorreformatorischen Verhältnissen in der unmittelbaren Erfahrungswelt Luthers vgl. Zieschang, 1 ff.; Pallas, Entstehung, 129 ff.; Wintruff, bes. 34 ff.; Kirn, 36 ff. 71 ff. I. Höss, Die Problematik des spätmittelalterlichen Landeskirchentums am Beispiel Sachsens. In: GWU 10/1959, 352 ff.

3. Über Luther und das landesherrliche Kirchenregiment vgl. außer dem grundlegenden Aufsatz von Holl (1911), Luther, 326 ff. noch Sohm, Kirchenrecht I, 572 ff.; Rieker, 98 ff. 149 ff.; Hermelink, Idealgemeinden, 267 ff.; P. Drews, Entsprach das Staatskirchentum dem Ideale Luthers? (Zeitschrift für Theologie und Kirche 18, Erg.-Heft 1908); Müller, Kirche, bes. 69 ff.; E. Foerster, 87 ff.; Hashagen, 560 ff. Vgl. auch Heckel, Lex, 192 ff. Zum Problem des Fürsten als Notbischof vgl. L. W. Spitz, Luther's Ecclesiology and his concept of the Prince as „Notbischof". In: Church History 22/1953, 113 ff.; Krumwiede, Entstehung, 115 ff.

4. WAB X, 436, 4 ff. (an D. Greiser, 22. Okt. 1543); Anlaß für die Bemerkung Luthers war die Bannordnung Moritz' von Sachsen. Vgl. in demselben Brief Zl. 12 f.: „Distincta volumus officia ecclesiae et aulae, aut deserere utrunque."

5. Zur confusio regnorum vgl. vor allem die Untersuchung von Schuurman; daneben Törnvall, Regiment, 104 ff. 185 ff.; Gerstenkorn, 242 ff. Vgl. auch Berggrav, Der Staat und der Mensch, 305 f. — Für Aland, Luther als Staatsbürger, 449 f. ist allerdings erwiesen, daß Luther in der Praxis selbst die Grenze zwischen „weltlichem Ding" und geistlichem Regiment nicht beachtet hat.

6. Auf das Eigengewicht der „allgemeinen soziologischen, politischen und staatsrechtlichen Entwicklung der Zeit", das so groß war, daß Luther ihm gegenüber seine Grundsätze vielfach nur theoretisch aufrechterhalten konnte, verweist besonders H. Sasse, Kirchenregiment und weltliche Obrigkeit nach lutherischer Lehre (Bekennende Kirche 30,

In reale Aufgaben wurde die geistliche Funktion der christlichen Obrigkeit erst nach 1525 umgesetzt. Der Bauernkrieg und der Regierungsantritt Kurfürst Johanns nach dem Tode des neutral-zurückhaltenden Friedrich führten für Luther zur Koinzidenz von Notwendigkeit und Möglichkeit der kirchlichen Neuorganisation. Zwar hatte er schon anläßlich der Bitte um Bestätigung der Leisniger Kastenordnung, die vom Hof vermutlich wegen der darin enthaltenen Bestimmungen über die Kirchengüter verzögert worden war, den Landesherrn erinnert: „Falle, was da fellet, das doch das Euangelion bleybe und nicht so schendlich zu spott werde, dafür E. c. f. g. wol seyn kan und zu thun schuldig[7]", aber erst eine evangelische Obrigkeit, wie sie Friedrichs Nachfolger verkörperte, konnte eine cura religionis im reformatorischen Verständnis wahrnehmen. Schon die erste derartige Aufgabe, die Kirchenvisitation von 1528, leitet dann allerdings die Entwicklung ein, die zum landesherrlichen Kirchenregiment protestantischer Prägung führt[8]. Daß diese Entwicklung nicht in Luthers Absicht lag, erhellt schon aus der Vorrede zur Visitationsordnung, in der er nachdrücklich den limitierten Hilfscharakter der obrigkeitlichen Beteiligung hervorgehoben hat: Der Kurfürst ist um Bestellung der Visitatoren gebeten worden, „aus Christlicher liebe (denn sie [sc. der Kurfürst] nach weltlicher öberkeit nicht schuldig sind) und umb Gotts willen dem Euangelio zu gut und den elenden Christen ynn S. K. F. G. landen zu nutz und heil[9]". Die Durchführung der Visitation durch die weltliche Gewalt verstand Luther nur als Realisierung eines Notrechts im akuten Notstand, ohne ihr zukunftsweisende Bedeutung beizumessen.

Zur cura religionis im weiteren Sinne, wenn auch historisch sehr rasch in den Vordergrund der Problematik rückend, gehört neben der ausdrücklich als instrumental deklarierten Aufgabe der Restitution der äußeren Ordnung in der Kirche kraft Notamts das ius reformandi, das sich im 16. Jahrhundert aus einem schon im Spätmittelalter in Anspruch genommenen „Recht, das kirchliche Leben zu reformieren[10]", zu dem „Recht, Religionen zuzulassen oder auszuschließen[11]", er-

---

München 1935), 33 ff. Vielleicht wurde diese Entwicklung durch die meist von Melanchthon ausgearbeiteten Gutachten der Wittenberger Theologen befördert, da Melanchthon eine positivere Einstellung zur geistlichen Aufgabe der Obrigkeit besaß; vgl. unten S. 226 und S. 240 f. Vgl. Heckel, Cura, 6 ff.; ders., Lex, 192 ff. Zum Begriff des praecipuum membrum ecclesiae bei Melanchthon und seiner geistesgeschichtlichen Herleitung vgl. Heckel, Cura, 28 ff.

7. WAB III, 129, 13 f. (an Friedrich von Sachsen, 19. Aug. 1523).

8. Holl, Luther, 373 formuliert zugespitzt, daß mit der kurfürstlichen Instruktion zur Visitation von 1527 das landesherrliche Kirchenregiment da sei. Vgl. dagegen Krumwiede, Entstehung, 108 f., der darauf hinweist, daß der Kurfürst ausdrücklich um die Visitation gebeten worden sei. Die These, daß die Instruktion ein Dokument des landesherrlichen Kirchenregiments sei, hält er mit Recht für falsch (vgl. ebd., 261).

9. WA 26, 197, 25 ff. Zum Verhältnis von Vorrede und „Unterricht" vgl. Krumwiede, Entstehung, 91 ff.

10. Vgl. für Sachsen die Beispiele bei F. Geß, Die Klostervisitationen des Herzog Georg von Sachsen (Leipzig 1888); Geß I/II. Zur Klosterpolitik Friedrichs des Weisen als Ausdruck des ius reformandi vgl. Kirn, 71 ff.; Borth, 43 f. Für Bayern vgl. Rankl, 169 ff.

weitert. Mit dem ius reformandi[12] der weltlichen Obrigkeit ist der Punkt bezeichnet, in dem sich über die Hilfsfunktion hinaus institutionell und in der Praxis die Aufgabe des weltlichen Regiments originär mit der des geistlichen berührt, da hier auch eigenständige, zum eigentlichen Pflichtenkreis der politischen Instanzen gehörende Aufgaben der Sicherung von Frieden und Recht tangiert werden. Die Vollmacht des ius reformandi stellte für die Reformationszeit insofern ein rechtliches Novum dar, als die Spaltung der universalen Kirche in Konfessionen im Mittelalter keine Entsprechung besaß; dennoch wurde dieses Recht von den protestantischen Juristen dadurch in die Rechtskontinuität einbezogen, daß sie es mit der auf die „custodia utriusque tabulae" begründeten cura religionis der weltlichen Gewalt verbanden[13].

Das ius reformandi enthält für die evangelischen Stände in der ersten Hälfte des 16. Jahrhunderts neben der hilfsweise der Obrigkeit übertragenen Aufgabe der Herstellung und Bewahrung der äußeren Ordnung der Kirche (gegen die „papistischen" Entstellungen) vor allem die Frage nach dem Verhalten gegenüber den Dissentierenden, vor allem den Sektierern, d. h. das Problem der Toleranz[14]. Die Toleranz und das über sie entscheidende ius reformandi betrifft im Deutschland des 16. Jahrhunderts allerdings nur die Frage nach der Berechtigung oder Verpflichtung der politischen Gewalt, Inhalt und Form der Religionsübung in dem von ihr beherrschten Territorium festzulegen und notfalls mit Zwangsmitteln auf ihre Einhaltung zu dringen.

Trotz der Erfahrung mit Thomas Müntzer und den Täuferpredigern hat Luther die Prämisse niemals aufgegeben, daß es von der personalen Struktur des Gottesverhältnisses des Menschen her keinen Glaubenszwang geben könne und dürfe[15], da Glaubenszwang gleichbedeutend sei mit Zwang zur Verstellung und Lüge[16]. Damit war ein erster, wenn auch nur negativ formulierter Ansatz zu einer Gewissensfreiheit gegeben[17]. Selbst für den Fall, daß die Obrigkeit die bessere

---

11. v. Bonin, 40.

12. Der Begriff selbst stammt erst aus dem 19. Jahrhundert; vgl. ebd., 10 f.

13. Vgl. dazu Heckel, Cura, 2 ff.; ders., Lex, 192 ff. Zum ius reformandi und seiner mittelalterlichen Herleitung vgl. v. Bonin, passim.

14. Zum Toleranzproblem des 16. Jahrhunderts vgl. Lecler. Die ältere Literatur referiert Kühn, Toleranz, 7 ff. Anm. 3; vgl. auch Allen, 24 ff. Die von Rüstow I, 322 f. herausgearbeiteten vier Hauptformen der Toleranz sind für die Reformationszeit nicht anwendbar, weswegen Rüstow auch das 16./17. Jahrhundert als bisherigen Höhepunkt der Intoleranz bezeichnet.

15. Vgl. dazu H. Hoffmann, 6 ff.

16. Vgl. WA 11, 264, 34 ff.; 31/I, 207, 33 ff.; 30/I, 349, 17 f. Bezeichnendster Ausdruck dieser Haltung sind die Invocavit-Predigten 1522 nach der Rückkehr von der Wartburg; vgl. WA 10/III, 18, 10 ff.: „Predigen wil ichs, sagen wil ichs, schreyben wil ichs. Aber zwingen, dringen mit der gewalt wil ich nyemants, dann der glaube wil willig, ungenötigt angezogen werden".

17. Zur Toleranz bei Luther vgl. u. a. Kühn, Toleranz, 72 ff.; Lecler I, 161 ff.; Bornkamm, Jahrhundert, 268 ff. Wappler, Inquisition, 1 ff. 55 ff. 85 ff. stellt entsprechende Äußerungen Luthers und Melanchthons zusammen, interpretiert sie aber einseitig. Einen

Einsicht hatte und die Untertanen irrten, verbot sich für Luther jede Pression, um nicht „bößes mit ergerm", Irrtum mit Lüge und Heuchelei zu vertauschen[18]. Die Freiheit für das „irrende Gewissen[19]" steigerte Luther noch 1531 zur scheinbar paradoxen Aussage, daß alles, wenn es „auf Gottes rechtem Vertrauen angefangen" würde, gut ausginge, „wenns gleich ein Irrtum wär und Sünde[20]". Allerdings mußte diese Freigabe theoretisch bleiben, da Luther in der Gewißheit der Wahrheit seiner Lehre seinen theologischen Gegnern dieses „rechte Vertrauen" auf Gott als Basis ihrer Überzeugung nicht zugestand[21]. Nur in den ersten Jahren der Reformation war er auch in der Praxis bereit, Geduld zu üben und für eine Phase notwendiger Überzeugungsarbeit das „irrende Gewissen" als Entschuldigung hinzunehmen. Die Beurteilung, ob Verstockung oder Schwachheit aus Mangel an Unterrichtung vorlag, trafen allerdings die evangelischen Prediger[22].

Der Verzicht auf Zwang zum Bekenntnis des Evangeliums bedeutete aber nicht — und je länger, desto weniger — zugleich auch die Freigabe der Lehre. In der Überzeugung von der Selbstdurchsetzungskraft des Wortes Gottes in der Predigt, aber auch wegen des Fehlens einer ausgewiesen evangelischen Obrigkeit, die das ius reformandi sachgemäß handhaben konnte, hat Luther zunächst die Grenzen sehr weitgesteckt, innerhalb deren Verkündigungsfreiheit herrschen sollte. Die Obrigkeit durfte erst dann eingreifen, wenn die geistige Auseinandersetzung in mit weltlichen Mitteln ausgetragene Kämpfe auszuarten drohte[23]. In der Polemik gegen die Protestantenverfolgungen hat Luther auch nach 1525 die Kompetenz der Obrigkeit, den Bekenntnisstand festzusetzen, verneint: „Wyr todten noch vorjagen noch vorfolgen niemandt, der anders leret dan wyr odder secten anricht, Sondern fechten alleine mit dem Gottes wort wider sie. Wo sie den nicht wollen, lassen wir sie faren und sondern uns von ynen, das sie bleyben, yn wilchem glauben sie wollen, Thun yn aber gleich wol das beste, das wyr konnen, lassen sie wonen und hantiren und leben unter uns[24]". Damit war die evangelische Praxis vom Geltungsbereich des geistlichen Regiments aus eindeutig definiert. Nur Belehrung und Predigt durften gegen Ketzer zur Anwendung gebracht werden[25], da

---

Überblick gibt R. H. Bainton, The Development and Consistency of Luther's Attitude to Religious Liberty. In: Harvard Theological Review 22/1929, 107 ff. Vgl. auch die instruktive Zusammenfassung von W. Köhler, in: ML II, 706 ff.

18. Vgl. WA 11, 265, 3.

19. Zum irrenden Gewissen vgl. ebd., 264, 34 ff. Jacob und Alanen gehen auf die Frage des irrenden Gewissens nicht besonders ein.

20. WAB VI, 57, 33 f. (18. März 1531, an L. Spengler).

21. Vgl. dazu Kühn, Toleranz, 122; H. Hoffmann, 14 f.

22. Vgl. vor allem Luthers Drängen auf Reformierung des Allerheiligenstiftes in Wittenberg schon seit 1523. Zur Argumentation mit dem Gewissen, wo „Verstockung" vorliegt, vgl. WAB IV, 28, 29 ff. (9. Febr. 1526, an Johann von Sachsen).

23. Vgl. WA 15, 219, 5 f.: „Wo sie aber wöllen mehr thun, denn nit dem wort fechten, wöllen auch brechen und schlahen mit der faust, da sollen E. F. G. zu greyffen."

24. WA 19, 263, 10 ff.

25. Zum Postulat der lediglich geistlichen Bekämpfung der Ketzerei vgl. WA 11, 268, 22 ff. Vgl. auch die Erklärung im Wittenberger Gutachten von 1536 über das Refor-

sich über die Gewissen keine weltliche Macht die Herrschaft anmaßen konnte. Sowie aber das Internum der abweichenden religiösen Überzeugung zum Externum des öffentlichen Bekenntnisses oder auch des bloßen Faktums des öffentlichen Andersseins wurde, war nicht mehr das Predigtamt zuständig, sondern die mit der Aufrechterhaltung der äußeren Ordnung betraute politische Gewalt. Luther hat diese Differenzierung nicht erst nach 1525 entdeckt, da sie innerhalb seiner Zwei-Reiche-Lehre in der Bestimmung der Zuständigkeitsverteilung mindestens implizit angelegt gewesen ist, sie aber unter dem Eindruck der Erfahrungen von 1525 stärker herausgestellt. Mit dem Verzicht auf Glaubenszwang und den positiven Folgen daraus für das Gewissen des einzelnen war nur die eine Seite des Problems verdeutlicht; das theoretische Wissen von einer polizeilichen Aufgabe der Obrigkeit in diesem Bereich brauchte zunächst nicht in besonderer Weise hervorgehoben zu werden, da keine Notwendigkeit für seine Umsetzung in die Realität der Praxis bestand.

Erst die organisatorische und dogmatische Konsolidierung der neuen Kirche und die Herausbildung evangelischer politischer Gewalten als Träger eines ius reformandi, vor allem aber die durch die Erfahrung von 1525 gewonnene Einsicht in die potentielle soziale Sprengkraft abweichender Lehre und Predigt veranlaßten Luther, immer nachdrücklicher auf den anderen Aspekt der Problematik hinzuweisen, auf die Aufgabe der Obrigkeit, das ius reformandi zum Nutzen des Wortes Gottes zu exekutieren. Die „geistliche" Zuständigkeit, das Postulat der Bekämpfung abweichender Lehren allein durch die Predigt hat er damit zwar nicht aufgeben wollen, aber die Konsequenzen des Wirkens der Sekten jetzt schärfer gesehen und die prohibitive und koerzitive Funktion der Obrigkeit gegen sie aufgeboten: „Principes nostri non cogunt ad fidem et Euangelion, sed cohibent externas abominationes ... Debent enim principes publica flagitia, ut periuria, blasphemias nominis Dei manifestas ... cohibere[26]". Diese Stellungnahme enthält weder eine Abkehr von früheren Prinzipien[27] noch eine Repristination der corpus-christianum-Idee[28], sondern mit der stärkeren Akzentuierung der Aufgabe der weltlichen Gewalt wird die bisher nur theoretisch erarbeitete Komplementärbestimmung zu der negativen Parole des Verbots des Glaubenszwangs expliziert: Verzicht auf Glaubenszwang bedeutet nicht Verzicht auf religionspolizeiliche Maßnahmen überhaupt.

---

mationsrecht, daß die Prediger die impii cultus nur „verbo, hoc est docendo" zurückdrängen dürften; CR III, 224.

26. Vgl. WAB III, 616, 28 ff. (11. Nov. 1525, an G. Spalatin). Dem entsprach sein Rat an den Nürnberger Stadtschreiber Spengler vom 4. Febr. 1525, die drei täuferisch gesinnten Nürnberger Maler, die noch nicht für „blasphemos" zu halten seien, nicht durch die weltliche Obrigkeit strafen zu lassen. „Wo sie aber die welltliche oberkeyt nicht wollten bekennen und gehorchen, da ist alles verwirckt. ... Denn da ist gewislich auffrur und mord ym hertzen. Da gepurt welltlicher oberkeyt eynzusehen"; ebd., 432, 15 ff.

27. So Wappler, Inquisition, 5, der in Luthers und Melanchthons Äußerungen einen progredierenden Abfall von der „liberalen" Ausgangsposition sieht.

28. Vgl. W. Köhler, Reformation und Ketzerprozeß (Tübingen-Leipzig 1901), 23; ähnlich auch Görnitz, 40; dagegen mit Recht Bornkamm, Jahrhundert, 272.

Die obrigkeitliche Zuständigkeit wurde von Luther mit Hilfe von zwei Voraussetzungen festgestellt:

1. Jeder abweichende Gottesdienst ist „impius cultus“ und Gotteslästerung[29].
2. Jeder abweichende Gottesdienst führt zu Zwietracht und Unfrieden, deren Folge Aufruhr sein kann, oder ist selber schon Aufruhrpredigt[30].

Nachdem er 1525 die Obrigkeit noch aufgefordert hatte, nicht „(zu) weren, was yederman leren und gleuben will, es sey Euangelion odder lügen. Ist gnug, das sie auffrur und unfride zu leren weret[31]“, fällt diese Freigabe der „Lügenpredigt“ dann der planen Gleichsetzung jeder nicht-evangelischen Predigt mit Friedensstörung und Aufruhr zum Opfer[32]. Mit den Stichworten Blasphemie und Aufruhr ist die politische Gewalt unmittelbar in eigener Zuständigkeit zum Handeln aufgerufen. Während die Bekämpfung der Irrlehre als solcher dem geistlichen Regiment überlassen bleibt, wird zur Unterdrückung der äußeren Folgen dieser Irrlehre der weltlichen Obrigkeit die doppelte Handhabe zum Eingreifen geboten: Wer nicht als Ruhestörer und Aufrührer bestraft werden kann, ist angreifbar als Gotteslästerer[33]. Da Ketzerei als flagitium publicum galt und reichsrechtlich

---

29. In der Auslegung von Ps. 82 exemplifiziert Luther die Blasphemie an Verstößen gegen einzelne Sätze des Apostolicums; vgl. WA 31/I, 208, 11 ff.

30. Die Argumentationskette: abweichender Gottesdienst – Zwietracht – Aufruhr ist von Luther offenbar zuerst 1526 im Kampf gegen das Altenburger Stift verwendet worden; vgl. WAB IV, 27 f. Luther war konsequent genug, auch unter Opfern für die eigene Sache die Richtigkeit dieser Abfolge aufrechtzuerhalten: Gegen den Willen der zuständigen Obrigkeit darf niemand, auch kein evangelischer Geistlicher, predigen, sondern muß sich dem Gebot der Amtsinhaber fügen; vgl. WA 31/I, 209, 15 ff.; WA 34/II, 35, 7 ff.; WA 38, 243, 17 ff. Vgl. auch WA 30/III, 518, 31 ff.: Die Verweigerung der Predigterlaubnis durch den zuständigen Pfarrer entschuldigt vor Gott. In diesem Zusammenhang wird für Luther die Trennung von res und persona wichtig. Die res als Amtsordnung, als Aufgabe des ordinarius loci, niemanden ungeprüft predigen zu lassen, da er für die Ordnung in seinem Bereich verantwortlich ist, bleibt auch bei unsachgemäßer Handhabung durch die persona unangetastet und muß respektiert werden. Der Missionsgedanke tritt gegenüber dem Erfordernis geordneter Verhältnisse bei der Verwaltung des geistlichen Amtes zurück. In der ganzen Frage zeigt sich exemplarisch Luthers Sinn für die Ordnung, auch in der Perversion dieser Ordnung durch falsche Ausübung.

31. WA 18, 299, 18 ff.

32. Vgl. neben anderem WA 31/I, 235, 12 ff.: Aufgabe der Obrigkeit ist es, „bey den unterthanen ob dem wort Gottes und den Pfarherrn oder Predigern trewlich halten ..., den Rotten geystern und verkereten bösen hertzen nicht gestatten, die seelen zu verfuren und die unschuldigen zu morden oder zu verfolgen“.

33. Vgl. aber Luthers Mahnung an die Obrigkeit, den Blasphemieverdacht sorgfältig zu prüfen und nicht übereilt zu handeln; WA 31/I, 184; vgl. auch WA 50, 12, 8 ff. – Die Differenzierung bei Schraepler, 24 ff., daß im Reich die Täufer als Ketzer und Aufrührer verfolgt worden seien, in Kursachsen dagegen unter Luthers und Melanchthons oder Brücks Einfluß „die sogenannte ‚Gotteslästerertheorie‘“ entwickelt worden sei, ist nicht haltbar. Die „Verlagerung des Anklageschwerpunkts bei den Täuferprozessen von dem Vorwurf des Aufruhrs hin zu dem der Gotteslästerung“, die ebd., 24 als Beweis angeführt wird unter Berufung auf die antitäuferischen Schriften der Wittenberger, er-

unter Strafe gestellt war, mußte, sowie Blasphemieverdacht entstand, die weltliche Obrigkeit eingreifen, wollte sie sich nicht der Vernachlässigung der Rechtswahrung schuldig machen. Über das positive Recht hinaus war sie dazu zudem durch das zweite Gebot des Dekalogs verpflichtet; so begründet jedenfalls Melanchthon die cura religionis seit 1531 in den Wittenberger Kollektivgutachten, die Luther mitunterzeichnete[34].

Die Begründung zum Einschreiten gegen Zwietracht und Aufruhr ergab sich unmittelbar aus dem aus Röm. 13 abzuleitenden Bereich polizeilicher Fürsorge für das Gemeinwohl. Daß keine Obrigkeit zu akzeptieren sei, mindestens aber kein Christ als Obrigkeit fungieren dürfe, daß Eigentum nicht oder nur in Gestalt von Gemeineigentum geduldet werden könne — mit diesen zweifellos in polemischer Zuspitzung[35] als charakteristisch für die Täufer herausgestellten Sätzen[36] begründete Luther, daß, wer derart die politische und soziale Grundordnung des menschlichen Zusammenlebens antastete, als Aufrührer zu gelten hatte. Dabei wurde die Ablehnung der weltlichen Gewalt, auch wenn sie nur passiv als bloße Glaubenshaltung ohne spezifische Propaganda für diese Überzeugung vorhanden war, wegen des kontagiösen Vorbilds mit dem Tatbestand der Aufruhrpredigt identifiziert. Die Gleichsetzung von täuferischer Haltung und Aufruhr lag für Luther auch insofern nahe, als er die Täufer pauschal als Nachfolger und Erben Müntzers ansah[37]. Häretiker, die die Obrigkeit negierten, „in politiam peccant", wie es bezeichnenderweise heißt[38], strebten „offentlich widder die weltlichen rechte und öberkeit[39]"; daraus ergab sich folgerichtig die Aufforderung an die politische Gewalt, das ihr von Gott anvertraute Schwertamt wahrzunehmen und die Ursache der Machtzerrüttung, die ketzerische Predigt, zu unterdrücken. Der Gefahren, die aus einer Fehlinterpretation dieses Appells an die polizeiliche Aufgabe der Obrigkeit entstehen konnten, war sich Luther bewußt, versuchte sie aber dadurch auszuschalten, daß er neben seiner rigorosen Anweisung an die Obrigkeit,

---

klärt sich daraus, daß die Theologen den religiösen Aspekt naturgemäß stärker hervorhoben als den politischen oder justiziellen, den sie aber — gegen Schraeplers Darstellung — durchaus nicht verkürzt dargestellt haben. Zum Begriff der Gotteslästerung bei Luther vgl. auch Meißner, 69 ff.

34. Vgl. dazu unten S. 226.

35. Vgl. zu dem Problem Hillerbrand, passim.

36. Vgl. WA 31/I, 208, 1 ff.

37. Vgl. dazu zuletzt Oyer, 247 f., unter dem Gesichtspunkt der Toleranz auch Lecler, I, 172 ff. Zur Dürftigkeit der theologischen Auseinandersetzung der Reformatoren mit den täuferischen Lehren vgl. Oyer, 114 ff. 132. W. Köhler: „Eine genaue Kenntnis des täuferischen Schrifttums besitzt Luther anscheinend nicht" (ML II, 704). Zum Verhältnis Luthers zu den Täufern vgl. außer Holl, Luther, 420 ff. an neueren Untersuchungen E. Wolf, Gesetz und Evangelium in Luthers Auseinandersetzung mit den Schwärmern. In: Evangelische Theologie 5/1938, 96 ff.; Maurer, Luther und die Schwärmer, 7 ff.; K. G. Steck, Luther und die Schwärmer (Theologische Studien 44, Zollikon-Zürich 1955).

38. WA 31/I, 184.

39. WA 31/I, 208, 5 ff.

die er ausführlich 1530 entwickelte[40], in demselben Zusammenhang feststellte, trotz dieser gegen Kultus- und Lehrfreiheit empfohlenen Maßnahmen dürfe niemand zum positiven Glaubensbekenntnis gezwungen werden, da die Hinführung zum Glauben ausschließlich Sache von Predigt und Missionsarbeit sein könne[41]. Diesen Unterschied von positivem Glaubenszwang und Lehrverbot bzw. Bestrafung der Manifestation abweichenden Glaubens als Störung des öffentlichen Friedens wollte er peinlich genau beachtet wissen.

Allerdings blieb diese Unterscheidung von gewaltloser Bekämpfung der Irrlehre durch die Predigt und gewaltsamer Unterdrückung ihrer Folgen: Blasphemie und Aufruhr, durch die Obrigkeit theoretisch, da die Differenzierung von abweichendem Glauben, dessen Bekämpfung zur Kompetenz des geistlichen Regiments gehörte, und nach außen sichtbarer Blasphemie, deren Beseitigung dem weltlichen Regiment oblag, sich in der Wirklichkeit des 16. Jahrhunderts nicht durchhalten ließ. Auch in der Praxis der Wittenberger Gutachten endete die Toleranz nicht erst an der Frage eines abweichenden Kultus, sondern bereits bei jeder Kundgebung der Nichtzugehörigkeit zur herrschenden Konfession, die bei der Verflochtenheit des religiösen und sozialen Lebens sofort nach außen sichtbar werden mußte, dann aber die Handhabe zum Einschreiten der Obrigkeit bot[42]. Wenn schon die Ablehnung des „öffentlich(en) ministerium verbi“ als „Blasphemie und seditio“ ausgelegt wurde[43], fielen auch passives Nichtbekenntnis und Verweigerung der Teilnahme an kirchlichen Handlungen unter dieses Verdikt. Hier hat sich fraglos im Verlauf der Auseinandersetzungen eine Versteifung der Anschauungen Luthers und der anderen Wittenberger Theologen herausgebildet, die der Hartnäckigkeit der Gegenseite korrespondierte.

Der obrigkeitliche Kirchenzwang, zu dem Luther gelegentlich riet, hatte dagegen eher edukative Erwägungen zur Grundlage. Da die Predigt über Dekalog und Katechismus auch über Grundfragen von „politica und oeconomica“ unterrichtete, durften alle Untertanen genötigt werden, wenigstens aus diesem Teil der Verkündigung ihren Nutzen, der zugleich der Stabilisierung der Ordnungen dien-

---

40. Vgl. ebd., 207, 33 f.; diese Ausführungen entstanden auf Bitten Spenglers; vgl. ebd., 183 f. Luthers Auslegung wurde von den evangelischen Theologen als programmatische Richtschnur des eigenen Verhaltens verstanden; vgl. die bei Meißner, 75 zusammengestellten Äußerungen Bucers, Schwebels, Melanchthons und der Ulmer Theologen. Zu Brenz und Nürnberg vgl. das anonyme Gutachten „Ob ein weltlich Oberkait Recht habe, in des Glaubens Sachen mit den Schwert zu handeln“ (hrsg. von M. Brecht, in: ARG 60/1969, 65 ff.); vgl. auch Lecler I, 250 ff.; G. Seebaß, An sint persequendi haeretici? In: Blätter für württembergische Kirchengeschichte 70/1970, 40 ff.

41. Vgl. WA 31/I, 207, 35 f.; 208, 30 f.; 210, 14 f.

42. Hillerbrand, 19 spricht in diesem Zusammenhang von der Unfähigkeit der Reformatoren, religiöse Glaubensverschiedenheit unabhängig von einer etwaigen Störung öffentlicher Ruhe und Ordnung zu sehen; nur war eben das unvermeidliche Zutagetreten der Glaubensverschiedenheiten für diese bereits ein Faktum öffentlicher Störung.

43. Vgl. das Gutachten von 1531; CR IV, 738 (zum Datum vgl. WAB VI, 222 f. und XIV, S. XXIX f.).

te, zu ziehen, „sive credant evangelio sive minus[44]". Bei Klöstern und Stiften, deren altgläubige Insassen zum Predigthören verpflichtet werden sollten, kam das Moment der Zwangsinformation und -belehrung hinzu.

In der Praxis der evangelischen Behörden wie in den auf die je besondere Situation zugeschnittenen Gutachten der Wittenberger Theologen wurde im übrigen deutlich unterschieden zwischen Behandlung der noch altgläubigen Bevölkerungsteile und der Verfolgung der Täufer. Der Blasphemievorwurf und die Forderung, zwiespältige Predigt aus Gründen der öffentlichen Ordnung zu unterbinden, traf intentional auf beide Gruppen von Gegnern der Reformation zu, die Beschuldigung der Aufruhrpredigt durch Ablehnung jeder Obrigkeitsform richtete sich dagegen ausschließlich gegen die Täufer, über deren Unterdrückung zwischen beiden Konfessionsparteien ohnehin weitgehend Übereinstimmung bestand[45]. Ihnen gegenüber empfahlen die Wittenberger Theologen rigorose Maßnahmen, vor allem in einem Votum, „ob man die Wiedertäufer mit dem Schwert strafen möge[46]", das Melanchthon ausgearbeitet und Luther mitunterzeichnet hat. Für Konventikelgründer und Prediger („Anfänger und receptores") sowie hartnäckige Anhänger wurde hier die Todesstrafe angeraten, falls sich trotz Glaubensunterrichts keine Bekehrung erreichen ließ; Gründe für diese Bestrafung sahen die Wittenberger im Verstoß der Täufer gegen ein 1528 ergangenes kurfürstliches Mandat, durch das Konventikel verboten worden waren[47], in der Lehre aufrührerischer Artikel[48] und in der Verwerfung des geistlichen Amts und der damit verbundenen Zerrüttung der christlichen Kirche[49]. Nur für die „Einfältigen", Täufer, die nicht missionierend

---

44. WAB V, 137, 13 ff.; WA 30/I, 349, 17 ff. Vgl. auch Heckel, Lex, 193 f. Anm. 1504. Vgl. auch Melanchthon über die diesbezügliche Aufgabe der Obrigkeit „(Magistratus) non cogit mentem sed locomotivam. Cogit, ut audiat veram doctrinam, prohibet externam blasphemiam"; zitiert nach H. Hoffmann, 34 Anm. 88 (der dort angegebene Druckort CR 16, 157 ist unrichtig).

45. Vgl. das Mandat von 1529 RTA VII, 1325 ff., zurückgehend auf Cod. Just. I 6. 2. — Bucer hat diese inkonsequente Diskrepanz in der Behandlung von Täufern und Altkirchlichen gespürt und sich deswegen gegen eine strenge Bestrafung der Täufer ausgesprochen, da man „keinen solichen ernst weder wider der päpstler lesteren und widersprechen noch der Epicureer, die alle religion verachten und verspotten" anwende; vgl. sein Gutachten vom 17. Dez. 1546, in: ZKG 7/1885, 472 f.

46. Vgl. CR IV, 737 ff.

47. Abgedruckt bei Wappler, Inquisition, 164 f.

48. Der Katalog entspricht etwa dem von Luther 1530 genannten; vgl. WA 31/I, 208, 1 ff. Sehr ausführlich findet sich die Zusammenstellung auch in dem von Melanchthon ausgearbeiteten kurfürstlichen Mandat vom 16. April 1536; vgl. dazu ML III, 68. — Für Melanchthon genügten schon geringe Abweichungen von den geltenden politischen und sozialen Normen, um Bestrafung zu verlangen. Auch die Täufer, „qui minimum habent vitii, tamen aliquam partem civilium officiorum improbant"; vgl. CR II, 17 f. (Melanchthon an Myconius, ca. Febr. 1530). In demselben Schreiben beklagt Melanchthon, 1522 bei der Auseinandersetzung mit den Zwickauer Propheten „stulte clemens" gewesen zu sein.

49. Zu diesem Punkt verweist Melanchthon auf die historische Parallele der Donatisten, die von den christlichen Kaisern zu Recht als Kirchenspalter verfolgt wurden;

und ihren Glauben durch die Tat bekennend hervorgetreten waren, wurden mildere Strafen vorgeschlagen: Landesverweisung bei Hartnäckigkeit, falls ihnen „kein öffentlich aufrührisch Artickel oder Muthwillen“ nachzuweisen war, öffentliche Buße bei Reue und Umkehr[50]. Den Sinn der Strafe sahen die Wittenberger nicht nur in der Abschreckung, die allerdings durch die Schaffung von Blutzeugen in ihr Gegenteil umschlagen konnte[51], sondern auch in dem mit ihr bewiesenen Willen der Obrigkeit, ihr Amt ernst zu nehmen und es der göttlichen Einsetzung entsprechend auszuüben. Bis zur völligen Gleichgültigkeit gegen das Einzelschicksal zugunsten der Durchsetzung des Prinzips wird das Votum vorgetrieben, wenn der Obrigkeit auferlegt wurde, die Abweichenden ohne Rücksicht auf individuelle Härten zu bekämpfen: „ob er [sc. der Potestat] schon etwa mit einer Person zu geschwind führe, thut er dennoch recht, daß er den Secten wehret. Denn es ist genug, daß Gesetz und Straf an ihr selb und in genere in Gottes Befehl gehe und recht gemeinet werde und in plurimum recht geübet werde[52]“. Daß Luther sich nicht ohne Zögern diesen Konsequenzen des Gutachtens fügte, mag eine ansprechende Vermutung sein[53], für die historischen Folgen des Votums konnte aber nur die Zustimmung, nicht das Zögern zählen[54].

Die Argumentation wiederholt sich in einem für den differenzierter urteilenden hessischen Landgrafen[55] angefertigten Gutachten der Wittenberger Theologen von 1536[56], das unter dem Titel „Daß weltliche Obrigkeit den Wiedertäufern mit leiblicher Strafe zu wehren schuldig sei, Etlicher Bedenken zu Wittenberg“ auch im Druck verbreitet wurde[57]. Die Inanspruchnahme der politischen Gewalt wurde

---

vgl. CR IV, 739. Vgl. dasselbe Beispiel in den Voten von 1536 (WA 50, 12, 32 ff.) und 1537 (CR III, 243).

50. Das Recht, bei Bekehrung zu begnadigen, war den Obrigkeiten schon im Speyerer Mandat 1529 zugesprochen worden; vgl. RTA VII, 1326, 32 ff. Die Landesverweisung stellt sich dar als eine zwangsweise Umkehrung des ius emigrandi; zur Anwendung (in Zürich schon 1524/25) vgl. H. Hoffmann, 21 f.

51. Für Thüringen vgl. in diesem Zusammenhang Wappler, Stellung, 37 f.

52. CR IV, 740.

53. Vgl. Bornkamm, Jahrhundert, 272; auch Oyer, 138.

54. Vgl. die von Wappler, Inquisition, 21 ff. 70 ff. 96 ff. gesammelten Beispiele der Verfolgung in Zwickau; vgl. auch ders., Stellung, passim; Täuferbewegung, passim, bes. 228 ff.

55. Philipp von Hessen hat im Gegensatz zu den Wittenbergern die reichsrechtlichen und die aus dem zweiten Gebot sich ergebenden Grundlagen für blutige Täuferverfolgung nicht uneingeschränkt akzeptiert; er verstand die Täufer als Verirrte, die in die Kirche zurückgeholt werden müßten. Zu seiner Haltung gegenüber den Täufern vgl. außer den Arbeiten von Wappler noch Sohm, Territorium, 130 ff.; Heinemeyer, 190 f.; Schraepler, 32 f. 46 f.; F. H. Littell, Landgraf Philipp und die Toleranz (Bad Nauheim 1957). In seinem Testament von 1562 konnte Philipp unter Aufforderung an seine Söhne, ein Gleiches zu tun, festhalten, er habe nie „einichen mentschen ... umb des willen, das er unrecht glaubt“, töten lassen, sondern nur Hartnäckige mit Landesverweisung bestraft; Heinemeyer, 191.

56. Vgl. WA 50, 8 ff.; CR III, 195 ff.

57. Vgl. WA 50, 8. 15.

in diesem Votum mit deren vornehmster Aufgabe, das Evangelium zu fördern, und mit der aus dem zweiten Gebot hergeleiteten Prohibitivfunktion der Obrigkeit gegen Gotteslästerung begründet; zugleich wurde der Versuch unternommen, Kriterien zur sicheren Identifizierung täuferischer Lehren und ihrer Anhänger zu erarbeiten. Dabei sind die abweichenden Lehren wiederum unter die Rubriken: Negation wesentlicher Bestandteile der politischen und sozialen Lebensordnung (Obrigkeit, Eid, Ehe, Eigentum) und Blasphemie und Zerstörung der kirchlichen Ordnung (Zweittaufe, Separation von der Kirchengemeinde) eingeordnet; auch wird die gleiche Folgerung gezogen, nun noch projiziert auf den Hintergrund der Ereignisse in Münster 1535[58]. Im Gegensatz zu 1531 nahm Luther jedoch diesmal eine gewisse Distanzierung vor. Zwar stimmte er der im Gutachten explizierten „gemeine(n) Regel“: Hinrichtung für hartnäckig auf ihren Irrtümern Beharrende und für aktive Täufer („Anfänger“), Gefängnis oder Landesverweisung für Mitläufer, durch seine Unterschrift zu, relativierte sie aber in ihrem Rigorismus durch den Zusatz: „Dis ist die gemeine Regel, doch mag unser gn. herr allezeit gnade neben der straffe gehen lassen nach gelegenheit der zufelle[59]“, zugunsten eines Plädoyers für die Epikie, die die je besonderen Umstände berücksichtigte. Mit der Absage an jeden mechanischen Zwang generell formulierter Sätze versuchte er, die Gefährlichkeit undifferenzierter Verfolgung zu entschärfen.

2.4 Der Gehorsam der Untertanen

Der Pflicht der Obrigkeit zur Sorgfalt in der Wahrnehmung ihrer Aufgaben korrespondiert der Gehorsam als Pflicht der Untertanen[1], und zwar als Gewissenspflicht in der Voraussetzung und dem Wissen, daß die Obrigkeit „das Werkzeug der Schöpferhand“ ist[2]. Untertan ist für Luther jeder, der innerhalb einer Machtbeziehung nicht Träger, sondern Objekt dieser Macht ist; dazu gehört – wenigstens bis zur Torgauer Rechtsbelehrung 1530[3] – auch der Reichsfürst im Verhältnis zum Kaiser, so daß Luthers Unterrichtung über die Untertanenpflicht auch die evangelischen Landesobrigkeiten betraf. Wie die Obrigkeit wird auch

---

58. Vgl. Melanchthons Warnung ebd., 14, 14 ff.

59. Dieser eigenhändige Zusatz fehlt in den Drucken, ebenso die vorhergehende Schlußempfehlung an den Landgrafen auf dessen Frage (vgl. WAB VII, 416 ff.), landesverwiesene Täufer, die heimlich zurückkehren, hinrichten zu lassen (WA 50, 15 App.). Wappler, Stellung, 61 Anm. 5 und 241 schreibt den ganzen fortgelassenen Abschnitt Luther zu, was aber nur auf den letzten Satz zutrifft, nicht auf die Schlußempfehlung des Votums. Zu Luthers Zusatz vgl. zuletzt Oyer, 138 f.

1. Die Entsprechung von „Sorgfelticheit“ und Gehorsam vgl. WA 6, 264, 16 ff.

2. Berggrav, Der Staat und der Mensch, 304; die aus dieser Grundlage abgeleiteten und auf Luthers Lehre bezogenen Ungehorsamsausführungen Berggravs vgl. ebd., 307 ff.; ferner ders., Staat und Kirche, bes., 284 f.; vgl. dazu E. Klügel, in: Macht und Recht, hrsg. von H. Dombois und E. Wilkens (Berlin 1956), 44 ff. Vgl. schon ders., in: Informationsblatt für die Gemeinden in den niederdeutschen Landeskirchen 1/1952, 361 ff.

3. Zur Wendung von 1530 vgl. unten S. 173 ff.

der Gehorsam transzendent-theologisch legitimiert, wenn der Gehorsam gegen die politische Gewalt dem gegen Gott gleichgesetzt wird[4]; in ihr wird der durch sie verdeckt handelnde Gott geehrt, so daß jeder Gehorsamsakt des Untertanen „eine Gottesbeziehung in sich enthält[5]".

Dieser Gehorsam der Untertanen steht für Luther unter dem Befehl von Röm. 13, 1 und zugleich unter der Verheißung des vierten Gebots[6]. Die Schriftallegate erweisen für ihn, daß die Gehorsamsverpflichtung, die das Proprium des Untertan-Seins ausmacht, auch für den Christen, der für sich die Ordnung der weltlichen Verhältnisse durch obrigkeitliche Eingriffe nicht benötigt, gilt. Entsprechend den Aufgaben des Christen in der Welt nach der Zwei-Reiche-Lehre wird auch der Gehorsam zur Liebestat und gibt sich als Akt der Nächstenliebe zu erkennen: „Wenn du der öbrigkeit dienest und gehorsam bist, so ist es gleich so viel, als gebestu einem nacketen ein rock oder speissest ein hungerigen, denn es ist auch ein werck der liebe, wilchs aus dem glauben herfleust: nicht das du durch das werck wollest from werden, sondern das es deinen glauben beweisse[7]". Zwar ist der Gehorsam seiner äußeren Qualität nach derselbe für jeden Untertanen, aber das für Luther entscheidende Kriterium ist die Gesinnung, in der er geleistet wird. Nichtchristen gehorchen aus Einsicht in die Notwendigkeit einer Ordnung oder gezwungen unter dem Druck des Obrigkeit-Untertan-Verhältnisses, während sich Christen der Obrigkeit in bewußter Freiwilligkeit fügen, in Anerkennung der göttlichen Legitimierung der Gehorsam verlangenden Institution, als Dienst für den anderen und damit als Derivat ihrer Glaubensaussage. Wie das Amt der Obrigkeit ist auch die Untertanschaft für den Christen als weltliche Aufgabe äußerlich nicht anders gelagert als für den Nichtchristen, aber different in dem Ethos, das Amt und Aufgabe trägt, im Wissen um die Sündhaftigkeit der Welt, die Korruptibilität der menschlichen Natur und die Notordnung Gottes gegen das Chaos.

In den politischen und sozialen Konflikten seiner Zeit hat Luther mit großem Nachdruck die für jeden Untertanen, magistratus inferior und einfachen subditus, geltende Pflicht zum Gehorsam gegen den jeweils übergeordneten Amtsinhaber eingeschärft[8]. Rechtliche Erwägungen und Argumente zugunsten einer Einschränkung oder Aufhebung dieser Pflicht ließ er nicht gelten, so daß auch der ungerechte, gegen Gesetz und Übereinkunft verstoßende Befehl einer Obrigkeit, wenn er sich auf Leben und Besitz erstreckte, keine Gehorsamsverweigerung legitimieren konnte, da die weltliche Obrigkeit Herr über alle irdischen Verhältnisse ist.

Die Grenze des Gehorsams wird erst bei exzedierenden Akten einer Obrigkeit

---

4. Vgl. vor allem WA 30/II, 130, 2 ff. Auch für sich selbst hat Luther diese Konsequenz gelten lassen; vgl. seine Antwort auf die Frage, ob er einer Vorladung nach Worms Folge leisten würde: „Neque ... dubitari fas est a Domino me vocari, si Caesar vocat" (WAB II, 242, 10 f.; 29. Dez. 1520 an Spalatin).

5. Lau, Ordnung, 19.

6. Vgl. dazu oben S. 45 f.

7. WA 20, 579, 32 ff.

8. Vgl. dazu z. B. unten S. 144. 154 ff.

erreicht, die ihren Zuständigkeitsbereich überschreitet und willkürlich auf Bereiche, über die Gott dem geistlichen Regiment und sich selbst die Verfügung vorbehalten hat, ausdehnt. Bei einem Befehl, mit dem die Obrigkeit ins geistliche Regiment greift, muß die Differenzierung des Gehorsams in Gottesgehorsam und Menschengehorsam vollzogen werden. Hier geht die in der clausula Petri Act. 5, 29[9] formulierte Pflicht gegenüber Gott dem Gehorsamsgebot von Röm. 13 und 1. Petr. 2, 13 voran. Diese Gehorsamsverweigerung[10] bleibt aber für Luther im politischen Alltag Ausnahmesituation und beinhaltet nicht die prinzipielle Aufhebung des Rechts der Obrigkeit auf Gehorsam[10a].

Trotz dieser Definition als Ausnahmefall war die Unterrichtung über den Erstreckungsbereich des Gehorsams das eigentliche Problem in den politischen und sozialen Auseinandersetzungen des 16. Jahrhunderts, verbunden mit der ebenso wichtigen Frage, wie sich der Ungehorsam des Untertanen legitimierte und in welcher Weise er sich äußern durfte. Primäres Kriterium für das sachgerechte Verhalten zur Gehorsamsforderung der Obrigkeit ist für Luther das Gewissen, d. h. die Prüfung der Verantwortung vor Gott, so daß die Gewissensschranke die Schwelle zum Ungehorsam markiert[11]; bei dieser Gewissensentscheidung wird aber das in Gott gebundene, an der Schrift orientierte Gewissen vorausgesetzt. Die Berufung auf die Entscheidung für einen höheren als den irdischen Gehorsam aufgrund der clausula Petri wird allerdings erst dann möglich, wenn die Seele, über die die Obrigkeit nach der Zwei-Reiche-Lehre keine Verfügungsgewalt besitzt, in Gefahr gerät.

Die Frage nach der Gewissensbelastung, die durch Begehen von oder Partizipation an Unrecht entsteht, muß jeder Christ für sich beantworten, so daß die Entscheidung gegen den Menschengehorsam auf der Basis der Gewissensnot des einzelnen fällt und eine Individualentscheidung, keine Kollektivfeststellung ist[12]. Deshalb bleibt die politische oder juristische Körperschaft, deren Protest und Ungehorsam den ungerechten Befehl äußerlich erst effektiv bekämpfen könnte, für Luther außer Ansatz, da sie kein religiös-theologisch faßbares Phänomen darstellt. An die Gehorsamsschranke von Act. 5, 29 gelangt der Christ nur als einzelner, und lediglich die Berufung auf die clausula Petri kann ihn zum Ungehorsam in bestimmten aktuellen Gewissenskonflikten zwingen. Diese Gewissensentscheidung muß für jeden Befehl neu erreicht werden; eine Erstreckung des gewissensbedingten Ungehorsams über die aktuelle Entscheidungssituation hinaus auf die Ablehnung einer ungerechten Obrigkeit überhaupt gibt es für Luther nicht[13]. Die Ver-

---

9. Zur clausula Petri bei Luther vgl. H. Dörries, Gottesgehorsam und Menschengehorsam bei Luther. In: Wort und Stunde III, 109 ff.; Hillerdal, Gehorsam, 105 f.

10. Vgl. dazu Lamparter, Türkenkrieg, 106 ff.; Becker, Christ als Untertan, 279 f.; Berggrav, Staat und Mensch, 301 ff.

10a. Vgl. dazu auch unten S. 81 f.

11. Für Berggrav, Staat und Kirche, 284 ist dieses Angewiesensein auf das Gewissen Stärke und Schwäche des Luthertums zugleich.

12. Vgl. dazu Lamparter, Türkenkrieg, 106 f.; Richter, Kriegsdienst, 33 f.

13. Eine Ausnahme bildet der Welttyrann; vgl. unten S. 243 ff.

weigerung des Gehorsams in Verantwortung vor Gott soll nicht so sehr die politische Veränderung oder die Rücknahme ungerechter Befehle bewirken, als vielmehr den Christen bewahren vor Teilhabe an fremdem Unrecht, das durch Übernahme einer entsprechenden Aufgabe zum eigenen wird und damit über die irdischen Verhältnisse des einzelnen und sein bürgerliches Leben hinaus den geistlichen Bereich verletzt und das Heil der Seele gefährdet.

Außer der clausula Petri zieht Luther als Schriftallegat zur Begründung der Differenzierung von Gottes- und Menschengehorsam im Konfliktfall auch Mt. 22, 21 heran[14]. Ebenso wie Act. 5, 29 verlangt auch diese Norm in der Allgemeinheit ihrer Aussage nach der Ausfüllung durch die Entscheidung des einzelnen, ob das jeweils Geforderte in den irdischen Lebenszusammenhang gehört und daher im Gehorsam auszuführen bzw. zu ertragen ist, auch wenn es als in der Substanz ungerecht erkannt wird, oder ob hier die Gottesbeziehung berührt wird, die die Entscheidung gegen den Obrigkeitsgehorsam fordert.

Der Gehorsam hört für Luther auf bei Befehlen, die die Untertanen „dringen widder die gebot gottis odder dran hyndern[15]". So ist jedes Edikt, das die Verbreitung der evangelischen Lehre verbietet, vor der clausula Petri ungültig, da mit ihm in ein fremdes Amt gegriffen wird. Luther hat diese Weisung konkretisiert, als er 1521 im „Unterricht der Beichtkinder über die verbotenen Bücher" geraten hat, unter Berufung auf Act. 5, 29 auf die Absolution zu verzichten, wenn als ihre Vorbedingung das Versprechen gefordert wurde, keine evangelischen Schriften zu lesen[16]. Noch zugespitzter hat er auf den status confessionis und die Bewährung des christlichen Glaubens aufmerksam gemacht, als er dazu aufrief, den Befehl altkirchlicher Fürsten, das deutsche Neue Testament und evangelische Schriften abzuliefern, unbeachtet zu lassen: „Nicht eyn blettlin, nicht eyn buchstaben sollen sie [sc. die Untertanen] uberanttwortten bey verlust yhrer seligkeit[17]". Mit Anordnungen, die den Glauben berühren und auf das Gebiet der ersten Tafel des Dekalogs übergreifen, überspringt die weltliche Gewalt die Grenze ihres Verfügungsbereichs, da die „seele ... nicht unter Keyßers gewalt" ist[18]. In einer solchen Konfliktsituation ist die Entscheidung zugunsten des Gottesgehorsams zwingend geboten.

Aber auch jeder Befehl gegen die zweite Tafel, durch den ein anderer wissentlich und absichtlich geschädigt wird, muß an die Grenze des Gehorsamsgebots stoßen, da er mit dem Gewissen, das an die Forderungen der Nächstenliebe gebunden ist, kollidiert[19]. Die Gewissensentscheidung gegen den Gehorsam ist demnach nicht nur gefordert bei Befehlen, die die eigene christliche Existenz betref-

---

14. Vgl. dazu auch oben S. 21.
15. WA 6, 265, 16 f.
16. Vgl. WA 7, 290, 3 ff.
17. WA 11, 267, 17 f.
18. Ebd., 266, 18.
19. Vgl. WA 6, 265, 15 ff. Als Anwendungsbeispiele nennt Luther den Zwang zu falscher Aussage, zu Raub oder Betrug.

fen, sondern auch, wenn ein anderer dadurch zu Schaden kommen würde, daß im Gehorsamsvollzug gegen ein Gebot der Schrift verstoßen wird.

Das Verbot, gegen das Gewissen zu handeln, erweist sich als Norm für das Verhalten des Untertanen auch im Kriegsfall[20]. Grundsätzlich hat Luther dem Christen als Untertan die Beteiligung am Krieg seiner Obrigkeit nicht untersagt, da der Christ ihr in Dingen dieser Welt unterworfen ist. Wenn der Krieg jedoch für den Untertanen erkennbar ungerecht ist, muß dieser sich dem Befehl des Landesherrn entziehen und unter Rekurs auf die clausula Petri die Gewissensbindung an Gott, der im Dekalog den Schutz des Nächsten und nicht dessen Verderben befiehlt, höher stellen als die Gehorsamsverpflichtung gegenüber der Obrigkeit. Die Verweigerung des Waffendienstes im ungerechten Krieg muß der Gewissensnot entspringen, nicht einer nur auf Grund vernünftiger Entscheidung gewonnenen Einsicht in die Verantwortung für das Ganze[21]. Auch hier darf nur der einzelne für sich handeln, will er die Legitimation durch sein Gewissen nicht verlieren. Wie der Untertan bei der Beschränktheit seiner Informationsmöglichkeiten zur Einsicht gelangen kann, ob der ihm abverlangte Gehorsamsdienst für einen ungerechten Krieg bestimmt ist, bleibt dabei als religiös irrelevant offen. Daß Luther aber dieses Problem sehr wohl im Blick gehabt hat, zeigt sein in Übereinstimmung mit der Tradition erteilter Rat, im Fall bloßen Zweifels an der Gerechtigkeit des Krieges den Gehorsam zu leisten, weil die Liebe fordert, niemandem — also auch der Obrigkeit nicht — von vornherein Unrechttun zu unterstellen. Damit ist die Verantwortung für die Zulässigkeit des Krieges im wesentlichen der Obrigkeit übertragen; für den Untertanen bedeutet die Teilnahme an einem von ihm nicht als ungerecht zu erkennenden Krieg keine Verletzung des Gewissens.

Die Verweigerung des Gehorsams im aktuellen Konflikt bleibt aber nicht in der Passivität des Nicht-Handelns stecken, bedeutet nicht ein einfaches Auslaufen der Verpflichtungen, sondern muß für den Christen stets mit dem Wortzeugnis und dem Rechtsbekenntnis, dem Aufzeigen der Wahrheit und dem Nachweis des Unrechts verbunden sein[22]. Die in der Rechtsanschauung seiner Zeit trotz Landfriedensbewegung und Fehdeverbot verwurzelte Überzeugung von der Erlaubtheit gewaltsamer Auflehnung gegen Unrecht transponiert Luther in die ethisch gewichtigere, die sittliche Kraft des Menschen in neuer Weise aktivierende Forderung des Rechtsbekenntnisses mit Wort und Schrift ohne Unterstützung durch die dem Christen nicht erlaubte Gewalt[23]. Durch den Wortprotest wird aus der Hal-

---

20. Vgl. dazu vor allem WA 11, 277, 28 ff.; 19, 656, 22 ff. Vgl. auch schon WA 6, 265, 21 ff.

21. Vgl. Richter, Kriegsdienst, 33 f.

22. Vgl. dazu etwa WA 8, 682, 14 ff. Vgl. zum Bekenntnisproblem Berggrav, Staat und Mensch, 308 ff.; ebd., 277 f. wird allerdings die Regel vom bloßen Wortprotest als „in sich selbst unsicher und zweifelhaft" bezeichnet.

23. Vgl. Scharffenorth, 89 ff.; für die Konsequenz dieses Angriffs Luthers auf das Rechtsbewußtsein seiner Zeit vgl. auch H. Mayer, Christ, 359 f.

tung des Ungehorsams eine Handlung des Widerstands[24].

Die Voranstellung des Gottesgehorsams vor den Obrigkeitsgehorsam im Konfliktfall bedeutet zugleich die Bereitschaft, die Folgen des irdischen Ungehorsams auf sich zu nehmen, bis hin zum „Protest des Martyriums[25]". Der Christ muß bereit sein, Unrecht, das gegen seine Person ausgeübt wird, ohne gewaltsamen Widerstand hinzunehmen[26]. Luther findet die Absicherung dieser Haltung in den Geboten der Bergpredigt und verbindet die Aufforderung in Mt. 5, 39, dem Bösen nicht zu widerstehen, mit der Warnung von Mt. 26, 52 vor Gewaltgebrauch des einzelnen, der nicht von Gott als Obrigkeit berufen ist. Hinzu kommt als weiterer Orientierungspunkt das Verbot der Selbstrache bzw. des Richtens in eigener Sache Dt. 32, 25, das Röm. 12, 19 aufgenommen und durch das positive Recht Cod. Just. III 5. 1 auch für den Nichtchristen verbindlich ist.

Mit diesen Koordinaten ist das Verhalten des Christen abgesteckt: Leidenspflicht und Verzicht auf das ius talionis, mithin auf jeden gewaltsamen Widerstand gegen ungerechte obrigkeitliche Maßnahmen. Für sein Christsein bedeutet die Bereitschaft zum Leiden und das Leiden selbst einen Akt der eigenen Vervollkommnung: „Unrecht leyden vorterbt niemand an der selen, ja es bessert die selen, ob es wol abnimpt dem leyb und gut", während die ungerecht handelnde Obrigkeit sich selbst schadet, da „Unrecht thun ... die sele (vorterbet), ob es gleich aller welt gut zutrug[27]". Hinter dieser Einschärfung der Leidenspflicht steht Luthers Überzeugung, daß niemandem mehr Not zugemutet wird, als er tragen kann, und daß Gott keinen mit seiner Not allein lassen wird, sondern sich im Leiden als Helfer und Erretter erweisen will[28]. So wird letztlich die Verweigerung des Gehorsams gegen widergöttliche und gewissensverletzende Anordnungen der Obrigkeit mit der Bereitschaft, die daraus entstehenden Folgen auf sich zu nehmen, zur Bewährung des voraussetzungslosen Glaubens. In der Praxis hat Luther allerdings unter dem Gesichtspunkt, daß sich niemand zum Martyrium drängen solle, eine gewisse Erweichung des rigorosen Postulats zugelassen, wenn er aus Mt. 10, 23 eine Erlaubnis zur Auswanderung ableitete, durch die sich der Christ den Maßnahmen der sein Gewissen verletzenden oder seinen Glauben beschränkenden politischen Gewalt entziehen darf[29].

---

24. Elliger, Denken, 159 f. weist zu Recht darauf hin, daß die Gehorsamsverweigerung weithin nur scheinbar ein passiver Widerstand, tatsächlich aber aktiver Ungehorsam war, der nur dadurch in seiner Bedeutung verdeckt worden sei, daß der Begriff des aktiven Widerstands von Luther auf „Rotterei" und „Aufruhr" verengt wurde.

25. Lamparter, Türkenkrieg, 108. Vgl. WA 38, 124, 1 f., wo als Positivum der Tyrannis hingestellt wird, daß sie Freudigkeit zum Bekennen schafft.

26. Vgl. WA 19, 656, 22 ff. und in der Praxis die Gutachten gegen den Widerstand, unten S. 101 ff. 140 f. 155 ff.

27. WA 6, 259, 16 ff.

28. Vgl. WA 7, 548, 12 ff.

29. WA 18, 323, 4 ff. Stolzenau, 44 gliedert das Auswanderungsrecht schematisch in eine Stufung der Reaktion des Christen auf ungerechte Maßnahmen seiner Obrigkeit ein. Zur Umkehrung des ius emigrandi in der Landesverweisung für Andersgläubige vgl. H. Hoffmann, 21 f.

Für das Verhalten des Christen zur Obrigkeit ist es unwichtig, ob diese nur im Einzelfall ungerecht prozediert oder ihre Herrschaft tyrannisch ausübt, d. h. ihren Zweck als Stiftung Gottes prinzipiell verfehlt. Der Begriff „Tyrann" wird von Luther in diesem Zusammenhang zumeist unspezifisch verwendet[30], so daß er jede exzedierende Obrigkeit als im Exzeß tyrannisch handelnd bezeichnen kann. Vor allem aber ist derjenige Gewaltinhaber ein Tyrann, der sich nicht mit der Verfügungsgewalt über die zweite Tafel des Dekalogs, deren Einhaltung zu überwachen seine Aufgabe ist, begnügt, sondern in Präsumption und Überschätzung menschlicher Macht seine Befugnisse auch über die erste Tafel erstrecken will[31]; allerdings enthält überhaupt jeder Befehl, der das Gewissen tangiert und daher die Gehorsamsweigerung wegen Superiorität des Gottesgehorsams hervorruft, einen Verstoß gegen die erste Tafel. Von der nur im Einzelfall exzedierenden Obrigkeit, die sich grundsätzlich innerhalb der ihr durch ihr Amt gesetzten Grenzen hält, ist der Tyrann bei Luther zumeist durch seinen Willen zu schrankenloser Ungebundenheit gekennzeichnet[32], wenn ihm auch im Gegensatz zum tyrannus universalis[33] zugestanden wird, zwar im Abusus der Gesetze zu handeln, aber „magna ex parte" doch dem Recht unterworfen zu bleiben[34]. Er ist Obrigkeit, wenn auch im Mißbrauch dieser Institution; in diesem Fall ist mehr auf das Amt zu sehen als auf den Amtsinhaber in seinem Fehlverhalten[35].

Gegen jeden Mißbrauch der Macht, ob er singulär oder prinzipiell geschieht, weiß Luther für den Christen kein anderes Mittel der Abwehr als das Bekenntnis der Wahrheit und das Gebet um Befreiung[36]. Das Beharren auf dieser Posi-

---

30. Zur Tyrannenlehre Luthers vgl. vor allem Heckel, Lex, 154 ff.; ders., Widerstandsrecht, 39 ff. An früherer Literatur vgl. vor allem Matthes, Obrigkeit, 149 ff., bei dem in der Schematisierung der Obrigkeitslehre die Tyrannis als Durchbrechung des göttlich geordneten Kosmos verstanden wird; der theologisch relevante Aspekt der Tyrannis als Strafe Gottes fehlt. Zur Sonderform des apokalyptischen tyrannus universalis vgl. unten S. 243 ff.

31. Vgl. WA 11, 267, 3 ff.

32. Vgl. WA 51, 253, 29 f.: „Ein Tyrann wil frey sein wie ein Wild und schaffen, was jm gefellet".

33. Vgl. dazu unten S. 243 ff.

34. Vgl. WA 39/II, 58, 19 f.; vgl. auch ebd., 58, 22 f.: „manet in republica legibus constituta"; vgl. auch ebd., 60, 2 f. — Nicht unmittelbar können für Luthers Tyrannenlehre die Notizzettel zur „Warnung" (WA 30/III, 396, 1 ff.) in Anspruch genommen werden; vgl. dazu unten S. 187.

35. Vgl. die Aufforderung Luthers in seiner Vorrede zur Übersetzung des Daniel 1530, nicht vom Fehlverhalten der Amtsinhaber auf die Indignität des Amtes zu schließen: „Sollen wir ... nicht achten, wie böse die Tyrannen sind, sondern wie ein köstlich, nutzlich ampt sie haben von Gott, uns zu gut und heil eingesetzt" (WADB 11/II, 8, 30 ff.). Zur Differenzierung von res und persona vgl. auch oben S. 43 ff.

36. Von ihrem Ansatz her, Luthers Obrigkeitslehre vor allem institutionell zu verstehen, sieht Scharffenorth, 128 ff. eine Schwäche dieser Institutionenlehre Luthers darin, daß sie kein institutionelles Mittel gegen den Mißbrauch obrigkeitlicher Macht aufzuzeigen vermag. Luther will aber den Christen belehren, keine staatsrechtlichen Vorschriften ausarbeiten. — Zur Waffe des Gebetes vgl. Wingren, 80 ff. 120 ff.

tion auch gegenüber dem „schlimmen Oberherrn" gründet auf der Überzeugung, daß sich „kein gewalt ... on sein [sc. Gottes] heymliche ordnung" erhebt[37]. Wenn nichts ohne Gottes Willen geschieht, darf der Untertan, sofern er Christ sein will, auch aus einer verfassungsrechtlichen Illegalität seiner Obrigkeit kein Recht zur Intervention für sich beanspruchen. Zwar könnte die Differenzierung von res und persona einen Ausweg darstellen, aber Luther will mit der Unterscheidung von Amt und Amtsperson nur der Bestreitung der göttlichen Einsetzung der Obrigkeit auf Grund des Tatbestands unfähiger Amtsträger vorbeugen, nicht aber eine Möglichkeit aufzeigen, Institution und Funktionsinhaber in der Weise zu trennen, daß es erlaubt sein könnte, den tyrannischen Amtsträger zu beseitigen und die Institution dabei unangetastet zu lassen. Wer die Macht als Obrigkeit besitzt, verwaltet ein officium dei, auch wenn er in dessen Handhabung gegen die Stiftungsintention verstößt und sie abusiv ausnutzt. Darüber das Urteil zu fällen und zu exekutieren, steht jedoch nur dem Stifter zu, nicht dem von der ungerechten Machtausübung Betroffenen. In Konsequenz dieser Überzeugung hat Luther daher außer dem Türken und dem Papsttum wegen ihrer besonderen apokalyptischen Qualität[38] niemals einer politisch-staatlichen Gewalt seiner Zeit den Charakter der Obrigkeit grundsätzlich abgesprochen, auch wenn sie ihre Kompetenzen im Fehlverhalten überschritt.

Rechtlose oder tyrannische Zustände sind für Luther eine zeitweilige Störung, eine Abweichung von der Regel; in religiöser Interpretation ist der „schlimme Oberherr" Manifestation des Zornes Gottes, eine von Gott verhängte Strafe für die Sünden des Volkes, der sich niemand durch gewaltsame Abwehr entziehen soll[39]. Ein genereller Gehorsamsentzug statt jeweiliger Prüfung der Einzelanordnungen wäre nichts anderes als verbotenes Richten in eigener Sache[40]. Das Gleiche gilt für die gewaltsame Beseitigung der tyrannischen Herrschaft, da der Tyrannenmord in das Amt Gottes als des Stifters und damit auch allein befugten Richters der Obrigkeit eingreift, indem versucht wird, die verhängte Strafe nach eigenem Ermessen zu verkürzen. Außerdem ist für Luther der Tyrannenmord durch das fünfte Gebot untersagt[41]. Der Untertan soll nicht über das Schicksal der Obrigkeit entscheiden, darf aber stattdessen die Gewißheit haben: „Gott wird der Tyrannen und oberpersonen nicht vergessen, Er ist yhn auch gewachsen gnug[42]." Die abwar-

37. WA 6, 318, 26.

38. Vgl. dazu oben S. 58 und unten S. 243 ff.

39. Vgl. WA 1, 460, 6 ff.; vgl. auch WA 6, 72, 16 ff. 260, 14 f.; 19, 637, 23 f. (wo Hiob 34, 30 zitiert wird: um des Volkes Sünde). Vgl. zu entsprechenden Ausführungen über den Türken oben S. 58. WA 6, 73, 24 ff. wird die böse Obrigkeit mit der Krankheit verglichen; beides muß in Demut hingenommen werden. Zur Tyrannis als „Zuchtmittel Gottes zum neuen Menschen hin" vgl. auch Wölfel, 236.

40. Vgl. dazu WA 19, 636, 5 ff.

41. Die Frage nach der Erlaubtheit des Tyrannenmordes hat Luther kaum beschäftigt; vgl. nur WATR I, Nr. 1126. Vgl. Lossen, 22 f.; Müller, Äußerungen, 82 Anm. 1 gegen Cardauns, Widerstandsrecht, 6 ff., der aus WATR I, Nr. 1126 eine Billigung „des durch Volksbeschluß autorisierten Tyrannenmordes" durch Luther ableitet.

42. WA 19, 643, 11 f.; vgl. dazu Matthes, Luther und die Obrigkeit, 149 ff.

tende Haltung und der Verzicht auf gewaltsame Abwehr wird dem Christen zudem leichtgemacht durch das Wissen, daß die Folgen des Bekenntnisses und des leidenden Ungehorsams ihn nur in seinen irdischen Lebensbezügen treffen, nicht aber seinem Christsein Schaden zufügen können[43], obwohl Luther die Spannung, die dem menschlichen Zusammenleben durch eine Obrigkeit im Fehlverhalten auferlegt wird, keineswegs verkleinert[44].

Nach dem Bauernkrieg hat Luther 1526 das richtige Verhalten christlicher Untertanen gegenüber ungerechter Obrigkeit am Beispiel Dänemarks, wo 1523 mit Lübecker Hilfe Christian II. vertrieben worden war, demonstriert[45]. Aus der historischen Erfahrung ergab sich für ihn, daß die Absetzung einer Obrigkeit entweder gar keinen oder nur vordergründigen Erfolg hat, sowohl wegen politischer Hindernisse, etwa einer fast zwangsläufig zur Anarchie führenden Volksherrschaft, vor allem aber wegen Gottes Unwillen über den Eingriff in seine Rechte. Daß Gott sich der Untertanen als Instrument zur Durchsetzung seines Willens beim Sturz einer Herrschaft bedient, bleibt dabei unberücksichtigt. Die im dänischen Fall vorgetragene juristische Deduktion des Rechts der Untertanen auf Absetzung ihres Königs war für Luther unvollständig, da die Gültigkeit eines Rechtsakts die Entscheidung durch einen Richter voraussetzt, der zwischen Kläger und Beklagtem steht. Im Konflikt Fürst-Volk ist ein magistratus superior als Entscheidungsinstanz für ein rechtsförmliches Urteil erforderlich, also der Kaiser oder — in Verlängerung der irdischen Herrschaftspyramide — Gott. Auch wenn die Rechtslage wie bei Christian II. von Dänemark von vornherein scheinbar eindeutig ist, obwohl Luther die Prüfung dieser Frage als nicht in seine Kompetenz fallend unterläßt, muß ein förmliches Rechtserkenntnis einer Schiedsinstanz zur Konstatierung des Verfassungsbruchs und eine Bevollmächtigung zur Exekution des Urteils stattfinden, da sonst die Deposition verbotene Selbstrache ist. Die Instanz eines iudex medius läßt sich in keinem Fall umgehen, eine Identität von Geschädigtem und Richter ist nicht statthaft. Für den dänischen König, der keiner höheren irdischen Obrigkeit unterworfen ist, kann nur Gott der Richter sein, so daß ohne Legitimation durch diesen die Untertanen, auch wenn sie offenkundig das Vertragsrecht auf ihrer Seite haben, dem Verdikt des Selbstrichtens nicht entgehen können und mithin „aufrürische Gottesdiebe[46]" sind, die einer übergeordneten Instanz ins Amt greifen. Die Folge kann, theologisch gesehen, nur Gottes Zorn und Strafe, politisch-sozial nur Anarchie sein. Daher sind die Dänen, die keinen Befehl Gottes, sondern

---

43. Vgl. WA 19, 636, 26 ff. 640, 8 f. Vgl. unten S. 248 f. den Vorwurf des Seelenmordes gegen den Papst, wohingegen der Tyrann nur „corpus adimit, animam relinquit" (WA 39/II, 58, 23 f.; Disp. von 1539).

44. Vgl. dazu WA 6, 260, 4 ff.; 31/I, 207, 16 ff.

45. Vgl. zum Folgenden WA 19, 635 ff.

46. Ebd., 641, 18 ff. Den aus Phil. 2, 6 („rapina divinitatis") abgeleiteten Begriff der „Gottesdieberei" wendet Luther 1541 auch auf den Kaiser an, falls dieser über sein Regiment hinaus in Gottes Reich übergreift; vgl. WA 51, 534, 33 ff. Andere Belege des Begriffs vgl. bei Ph. Dietz, Wörterbuch zu Dr. Martin Luthers deutschen Schriften I (Leipzig 1870), 150.

nur den eigenen Urteilsspruch vorweisen können, in die Schuld des Aufruhrs gefallen; die Lübecker, die ihnen Beistand leisteten, haben zwar in der pares-Relation gleichgeordneter Rechtsgenossen gehandelt, sich aber durch Hilfe für Aufrührer fremder Sünde teilhaftig gemacht.

In Luthers Lehre von Obrigkeit und Gehorsam gibt es nur einen zureichenden Grund für eine Deposition der obrigkeitlichen Person, der nicht eigens durch eine höhere Instanz des magistratus superior legitimiert werden muß: psychisch-mentales Unvermögen des Fürsten, weil der wahnsinnige Regent nicht mehr als Mensch anzusehen ist und infolgedessen nicht länger den Charakter einer Obrigkeit beanspruchen kann. Als entscheidenden Unterschied zwischen wahnsinnigem und tyrannischem Oberherrn sieht Luther die Irrevozibilität des Unvermögens des ersteren an, während beim Tyrannen die Möglichkeit nicht auszuschließen ist, daß er zur Einsicht in sein Fehlverhalten gelangt und dann zu einer ihr Amt sachgemäß verwaltenden Obrigkeit wird.

Offen bleibt bei der Warnung Luthers vor dem Urteil der Untertanen über die Obrigkeit, wie sich der Untertan zur Tatsache des vollzogenen Machtwechsels stellen oder wie er sich gegenüber einem die Macht ausübenden Usurpator verhalten soll. So wird 1526 keine Anweisung gegeben, ob die Dänen weiterhin Christian II. die Treue zu halten oder Friedrich I. als dem faktischen, wenn auch rechtlich nicht unbestrittenen Inhaber der staatlichen Macht zu gehorchen haben. Diese über den aktuellen Fall hinaus wichtige Frage hat Luther nicht entschieden. Er selbst hat aber den neuen König als solchen akzeptiert und 1532, als Christian II. nach seinem mißglückten Restitutionsversuch in die Gewalt Friedrichs geriet, bei diesem lediglich zugunsten des Gefangenen interveniert, ohne seine Berechtigung als Obrigkeit in Frage zu stellen[47].

3. Die Konkretion: Reich und Reichsverfassung im Verständnis Luthers

Die theologische Reflexion über Wesen und Aufgaben der Obrigkeit und die Anschauungswirklichkeit des Reiches verbinden sich bei Luther und haben sein Verständnis der deutschen Reichsverfassung und der Macht- und Kompetenzvertei-

47. Vgl. WAB VI, 369 f. (an Friedrich von Dänemark, 28. Sept. 1532). In einem gleichzeitigen Trostbrief an den gefangenen Christian II. stellt er diesem den Sinn seines Leidens vor Augen, lobt die Gnade der Züchtigung durch Gott schon auf Erden in der Korrelation von zeitlichen Leiden und ewiger Freude, geht aber auf die politischen Verhältnisse gleichfalls nicht ein; vgl. ebd., 367 f. — In Äußerungen aus demselben Jahr führt Luther, veranlaßt durch die Gefangensetzung Christians II., den Sturz und die Vertreibung des dänischen Königs als Beispiel göttlicher Strafe für die superbia an; vgl. WA 36, 331, 33 ff. Auch in einer durch die Widerstandsrechtsdiskussion besonders interessanten Zeit, im Febr. 1539, hat Luther zur Rechtsgültigkeit der Absetzung durch die Untertanen geschwiegen und auf die Frage, ob Christian II. „iuste expulsus“ sei, lediglich erklärt, daß dieser mehr wegen des Hasses der Bischöfe auf ihn als „iustam ob causam“ vertrieben worden sei und sich zudem durch Ehebruch im Volk unbeliebt gemacht habe; vgl. WATR IV, 241, 12 ff.

lung im Reich geformt. Die potentielle politische Sprengkraft der Kirchenreformation hat er schon verhältnismäßig früh einzuschätzen gewußt: „Wenn ich hett wöllen mit ungemach faren, ich wolt Teutzsch lanndt in ein groß plut vergiessen gebracht haben, ja ich wolt woll zu Wurmbß ein spil angericht haben, das der keyser nit sicher wer gewesen[1].“ Luther fand sich aber mit dem Reich in seiner vorhandenen Gestalt ab, ohne dabei zu berücksichtigen, daß sich dessen politische Strukturen im Wandel zu neuen Formen befanden. Luthers Voten und Stellungnahmen zu politischen Fragen gaben, indem sie den nur theoretisch noch intakten, tatsächlich bereits von der Wirklichkeit überholten zeitgebundenen Zustand, der nur noch transitorisch und temporär Prägekraft besaß, zur Grundlage ihrer Reflexion machten, in vielen Fällen Anworten auf Probleme, die in dieser Form schon nach verhältnismäßig kurzer Zeit nicht mehr bestanden. Seine aktuellen Bezugspunkte orientierten sich an einer schon brüchigen Voraussetzung[2].

Luthers Reichsidee ist von zwei heterogenen Voraussetzungen bestimmt: der biblizistischen Geschichtskonstruktion der Weltmonarchienlehre und der Wirklichkeit des 16. Jahrhunderts, in der das Reich als Staat neben Staaten bestand[3]. In der Weltmonarchienlehre rückte das Reich unter eine spezifisch eschatologische Betrachtungsweise, da nach der Danielweissagung und ihrer geschichtstheologischen Ausdeutung das Ende des römischen Reichs mit dem Ende der Welt zusammenfiel. „Das Deudsche Kaiserthum ... mus bleiben bis an Jüngsten tag, wie schwach es jmer sey, denn Daniel leuget nicht[4].“ Zahlreichen Zeugnissen, in denen Luther vom Fortbestand des vierten danielischen Reichs im deutschen Imperium ausging[5], stehen allerdings entgegengesetzte Aussagen gegenüber, denen zufolge das römische Reich längst untergegangen war[6]. Vor allem 1520 hat Luther jede Kontinuität von antikem Imperium und Heiligem Römischem Reich entschieden in

---

1. WA 10/III, 19, 3 ff. (Invocavitpredigten von 1522).

2. Zum Problem des Verhältnisses von „lutherischer Lehre von der weltlichen Gewalt und modernem Staat“ vgl. Trillhaas, 22 f.; vgl. auch Nürnberger, Reformation, 18 ff. Scharf formuliert Berggrav, Staat und Kirche, 285, daß der Staat zu Luthers Zeiten uns jetzt bloß ein geschichtlicher Begriff, ein Museumsgegenstand, sei.

3. Von den bei Erik Wolf, Reich, 56 ff. genannten drei Ausformungen der traditionellen Reichsidee: 1. Imperium Romanum und Erbe des Augustus-Reiches; 2. Imperium mundi in der Weltreichsidee; Verwirklichung der iustitia; 3. Imperium sacrum als Ordnung der Christenheit, hat Luther keine unmodifiziert übernommen. Vgl. zum Folgenden auch Köhler, Reichsgedanke, 113 ff.; Kraske, passim. Unbrauchbar ist H. Kraft, Luther und der Reichsgedanke (Göttingen o. J., Historisch-politische Hefte der Ranke-Gesellschaft 7), da fast ausschließlich aus Sekundärmaterial gearbeitet. Erst nach Abschluß des Manuskripts war mir zugänglich F. W. Henninger, Luther and the Empire. A Study of the Imperial Ideal in Reformation Politics, 1522–1540 (phil. Diss. University of Nebrasca, Lincoln, 1972), in der Natur und Entwicklung von Luthers Reichsidee und ihr Verhältnis zur Reformationspolitik untersucht wird.

4. WADB 11/II, 7, 5 ff.

5. Vgl. die Zusammenstellung bei Kraske, 48 ff., wo allerdings die wichtige Vorrede zur Danielübersetzung von 1530 nicht berücksichtigt worden ist.

6. Vgl. ebd., 29 ff.

Abrede gestellt, da das in der Schrift apostrophierte vierte Weltreich in seiner historischen Gestalt „lengist vorstoret und ein end hat[7]"; der Papst hätte den Deutschen nur den leeren Namen und Titel des Reiches überschrieben, während es sich in Wahrheit um „ein new Romisch reich" handele[8]. Diese Auskunft war jedoch nicht von grundsätzlichen Erwägungen einer Emanzipation der Weltgeschichte vom biblischen Schema oder ihrer eschatologischen Interpretation bestimmt, sondern erklärte sich aus dem jeweiligen Kontext, dessen Tendenz sie verstärken sollte, entweder zur Stützung der These von der Vergänglichkeit der Welt und irdischer Machtorganisationen generell[9] oder aktueller im Kampf gegen das Papsttum, wobei Luther in seiner Polemik die fingierte Kontinuität geradezu als ein Werk des Teufels hinstellte[10].

Die prinzipiell beibehaltene eschatologische Dignität des Reichs implizierte für Luther jedoch keine materiellen Superioritätsansprüche und keine politischen Rechte gegenüber den anderen Staaten. Während für Melanchthon in Übereinstimmung mit der auctoritas-Vorstellung der mittelalterlichen Kaiseridee das Reich die Macht besaß, „ceteros reges compescere[11]", gab Luther den Gedanken einer politisch verwertbaren Universalmonarchie des Kaisers auf: „In weltlichem regiment ist keyn eyniger [= einziger] uberher[12]." Die tituläre Heiligkeit des Reiches enthielt keinen Anspruch auf politische Suprematie, sondern deutete nur auf den Charakter als von Gott eingesetzte Obrigkeit hin, wie er sich auch in jedem Fürstentitel widerspiegelte: „Von Gottes gnaden, das ist: heilig[13]." Der Kaiser war Obrigkeit neben Obrigkeiten, das Reich politisches Machtgebilde unter anderen seiner Art, wenn auch durch die eschatologische Qualität religiös ausgezeichnet.

Trotz dieser Einsicht in die Realität seiner Zeit, in der dem deutschen Kaiser von den europäischen Staaten lediglich ein traditioneller Ehrenvorrang eingeräumt wurde, scheint bei Luther ein Rest der über die politische Restriktion auf den Rahmen eines „nationalen" Reiches hinausreichenden universalen Stellung des Kaisers erhalten geblieben zu sein, wenn er ihm die Leitung des Türkenfeldzuges zusprach[14] oder ihn als „weltliches Haupt der Christenheit[15]" apostrophierte[16].

---

7. WA 6, 462, 24 f.

8. Ebd., 463, 22; vgl. auch WA 7, 723, 8 ff.

9. Dann erscheint das römische Reich innerhalb einer Aufzählung anderer Weltreiche; vgl. z. B. WA 13, 345, 17 ff.; 31/I, 435, 21 f. 440, 10 f.; WATR I, Nr. 35.

10. Vgl. WA 5, 649, 25 f.: „Operante Satana Imperium Romanum abolitum Papa restituit et sibi subiecit, transferens illud a Graecis (ut ait) ad Germanos."

11. CR XII, 718; vgl. dazu Klempt, 29.

12. WA 6, 292, 14; Scholz, 39: Luther war „erfüllt vom Reichsgedanken in all seiner mittelalterlichen Erhabenheit", erweist sich demgegenüber als bloße Behauptung ohne Wirklichkeitsgehalt. Vgl. auch Srbik I, 36.

13. WA 51, 555, 24 f.

14. Vgl. WA 30/II, 129, 17 ff.

15. WAB II, 254, 32 (25. Jan. 1521, an Kurfürst Friedrich) im Zusammenhang mit dem Appell an den Kaiser, ihn gegen die päpstlichen Nachstellungen in Schutz zu nehmen. Allerdings ist der Brief von Spalatin aufgesetzt. J. Heckel hat in: ZRG 74 Kanon.

Beide Beurteilungen dürfen allerdings nicht aus dem Zusammenhang, in dem sie stehen, gelöst werden; in der Forderung auf Unterordnung der anderen Monarchen im Fall des Türkenkriegs steht die gesamteuropäische Solidarität gegen den alle Staaten gleicherweise bedrohenden Feind im Blick, während die Tradition des Titels „Weltliches Haupt der Christenheit" dazu dient, die Legitimität des politischen Amtes gegen die kurialen Prätentionen auszuspielen. Der polemische Akzent ist hier unverkennbar: Der Kaiser nimmt für das weltliche Regiment die Stellung ein, die der Papst für das geistliche usurpiert, aber nicht rechtmäßig besitzt. Nur in dieser Gegenüberstellung von päpstlicher Usurpation und legitimer Obrigkeit wird der Kaiser für Luther zum Repräsentanten weltlicher Obrigkeit schlechthin. Um den Souveränitätsansprüchen des Papstes über den Kaiser zu begegnen[17], verneinte Luther zudem die Gültigkeit der Translationstheorie und der aus ihr abgeleiteten Rechtsansprüche[18]. Das oberste weltliche Regiment — und in ihm alle weltlichen Obrigkeiten — war nicht vom Papst eingesetzt und daher von ihm abhängig, sondern besaß gemäß der Zwei-Reiche-Lehre eigenständige Legitimation als Stiftung Gottes. Die Abkehr von der Translationsvorstellung und die Neuverteilung der Zuständigkeiten im Rahmen der zwei Reiche führte zu dem das bisherige Verständnis umkehrenden Schluß der Unterordnung der Geistlichen in weltlichen Fragen unter die weltliche Autorität, im Notfall des Papstes unter den Kaiser.

In der Bewertung der Stellung des Kaisers innerhalb der Macht- und Rechtsbeziehungen des Reiches ist sich Luther nicht gleichgeblieben; vor allem nach der Rechtsbelehrung in Torgau 1530[19] hat sich bei ihm ein in der Folgezeit dauernd intensivierter Wandel vollzogen. Bis 1530 hatte er sich bei seiner Übertragung

---

43/1957, 477 auf die Goldene Bulle II, 2 und 3 (Zeumer, Quellensammlung, 197) hingewiesen, wo dieser Titel dem Kaiser zuerkannt wird.

16. Nicht angängig ist es m. E., aus dem von Luther verwendeten Begriff „kaiserliches Recht", dem auch andere Monarchien unterworfen seien, eine Lehre von der übergreifenden auctoritas des Kaisers als Setzers und Bewahrers allen Rechts zu deduzieren, wie es bei Kraske, 104. 133 f. (unter Bezugnahme auf WAB VI, 186, 151) und auch bei Ritter, Weltwirkung, 171 Anm. 8 geschieht. Luther gebraucht den Begriff „kaiserliches Recht" synonym mit „römischem Recht", ohne damit auf eine besondere Stellung des deutschen Kaisers abzuzielen. Daß die Rezeption des römischen Rechts im Mittelalter weithin darauf begründet ist, daß es das Recht des Reiches war, bleibt davon unberührt; vgl. dazu Koschaker, 79 ff.

17. In diesem Zusammenhang steht auch die Polemik gegen die Dekretale Solitae (Decr. I tit. XXXIII c. 6); vgl. WA 2, 216, 31 ff.

18. Vgl. W. Goez, Translatio imperii (Tübingen 1958), 281 ff. Eine Zusammenstellung von Luthers Äußerungen zur Translationstheorie vgl. WADB 11/II, 5 Anm. 3; vgl. auch Köhler, Luthers Schrift, 238 ff. (zu WA 6, 462, 11 ff.). Sehr polemisch ist die Translationstheorie noch einmal in WA 54, 295, 12 ff. (Wider das Papsttum zu Rom. 1545) angegriffen. In der Postfatio zu: Joannis Nannis de monarchia papae disputatio (1537) hat Luther die Translationstheorie einer historischen Betrachtung unterzogen; vgl. WA 50, 104, 19 ff.

19. Vgl. dazu unten S. 173 ff.

des theologisch erarbeiteten Obrigkeitsbegriffs auf die Verfassungswirklichkeit seiner Zeit an dem einfachen Vorstellungsmodell ungebrochener und direkt-linearer Herrschafts- und Gehorsamsbeziehungen orientiert. Die von ihm konzipierte Gliederung entsprach der der kirchlichen Hierarchie, in der kein Amtsträger gegen einen übergeordneten Kleriker Rechte besaß und andererseits gegenüber den ihm selbst Unterstellten die Vollgewalt des Amts innehatte. Stärker als diese von dem Bedürfnis nach planer Gliederung geformte Deutung der Machtverhältnisse im Reich hat aber offenbar die Übertragung der religiösen Relation Gott-Mensch auf das politische Verhältnis Kaiser-Stände Luthers Anschauungen bestimmt. Wie der Mensch gegenüber Gott keine einklagbaren Rechtsansprüche geltend machen kann, sondern sich im Gehorsam den Weisungen seines Worts fügen muß, sind im irdischen Maßstab dieselben Herrschafts- und Gehorsamsbeziehungen in Geltung. In der Auffassung der Obrigkeit als an Gottes Statt wirkend und als seine Dienerin handelnd[20], wird diese Gleichsetzung auch äußerlich sichtbar, am deutlichsten vielleicht in der Bezeichnung der „terreni principes" als „imagines coelestis (principis)[21]".

Unter der Einwirkung dieses Theologumenons hat Luther die tatsächlichen reichs- und landesstaatsrechtlich begründeten Abhängigkeitsverhältnisse im Reich und den gliedschaftlichen Charakter des Reichsverbands bis 1530 weitgehend unberücksichtigt gelassen; seine Vorstellungen, wie er sie vor allem 1526 in der Schrift „Ob Kriegsleute in seligem Stande sein können" entwickelt hat, lassen sich daher so schematisieren:

Verantwortung als Person (Erlöschen der Amtsbefugnis)	und	Herrschaftsbereich als Obrigkeit (mit Amtsbefugnis)
gegenüber Gott ←——	Kaiser	——→ über Fürsten (magistratus inferiores) und Untertanen (mere subditi)
gegenüber Kaiser ←——	Fürst	——→ über Untertanen
gegenüber Fürst ←——	Untertan	

Gegenüber dem Kaiser als Spitze der irdischen Herrschaftspyramide sind alle Amtsbefugnisse der ständischen Gewalten hinfällig; er stellt die oberste Machtautorität im Reich dar, vor der alle weltlichen Hoheitsrechte erlöschen, da sein Gehorsamsanspruch der definitive ist, während die ständischen Mediatgewalten in ihrer nach zwei Seiten orientierten Stellung lediglich für ihre Untertanen „Oberperson", Inhaber des Schwertamtes und „eine gemeinsame person" sind[22],

20. Vgl. dazu oben S. 43 ff.

21. WAB II, 176, 17 f. (an Karl V., Aug. 1520).

22. Vgl. WA 19, 652, 25; vgl. auch ebd., Zl. 29 ff.: „Wenn er sich ... zu seinen unterthanen keret, ... so ist er so viel personen, so viel heubter er unter sich und an sich hangen hat".

gegenüber dem Kaiser aber wie jeder Untertan Einzelpersonen mit Gehorsamspflicht. Mit einer formalen Parallele ordnet Luther allerdings auch den Kaiser in diese Doppelorientierung von Amt und Person ein, indem er ihn gegenüber Gott als einzelne Person erscheinen läßt, so daß auch für ihn die Koinzidenz von Befehls- und Gehorsamsfunktion in einer Person wirksam ist.

Wichtiger als diese Parallele zur Stellung der Stände sind die Folgen des Herrschafts- und Gehorsamsverhältnisses für die Legitimation des Handelns der Fürsten. Es bleibt bei Luther unausgesprochen, woher die magistratus inferiores ihre Autorität beziehen, vor allem, ob sie lediglich Derivat der Macht des Kaisers ist, dem sie seinerseits Gott übertragen hat. Spengler und Brenz haben Luthers Vorstellung, daß jede Obrigkeit, wenn sie in Beziehung zu ihrem Oberherrn gesetzt wird, amtlos wird und „aller öberkeit ausgezogen[23]" ist, ergänzt durch die Theorie, daß die ständischen Hoheitsfunktionen vom Kaiser delegiert sind und wegen dieser Rechtsgrundlage gegen ihn nicht gelten[24].

Luthers in der Obrigkeit-Untertan-Vorstellung zutage tretendes antiständisches Denken ist nicht politisch motiviert[25], sondern von seinem theologischen Obrigkeitsverständnis her bestimmt. Er akzeptiert die Wirklichkeit zwar, ordnet aber alle Beziehungen in das zur Obrigkeit im Kausalnexus gehörige Befehl-Gehorsam-Schema ein, in dem die reichsständischen Gewalten je nach Herrschaftsbezug Obrigkeit oder Untertan sind. Ihre Funktionen werden dabei jeweils absolut gesetzt: ohne Einschränkung Oberherr über ihre Untertanen, ebenso ohne Einschränkung und unter Erlöschen ihrer landesfürstlichen Rechte Untertan des Kaisers. Als Obrigkeit besitzen sie alle Ansprüche auf den Untertanengehorsam auf Grund von Röm. 13, als Untertanen müssen sie alle Gehorsamsverpflichtungen aus Röm. 13 auf sich nehmen. In den Mediatgewalten kommen damit für Luther konträre Funktionen zur Koinzidenz, auch hier findet also eine Überführung seines theologischen Simul-Denkens in die profane Sphäre statt. Dieses Verständnis der reichsständischen Obrigkeitsposition macht es ihm zur Pflicht, bei jedem Konflikt die Situation im einzelnen auf das in ihr gegebene Herrschaftsverhältnis zu prüfen, da sich eine etwaige Kompetenz der ständischen Obrigkeit ausschließlich aus dem konkreten Fall deduzieren läßt und sich danach die Macht- und Zuständigkeitsverhältnisse und auch die Handlungslegitimation ausrichten; entweder ist sie Amtsträger und Inhaber der Schwertgewalt oder Untertan ohne Gewalt. Im Konflikt gleichgeordneter Gewalten, der pares-Relation, sind nur die für jeden Kriegsfall geltenden Regeln zu beachten[26], im Konflikt mit der kaiserlichen Oberherrschaft sind die eigenen obrigkeitlichen Verpflichtungen und Ansprüche gegenüber den Untertanen aufgehoben, denn „aller fursten unterthan (sind) auch des keisers unterthan, ia mehr denn der fursten, und schickt sich nicht, das yemand mit gewalt wolt des

---

23. Ebd., 653, 4.
24. Vgl. ihre Gutachten von 1529/30 unten S. 149 ff.
25. Anders Köhler, Reichsgedanke, 115 f., der Luthers politisches Denken ganz von der Reichsordnung bestimmt versteht; ähnlich Elert II, 326, daß Luther geradezu ängstlich bemüht gewesen sei, die Rechtslage immer zugunsten der Zentralgewalt zu deuten.
26. Vgl. unten S. 105.

keisers unterthan wider den keiser, yhren herrn, schutzen[27]". Mit dieser Aussage über die Orientierung der Gehorsamspflicht der Untertanen im Konfliktfall vom Landesherrn weg auf den Kaiser ist zugleich das Urteil über das Notwehrrecht der Reichsstände gesprochen[28].

Luthers Auffassung der Herrschaftsbeziehungen im Reich ist bis 1530 wesentlich durch die undifferenzierte Verwendung des Begriffs Untertan bestimmt. Daß der Kaiser Haupt des Reiches und Oberherr der Fürsten war, bestritten auch die Befürworter des ständischen Widerstandsrechts nicht[29]; nur schloß diese Funktion für sie keine Herrschaftsrechte ein, die die ständischen Rechte applanierten. In Luthers Obrigkeitsbegriff war jedoch kein Platz für eine mit den Untertanen zu teilende Gewalt, da diese von Gott verliehen und ihre Anwendung nur ihm gegenüber zu verantworten war, nicht aber im Sinne einer Volkssouveränitätsidee von den Untertanen übertragen worden und in ihrem Auftrag auszuüben gewesen wäre[30]. Mit der Anerkennung der doppelgestaltigen Stellung der ständischen Gewalt zwischen Kaiser und Landesuntertanen hat Luther zwar, der Wirklichkeit Rechnung tragend, eine theoretische Differenzierung zum mere subditus, zu dem unter keinem Aspekt befehlsbefugten Untertanen vorgenommen, aber der übergeordneten Gewalt gegenüber war der Fürst in keiner besseren Rechtsstellung als sein eigener Untertan ihm gegenüber. Seine Befugnis verhielt sich zu der des Kaisers wie die des Bürgermeisters von Torgau zu der des sächsischen Kurfürsten[31], d. h. sie wurde, sowie die übergeordnete Instanz in Funktion trat, annulliert; noch

---

27. WAB V, 259, 49 ff. (an Johann von Sachsen, 6. März 1530); vgl. auch WATR II, 618, 11 ff.

28. Zum Problem des Widerstandsrechts in seiner Entwicklung bei Luther vgl. unten S. 125 ff.; 154 ff.; 173 ff. Eine gute Systematisierung des Problems vgl. bei M. Heckel, Staat und Kirche II, 291 Anm. 380.

29. Vgl. dazu unten S. 169 ff.

30. Volkssouveränität mit einem Wechselverhältnis vertraglicher Verbindlichkeit von Volk und Fürst ist mit Luthers Verständnis der Relation Obrigkeit-Untertan unvereinbar. Die transmundane Herleitung der Obrigkeit bedarf nicht der Komplettierung durch eine intramundane, da diese die Bedeutung der ersteren nur verdunkeln könnte. Die Verantwortlichkeiten des Fürsten beruhen für Luther nicht auf einem Vertrag mit dem Volk, sondern auf seiner Bindung an die Einsetzung des Amts durch Gott. Cardauns, Widerstandsrecht, 8 f. läßt bei Luther dagegen wie bei den mittelalterlichen Theoretikern der Volkssouveränität als Basis der Herrschaft einen Vertrag, der Fürsten und Volk in gleicher Weise bindet und durch dessen Bruch der Herr alles Recht über seine Untertanen verliert, gelten, was aber lediglich für das Verhältnis von Kaiser und Reichsständen und erst für die Zeit nach Oktober 1530 angenommen werden kann. Vgl. auch Maier, 194. Zur Ausbildung der Volkssouveränitätstheorie im 16. und 17. Jahrhundert vgl. F. H. Schubert, Volkssouveränität und Heiliges Römisches Reich. In: HZ 213/1971, 91 ff.

31. Diesen Vergleich bringt Luther in dem Gutachten vom 6. März 1530; vgl. WAB V, 259, 52 ff. Erik Wolf, Reich, 70 f. leitet aus diesem Beispiel die „grundsätzliche Gleichwertung und Gleichstellung aller ‚Obrigkeit‘ überhaupt" ab, übersieht aber dabei die Zweckbestimmung des Textes, der im Gegenteil darauf abzielt, die untere Obrigkeit in ihrem Verhältnis zur nächsthöheren in ihren Rechten zu negieren.

drastischer bezeichnete Luther das Verhältnis Kaiser-Fürst mit der Parallele Hausherr-Hausknecht[32].

Da Luther die politischen Zusammenhänge nach dem Vorbild seiner Theologie in personalen Beziehungen interpretierte, ergab sich für ihn diese Klassifizierung der Reichsstände problemlos. Die Fürsten standen für ihn nur als Einzelpersönlichkeiten im Verhältnis zum Kaiser, nicht, wie es ihrem damaligen Status im Reich eher entsprochen hätte, als „Exponenten autonomer fürstlicher Territorien, nahezu völlig selbständiger Staaten[33]". Daß Luther mit seiner Verfassungsinterpretation am Lehnsrecht festgehalten habe[34], läßt sich daraus allerdings nicht folgern. Das Lehnsrecht war als Organisationsprinzip im Reichsmaßstab im 16. Jahrhundert weitgehend zur leeren Form geworden[34a], da die Reichsstände selbst an der Spitze von Lehnspyramiden standen und sich zu Territorialfürsten entwickelt hatten. Vor allem aber bleibt das für das Lehnsrecht konstitutive Treueverhältnis bei Luther einseitig zugunsten des Oberherrn orientiert. Zwar wird die Beziehung Oberherr-Untertan auch von ihm als Treueverhältnis mit Schutzpflicht und Gehorsamspflicht aufgefaßt, aber die Gehorsamsaufkündigung durch den Vasallen bei Verletzung der Schutzpflicht und Treuebruch und, damit verbunden, die Erlaubnis zur Notwehr bei Rechtsverweigerung durch den Lehnsherrn wurde aus theologischen Erwägungen nicht rezipiert. Hier korrigierte Luthers Biblizismus, der in Röm. 13 keinen Anhalt für eine Treueaufsage fand, dagegen in der Bergpredigt die Leidenspflicht des Christen für ihm angetanes Unrecht vorgeschrieben sah, die lehnsrechtliche Tradition. Sein religiös motiviertes Prinzip der Gehorsamsaufsage beruhte nicht auf rechtlicher Grundlage, sondern war eine Entscheidung an der Forderung von Act. 5, 29, im Konfliktfall den Gottesgehorsam vor den Menschengehorsam zu stellen[35].

Auch der Vorbehalt der Reichs- bzw. Kaisertreue der mere subditi, der in Luthers Überzeugung zum Ausdruck kommt, daß die Untertanen der Reichsstände zu größerem Recht Untertanen des Kaisers seien, findet keine Stütze im deutschen Lehnsrecht, in dem sich die Klausel des salva fidelitate imperatoris nicht durchgesetzt hat[36]. Luther denkt auch hier im theologischen Ordnungsschema der Hierar-

---

32. Vgl. WAB V, 313, 29 f. (Gutachten aus der Zeit des Augsburger Reichstags 1530). Diese Aussage wird durch den Anlaß noch gewichtiger, da Luther mit Hilfe dieses Vergleichs zu der Konzession riet, daß der Kurfürst auf das Gebot des Kaisers hin diesen einmal zur Messe begleiten sollte; vgl. dazu auch unten S. 174.

33. Mitteis, 357, der diesen Prozeß in Deutschland schon im späten Mittelalter für abgeschlossen hält.

34. Vgl. Merz, Glaube, 89 f. Der von Merz unterstellte Gegensatz von Lehnsverhältnis und Vertragsverhältnis ist in dieser Schärfe nicht zutreffend, da das lehnsrechtliche Treueverhältnis ein zweiseitiges Vertragsverhältnis ist.

34a. Nach Mitteis, 424 schon seit dem 14. Jahrhundert. Zu den rechtlichen Zuständen in Deutschland am Ausgang des Lehnszeitalters vgl. ebd., 342 ff. 354 ff.

35. Vgl. dazu oben S. 76 ff.

36. Vgl. W. Kienast, Untertaneneid und Treuvorbehalt. In: ZRG Germ. Abt. 66/1948, 124 ff.; ders. Untertaneneid und Treuvorbehalt in Frankreich und England (Weimar 1952), 5 ff.

chie. Daraus erklärt sich auch, daß das Problem der Landstände in seinen Verfassungsvorstellungen keine Rolle spielt. Wie er den Kaiser als Oberherrn, gegen den keine justiziablen Rechte der Fürsten gelten, versteht, so den Fürsten im begrenzten Rahmen seines Territoriums; noch 1532, als er unter dem Eindruck der Torgauer Rechtsbelehrung seine Verfassungsvorstellungen bereits entscheidend modifiziert hatte[37], gilt, daß „die vom Adel ihre Untertan nicht mögen noch sollen widder den Oberherrn [sc. den Landesfürsten] schutzen[38]". Allerdings ist der adlige Lehnsherr als Untertan — wie überhaupt jeder Landesuntertan — im Territorialstaat gegenüber seinem Landesfürsten in einer günstigeren Position als jener gegenüber dem Kaiser, weil er das Rechtsmittel der Appellation an die höhere Instanz des kaiserlichen Gerichts besitzt[39], während der Fürst bei einem Befehl des Kaisers bereits an der Spitze des irdischen Instanzenzuges angelangt ist.

Bis zur Diskussion der Notwehrfrage 1529/30 ist Luthers Theorie von der Untertanschaft der ständischen Gewalten, die er 1526 öffentlich vorgetragen hatte[40], anscheinend nicht ernsthaft angefochten worden. Erst als an ihr das Bündnis zur Verteidigung der evangelischen Sache zu scheitern drohte, begann das Bestreben der Juristen, die Gehorsamsdoktrin mit Hilfe des positiven Rechts zu erschüttern. Nach dem Augsburger Reichstag ließ sich Luther durch die sächsischen Juristen und Philipp von Hessen von dem andersartigen Aufbau der Reichsverfassung überzeugen[41], hat aber trotz seiner Torgauer Konzessionen die Belehrungen über die staatsrechtliche Stellung von Kaiser und Reichsständen erst allmählich rezipiert. Erst 1539 hat er das Verfassungsrecht auch in seinen eigenen Erörterungen ohne Abstriche übernommen[42]. Die Kurfürsten[43] erscheinen jetzt als „membra Caesa-

---

37. Vgl. unten S. 177 ff.

38. WAB VI, 406, 3 ff. (an unbekannte Adlige).

39. So riet Luther den Herren von Einsiedel, gegen Georg von Sachsens Übergriffe notfalls das Hofgericht oder den Kaiser anzurufen, was durch die biblische Parallele Act. 25, 10 gedeckt war; vgl. WAB IV, 359, 93 ff. (Jan. 1528).

40. In „Von weltlicher Obrigkeit" WA 11, 245 ff.

41. Vgl. dazu unten S. 175 ff.

42. Vgl. die Aufzeichnung einer Tischrede vom 7. Febr. 1539 (WATR IV, Nr. 4342), deren wesentliche Aussagen durch den Brief an Johann Ludicke (WAB VIII, 364 ff.) vom 8. Febr. 1539 gedeckt sind; vgl. zum Folgenden auch unten S. 243 ff.

43. Daß nur die Kurfürsten als besonders bevorrechtigte Stände genannt werden, scheint nicht zu bedeuten, daß deswegen die anderen Stände in der Stellung der subditi bleiben müßten, da Luther sonst auf diese Unterscheidung in der rechtlichen Stellung hingewiesen hätte. — Hinsichtlich des Status der Reichsstädte ist das Urteil Luthers weniger eindeutig. Zwar gestand er zu, daß sie „Potestates wie Fursten" seien (WAB XII, 385, 14; undatiert), sah aber in viel stärkerer Weise die Oberhoheit des Kaisers über sie als über die Fürsten; vgl. sein für Augsburg bestimmtes Votum von 1544, in dem er die Frage verneinte, ob sich die Stadt gegen den Befehl des Kaisers, die Ausrichtung des Reichstags zu besorgen, stellen dürfe; WAB X, 671, 25 ff. Für die Zeit vor Okt. 1530 vgl. z. B. WAB V, 319, 12 ff. Hinzu kam Luthers latentes Mißtrauen gegenüber der Autorität der Stadtmagistrate, deren Macht er bezweifelte; vgl. WAB V, 79, 12 ff.; VI, 261, 55 f. Vgl. zum Ganzen auch H. Grimm, The Relations of Luther and Melanch-

ris", die an der kaiserlichen Gewalt unmittelbar partizipieren und mit ihm gemeinsam die Sorge für das Reich übernehmen, wenn auch dem Kaiser der vornehmste Platz vorbehalten bleibt[44]. In Anwendung der aristotelischen Begrifflichkeit unterscheidet Luther das Reich jetzt als „aristocratia" oder „magistratus civilis" von den Monarchien der Nachbarstaaten[45]. Das bedeutet für das Reich nahezu eine Kollegialverfassung und Regierung „communi consilio", in der Kaiser und Kurfürsten nur dem Rang nach ungleich sind[46]; gemeinsam besitzen sie das Gesetzgebungsrecht und das ius pacis et belli. Von dem bis 1530 vertretenen unbedingten, nur durch Wahl- und Absetzungsrecht gestörten Subordinationsverhältnis ist 1539 keine Rede mehr. Die Reduzierung der von der theologischen Disposition her mit der Vollgewalt der Obrigkeit ausgestatteten Macht des Kaisers ist 1539 bei Luther abgeschlossen; die Abwehr des Universalanspruchs durch die Feststellung, daß der Kaiser nur über das Reich Verfügungsgewalt besitzt, nicht aber über die europäischen Königreiche, wird fortentwickelt zu der Verfassungserkenntnis: Im Gegensatz zu den Monarchen dieser Staaten muß der Kaiser seine Gewalt mit den Reichsständen teilen.

Ob die Reichsstände damit zu Obrigkeiten aus eigenem Recht werden, wie Philipp von Hessen postulierte, bleibt bei Luther trotz allem offen. Sie haben ihre Hoheitsfunktionen anscheinend weiterhin als vom Kaiser verliehen zu verstehen, aber nicht mehr auf dem unsicheren Fundament zurücknehmbarer Delegation, sondern kraft positiven Rechts, das der Kaiser nicht einseitig aufheben darf. Forum des gemeinsamen Handelns von Kaiser und Ständen ist der Reichstag als der Ort, wo neues Recht gesetzt oder altes gebessert werden kann[47], obwohl Luther über seine Wirksamkeit nach seinen eigenen Erfahrungen negativ urteilte: „Tot Comitia brevi vidimus et nihil fructus percepimus[48]."

Mit der Hinnahme der juristischen Argumentation hat Luther jedoch nicht die

---

thon with the Townsmen. In: V. Vajta (Hrsg.), Luther und Melanchthon (Göttingen 1961), 40 ff.

44. Vgl. WA 39/II, 78, 5: „Ipse Caesar est caput, ipsi (electores) membra". – Die Verwendung der organologischen Metapher braucht kein Rückgriff auf „Rechtsvorstellungen der konziliaren Theorie" (so Heckel, Lex, 190) zu sein, sondern übernimmt juristische Begrifflichkeit; vgl. Kantorowicz, 208 (und Anm. 42). 362, wenn sie nicht lediglich auf Eph. 4, 15 f. zurückgeht.

45. Vgl. WATR IV, 238, 14 f., wo als Beispiele für „democratia" die Schweiz und Dithmarschen, für „oligarchia" Erfurt genannt werden. Luther übernimmt ebd., 237, 4 ff. auch den Vergleich Kaiser: Kurfürsten = consul: senatores des staatsrechtlichen Gutachtens von 1530; vgl. dazu unten S. 169 f.

46. Vgl. ebd., 237, 1: „Aequali potentia esto, non aequali dignitate"; vgl. auch WAB VIII, 367, 47 ff. (an J. Ludicke, 8. Febr. 1539).

47. Vgl. WA 50, 616, 35 ff.; vgl. auch Skalweit, 38 f. und Schubert, Reichstage, 216. Zur Beurteilung des Reichskammergerichts vgl. WA 51, 589, 18 ff.

48. WAB IV, 389, 9 ff. (an N. Hausmann, 1528; aus Anlaß des auf Febr. 1528 nach Regensburg ausgeschriebenen Reichstags). 1526 hatte Luther aus Speyer I das Fazit gezogen: „Spirae Comitia sunt more solito Germanis comitia celebrandi, potatur et luditur, praeterea nihil" (ebd., 109, 9 f.).

Relativierung der Autorität von Röm. 13 akzeptiert; nur verlagerte sich der Erstreckungsbereich und der Bezugspunkt der Gehorsamsvorschriften. Sie blieben dem Kaiser gegenüber jetzt nur in dem Umfang in Kraft, in dem er Anspruch auf Gehorsam hatte für Anordnungen, die er auf Grund der ihm verbliebenen reduzierten Gewalt traf. Röm. 13 gebot den Gehorsam gegenüber der Obrigkeit, nicht aber gegenüber der Obrigkeitsaufgaben lediglich usurpierenden inkompetenten Macht. Dabei bestand ein prinzipieller Unterschied zwischen der exzedierenden Obrigkeit und der reduzierten Macht des Kaisers. Erstere behielt trotz des Übergriffs über ihren Zuständigkeitsbereich hinaus den obrigkeitlichen Status, wenn sie ihn auch abusiv verwendete, und damit den Anspruch auf die Gehorsamsleistung ihrer Untertanen; der Rechtsstatus des Kaisers war jedoch seit 1530 beschränkt, so daß er auch innerhalb des Zuständigkeitsbereichs der weltlichen Gewalt kraft positiven Rechts Teile der obrigkeitlichen Kompetenz nicht oder nicht allein besaß. Kaiserliche Anordnungen für diese Bereiche gründeten nicht auf abusiv verwendeten Rechten oder exzedierender Gewalt, sondern waren nichtig, da der Befehlende in diesem Fall derartige Rechte nicht besaß, sie also auch nicht im Mißbrauch ausnutzen konnte.

Trotz dieser logisch unanfechtbaren Exegese der apostolischen Weisung scheint Luther auch 1539 die verfassungsrechtlichen Bestimmungen nur rational akzeptiert zu haben, ohne damit die wegen ihrer theoretischen Luzidität von ihm bevorzugte Konzeption des planen Herrschafts- und Gehorsamsverhältnisses als Leitvorstellung aufzugeben. „Die Juristen haben dem Kaiser ein bose spiel gemacht: Er hab das schwert von sich gegeben, ita ut nos habeamus gladium traditum possessorium, caesar vero tantum habet in nobis gladium petitorium[49].“ Die Gestalt der Reichsverfassung und die Kompetenz des Kaisers erscheinen hier als Deterioration eines Zustands, der mit den theologischen Vorstellungen ungezwungener übereingestimmt hatte. Daß der übersichtliche Aufbau der Herrschafts- und Gehorsamsbeziehungen im Reich, wie Luther ihn sich konstruiert hatte, durch die Abtretung von kaiserlichen Rechten an die Fürsten verdunkelt worden war, hat er offensichtlich als eine Abweichung vom eigentlich Erstrebenswerten verstanden.

Dagegen blieb die Reinheit des ursprünglichen Ansatzes für das Verhältnis Fürst-Landstände ungeschmälert bestehen. Hier änderte sich nach 1530 nichts. Den Untertanen – die Organisationsform der Landstände als solcher wird von Luther auch weiterhin überhaupt nicht berücksichtigt – wurden nach wie vor keine Rechte zuerkannt; sie wurden nicht in gleichem Maße aufgewertet wie die Reichsstände, sondern blieben mere subditi mit der Verpflichtung des Gehorsams bis zur Schwelle der clausula Petri, da sie keine Befugnisse aus dem positiven Recht ableiten konnten.

---

49. WATR IV, 388, 3 ff. (Aufzeichnung einer Äußerung vom 9. Mai 1539).

II. Fallstudien

1. Rückkehr von der Wartburg und Gutachten zum Notwehrrecht (1522/23)

Nach der ersten und einzigen unmittelbaren Konfrontation mit der Reichsspitze in Worms sind Luther durch die Verbringung auf die Wartburg[1] für eine Reihe von Monaten die äußeren und direkten Wirkungsmöglichkeiten entzogen worden. Aufgabe des Wartburg-Aufenthaltes wurde zunächst vielmehr die Prüfung der Situation, die durch das Wormser Edikt und damit die Absage des Reiches an die Reformation gekennzeichnet war, und vor diesem Erfahrungshorizont die Notwendigkeit, die eigene theologische Position neu zu durchdenken. Das Ergebnis war offenkundig ein gestärktes Selbstbewußtsein[2], mit dem Anfang 1522 die kursächsische Politik in Konflikt geriet. Mit dem Entschluß Luthers zur Rückkehr in das von religiösen Unruhen erschütterte Wittenberg[3] schienen dem Kurfürsten innerterritorial wie im Hinblick auf die Reichspolitik Entscheidungen aufgenötigt zu werden, die eine Parteinahme für oder gegen die reformatorische Bewegung voraussetzten, das bisherige dilatorische Verhalten jedenfalls ausschließen mußten.

Die Auseinandersetzung über die Priorität religiöser oder politischer Gründe wurde ausgelöst durch Luthers Schreiben von ca. 24. Februar 1522, mit dem der Kurfürst über den eschatologischen Charakter der Wittenberger Unruhen aufgeklärt werden sollte[4]; nur fast beiläufig wurde er in diesem Zusammenhang von

---

1. Zur rechtlichen Bedeutung dieses Vorgangs vgl. Poetsch, 166 ff.; Borth, 130 f. Zur Bedeutung für die kurfürstliche Neutralitätspolitik vgl. Blaschke, Friedrich, 331 ff.

2. Vgl. dazu Holl, Luthers Urteile über sich selbst. In: Luther, 381 ff.; Campenhausen, Selbstbewußtsein, 318 ff. 327 ff. Vgl. auch W. Günter, Die geschichtstheologischen Voraussetzungen von Luthers Selbstverständnis, In: Von Konstanz nach Trient. Festschrift A. Franzen (München 1972), 379 ff. In zwei Vorgängen läßt sich diese bestärkte Einstellung zur eigenen Tat besonders prägnant verfolgen: in der Neuinterpretation seines Verhörsangebots und in der Stellung zu Albrecht von Mainz. Das von Beginn der Reformation an von Luther ausgesprochene Erbieten „zu Verhöre und Gericht" wurde 1522 nicht mehr als Ausdruck eines Zweifels oder als Hoffnung auf Verständigung hingestellt, sondern als Bestreben, die Gegenpartei für die eigene Position zu gewinnen, deklariert und rückte damit in die Nähe eines lediglich taktisch verstandenen Zuges. Dem Mainzer Kurfürsten, dem er bis dahin mit äußerster Ehrerbietung entgegengetreten war, drohte er von der Wartburg unverhohlen mit der Veröffentlichung einer Kampfschrift, falls er die Verfolgung verheirateter Priester und den Ablaßhandel in Halle nicht einstelle; vgl. WAB II, 406 ff.; die entgegenkommende Antwort, ebd., 421, zeigt andererseits die hohe Einschätzung der publizistischen Wirkungsmöglichkeiten Luthers durch den Erzbischof.

3. Zur damaligen Wittenberger Situation vgl. vor allem N. Müller, Die Wittenberger Bewegung (2. Aufl. Leipzig 1911); K. Müller, Luther, 38 ff. sowie die WAB II, 448 zitierten Arbeiten H. Barges. Den Ertrag der Kontroverse Müller-Barge hinsichtlich der Motive von Luthers Rückkehr und der Beweggründe des Kurfürsten enthält die zusammenfassende Rezension von W. Köhler, in: Göttingische Gelehrte Anzeigen 174/1912, 530 ff. Zum Folgenden vgl. auch Kawerau, Luthers Rückkehr.

4. Vgl. WAB II, 448 f. von ca. 24. Febr. 1522; der Brief ist eilig und unstilisiert for-

der Absicht Luthers, nach Wittenberg zurückzukehren, in Kenntnis gesetzt. Da Luther sich als Prediger durch die Rückberufung von Seiten der „gemeinen Kirchen" zu Wittenberg[5] als der für ihn zuständigen Instanz hinreichend legitimiert fühlte, sah er in der Tat offensichtlich keine Notwendigkeit, beim Kurfürsten eine Erlaubnis einzuholen. Mit der Bemerkung: „E. f. g. neme sich meyn nur nichts an[6]", wurde der Landesherr zudem ausdrücklich aus der Verantwortung für die Folgen des Schrittes entlassen.

Im Gegensatz zu Luther konnte Kurfürst Friedrich jedoch die politischen Konsequenzen nicht außer acht lassen. Eine eindeutige Entscheidung wurde allerdings dadurch erschwert, daß Friedrich zwar den Wunsch hatte, Luther unter Hinweis auf mögliche günstige Veränderungen während des nächsten Reichstags vom öffentlichen Hervortreten zurückzuhalten, aber zugleich bereit war, sich dem Willen Gottes zu fügen[7]. Nur war ihm, anders als seinem Theologen, der Sinn der göttlichen Heimsuchung in Gestalt der Wittenberger Unruhen durchaus ungewiß. Er versuchte daher, Luther zum Verzicht auf die Rückkehr zu veranlassen[8], und erinnerte an die politischen Dimensionen seines Vorhabens, indem er ihn auf die Verantwortung für das Gewissen des Landesherrn im Blick auf dessen Verhalten zu einem Auslieferungsantrag, dem nachzukommen „S. Ch. f. g. der größten Beschwerungen eine sein (solte), zuvor wann ihme [sc. Luther] sollt Unrecht beschehen[9]", wie auch auf die Konsequenzen einer Ablehnung dieses Antrags für das

---

muliert, wie die fehlerhafte Anrede und der Verzicht auf verschiedene Kurialien zeigen. Luthers eigene Interpretation des Schreibens vgl. ebd., 454, 21 ff.

5. Vgl. die Kämmereirechnung von 1525 (also nachträgliche Manipulation möglich) in WAB XIII, 44 sowie Luthers eigene Aussage: „daß ich schriftlich gerufen bin von der gemeinen Kirchen zu Wittenberg mit großem Flehen und Bitten"; WAB II, 460, 22 f. Nach Kawerau, Luthers Rückkehr, 37 handelte es sich dagegen nur um einen Schritt weniger; vgl. auch Bezold, Rückkehr, 223 ff.: Ruf der schwerbedrängten Freunde.

6. WAB II, 449, 24. – Als Luther auf Nachrichten aus Eilenburg hin bereits am 17. Jan. 1522 Spalatin seine baldige Rückkehr nach Wittenberg oder „alibi" ankündigte (WAB II, 444, 6 ff.), fehlte die Mahnung: „Principem nolo mei sollicitum esse" gleichfalls nicht, mit dem bezeichnenden Zusatz: „quamquam optarim, ut ipse meam fidem vel ego eius vires habuerim".

7. Vgl. ebd., 450, 31 ff.; 451, 86 ff.; 452, 110 f. Das Folgende beruht auf der Instruktion Kurfürst Friedrichs für seinen Eisenacher Amtmann; ebd., 449 ff. Zu dieser Instruktion vgl. auch Müller, Luther, 95 ff.; Barge, Gemeindechristentum, 168 ff.

8. „Wäre aber solchs [sc. die Rückkehr] sein Gemüte, so wäre S. Cf. G. Bedenken, daß er sich noch zur Zeit in kein Weg wiederum dohin tun sollt"; WAB II, 451, 63 f. Schon Anfang des Jahres 1522 hatte der Kurfürst Melanchthons Bitte, Luther zurückzurufen, (vgl. CR I, 513; vgl. dazu Bezold, Rückkehr, 225 f.) abgelehnt. In einer Weisung an seine mit Melanchthon und Amsdorf verhandelnden Räte hatte er sich dagegen ausgesprochen, „daß gut sein sollte, Doctor Martinus die Männer [= die Zwickauer Propheten] möcht verhören ... Sollt denn Doctor Martinus gen Wittenberg kommen und ihm etwas beschwerlichs darob widerfahren, das wäre S. C. G. nicht lieb. Weil denn Kais. Majestät seiner C. G. Herr wäre, so müßt je seiner Majestät sein C. G. gehorsam sein" (CR I, 537).

9. WAB II, 451, 72 f.

ganze Territorium hinwies. Gegen das mit dem Verlassen der Wartburg dokumentierte Interesse des Einzelnen an seinem Werk – für Luther war es allerdings bedeutend mehr – stand die Fürsorgepflicht des Fürsten für die Gesamtheit, wenngleich Friedrich in Differenzierung von Amt und Person erklärte, „fur sein Person" bereit zu sein, alles zu leiden, was dem Willen Gottes entsprach.

Die Instruktion, mit der Luther von der Rückkehr abgehalten werden sollte, verdeutlichte die Schwäche der kurfürstlichen Position. Mit der Bereitschaft, die politisch-juristischen Gründe zugunsten eines einsichtig zu machenden religiösen Zwecks aufzugeben, verzichtete der Kurfürst auf die Weisungsbefugnis gegenüber seinem Untertanen und auf den Gehorsamsanspruch. Aus Abneigung gegen die Gewissensvergewaltigung und in der eigenen Unsicherheit war er bereit, eine von theologischen Argumenten getragene, gegen die Politik orientierte Entscheidung zu respektieren: Sollte durch das Verschieben der Rückkehr „Gotts Willen und Werk verhindert werden, das wäre S. Cf. g. nit lieb und wollt derhalben alles in sein [sc. Luthers] Verstand, der dieser hohen Sachen erfahren, gestellt haben[10]". Der Theologe erhielt damit Vollmacht, nach eigenem Urteil und in selbständiger Verantwortung zu handeln.

In der Rechtfertigung des vollzogenen Entschlusses[11] setzte Luther den politischen Bedenken das auf den Glauben gegründete Bewußtsein von der Richtigkeit der eigenen Sache und die Forderung des Gewissens entgegen. Im Gegensatz zum Zweifel des Kurfürsten[12] war die unbedingte Sicherheit und Gewißheit, daß seine Sache mit der Gottes identisch und daher unabhängig von jeder Legitimation oder Bestätigung durch Menschen war, das Fundament seiner Überlegungen über die Folgen der Rückkehr[13]. Die Neuinterpretation des früheren Verhör-Erbietens als Bestreben, für die eigene Sache missionarisch zu wirken, stellte zudem die kurfürstliche Politik, die in der Behandlung der causa Lutheri in den vergangenen Jahren wesentlich auf diesem Erbieten aufgebaut war, vor die Tatsache, daß eine tragende Voraussetzung ihrer diplomatischen Aktionen zerstört war.

Beim Entschluß zur Rückkehr handelte Luther in der Überzeugung, sich einem Ruf Gottes nicht entziehen zu dürfen. In der damit verbundenen Gewißheit höheren Schutzes verwarf er den Schutz des Landesherrn, ehe er angeboten worden war, und steigerte diese Ablehnung zu der paradoxen Zuspitzung: „Ich halt, ich wolle E. K. F. G. mehr schützen, denn sie mich schützen könnte", denn „wer am meisten gläubt, der wird am meisten schützen[14]." Da jede hinderliche Einmischung der weltlichen Gewalt unerlaubt war, wenn es um die Sache Gottes ging, wider-

10. Ebd., 452, 110 f.

11. Vgl. ebd., 453 ff. (5. März 1522).

12. Von Luther als Unglauben bezeichnet; vgl. z. B. WAB II, 456, 83 und 92 f.; 457, 123 f.; vgl. auch ebd., 444, 10 f. und 471, 12 f. die Bemerkungen über die „infirmitas principis".

13. Vgl. WAB II, 455, 39 ff.; vgl. auch ebd., 460, 33 f.

14. Ebd., 455, 78 und 456, 82. Tatsächlich hatte Luther auch nicht mit Schutz durch den Kurfürsten gerechnet und die mögliche Bedrohung sehr unmittelbar empfunden; vgl. ebd., 476, 11 ff.; 479, 50 ff.; 482, 7 f.

riet Luther jede politische Aktion[15], die er als einen unerlaubten Eingriff in eine nicht in den Zuständigkeitsbereich der Obrigkeit gehörige Angelegenheit verstand.

Das sach- und rechtsentsprechende Verhalten des Landesfürsten gegenüber den möglichen Konsequenzen der Rückkehr wurde von Luther unter dem Aspekt des richtigen Handelns in der Verantwortung vor Gott und der Welt dargelegt. Dabei bedurfte das erstere keiner Untersuchung, da der Kurfürst in seinem Gewissen entschuldigt war, wenn Luther seinem Rat nicht folgte. Das richtige Handeln in der Verantwortung vor der Welt ergab sich aus den Verpflichtungen des sächsischen Kurfürsten nach der Reichsverfassung und aus seiner Unterordnung unter den Kaiser. In diesem Zusammenhang sprach sich Luther eindeutig gegen ein Widerstandsrecht aus. Gegen den Kaiser aufzutreten bedeutete Empörung und Eingriff in höhere Rechte, in diesem Fall in die Rechte Gottes als des Stifters der kaiserlichen Gewalt: „Die Gewalt soll niemand brechen noch widerstehen denn allein, der sie eingesetzt hat[16].“ Mit diesem Axiom waren für Luther alle Zweifel beseitigt, da nach seinem damaligen Verständnis nicht die Kurfürsten oder das Reich den Kaiser zu berufen hatten, sondern unmittelbar Gott. Friedrich von Sachsen war also verpflichtet, einer Exekution des Wormser Edikts nicht entgegenzutreten[17].

Bei dem Verbot des Widerstands gegen kaiserliche Maßnahmen beschränkte sich Luther allerdings – bezeichnend für seine Art, nur das jeweils Nächstliegende in die Überlegung einzubeziehen – auf den einfacheren Fall des passiven Gehorsams und der Haltung des Tolerierens kaiserlicher Aktionen im kurfürstlichen Territorium. Eine Forderung nach aktivem Gehorsam der Art, daß dem Kurfürsten selbst die Exekution des Achtsmandats aufgetragen wurde, hielt er für unwahrscheinlich, versprach aber bei Eintreten einer solchen Situation weiteren Rat[18]. Eine indirekte Auskunft lag allerdings bereits in der Feststellung, daß „wenn E. K. F. G. die Tor offen läßt und das frei kurfürstlich Geleit hält, wenn sie selb kämen, mich zu holen, oder ihre Gesandten“, der Kurfürst „dem Gehorsam gnug gethan“ hätte[19]. Auf Grund eines kaiserlichen Befehls gegen die eigene Über-

---

15. Die Bemerkung: „E. K. F. G. hat schon allzuviel getan und sollt gar nichts tun“ (ebd., 456, 88), bezieht sich vermutlich nicht auf eine bestimmte Aktion, sondern will nur die Erwägungen des Kurfürsten zurückweisen; anders Hermelink, Idealgemeinden, 298 Anm. 3.

16. WAB II, 456, 102 f.

17. Der Kurfürst muß „der Oberkeit als ein Kurfürst gehorsam sein und Kaiserl. Maj. lassen walten in E. K. F. G. Städten und Ländern an Leib und Gut, wie sichs gebührt nach Reichs Ordnung und ja nicht wehren noch widersetzen noch Widersatz oder irgend ein Hindernis begehren der Gewalt, so sie mich fahen oder töten will“; WAB II, 456, 98 ff. Vgl. die geänderte Fragestellung 1523 unten S. 101 f.

18. Nach Müller, Äußerungen, 4 ist der Sinn dieser Bemerkung, daß Luther sich dann selbst stellen wolle. Diesen Entschluß hätte er aber dem Kurfürsten nicht zu verbergen brauchen. Wahrscheinlicher ist daher bei Luthers punktuell orientiertem, dem je Aktuellen zugewandten Denken, daß er erst das Eintreten einer entsprechenden Situation abwarten wollte, ohne sich antizipierend in theoretischen Überlegungen zu verlieren.

19. WAB II, 456, 106 ff. Für Carlyle VI, 275 ergibt sich aus der Forderung, die Tore

zeugung aktiv zu werden, überstieg die Schranke des Gehorsams, ohne daß für diese Begrenzung der Gehorsamspflicht von Luther eine Begründung gegeben oder eine Anweisung für diesen Konfliktfall ausgearbeitet worden wäre.

Zur Auseinandersetzung von 1522 gehört aber neben der Festigkeit in der Behauptung der der kurfürstlichen Politik entgegenstehenden eigenständigen Position Luthers, der Bindung an das Gewissen und dessen Forderung ohne Rücksichtnahme auf politisches Kalkül die Bereitschaft zur Kooperation mit der Taktik der Politiker in Fragen von sekundärer Bedeutung. Kurfürst Friedrich, der Luther zur Betonung seiner Distanz verbot, in der Schloßkirche zu predigen[20], verlangte vor allem ein ostensibles Schriftstück, mit dem vor dem Reichsregiment, um „Aufruhr und anders" zu verhüten[21], nachgewiesen werden konnte, daß Luther aus eigenem Entschluß nach Wittenberg zurückgekehrt sei. In diesem Schreiben, das er wunschgemäß einreichte, grenzte Luther noch einmal die Bereiche, innerhalb derer er sich zum Gehorsam verpflichtet fühlte, ab und bekannte sich dabei zwar grundsätzlich zum Gehorsam gegenüber den Befehlen der weltlichen Obrigkeit, machte aber deutlich, daß im speziellen Fall der Wittenberger Unruhen ein anderes Gebot höher stand: „Ursach dringt und Gott zwingt und ruft[22]." Es ging hier um den Befehl Christi, der „auch der Seelen ein Herr (ist), zu welchen er mich gesandt und dazu erweckt hat[23]". Im Konflikt zwischen diesem Befehl Gottes an den Seelsorger und dem entgegenstehenden des Kurfürsten nahm Luther die clausula Petri in Anspruch, die vom weltlichen Gehorsam entband.

Neben diese grundsätzliche Legitimierung seines Schrittes tritt die konkrete Argumentation, daß er sich als Prediger dem Ruf seiner Gemeinde nicht entziehen durfte. Die Dimension dieser Sorgepflicht erstreckte sich für Luther nicht nur auf die Zurückweisung der gewissenszwingenden Neuerungen in Wittenberg, sondern erweiterte sich ins Überterritoriale. Im „fleischlichen" Verständnis des Evangeliums durch die Massen war die Gefahr einer „großen Empörung in deutschen Landen[24]" gegeben, wobei sich Luther aber gegen den Vorwurf verwahrte, Empörung und Aufruhr seien die Frucht seiner Predigt. Diesem drohenden Konflikt zuvorzukommen, sah er als seine Aufgabe an und erinnerte an die Pflicht der Propheten des Alten Testaments, sich vor das Volk zu stellen, um Gottes Urteil abzuwen-

---

offen zu halten, die zweifellos unzutreffende Folgerung, „so that Luther might, if necessary, escape".

20. Vgl. WAB II, 458, 30 f. (Friedrich an Hieronymus Schurff, der Luther die Aufträge des Kurfürsten zu übermitteln hatte). An Schurff zeigt sich, wie weit der Kurfürst von lutherisch gesinnten Beratern und Räten umgeben war; aus seinen Briefen spricht ein dezidierter Lutheraner; vgl. ebd., 463, 8 ff.; 472, 11 ff. u. ö. Über Schurffs Stellung zu Luther und seine Beteiligung an der Durchsetzung der Reformation vgl. W. Schaich-Klose, D. Hieronymus Schürpf (phil. Diss. Tübingen 1967), 21 ff.

21. WAB II, 466, 39 (an Schurff); vgl. auch ebd., 458, 27.

22. Ebd., 460, 11; vgl. auch ebd., 461, 79 f.

23. Ebd., 461, 84 f.

24. Ebd., 461, 53. — Daß es sich hier nicht lediglich um eine vorgegebene Sorge handelt, erweist die gleiche Befürchtung in einem gleichzeitigen Privatbrief; vgl. ebd., 479 (an W. Link, 19. März 1522).

den[25]. Seine Rückkehr nach Wittenberg erschien in dieser — auf das Reichsregiment zielenden — Argumentation vor allem als friedenserhaltender Faktor.

Ein auf Wunsch des Kurfürsten redigierter Text dieses Schreibens[26], das zu dem Zweck, mit ihm Politik machen zu können, abgefaßt worden war, hat diese Funktion auch durchaus erfüllt. Friedrich der Weise ließ den Brief durch seinen Vertreter beim Reichsregiment verschiedenen Fürsten zugänglich machen; mehrfach wurde Planitz in der Folgezeit angewiesen, sich auf ihn zur Entlastung des Kurfürsten zu berufen[27]. Die Notwendigkeit einer derartigen Entlastung war durchaus vorhanden, da rechtlich die Lage eindeutig war: die Handhabung eines Geächteten bedeutete, selbst der Acht schuldig zu werden[28]. Die bisherige Schutzbehauptung,

---

25. Luther beruft sich in diesem Zusammenhang auf Ez. 13, 5 (22, 20); vgl. ebd., 461, 67 ff. — In einem gleichfalls ostensiblen Schreiben an den Kurfürsten vom 29. Mai 1523, in dem er sich mit dem Regimentsmandat des Verbots weiteren Schreibens auseinandersetzt, äußert er sich ähnlich über die Motive seiner Rückkehr 1522; vgl. WAB III, 76, 78 ff.

26. In dem endgültigen Brieftext ist die Erwähnung des Kaisers mit dem Zusatz „meynes allergnedigsten herrn" versehen (WAB II, 468, 28 f.; vgl. dazu ebd., 471, 11 f.); die Vorwegnahme eines abschließenden Urteils über die neue Lehre ist ausgelassen: In dem Satz: „ich weyß, das meyn wortt vnnd anfang nicht auß myr, Sondern auß Gott ist, das auch mich keyn todt noch verfolgung anders leren wirtt" (ebd., 468, 49 ff.) fehlt der ursprüngliche Schluß: „mich dünkt auch, man werde es müssen lassen bleiben" (ebd., 460, 35). Bei der ursprünglichen Wendung: „es ist viel anders im Himmel denn zu Nürnberg beschlossen" (ebd., 461, 74 f.) ist die Erwähnung des Sitzes des Reichsregiments ersetzt durch: „auff erden" (ebd., 469, 95). Die Aussage, daß die Not des Evangeliums so groß sei, „darumb kein Mensch mir anzusehen gewesen ist" (ebd., 461, 80 f.) ist jetzt ohne bestimmtes Objekt gefaßt worden: „Der halben ich auff erden nichts ansehen, schewen odder furchten habe sollen" (ebd., 470, 98 f.). Schließlich ist aus dem „untertänigen Diener solcher [sc. der gemeinen Wittenberger] Kirchen" (ebd., 460, 25) ein „vnterheniger diener der versammlung tzu Wittemberg" (ebd., 468, 39 f.) geworden. Vgl. dazu auch Bezold, Rückkehr, 218 ff.

27. Vgl. Wülcker-Virck, 107. 110 („dieselbe Copie magstu zu unserm glimpf und entschuldigung wol sehen lassen, uf daz uns in dem nit auflegung bescheen dorfe"). 115. 125. 131. 135. Auf eine Nachricht Planitz' hin, in der von Drohungen des brandenburgischen Kurfürsten gegen Kursachsen berichtet worden war, wies der Kurfürst im Jan. 1523 seinen Vertreter beim Reichsregiment an, in einer Unterredung mit Joachim I. von Brandenburg daran zu erinnern, daß Luther „an unser wissen und willen" nach Wittenberg gekommen sei und „uns geschriben, daz er aldo were und wolt einem iden des rechten sein, welche schrift wir an daz regiment haben gelangen lassen"; ebd., 316. Ähnlich heißt es in einer kurfürstlichen Instruktion für eine Unterredung mit dem päpstlichen Legaten Chieregati, Luther habe ohne „wissen, willen und zuthun sich wieder gein Wittenbergk gethan, wie des Luthers schreiben selbs ausweißet"; ebd., 368. Vgl. auch ebd., 611 (Bezugnahme auf das Schreiben Luthers noch im Sept. 1523). Vgl. auch Gess I, 303.

28. Vgl. His I, 155 ff. Aus Sorge, altgläubige Fürsten könnten wegen der Acht über Luther „wider E. cfl. G. den fischall bewegen, das er derhalb E. cfl. G. vornehme", schlug Planitz im März 1522 vor, Luther solle sich „noch ein zeit lang in der still und in geheim innen" halten, „es were do ader anderswoe"; Wülcker-Virck, 111; vgl. den ähnlichen Vorschlag vom Juli 1523 ebd., 491.

die offizielle Unkenntnis des Wormser Edikts[29], verfing in der Situation von 1522/23 kaum noch. Es wurden dann auch in Nürnberg mehrfach Überlegungen angestellt, gegen den Kurfürsten als „einen ungehorsamen ... kei. Mt. und in den sachen, darumb auch ein keiser zu entseczen were[30]", vorzugehen, wenigstens aber ihm die Kurwürde abzuerkennen, weil, wie der Kurfürst erkannte, „wir Luther hielten zu Wittenberg uber Kei. Mt. mandat[31]". Die Gefahrendimension erweiterte sich; ein Vorgehen nicht gegen Luther, sondern gegen den Kurfürsten mußte unmittelbar auch das Land und die der Sorgepflicht der weltlichen Obrigkeit anvertrauten Untertanen berühren.

In dieser Situation wurde Luther zum ersten Mal um autoritative theologische Auskunft ersucht; Spalatin forderte von ihm, Melanchthon, Bugenhagen und Amsdorf Gutachten über die Frage der Zulässigkeit einer Notwehr gegen die kaiserliche Obrigkeit ein. Ob er dabei auf Weisung Friedrichs handelte oder aus eigenem Ermessen, um auf Anfrage sachgemäße Auskunft erteilen zu können, ist unklar, für die Bedeutung der Voten aber auch unwichtig[32]; da er die Wittenberger Texte übersetzt hat[33], sind sie vermutlich dem Kurfürsten zur Kenntnis gekommen.

Was Luther im Vorjahr der damaligen Zwecksetzung entsprechend nur sehr verkürzt skizziert hatte, führte er 1523 näher aus[34]. Die Fragestellung war doppelt belastet: Nicht nur das Widerstandsrecht gegen den magistratus superior mußte diskutiert werden, sondern auch die theologische Vertretbarkeit eines

---

29. Vgl. dazu Förstemann, Neues Urkunden-Buch, 78 ff.; Kalkoff, Prozeß, 562 ff.; Borth, 129 ff.

30. Wülcker-Virck, 489.

31. Ebd., 316; über die Gerüchte der Aberkennung der Kur und die Absetzung vgl. ebd., 304. 315 f. 330. 350 ff. 477. 489. 492 f. Vgl. auch ebd., 477 und 501. Am 9. Apr. 1522 berichtete der Kurfürst seinem Bruder: „Man saget mir selczam ding, was man fillaicht gegen mir wil vornemen als einen, der in des kaisers acht sein sal, dar umb das Doctor Martinus zu Wittenberg ist"; K. Pallas, Briefe und Akten .... In: ARG 5/1908, 296.

32. Bei Becker, 23 wird ohne Grund vermutet, daß die Gutachten „auf das Drängen Johanns hin" eingeholt worden seien, ähnlich Cardauns, Widerstandsrecht, 5 Anm. 2. Müller, Äußerungen, 4 folgert aus Spalatins Aufforderung, daß sie „also im Namen des Kurfürsten gestellt" war; ähnlich Dörries, Widerstandsrecht, 196. Zum historischen Hintergrund der Gutachtenforderung vgl. die Einleitung WAB XII, 35 f. Kalkoff, Verhältnis, 274 ff. sieht den Anlaß im Breve Hadrians VI., ebenso Hillerdal, Evangelisk politik, 128; darauf geht aber nur ein nicht in diesen Zusammenhang gehörendes Gutachten Wenzeslaus Links ein; vgl. unten Anm. 50.

33. Vgl. WAB XII, 37.

34. Vgl. ebd., 39 f. Nach der Untersuchung von Müller, Jus gladii, 235 ff. bildete das Gutachten die Vorlage für WA 11, 276, 27 ff. (Von weltlicher Obrigkeit, 1523); vgl. schon Hermelink, Idealgemeinden, 288 ff. Zum Inhalt vgl. Müller, Äußerungen, 4 ff. und zuletzt Dörries, Widerstandsrecht, 196 ff. Heckel, Lex, 184 ff. berücksichtigt die Auskünfte Luthers von 1523 nicht. – Im Folgenden bleibe ich auf der in meiner Einleitung in WAB XII, 36 f. skizzierten Interpretationslinie; zu den Einwänden Dörries' vgl. unten Anm. 40.

Widerstandsrechts in der causa fidei überhaupt, d. h. das Problem, ob die reine Lehre mit Mitteln der weltlichen Obrigkeit geschützt werden durfte.

Luthers verfassungsrechtliche Voraussetzungen sind unkompliziert: der Kaiser ist für ihn ohne Einschränkung „dominus" und „gladius superior" des sächsischen Kurfürsten[35]. Andererseits zieht er die grundsätzliche Verpflichtung des Kurfürsten, als Inhaber der Schwertgewalt seine Untertanen vor Schaden zu bewahren, nicht in Zweifel. Für das Problem, ob aus dieser Schutzpflicht ein Widerstandsrecht gegen ungerechte Maßnahmen der Obrigkeit abzuleiten ist, stellt er 1523 in Ansehung der bisherigen Haltung seines Landesherrn alles auf die persongebundenen Voraussetzungen des Handelnden ab. Sein Gutachten setzt daher die vom theologischen Urteil geforderten Kriterien fest, deren Gegebensein allein ein gewissenssanktioniertes Handeln in der Religionssache ermöglicht. Da der Kriegszustand in dem zur Erörterung stehenden Fall keine „causa prophana" war[36], ist die Beachtung der theologischen Setzungen für Luther außerordentlich wichtig, ja schlechthin entscheidend.

Sein Gutachten erörtert drei Fragenkreise:

1. Möglichkeit eines Widerstandes in Kursachsen unter den jetzigen Gegebenheiten;
2. notwendige Voraussetzungen für vom Gewissen gedeckten Widerstand;
3. Verhalten bei Auseinandersetzungen zwischen Rang- und Rechtsgleichen.

Die Frage, ob sich Kurfürst Friedrich trotz seiner unentschiedenen Haltung gegenüber der lutherischen Lehre[37] auf einen bewaffneten Konflikt mit seiner Obrigkeit über eben diese Lehre einlassen könne, wird von Luther unumwunden verneint[38]. Als nicht von der Wahrheit des von Luther gepredigten Wortes Gottes überzeugter Bekenner des Evangeliums muß er dem Feind dieser Wahrheit weichen, d. h. den Kaiser in seinem Territorium die Evangelischen verfolgen lassen. Ob er zu dieser Haltung nicht ohnehin auch positiv-rechtlich verpflichtet wäre, bleibt bei Luthers unjuristischem Ansatz außer Betracht. Auch die wichtige Frage von 1522 nach dem sachgemäßen Verhalten bei einer Forderung aktiver Mithilfe wird nicht aufgegriffen.

Mit dieser Auskunft war die aktuelle Frage beantwortet: Unter den sach- und persongebundenen Voraussetzungen von 1523 konnte es kein Widerstandsrecht

---

35. Die Interpretation der Formulierung: „Cesar est dominus consensu Dei et hominum" (ebd., 40, 6 f.) bei Müller, Äußerungen, 6 f., daß die Bedingung der Subordination nur so lange gilt, als der Konsens aufrechterhalten bleibt, nimmt ein von Luther erst später fixiertes Verfassungsverständnis vorweg; vgl. unten S. 158 f. Kalkoff, Verhältnis, 279, der das Gutachten als „weltfremd" qualifiziert, bemängelt, daß das Votum den entscheidenden Punkt, wieweit sich das vom Papst geforderte Einschreiten des Kaisers auf die Billigung des Reichstags würde stützen können, nicht berührt. Das war aber fraglos ein Luther 1523 völlig fremder Aspekt.

36. Das erhellt aus WAB XII, 40, 17 f., wo der Gegensatz des zuvor erörterten Religionskrieges zu „aliae causae prophanae" herausgestellt wird.

37. Vgl. ebd., 39, 3 f.: „[Princeps], qui causam hanc nec iudicare nec iustificare vellet aut possit, ut puta Laicus paratus cedere veritati victrici."

38. Soweit ist Dörries, Widerstandsrecht, 196 ff. zuzustimmen.

geben. Etwas prinzipiell anderes war es, ob dieses Recht damit auch grundsätzlich verneint wurde. In der ausführlichen Erörterung von Bedingungen für ein Widerstandsrecht erweiterte Luther die Dimension der aktuellen Fragestellung und hob ihre Beschränkung auf zugunsten grundsätzlicher Erwägungen, deren Irrealität für den Stand von 1523 ihm zweifellos gegenwärtig war. Er wollte aber offenbar nachweisen, daß es unter bestimmten Bedingungen durchaus ein Widerstandsrecht geben konnte, daß die aktuelle Negation nicht zugleich die prinzipielle bedeutete. Indem die positiven Voraussetzungen für einen Krieg „pro tuenda ista causa[39]" überhaupt in die Erörterung einbezogen wurden, war die Berechtigung zum Widerstand bereits indirekt zugestanden[40]. Wenn Luther in sehr zugespitzt formulierten Bedingungen die Schwierigkeiten einer religiösen Rechtfertigung oder Begründung einer Gewaltanwendung zum Schutz des Glaubens verdeutlichte, wollte er damit nicht deren Gegenstandslosigkeit proklamieren.

Die erste Bedingung der persönlichen Prädisposition des Handelnden verstand sich von selbst, insofern sie das existentielle Engagement des Fürsten forderte. Dazu war für Friedrich von Sachsen die Revokation seiner bisherigen religionspolitischen Neutralität[41] und das Bekenntnis zur reinen Lehre erforderlich. Wer um des Glaubens willen Widerstand leisten wollte, mußte „Überzeugungstäter" sein. Das in diesem Zusammenhang virulente Problem, daß der Fürst dann wiederum in seiner Existenz als Christ zum passiven Ertragen zugefügten Unrechts verpflichtet war, berührte Luther nicht[42]; er sicherte nur die Schutzfunktion des Fürsten nach der Seite der persongebundenen Voraussetzung ab, ohne wie später zwischen Verhalten qua persona und qua officio zu unterscheiden. Der auf die Person fixierten Voraussetzung folgte die das Amt der Territorialobrigkeit berührende. Jedes landesfürstliche Eigeninteresse am Schutz des Territoriums und der Untertanen mußte bei der Bejahung eines Widerstandsrechts gegen Angriffe wegen des Religionsstatus ausgeschlossen bleiben. Mit der Anweisung: „tanquam alienus alienis ex aliena terra veniens succurrat[43]", war die totale Indifferenz des Fürsten gegenüber dem eigenen Territorium postuliert. Nur das Interesse an der

---

39. WAB XII, 40, 8.

40. In Dörries' Interpretation (Widerstandsrecht, 197 f. und 202 Anm. 19), die der bei Müller, Äußerungen, 7 folgt, daß die von Luther aufgestellten Bedingungen gegenstandslos werden, wenn man sein Gutachten im geschichtlichen Zusammenhang beläßt, ist die über den aktuellen Fall hinausreichende grundsätzliche Bedeutung der Auskunft nicht gewürdigt. Wenn das „Nein" absolut gültig ist und die Bedingungen schlechthin unerfüllbar waren, brauchte Luther sie nicht zu formulieren.

41. Luther verwendet den bei ihm sonst kaum begegnenden juristischen Terminus „neutralitas", der seit der Schisma-Zeit bekannt war; vgl. Ph. C. Jessup-F. Deák, Neutrality I (New York 1935), 20 f.

42. Anders Bugenhagen; vgl. unten S. 107.

43. WAB XII, 40, 11 f. — An ein Interventionsrecht ist bei dieser Formulierung vermutlich nicht gedacht; anders Cardauns, Widerstandsrecht, 5 Anm. 2, dem zufolge die Formulierung nur bedeuten könne, daß sich Johann, falls er den Krieg unternehmen wolle, in die Rolle eines fremden Fürsten, der einem unterdrückten Volk zu Hilfe komme, denken müsse; Luther teile die Rechtsauffassung seiner Zeit, daß die Interven-

in Frage stehenden Sache, der Einsatz für das aus eigener Glaubensüberzeugung als richtig Erkannte durfte bei der Entscheidung bestimmend sein. Gefordert war damit ein in juristischen und politischen Kategorien nicht faßbarer christlich-brüderlicher Dienst des materiell und rechtlich Stärkeren und zur Gewaltanwendung durch sein Amt Legitimierten an den Schwachen, die Hilfsbereitschaft dessen, der die Möglichkeit zur Hilfeleistung hatte.

Mit der Voraussetzung: „ut id [sc. bellum suscipere] vocante singulari spiritu et fide faciat (princeps)[44]“, wurde in dem Votum eine letzte, die Glaubensexistenz des Handelnden berührende Bedingung aufgestellt, die das erste Postulat erweiterte und vertiefte. In der Forderung der besonderen Berufung wurde zugleich die Ausnahmesituation, in der Widerstand zulässig und möglich war, verdeutlicht und dargelegt, daß es sich nicht um ein an der Regel orientiertes Rechtsinstitut für Auseinandersetzungen zwischen Obrigkeit und Untertan handeln konnte, sondern daß das Widerstandsrecht der supranaturalen Fundierung der Berufungsgewißheit bedurfte: Gott mußte das Zeichen geben. Auch diese Prämisse war trotz ihrer aktuellen Irrealität nicht fiktiv gemeint und wollte das Widerstandsrecht nicht zur illusionären Theorie werden lassen[45]; sie sollte aber die Ausübung der bewaffneten Notwehr gegen die Obrigkeit von einer etwaigen Ableitung aus dem positiven Recht freimachen und stattdessen die allein mögliche konszientiale Legitimation herausstellen.

Mit der Forderung der besonderen Berufung als Voraussetzung und Kriterium außerordentlichen Handelns nähert sich das Votum der theologischen Figur des vir heroicus[46], wie sie Luther in seiner Geschichtstheologie als Zeichen des un-

---

tion zugunsten eines von tyrannischer Obrigkeit bedrängten Volkes erlaubt sei. Die von Cardauns als Beleg angeführte Stelle WA 19, 638 f. stützt diese These allerdings nicht; Dörries, Widerstandsrecht, 197 spricht in diesem Zusammenhang vom „Gottesstreiter, der auf Erden für die bedrängten Frommen einträte, wo immer sie wären“ (vgl. auch ebd., 203: Gottgesandter), und glaubt, Luther meine diese Forderung „uneigentlich“, ohne dem Amt des evangelischen Fürsten damit eine Aufgabe zu stellen. Damit ist aber m. E. der Vergleichscharakter („tamquam“) der Formel zu wenig beachtet. P. Brunner, Luther, 41 argumentiert näher am Text: Luther verlange ein Verantwortungsbewußtsein, eine objektive Sachlichkeit und Nüchternheit, „die uns übermenschlich anmutet“; vgl. auch Lamparter, Krieg, 103 Anm. 19, der der Bedingung gleichfalls eine Entscheidung für das Widerstandsrecht entnimmt.

44. WAB XII, 40, 13.

45. Müller, Äußerungen, 9 schließt dagegen, daß das Gutachten wegen dieser Bedingung den gewaltsamen Widerstand tatsächlich doch verwirft. Auch nach Jordan, 85 verbietet das Votum den Widerstand; die dritte Bedingung sei für die ganze Auffassung bedeutungslos.

46. Hillerdal, Geschichtsauffassung, 50 f. weist darauf hin, daß Luther WA 51, 210 f. (Wider Hans Worst 1541) auch Friedrich den Weisen zu den viri heroici gezählt hat; vgl. auch ders., Gehorsam, 65 f. 118. Aber diese Stelle läßt sich mit dem Votum von 1523 kaum zur Deckung bringen, und die dort hervorgehobenen Qualitäten des Kurfürsten sind auch nicht die sonst von Luther für den Wundermann Gottes in Anspruch genommenen, so daß vor allem der Vergleich Friedrichs mit seinen Nachfolgern die Zuordnung

mittelbaren Einwirkens Gottes auf seine Schöpfung konzipiert hat. Das Postulat der vocatio will aber 1523 kein neues Recht einführen, sondern im spezifischen Fall des bewaffneten Widerstands gegen einen den Glaubensstatus bedrohenden obrigkeitlichen Angriff eine Ausnahme von der Norm des Obrigkeitsgehorsams sanktionieren. Weil es um eine Abweichung von der Regel geht, bedarf die in der Vollmacht der Berufung ausgeübte Notwehr der transjuristischen Begründung der vocatio dei.

Theologisch ohne Komplikation, aber auch politisch kaum wichtig war für Luther die Frage nach der Erlaubtheit der Gegenwehr gegen einen mit der Religionsabweichung motivierten Angriff durch eine Macht, die keinen obrigkeitlichen Status gegenüber dem Angegriffenen besaß[47]. Ein Verteidigungskrieg gegen gleichrangige Rechtsgenossen durfte unbefangen „pro suis subditis[48]" geführt werden, gleichgültig welcher Kriegsgrund vorlag, wobei nach der Vorschrift von Dt. 20, 10 zunächst ein Anerbieten auf friedlichen Austrag der Streitigkeiten zu machen war, bei dessen Ablehnung dann gemäß dem Recht Gewalt mit Gewalt beantwortet werden durfte[49].

Diese Vollmacht zum Krieg gegen rechtlich gleichgeordnete Gewalten hat Luther jedoch eingeschränkt durch die Bedingung, daß „propria temeritas" des Angreifers zum Konflikt geführt haben mußte und der Krieg nicht „cum Caesare nec ex iussu Caesaris" unternommen wurde. Diese Unterscheidung war für die politische Praxis wertlos, und die Schwierigkeiten der Begründung eines Notwehrrechts ergaben sich sofort erneut, da kein Kriterium für das „iussum Caesaris" ausgemacht werden konnte und reichsständische Aggressoren sich immer als Vollstrecker kaiserlicher Mandate gegen die neue Lehre ausgeben konnten; besonders die Exekution des Wormser Edikts konnte jederzeit einen rechtlich unangreifbaren Vorwand bie-

---

veranlaßt haben wird; vgl. dazu auch Dörries, Widerstandsrecht, 197 f. Anm. 7. Die bei Müller, Äußerungen, 7 f. und bei Hillerdal, Evangelisk politik, 128 f. herangezogene Parallele aus „Von weltlicher Obrigkeit" (WA 11, 261, 9 ff.) läßt sich für das Votum gleichfalls nicht verwerten, da dort nicht vom Amt des Fürsten im Verhältnis zu seinem Oberherrn die Rede ist.

47. Als Gegner ist vor allem an Georg von Sachsen und Joachim I. von Brandenburg gedacht; vgl. WAB XII, 40 Anm. 2. Übereinstimmend mit diesem Gutachten äußert sich Luther über einen Krieg gegen Fürsten in gleichem Rechtsstatus in „Von weltlicher Obrigkeit"; WA 11, 277, 5 ff. – Die WAB XII, 40, 15 nach Spalatins Korrektur eingesetzte Leseart „Quarto" statt des sonst überlieferten „Tertio" ist nach erneuter Prüfung des Textzusammenhangs m. E. doch nicht richtig und durch das versehentliche Weiterzählen der drei Bedingungen des „Secundo" zu erklären. Der mit ebd., 40, 15 beginnende Gedankengang ist keine Weiterführung des unter „Secundo" Gesagten, sondern ein neuer Ansatz der Überlegungen.

48. Ebd., 40, 19.

49. Luther beruft sich auf den privatrechtlichen Satz „Vim vi repellere licere" (D. XLIII, 16. 1 § 27), dessen Applikation auf das Verhältnis von Fürst und Kaiser er stets ablehnt; vgl. unten S. 156 f. In den „Operationes in Psalmos" wird der Rechtssatz als „regula iuris vel erroris potius" bezeichnet (WA 5, 190, 22); vgl. Heckel, Lex, 82 Am. 596. Eine Zusammenstellung von Zitaten des Rechtssatzes bei Luther vgl. WAB XI, 330.

ten und als „ex iussu Caesaris" geschehen deklariert werden. Der Religionskrieg gleichrangiger Fürsten war mithin ein nur theoretisch denkbarer Fall. Ob ein Auftrag des Papstes das „iussum Caesaris" sachentsprechend substituieren konnte, wurde von Luther nicht untersucht.

Seinen besonderen Rang gewinnt Luthers Gutachten, das für die aktuelle Situation das Widerstandsrecht ausschloß, es aber grundsätzlich nicht verwarf, in der Konfrontation mit den Meinungen seiner Wittenberger Freunde[50]. Gegenüber dem theologisch geprägten Votum Luthers besteht das Proprium von Melanchthons Gutachten[51] in dem humanistischen Gedanken der Herleitung der Herrschaft des Fürsten vom Mandat des Volkes; der im Auftrag des Volkes handelnde Fürst bedarf daher für einen Krieg der Zustimmung der Untertanen[52]. Wie für Luther ist dabei auch für Melanchthon die Notwendigkeit unbestritten, daß der Handelnde überzeugt sein muß „iustam esse causam, qui suscepit, et praeterea Deo placere, ut bello defendatur[53]". Mit dem Postulat der Zustimmung der Betroffenen ergibt sich aber für Melanchthon ein bei Luther nicht berücksichtigtes Kriterium für die Ausübung eines Widerstandsrechts, das neben die Gewissensentscheidung des Handelnden und die göttliche Sanktionierung tritt. Hier ist dann der Ort für Melanchthons These vom gott- und glaubenslosen Volk, das wegen des Religionsstatus keinen Krieg auf sich nehmen, daher auch die Zustimmung zu einem derartigen Plan des Fürsten verweigern wird. Damit ist die Frage nach der Zulässigkeit des Widerstandsrechts bereits im Vorfeld der eigentlichen Problematik negativ entschieden. Vom Untertanen-Ansatz her wird auch die Frage nach der Verbindlichkeit und Tragweite der Schutzpflicht des Fürsten gelöst: Die Ungläubigen verlangen den Schutz nicht, da sie die Sache nicht betrifft, die Gläubigen nicht, da ihr Glaube sie zum Ertragen des Unrechts verpflichtet. Eine die Notwendigkeit des Volkskonsens überspielende Berufung auf die Beispiele des Alten Testaments erkennt Melanchthon nicht an, da das Volk Israel seine Kriege „expressa voce et verbo claro Dei[54]" geführt hat; damit nähert sich das Votum der vir-heroicus-Konzeption Luthers[55].

---

50. Das von Kalkoff, Verhältnis, 274 ff. und Müller, Äußerungen, 4 ff. in den gleichen Zusammenhang gestellte Gutachten Links beschäftigt sich mit dem päpstlichen Breve an den sächsischen Kurfürsten vom 1. Dez. 1522 (RTA III, 406 ff.) und nicht mit dem ius resistendi; vgl. dazu WAB XII 38 f. Anm. 8.

51. Vgl. ebd., 41. Zu Melanchthons Gutachten vgl. Lüthje, 515 f.; Nürnberger, Kirche und weltliche Obrigkeit, 14 f.; Dörries, Widerstandsrecht, 199.

52. Mit Müller, Äußerungen, 6 und Dörries, Widerstandsrecht, 199 ist daran festzuhalten, daß hier Ansätze zur Theorie der Volkssouveränität gegeben sind, obwohl Kern, Luther, 332 f. Anm. 6 dies ablehnt. Auch Bohatec, Calvin, 142 spricht sich für die Annahme einer Lehre von der Volkssouveränität bei Melanchthon aus; Nürnberger a. a. O., 15 weist auf die Themata von 1523 hin, wo es in These 10 heißt: „Principes, ad quos consensu civium defertur imperium" (CR XXI, 227).

53. WAB XII, 41, 2 f.

54. Ebd., 41, 11.

55. In einem weiteren, etwa gleichzeitigen Gutachten zur Frage, was zu geschehen habe, wenn die Untertanen den Schutz des Landesherrn verlangen, hält Melanchthon

Bugenhagen[56] geht dagegen vom Amt des Fürsten aus, wobei er wie Melanchthon, wenn auch aus anderem Grund, von möglichen Herrschaftsrelationen absieht. Jeder Angreifer ist für ihn „latro, homicida", der eine schlechte Sache vertritt und daher nach den Vorschriften des positiven Rechts, „lex et ius gladii", behandelt werden muß[57]. Bugenhagen vollzieht – anders als Luther und Melanchthon – schon 1523 die Differenzierung der beiden Seinsweisen des christlichen Fürsten, indem er zwischen einem Gefordertsein „propria persona" und einem Gefordertsein als „minister gladii[58]" unterscheidet. Wird der Fürst im Konfliktfall als Person in Anspruch genommen, ist er an das für ihn wie für jeden Christen verbindliche Verhalten der Leidenspflicht gebunden; als Inhaber der Schwertgewalt ist er dagegen verpflichtet, seine Aufgabe zum Schutz der ihm von Gott anvertrauten Untertanen wahrzunehmen. Dabei ist auch für Bugenhagen die Überzeugung, daß die Christen nicht an die Gewalt zum Schutz gegen Glaubensverfolgungen appellieren dürfen, selbstverständliche Voraussetzung. Nur hebt die Leidenspflicht des Christen nicht die Schutzpflicht des Fürsten auf. Der Fürst muß unabhängig von der Reaktion des Volkes seinem obrigkeitlichen Auftrag nachkommen, ohne zu untersuchen, von welcher Seite das Unrecht zugefügt wird. Wenn damit auch die Eigenberechtigung des Fürsten zur Ausübung seines Amts festgesetzt wird, so sind die daraus resultierenden Ratschläge, die auf eine Befürwortung des Widerstandsrechts hinauslaufen, schließlich doch mit dem irrationalen Vertrauen auf die Verheißungen der Schrift und Gottes unerwartete „consilia[59]" ins Vorläufige gestellt.

Entschiedener noch als Bugenhagen hat sich Nikolaus von Amsdorf für die Rechtmäßigkeit des Widerstands ausgesprochen[60]. Die von den anderen Wittenberger Theologen aufgestellte Voraussetzung der Gewissensentscheidung des Handelnden zugunsten des Evangeliums teilte er[61]; sie war für ihn aber auch die einzige Bedingung für die Ausübung des Widerstandsrechts. Nach seiner Überzeugung durfte, ja mußte der Fürst, sofern er Christ war, in einem Verteidigungskrieg gegen einen Angriff „propter Evangelium" seine Untertanen schützen, da er in diesem Fall nicht als „persona privata" gelten konnte, sondern als „persona publica" zum Handeln aufgerufen war. Amsdorf stimmte mit Bugenhagen darin überein, daß durch das Christsein des Fürsten die Verpflichtungen seines Amts nicht erlöschen. Der Rang des Angreifers war demgegenüber unwichtig. Melanch-

---

zwar daran fest: „Christianus pati debet iniuriam", überläßt aber die Entscheidung über gewaltsamen Widerstand auf Grund der Bitten der Schwachgläubigen dem Gewissen des zum Handeln Aufgerufenen; vgl. CR I, 602 f.; die ebd., 603 angehängte Sammlung alttestamentlicher und antiker Exempel gehört erst zu einem Gutachten von 1546; vgl. Lüthje, 517 Anm. 1.

56. Vgl. WAB XII, 42 ff.; vgl. dazu Hering, 27; zuletzt Dörries, Widerstandsrecht, 199 ff.

57. WAB XII, 42, 10 ff.

58. Ebd., 42, 15 f.

59. Ebd., 43, 29 f.

60. Vgl. ebd., 44; vgl. dazu zuletzt Dörries, Widerstandsrecht, 201 f.

61. Vgl. WAB XII, 44, 13.

thons These von der Notwendigkeit einer Zustimmung des Volks wies er zurück, da das Schwertamt aus Gottes Einsetzung stammt und nicht aus einer Leihe des Volks. Die Vollmacht und Verpflichtung zur Ausübung der Schutzpflicht auch in einem Glaubenskrieg erweiterte Amsdorf sogar über die eigenen Untertanen hinaus auf andere Personen[62].

Die aktuelle Situation haben nur Luther und Melanchthon berücksichtigt, wobei sich Luther auf die an die Person des Fürsten zu stellenden Forderungen konzentrierte, während Melanchthons Votum, das als einziges einschränkungslos negativ ausfiel, auf einer Analyse der Meinung der Untertanen aufgebaut war. Über eine Resonanz der Wittenberger Gutachten bei den sächsischen Politikern ist nichts bekannt. Für Friedrich den Weisen selbst dürften die Voten, die alle die Preisgabe seiner neutralen Haltung forderten, wenig hilfreich gewesen sein. Da der Nürnberger Reichsabschied vom 9. Februar 1523 definitive Beschlüsse bis zum Konzil aufschob[63], entspannte sich die Lage zunächst[64], so daß die Frage des Widerstandsrechts gegen den Kaiser für mehrere Jahre ihre Aktualität verlor.

2. Die ersten Bündnisverhandlungen 1525/26

Die nach dem Ende des Bauernkriegs in Thüringen auf Anregung Georgs von Sachsen mit dem neuen Kurfürsten Johann und Landgraf Philipp von Hessen abgeschlossene Übereinkunft zur Sicherung des Landfriedens und zu gegenseitiger Hilfe bei neuen Unruhen[1] führte im Ergebnis zur Auflösung der fürstlichen Einheitsfront und zu konfessionellen Bündnissen, da im Bemühen um weitere Partner sowohl Kurfürst Johann als auch Herzog Georg Sonderinteressen verfolgten. So forderte Johann zwar Kasimir von Brandenburg-Ansbach zum Anschluß an die Mühlhäuser Abrede auf, versuchte ihn aber zugleich — wenn auch vergeblich — für ein Bündnis zur Verteidigung der Predigt des Evangeliums zu gewinnen[2]. Im Gegensatz zu Ansbach waren die Lüneburger Herzöge, mit denen Kursachsen gleichfalls verhandelte, bereit, Erörterungen über ein mögliches Bündnis, falls „künftig Gottes Wort und der evangelischen Wahrheit halben Widerwärtigkeit und Empörung sich zutrügen[3]“, zuzustimmen.

---

62. Vgl. ebd., 44, 4 f. Nach Dörries, Widerstandsrecht, 202 wäre allerdings lediglich an „Glaubensflüchtlinge“ zu denken.

63. Vgl. RTA III, 747 f.

64. Als auf dem kursächsischen Landtag in Altenburg Mai 1523 die Ritterschaft beantragte, eine „gute Ordnung zu der Gegenwehr, die die eilende Notturft erfordert, herzustellen“ und als Zuflucht für die Untertanen etliche Städte und Dörfer zu befestigen, gingen Kurfürst Friedrich und Herzog Johann auf diese Forderung nicht ein; vgl. Burkhardt, Landtagsakten I, 155.

1. Zum Folgenden vgl. Friedensburg, Vorgeschichte; vgl. auch ders., Speier, 53 ff. Die Mühlhausener Bundesurkunde vgl. bei Seidemann, 641 f. Zur Bündnispolitik von 1525 vgl. auch Stoy, 1 ff. und Fabian, Entstehung, 24 ff.

2. Über die Saalfelder Konferenz vom 6. Aug. 1525 und die weiteren sächsischen Bündnissondierungen bei Brandenburg-Ansbach vgl. Schornbaum, Kasimir, 73 ff., 81 f.

3. Friedensburg, Speier, 62 f.

Auch Herzog Georg bemühte sich, den ursprünglichen Bündniszweck zu erweitern. Er einigte sich mit Mainz, Brandenburg und Wolfenbüttel im Juli 1525 in Dessau auf die Umwandlung der Mühlhäuser Vereinbarung in ein antilutherisches Bündnis zur Ausrottung der „worczel disser vffrur, als dy vordampt luterisch secten . . ., noch dem dy vffrur zcu vorkleinung und vorminnerung gotcz ere vnd dienst von dem luterischen ewangelio erwagkt[4]". An der Ablehnung dieser Formel durch Kursachsen und Hessen scheiterte das geplante Bündnis, nachdem die Dessauer Fürsten das von Johann von Sachsen angeregte Religionsgespräch unter Verweis auf das Wormser Edikt abgelehnt hatten[5]. Der Dessauer Bund konstituierte sich daraufhin als Zusammenschluß wichtiger altkirchlicher Fürsten Mittel- und Norddeutschlands gegen das weitere Vordringen der reformatorischen Bewegung[6].

Die Bemühungen um ein evangelisches Gegenbündnis wurden ausgelöst durch die Reichstagsausschreibung von Ende August 1525[7]. Nachdem sich auf hessische Initiative[8] Johann von Sachsen und Landgraf Philipp grundsätzlich über ein gemeinsames Vorgehen auf diesem Reichstag geeinigt hatten, wurden am 8. November 1525 in Friedewald die Grundzüge eines Bündnisses konzipiert, das sich nicht auf die Religionsfrage beschränken sollte, sondern auch „andere Sachen, do eyner vor dem andern Recht leyden kunt[9]", umfassen sollte. Für die Bündnisplanungen war es eine besondere Enttäuschung, auch diesmal eine Absage Markgraf Kasimirs zu erhalten, obwohl ihm Philipp von Hessen versicherte, daß die geplante Einigung nur gegen einen Angriff „umb des gotlichen worts willen . . ., niemants zuwider oder nachteil, sunder gar guter christlicher meinung, unser aller lande und leute vor unrechter gewalt und bei recht zu beschirmen", aufgerichtet werden sollte[10]. Bündniswillig schien dagegen Nürnberg, das gleich nach Bekanntwerden des Reichstagsausschreibens über Albrecht von Mansfeld den Kurfürsten gebeten hatte, auf die Behandlung der Religionsfrage in Augsburg hinzuwirken[11]. Den-

---

4. Abschied des Dessauer Tages vom 19. Juli 1525; Geß II, 353. Zu den Erwartungen Georgs vgl. ebd., 356 f.

5. Vgl. ebd., 425 f.

6. Die negative Beurteilung der Wirksamkeit des Dessauer Bundes bei Friedensburg, Speier, 97 f. läßt außer acht, daß in den „Packschen Händeln" 1528 Albrecht von Mainz mehrfach unter Rekurs auf das Bündnis von 1525 um Hilfe bat; vgl. RTA VII, 292. 307. Auch Philipp von Hessen nannte noch 1528 die Dessauer Abmachung einen Faktor der Bedrohung der evangelischen Seite; vgl. Dülfer, 81. 101. 107. 112.

7. Vgl. Friedensburg, Vorgeschichte, 116 ff.

8. Vgl. die Instruktion Philipps vom 5. Okt. 1525; Rommel III, 10 ff. — Als Plattform für ein gemeinsames evangelisches Kirchenreform-Programm nannte Kurfürst Johann den von den Wittenberger Theologen gebilligten Ansbacher Ratschlag über die neue Lehre und die sich aus ihm ergebenden Konsequenzen; vgl. WAB III, 568 ff.

9. Ranke VI, 104; vgl. Friedensburg, Vorgeschichte, 49 ff.

10. So in dem Werbebrief Philipps von Hessen an Markgraf Georg, der seinen Bruder Kasimir von der Notwendigkeit des Bündnisses überzeugen sollte; vgl. Friedensburg, Speier, 497 ff. Vgl. auch Schornbaum, Kasimir, 83 ff.

11. Vgl. Franz, Nürnberg, 93. — Über Nürnberger Bemühungen um ein Bündnis mit

noch war die Reaktion des Rats auf das Friedewalder Projekt nicht entgegenkommend, aus Furcht, daß ein evangelisches Bündnis einen Gegenbund provozieren und damit die Spannungen im Reich vergrößern würde. „Aus vielen treffenlichen ursachen[12]" lehnte der Rat daher nach eingehenden Beratungen die Einladung Kursachsens und Hessens ab, zum 27. Februar 1526 Delegierte nach Dessau zu entsenden, um dort über ein Bündnis für den Fall eines Angriffs wegen des Religionsstatus zu verhandeln, „niemants zuwider oder verdruess, sunder allein zu beschutzung unser aller armen unterthan" und zum Schutz der Predigt des Evangeliums, nachdem von den Geistlichen und ihren Anhängern verstärkt versucht würde[13], den alten Kultus aufrechtzuerhalten und das Evangelium mit Gewalt zu unterdrücken[14]. Nürnberg berief sich dagegen darauf, daß Gott sein Wort selbst schützen und nicht im Stich lassen werde, so daß es überflüssig und falsch wäre, diesen Beistand durch ein menschliches Bündnis zu substituieren[15]. Außerdem verbot der Zustand des Reichs und die verfassungsrechtliche Stellung als Reichsstadt[16] dem Rat ein Sonderbündnis in der Religionsfrage. Er ließ daher in einer Mischung von religiösem Vertrauen und politischen Erwartungen die zum Bündnis einladenden Fürsten wissen, die Stadt habe „noch zur Zeit ihr Aufsehen" auf den Kaiser und den Reichstag[17] und setze im übrigen ihre Hoffnung auf die Hilfe Gottes.

Sachsen und Hessen ließen sich durch die Nürnberger Haltung nicht beirren; das von ihnen in Gotha abgeschlossene Bündnis[18] definierte als casus foederis einen

---

Ulm und Augsburg 1525 vgl. Ludewig, 57 ff.; vgl. auch Friedensburg, Speier, 152 ff.

12. Vgl. Friedensburg, Vorgeschichte, 105 Anm. 3.

13. Gemeint war der seit Januar 1526 bekannte „Mainzer Ratschlag"; vgl. unten S. 112.

14. Vgl. Friedensburg, Vorgeschichte, 130 f. Über den privaten Briefwechsel Johanns von Sachsen mit Nürnberger Ratsmitgliedern über die Zustimmung Nürnbergs zum Bündnisprojekt vgl. Dülfer, 15 Anm. 1.

15. Die gegenteilige Haltung erschien offenbar geradezu als Abfall vom Glauben; vgl. Spengler an den Straßburger Stadtschreiber Butz, 21. Mai 1526: „Nun mussen wir aber hindurch, ainweder christen sein und pleiben oder Christum verläugnen, dazwischen ist kain mittel. Werden wir nun ungeachtet alles vorsteenden ungefells zum höchsten auf got sehen, so bin ich gewis, das wir am ende ... erhalten werden"; Pol. Korr. I, 256; vgl. Ludewig, 60 f. Vgl. auch den Brief des Nürnberger Stadtschreibers Rorer an den hessischen Kanzler Feige vom 17. Mai 1526, in dem die gleichen Gedanken enthalten sind; Friedensburg, Speier, 520 ff.

16. Über die schwierige politische Lage der evangelischen Reichsstädte im Reichszusammenhang vgl. Baron, 405 ff.; Moeller, Reichsstadt, bes., 67 f. Über das Verhältnis Nürnbergs zu Kaiser und Reich vgl. Baron, 614 ff.

17. Vgl. auch die Auskunft des Nürnberger Reichstagsgesandten im Juli 1526, die Stadt habe mit Rücksicht auf den Schwäbischen Bund und den Kaiser die Einladung zu einem Bündnis abgelehnt; Friedensburg, Speier, 312; Engelhardt II, 21.

18. Das erst am 2. Mai von Kursachsen in Torgau ratifizierte Bündnis vgl. bei Hortleder, Ursachen, VIII, 2 p. 1490 f. Daß der Text von den Formulierungen der Nürnberger beeinflußt sei, wie bei Stoy, 42 angegeben, ist irrig; die dafür zitierten angeblichen Parallelen sind unbrauchbar.

Angriff um der Religion willen, weitete aber diesen Bündniszweck auf die Generalformel aus, daß gegenseitiger Beistand auch erfolgen solle, „wenn andere Sachen zum Schein wolten fürgewandt werden, da es doch berürts Göttliches Worts halben im Grunde gemeint würde". Alle Abmachungen wurden unter die fromme Voraussetzung, nicht auf die eigene Kraft zu vertrauen, sondern auf die göttliche Hilfe, gestellt. Jeder der beiden Vertragspartner übernahm es, eine Reihe anderer Stände anzuwerben, wobei Nürnberg in die sächsische Zuständigkeit fiel[19].

Im Bemühen, die Reichsstadt doch noch für das Bündnis zu gewinnen, haben die Fürsten Luthers Autorität einzuspannen versucht, um die Bedenken des Rats, soweit sie religiöser Natur waren, zu überwinden. Schon in einer in Gotha angefertigten Aufzeichnung der sächsischen und hessischen Räte war vorgeschlagen worden, den Nürnbergern nur „mit radt der hailigen geschrift gelerten und verstendigen" zu antworten, um „ire schrift und furgewante ursachen" zu widerlegen[20]. Diese Aufgabe wurde Luther übertragen. Er begnügte sich jedoch mit einer für den Kurfürsten bestimmten flüchtigen und ungeordneten Niederschrift seiner Überlegungen[21], wobei er sich, der Gothaer Absprache entsprechend, zu den politischen Argumenten der Nürnberger nicht äußerte. Wieweit er über Intention und Hintergründe des Bündnisses unterrichtet worden ist, ist unbekannt; seine Ausführungen lassen es als zweifelhaft erscheinen, daß er auch nur den Bündnistext gekannt hat.

Basis seiner Argumentation war die von ihm unterstellte Bedrohung der evangelischen Territorien nicht durch die altgläubigen Stände insgesamt, sondern durch die Bischöfe. Dieser den casus foederis entscheidend limitierende Ansatz bot die Möglichkeit, eben das zu bestreiten, was in Nürnberg als möglich vorausgesetzt worden war und was der Bündnistext auch nicht ausschloß: die mögliche Erstrekkung der Verbindung im Konfliktfall auch auf den Kaiser. Die Sachlage stellte sich Luther demgegenüber so dar, daß lediglich „eine heimliche Zuversicht, ... key. M. und iedermann nichts zu nahe[22]", in Aussicht genommen war, wobei wegen der „eil und listige(n) tück[23]" der Bischöfe Beschleunigung geboten schien, da diese nicht den Reichstag oder ein etwaiges kaiserliches Mandat abwarten, sondern aus eigener Initiative losschlagen würden. Mit dieser eingeschränkten Situationsanalyse versuchte er, den Nürnberger Einwand zu entkräften, daß der nächste Reichstag, der möglicherweise eine Erledigung der Religionsfrage herbeiführen konnte, dicht bevorstehe.

---

19. Vgl. Friedensburg, Vorgeschichte, 139 f.

20. Ebd., 136.

21. WAB IV, 76 f.; aber wesentlich früher entstanden als dort angesetzt. Daß das Gutachten nicht mit dem Brief ebd., 76 in Verbindung steht, geht aus dessen Inhalt hervor, der zudem nicht auf Beilagen verweist; die durch den Brief beantwortete Frage „der zwei Artikel halben" wird schon im Text entschieden, so daß für sie kein Sondervotum nötig gewesen ist. Die gleichzeitig mit dem Gutachten angeregte Gegenschrift gegen den „Mainzer Ratschlag" hatte Luther schon im April in Arbeit; vgl. unten S. 112 f.

22. Ebd., 77, 23 ff.; vgl. auch 76, 5.

23. Ebd., 77, 18.

Da Luther als Gegner der evangelischen Stände nur die verfassungsrechtlich gleichrangigen Bischöfe ansah und nicht die Gothaer Formulierung: „die Geistlichen und ihre Anhänger" oder „die Geistlichen und andere" aufgriff[24], brauchte er das Problem von Widerstandsrecht und Subordinationsverhältnis nicht zu erörtern, sondern konnte in Übereinstimmung mit den entsprechenden Abschnitten seines Votums von 1523[25] den Nürnberger Rat an Aufgabe und Pflicht der Obrigkeit erinnern, Vorsorge für den Schutz seiner Untertanen im Konfliktfall zu treffen[26]. Der Nürnberger Einwand, daß Gott der menschlichen Mithilfe nicht bedürfe, wurde von ihm in seiner Gültigkeit nicht bestritten, aber mit dem cooperatio-Gedanken verbunden: Gott will die Menschen auch da, wo er unmittelbar handeln könnte, für sich handeln lassen; im Vertrauen auf ihn dürfen sie ohne Verletzung seiner Gebote tätig werden, allerdings nur im Bewußtsein der eigenen Schwäche und des Mißtrauens in die Kraft des eigenen Tuns[27].

Den Hintergrund dieses Eintretens für das Gothaer Bündnis[28] mit dem eingeschränkten Erstreckungsbereich der Verteidigung gegen einen Angriff der Bischöfe bildete der sog. Mainzer Ratschlag, ein Beschluß von Vertretern aller zwölf Kapitel der Mainzer Erzdiözese über eine Gesandtschaft an den Kaiser[29]. Der Text der Instruktion für diese Gesandtschaft ist Luther vermutlich neben dem Nürnberger Absagebrief als Unterlage für sein Votum zugänglich gemacht worden, da in Gotha auf Intitiative des Landgrafen beschlossen worden war, den Reformator zu ersuchen, „der capitel unchristlich und aigennutzig furnemen" herauszustreichen, „damit dasselbig meniglichem kunt wurde[30]". Luther ordnete den „Ratschlag" in seine theologische Interpretation der Ereignisse des Jahres 1525 ein und sah in ihm einen weiteren Versuch der widergöttlichen Macht, jetzt mit Hilfe der Papisten das im Bauernkrieg begonnene Werk der Unterdrückung des Evangeliums fortzusetzen. Wer sich mit diesem Vorhaben identifizierte und ein „päpstlicher

---

24. Vgl. Hortleder, Ursachen VIII, 2 p. 1490 (Bündnistext); Friedensburg, Vorgeschichte, 131.

25. Vgl. oben S. 105.

26. Vgl. WAB IV, 77, 22 f.: „Man sucht nur die armen Untertanen, das die nicht listiglich und plötzlich überwältigt werden"

27. Vgl. ebd., 77, 30: „On verlassen aufs schwerd".

28. Das von Becker, 55 als Beweis für Luthers Mißbilligung des Torgauer Bündnisses angeführte Bruchstück eines Briefes gehört, wenn es überhaupt auf 1526 anzusetzen ist, erst in den Zusammenhang der Bündnisbemühungen auf dem Speyerer Reichstag, von denen Luther offenbar in einer Weise unterrichtet worden war, die ihn die Extension des Bündnisfalles auch auf einen Angriff des Kaisers fürchten ließ. Zur Datierung vgl. WAB XIII, 117 (zu V, 189).

29. Abgedruckt innerhalb Luthers Gegenschrift „Wider den rechten aufrührerischen, verräterischen und mörderischen Ratschlag der ganzen Mainzischen Pfafferei Unterricht und Warnunge" WA 19, 264 ff. Zur Entstehung des „Ratschlags" vgl. F. Herrmann, Die evangelische Bewegung zu Mainz im Reformationszeitalter (Mainz 1907), 175 ff.

30. Friedensburg, Vorgeschichte, 137 f. Nach der Vorstellung der fürstlichen Räte sollte durch eine Schrift Luthers auch der im „Ratschlag" als wünschenswert bezeichnete Anschluß der Kapitel der Erzdiözesen Köln und Trier verhindert werden.

Christ" blieb, konnte demnach nur ein Bundesgenosse und Anhänger des Teufels sein. In scharfer Polemik gegen das Vorhaben der Kapitel[31] hob Luther zwei Aussagen des Schriftstücks als besonders anstößig hervor: die Beurteilung seiner Lehre als aufrührerisch und ketzerisch und den Versuch, die weltlichen Obrigkeiten gegeneinander auszuspielen[32]. In seiner Aufzeichnung für die Antwort an den Nürnberger Rat zog er aus dieser Interpretation des „Ratschlags" den Schluß, daß die Absichten der Bischöfe im Grunde auf Aufruhr und Empörung hinausliefen. Gegen Aufruhr war aber jedes mit dem Recht vereinbare Mittel erlaubt, also auch eine gegenseitige Absprache zum Schutz der Untertanen, zumal es sich bei dem Gegner nicht um offene, sondern „listige heimliche Feinde[33]" handelte.

Luthers das Bündnis bejahender Rat hätte vermutlich die Bedenken der Nürnberger nur beseitigen können, wenn sie seiner Unterscheidung von Angriffen der Bischöfe und „öffentlichen Fehden" bzw. einem Angriff des Kaisers[34] zugestimmt hätten; diese Unterscheidung ließ sich aber in der politischen Praxis kaum durchhalten, abgesehen davon, daß, ohne Unterstützung durch weltliche Reichsstände und gedeckt durch ein kaiserliches Mandat, ein Religionskrieg der geistlichen Stände nicht zu erwarten war. Vermutlich ist aber ohnehin trotz der Gothaer Abmachung keine Antwort an die Nürnberger ergangen[35], sicher ist jedenfalls, daß die Stadt sich auch den weiteren Bündnisbemühungen entzog. Nachdem der Versuch Sachsens, den seit 1519 bestehenden Lippischen Bund der meisten norddeutschen Fürsten und Grafen für die evangelische Politik zu aktivieren, fehlgeschlagen war[36] und in der Magdeburger Erweiterung des Gothaer Bündnisses nur ein Teil der Lippischen Bundesglieder einbezogen werden konnte[37], nahmen Sachsen und vor allem Hessen[38] auf dem Speyerer Reichstag ihr Werben um Nürnberg wieder auf[39]; der Rat behandelte jedoch auch dieses neue Angebot dilatorisch[40]. Als Kur-

31. Vgl. WA 19, 260 ff.; die Schrift blieb wegen der vom sächsischen Kurfürsten befürchteten Angriffe auf Georg von Sachsen Fragment; vgl. dazu WAB IV, 45 f. 61 f. 128 ff.

32. Der von Luther fertiggestellte Teil seiner Gegenschrift beschäftigte sich nur mit dem ersten Vorwurf.

33. WAB IV, 77, 16.

34. Vgl. ebd., 77, 19 f.

35. In den Archiven von Weimar und Nürnberg hat sich kein Hinweis auf ein entsprechendes Schreiben nach Nürnberg aus dieser Zeit und unter Verwendung der Argumente Luthers gefunden.

36. Vgl. dazu Friedensburg, Speier, 73 ff.

37. Vgl. Hortleder, Ursachen VIII, 3 p. 1492 ff.; Friedensburg, Speier, 77 ff.

38. Zur Initiative Philipps von Hessen vgl. Stoy, 107 Anm. 2.

39. Vgl. dazu Friedensburg, Speier, 308 ff.; Stoy, 106 ff.; zusammenfassend Engelhardt II, 3 ff.

40. Vgl. Friedensburg, Speier, 313 Anm. 1. Zur Begründung des hinhaltenden Verfahrens wurde den Nürnberger Gesandten vom Rat erklärt, „es möchten sich die sachen und leufft so ungeschickt zutragen, das nymant noch bewust, was eins yden gelegenheit und die letzt not verursachen würde"; Nürnberg, Staatsarchiv, Briefbücher Nr. 93, Bl. 89v. Am 28. Juli wurden die Gesandten angewiesen, den Landgrafen „in genaden und mit

fürst und Landgraf den Städteboten von Augsburg, Straßburg und Nürnberg offiziell ein Bündnis für den Fall eines Angriffs in der causa fidei vorschlugen – diesmal mit einer ausdrücklichen Formel zur exclusio Caesaris versehen[41] –, in das auch Frankfurt und Ulm einbezogen werden sollten[42], wichen die Städte aus, da sie erst den Erfolg der auf dem Reichstag beschlossenen Ständegesandtschaft an den Kaiser abwarten wollten[43]; eine neue Zusammenkunft wurde für die nächste Fastenmesse vereinbart.

In der Zwischenzeit ging die Bündnisinitiative ganz auf Hessen über, da Sachsen offenbar durch den Abschied des Reichstags die Gefahr als behoben ansah; bei der Zusammenkunft in Frankfurt am 12. April 1527[44] war es nicht einmal durch einen eigenen Gesandten vertreten. Hessen legte den Städten hier einen sehr weitgehenden Bündnisentwurf vor, der auf die Exklusion des Kaisers verzichtete und den Bündnisfall auf die Formel: „so es not thun wurde", erweiterte[45]. Obwohl die Städte eine Antwort auf dem nächsten Reichstag versprachen[46], kam es auch in Regensburg nicht zu einem Abschluß[47]. Trotz Luthers positivem Votum, das aber bei den Verhandlungen mit den Reichsstädten anscheinend nicht vorgelegt worden ist, war der Bündnisplan zunächst gescheitert.

3. Das Problem des Präventivkriegs 1528

Einfluß auf die politischen Entscheidungen der evangelischen Stände, insbesondere Kursachsens, gewann Luther erstmals 1528 in der Krise der „Packschen Händel[1]"; damit beginnt die Zeit unmittelbarer Beteiligung an der Tagespolitik – wenn auch aus seelsorgerlich-religiösen Beweggründen – und als praktische Folge

---

höchster schicklichkeit, doch unvergriffenlich anhengig zu behalten"; Engelhardt II, 22.

41. „usgenomen kai. mt.".

42. Vgl. den Bericht des Straßburger Gesandten Pol. Corr. I, 268; vgl. dazu Stoy, 108 Anm. 3 den Bericht der Frankfurter. Vgl. auch Friedensburg, Speier, 457 f. und Engelhardt II, 32 ff.

43. Durch die Obstruktion der geistlichen Reichsstände wurde sie verzögert und schließlich überhaupt verhindert; vgl. Stoy, 117 ff.

44. Zum Frankfurter Tag vgl. RTA VII, 43 ff.; Dülfer, 36 ff.; Pol. Corr. I, 278 ff.

45. Vgl. ebd., 281 f. (zur Überschrift vgl. Fabian, Entstehung, 338). Ein Alternativentwurf enthielt als Formel des casus foederis: „das, wo ier einer teil dem andern zu recht mechtig weren"; Pol. Corr. I, 281; bei H. Virck, Die Städte, 12 irrig interpretiert als Beschränkung der Verpflichtung auf bestimmte, vertragsmäßig festgesetzte Fälle. In der Vorbereitung des Frankfurter Tages hatte Philipp von Hessen dem Kurfürsten als Bündnisfall „alle sachen, der ein teil fur dem andern recht geben und dulden mag", vorgeschlagen; vgl. Dülfer, 36 f. Zu „Recht dulden" vgl. Dt. RWb II, 1149.

46. Vgl. dazu RTA VII, 1 ff.

47. So Nürnberg an Ulm als – dann in Regensburg realisierter – Vorschlag zu gemeinsamem Vorgehen; vgl. Stoy, 262.

1. Über die „Packschen Händel" vgl. zuletzt Dülfer, wo allerdings das apologetische Moment der Entlastung Philipps von Hessen gelegentlich allzu stark hervortritt. Da oft

die vor allem unter Kurfürst Johann zu beobachtende zunehmende Behinderung einer aktiven gesamtprotestantischen Bündnis- und Reichspolitik durch theologische Prädispositionen, die sich unmittelbar politisch auswirkten.

1528 ist allerdings die wichtigste Entscheidung noch ohne Beteiligung Luthers getroffen worden. Aufgeschreckt durch die Enthüllung über das angeblich im Mai 1527 in Breslau abgeschlossene Bündnis der wichtigsten altkirchlichen Fürsten zur gewaltsamen Exekution des Wormser Edikts in den evangelischen Territorien[2], hatten – auf hessische Initiative[3] – Sachsen und Hessen am 9. März 1528 vereinbart, den Gegnern zuvorzukommen und spätestens zum 1. Juni 1528 einen Präventivkrieg zu beginnen[4]. Erst nach Abschluß des Vertrags hat Kurfürst Johann den Rat Luthers eingeholt, als er ihn zu den Verhandlungen des Landtagsausschusses am 19./20. März nach Altenburg berief und dort vermutlich erstmals von dem Breslauer Bündnis und dem Weimarer Vertrag in Kenntnis setzte. Daß er Luther „vmb versicherung willen vnser beider gewissen ... den handel nach der leng vertrewlicher meynung" habe vortragen lassen, begründete der Kurfürst dem Landgrafen gegenüber mit der religiösen Relevanz des Bündnisses, „als solt die gegen- und notwehr mit got wol dermassen konnen und mogen furgenommen werden, das wir wider vnsere veinde, so sich wider uns und unser paider land verpunden, den ersten angriff thun möchten[5]".Durch die Gewissensbeunruhigung und nachträgliche Unsicherheit des Kurfürsten gewann Luther eine von ihm sofort mit Nachdruck ausgenutzte Einwirkungsmöglichkeit auf eine Situation, deren Problematik ihm in ihren Hintergründen theologisch mindestens ebenso wichtig war wie politisch. Aus der seelsorgerlichen Verantwortung wie aus der Pflicht zum Gehorsam gegenüber dem Kurfürsten, der ihn um sein Votum ersucht hatte, leitete er die Berechtigung ab, in der Krise tätig zu werden[6].

Einzelnachweise fehlen, ist noch immer unersetzt die Arbeit von Schwarz. Fabian, Entstehung, 338 ff. ist gegenüber dem Landgrafen überkritisch. Über den „politischen Sinn der sog. Packschen Händel" vgl. Kühn, Philipp, 107 ff. Über die Krise von 1528 vgl. auch RTA VII, 257 ff. Zu Luthers Haltung vgl. Zahrnt, 105 ff.

2. Vgl. Dülfer (Quellenteil), 47 ff.

3. Die Initiative ging von dem Landgrafen aus, der die übliche zögernde Bedächtigkeit des Kurfürsten überspielen und ihn von der angeblich unmittelbar drohenden Gefahr überzeugen konnte. Erstaunlich bleibt der Bündnisabschluß und die Überrumpelung der sächsischen wie der erfahrenen hessischen Räte durch den Eifer des Landgrafen vor allem, wenn in Erwägung gezogen wird, daß im Reich keinerlei Anzeichen für Truppenanwerbungen erkennbar waren; außerdem war unter den im Breslauer Bündnis genannten anzuwerbenden Partnern auch Heinrich von Mecklenburg gewesen, ein Schwager des Kurfürsten und Mitglied des Magdeburger Bundes von 1526, der die bedrohten Fürsten zweifellos gewarnt hätte.

4. Vgl. den Text des Vertrags bei Mentz, Geschichte, 173 ff. (die folgenden Zitate ebd.); vgl. auch RTA VII, 297 f. Anm. 2.

5. Instruktion für eine Gesandtschaft an Philipp, Ende März 1528; Neudecker, Aktenstücke, 36 f.

6. Vgl. WAB IV, 431, 6 ff.

Die Nachrichten über das Breslauer Bündnis hat Luther zunächst offenbar skeptisch aufgenommen, ihnen jedenfalls keineswegs die unmittelbare Gefährlichkeit beigemessen, die die Fürsten im Weimarer Vertrag unterstellt hatten[7]. Nachdem er gegen den Offensivcharakter des Vertrags anscheinend sofort Einspruch erhoben[8] und die Ableitung des Präventivkriegs aus der obrigkeitlichen Pflicht zum Schutz der Untertanen verneint hatte, damit aber die Berechtigung der ganzen Absprache zwischen Sachsen und Hessen in Zweifel zog, beherrschte die Auseinandersetzung mit diesem Problem schon sein erstes Votum, das er bei Beratungen mit den sächsischen Politikern in Torgau anfertigte[9]. In ihm wie in den weiteren, teilweise gemeinsam mit Melanchthon verantworteten Bedenken und Briefen stehen theologische und juristische Gründe in eigentümlicher Verschränkung nebeneinander, die ersteren treten quantitativ sogar zurück hinter praktisch-agitatorischen und rechtlichen Erwägungen, obwohl der theologischen Argumentation der Qualität nach eindeutig die Dominanz zukommt. Das Urteil Philipps von Hessen, Luthers Ratschläge seien nicht ausschließlich religiös inspiriert, sondern „nit gar [= ganz] ohn Vernunft und weltlich Weisheit[10]", traf daher nur einen Teilaspekt der Wittenberger Überlegungen.

Im Gegensatz zu den Fürsten differenzierte Luther 1528 nicht zwischen Angriffs- und Präventivkrieg. Anders als sie sah er zudem keinen Tatbestand, dem präventiv mit Waffen entgegenzutreten war, im Gegenteil war für ihn „der Widersacher Schuld und That noch nicht überzeuget [= offenkundig] oder am Tage[11]". Für ihn galt daher nur die Unterscheidung von defensiver Abwehr der „that", die „geschehen ist[12]", und präventivem Schlag, der eine geplante Tat im voraus durchkreuzen sollte. In dieser Alternative hielt er nur die Verteidigung für erlaubt, jedes andere Verhalten für verboten und mit dem obrigkeitlichen Amt der Friedenswahrung unvereinbar. Anlaß, Zweck und Motiv eines Präventivkriegs blieben gegenüber dieser strikten Beschränkung auf die Defensive grundsätzlich unwichtig.

Luthers Ratschläge waren 1528 vor allem darum bemüht, die eigene Seite religiös – gegenüber Gott –, juristisch – vor dem Reich – und propagandistisch – vor der Welt – zu sichern[13]. Das gesicherte Gewissen konnte nur bei Verteidigung gegen einen offenkundigen Angriff bewahrt werden, da die Schrift nur den Friedfertigen Segen verhieß, während die „vngedultigen" – diese Klassifizierung ist bezeichnend für das, was in Luthers Kairos-Denken zum Ausdruck kommt – den „kriegsgyrigen" gleichgesetzt wurden, die „kein gluck noch gnad

---

7. Vgl. WAB IV, 415, 7 ff.: „Caeterum vides, quam furat Satan adversus principes catholicos, conspirant impii pontifices (ut dicitur)"; vgl. auch ebd., 435, 9 f.: „Apud nos nihil novi, nisi quod Episcopi bella et caedes spirare dicuntur".

8. Vgl. ebd., 449, 56 ff.

9. Vgl. ebd., 421 ff. (27./28. März 1528).

10. Ebd., 427, 69 f.

11. Ebd., 423, 68.

12. Ebd., 432, 36.

13. Vgl. vor allem ebd., 449, 37 f.

haben[14]". Wenn Gott den Krieg nur als Mittel der Verteidigung gegen unrechtmäßig ausgeübte Gewalt zuließ und den Obrigkeiten die Aufgabe übertrug, Frieden zu halten, durften sich die evangelischen Fürsten nicht über dieses Gebot hinwegsetzen, ohne ihr Gewissen zu verletzen und dem Teufel zum Sieg zu verhelfen. Erlaubter Kriegsgrund konnte nur Abwehr einer vollzogenen Aggression sein, nicht aber ein Präventivschlag gegen unbewiesene Vorbereitungen eines Gegners.

Die Verwerfung des Präventivkriegs gewinnt ihre metapolitische Tiefe aus der bei Luther ganz unmittelbaren Abneigung gegen das präventive Denken überhaupt, die in seinem Kairos-Denken angelegt ist[15]. In der Anwendung dieses Denkens auf die „Packschen Händel" warnte er davor, durch präventive Angriffsmaßnahmen den Konflikt erst auszulösen. „Gott kann ihren [sc. der Breslauer Bundesfürsten] Rat noch wohl hindern[16]" — unter dieser Voraussetzung beurteilte er alle Schritte der evangelischen Partei, die nichts unternehmen durfte, was das mögliche Handeln Gottes durch eigenmächtige Entscheidungen antizipierte und auf einen einzigen Handlungsweg fixierte. Nur die Übereinstimmung mit Gottes in der Schrift niedergelegten Weisungen konnte das gute Gewissen der Beteiligten verbürgen und erhalten.

Die Aktivität des Landgrafen und die geforderte Haltung des Temporisierens standen für Luther jedoch nicht im Ausschließungsverhältnis zueinander, denn die Konsequenz des Temporisierens bedeutete nicht resignierte Passivität[17], der Gedanke der cooperatio dei cum homine gebot im Gegenteil tätiges Vorbereitetsein auf jede Konstellation, um Gottes Wink entsprechend handeln zu können. Daher forderte Luther die Fürsten auch nicht auf, die Rüstungen einzustellen. Nur durften sie den Instrumentcharakter ihres Handelns nicht übersehen: Gott will „alles ohn vnser macht und rath vnd doch durch vnser faust, zung vnd hertz dencken, reden vnd schaffen, ... als durch wergzceug seyner gottlichen Weißheit vnd gewalt[18]". Das in diesem dialektischen Verhältnis formulierte Bewußtsein der Abhängigkeit menschlichen Handelns von Gott durfte um der Sicherheit des Gewissens willen in der gegenwärtigen Krisensituation nicht aufgegeben werden.

War die Mahnung an den Landesherrn, nichts zu übereilen und auf keinen Fall den Krieg anzufangen, unter Berufung auf theologische Gründe ergangen, stützte sich Luther daneben durchaus auch auf juristische Erwägungen, mit denen zugleich das Recht zum Krieg im status defensionis begründet wurde; nur für diesen letzte-

---

14. Ebd., 432, 19 f. — Luther zitiert in diesem Zusammenhang Dt. 20, 10 ff.; Ps. 67, 13; Mt. 5, 5. 9 und 2. Chron. 35, 20 ff.

15. Die Verwerfung des Präventivkrieges geschieht aus diesem Kairosdenken heraus, nicht so sehr wegen der Überzeugung, daß die Entscheidung über die Gerechtigkeit des Kriegsgrundes der menschlichen Einsicht entzogen sei, wie bei K. E. Jeismann, Das Problem des Präventivkrieges im europäischen Staatensystem mit besonderem Blick auf die Bismarckzeit (Freiburg-München 1957), 27, angegeben. Für Luther hatte der Angreifer immer Unrecht, während der in der Defensive Kämpfende ein Recht zum Kriege hatte; vgl. oben S. 55 ff. und unten S. 266.

16. WAB IV, 423, 74 f.

17. Gegen die entsprechenden Vorwürfe des Landgrafen (ebd., 425 ff.) gerichtet.

18. Ebd., 435, 21 ff.; vgl. dazu Seils, Gedanke, 170 f.

ren Fall konnte der Kurfürst „ein sicher, gut gewissen" haben[19]. Wie Luther einen Präventivkrieg als rechtswidrig und aufrührerisch verurteilte, so bezeichnete er auf der anderen Seite das Breslauer Bündnis gleichfalls als „Rotterei" und Aufruhr. Der Widerstand gegen das Vorhaben gleichgeordneter Rechtsgenossen, unter Bruch des Landfriedens einen Religionskrieg zu beginnen, war rechtlich zulässig und in der Pflicht des Fürsten als Obrigkeit notwendig enthalten, durfte aber erst in dem Augenblick, in dem der Gegner sein Vorhaben ausführte, konkretisiert werden. Die Lähmung des Verteidigungswillens durch Sprengung des Konfliktschemas inter pares seitens eines Gegners, der vorgab, im Namen und Auftrag des Kaisers zu handeln, wurde von Luther als Kompetenzanmaßung zurückgewiesen, die bei der eigenen Entscheidung nicht zu berücksichtigen war. Damit wurde 1528 der Berufung auf das „iussum Caesaris", das für Luther 1523 einer Handlung der Obrigkeit selbst gleichgekommen war[20], widersprochen mit der Begründung, daß ein solches Mandat nur mit Mitteln der Täuschung extrahiert sein konnte und außerdem im Widerspruch zur kaiserlichen Zusage eines „gnädigen Willens" und zu dem Versprechen stand, nichts ohne vorheriges Gehör gegen den Kurfürsten zu unternehmen[21]. Der naheliegenden Frage, wie sich die evangelischen Stände verhalten sollten, wenn Karl V. die Breslauer Verbündeten tatsächlich offen unterstützte, ging Luther nicht nach, da sie für ihn keine unmittelbare Aktualität besaß. Die höchste Reflexionsstufe des Problems, die Frage der Berechtigung zur Verteidigung auch gegen die kaiserliche Obrigkeit, wird daher 1528 nicht erreicht.

Als justizielle Möglichkeit, sich gegen das Breslauer Bündnis zur Wehr zu setzen, empfahl Luther dem Kurfürsten, durch eine förmliche Verwahrung mittels Protestation und Appellation den Rechtsweg einzuschlagen, was vor allem den Vorteil brachte, Zeit zu gewinnen. Wenn sich der Gegner durch dieses Rechtsmittel nicht vom Angriff abhalten ließ, war die Verantwortlichkeit klargestellt und mit Hilfe des Appells an die obersten Reichsinstanzen zugleich die Ebene der Auseinandersetzung zwischen gleichgeordneten Rechtsgenossen gesichert. Der gesicherten Rechtmäßigkeit bei der Verteidigung gegen eine Aggression entsprach die totale rechtliche Ungesichertheit bei einem Präventivangriff, da hier das von Luther 1525 den Bauern entgegengehaltene Verdikt der Amts- und Machtanmaßung nach Mt. 26, 52 galt. Im gegenwärtigen Stadium der Krise hatten die evangelischen Obrigkeiten nach Luthers Überzeugung nicht die Befugnis zur legitimen Gewaltanwendung; zudem verbot die Norm des positiven Rechts, jemanden ungehört zu verurteilen[22], was auch für die Partner des Breslauer Bündnisses gelten mußte.

---

19. WAB IV, 421, 3.

20. Vgl. oben S. 105 f.

21. Vgl. WAB IV, 422, 22 ff. Worauf Luther seine Information über diese angeblich aus Spanien erteilte Zusage stützt, ließ sich nicht ermitteln. Die Berufung auf die 1527 dem sächsischen Kurfürsten vom Kaiser erteilte „gnädige Zusage" findet sich auch in dem Erklärungsschreiben Johanns und Philipps an den Kaiser vom 28. Mai 1528; vgl. RTA VII, 302.

22. Dabei ist an Dig. 48, 17. 1 zu denken. Luther zitiert Act. 25, 16; vgl. WAB IV, 432, 25.

Im Bewußtsein der großen Bedeutung, die die „öffentliche Meinung" des Reichs, soweit sie sich in Flugschriften und Traktaten artikulierte, und die „neutralen" Reichsstände besaßen, legte Luther in seinen Erwägungen zum Präventivkrieg neben den theologischen und juristischen Gründen großen Nachdruck auf das propagandistische Moment, den „Glimpf vor der Welt". Gerade die Vertreter der reichsrechtlich wenig gesicherten Konfession waren in besonderer Weise auf das Wohlwollen und die Sympathien ihrer Mitstände angewiesen und durften keine den Frieden des Reichs gefährdenden Rechtsverstöße begehen. Gegen tatsächliche Notwehr konnte niemand Einwände erheben, um so weniger durfte dieses Recht preisgegeben werden, indem durch einen präventiven Angriff dem eigentlichen Aggressor, der sich als solcher nur noch nicht zu erkennen gegeben hatte, der Anschein und auch das Recht zur Berufung auf eben diese Notwehr überlassen wurde. Das Recht der evangelischen Seite stand für Luther in Wechselbeziehung zur Aggression der Gegenpartei; dieser Kausalnexus durfte nicht durch vorschnelles Handeln zugunsten der eigenen Rechtsposition aufgelöst werden. Wer als erster den Landfrieden brach, mußte mit Sanktionen des Reichs rechnen; diese Rechtslage kam Sachsen und Hessen bei einer abwartenden Haltung gegenüber den Aktionen der Breslauer Bundesfürsten zugute. Voreiliges Handeln zerstörte dagegen diese Rechtslage und überließ den propagandistischen Vorteil der Defensivhaltung ihren Kontrahenten, die doch ihrerseits im Unrecht des Aggressionsbündnisses verfangen waren. Hatten Sachsen und Hessen vor einer Gegenwehr „allerley gedultt erlitten und wege gesucht, frieden zu haldten", erhöhte diese Haltung ihren „glimpff bey der wellt" in erwünschter Weise[23].

Luthers entschiedene Verwerfung des Präventivkriegs hat den Kurfürsten rasch vom Weimarer Bündnis abrücken lassen, obwohl er dadurch in Gegensatz zur Politik Hessens geriet. Durch eine Gesandtschaft ließ er Philipp von seiner neuen Sicht der Dinge unterrichten und fügte Luthers erstes Gutachten zur Kenntnisnahme bei[24]. Von dem Argument, „das sich der angriff oder anfahen fur got nit fugen sol", zeigte er sich ganz überzeugt, zumal Luther „getreulich darfur gebeten und gewarnet" hätte, und forderte Philipp von Hessen auf, alle zwischen ihnen getroffenen Abmachungen unter der Weimarer Voraussetzung, nichts gegen Gott zu unternehmen, zu beurteilen. Nach der theologischen Belehrung durch Luther, daß der vereinbarte Präventivkrieg gegen diese Voraussetzung verstieß und mit einem sicheren Gewissen unvereinbar war, mußte nun „das angreifen und anfahen" unterbleiben. Die kurfürstliche Politik war daher nur noch bereit, sich „zu dem widerstand (zu) schicken", d. h. zu rüsten und den Angriff des Gegners abzuwarten. Auch das Argument des drohenden Zeitverlusts, das Philipp in Weimar mit Erfolg zugunsten des Präventivkriegs verwendet hatte, ließ sich für den Kurfürsten nun nicht mehr halten: „Haben die pundtsfursten was tetlichs im synne, so werden sie dasselbig bald ferner an den tag geben[25]."

23. Ebd., 434, 3 ff.

24. Vgl. die Instruktion bei Neudecker, Aktenstücke, 32 ff.; über Luther vgl. ebd., 36 ff.; vgl. auch Dülfer, 99 f.

25. Neudecker, Aktenstücke, 38.

Die Reaktion des Landgrafen auf diese unter Luthers Einfluß erfolgte Absage an die Prinzipien der Weimarer Vereinbarung bestand in einer „in eil“ verfaßten[26] umfangreichen Ausarbeitung[27], in der er sich bemühte, die sächsischen, d. h. Luthers Argumente gegen den Präventivkrieg zu widerlegen[28]. Nach seiner Überzeugung war der Bündniszweck nicht „wider Gott“, da Philipp die Aufdeckung der Breslauer Verschwörung als ein Geschenk Gottes, durch das dieser die Bedrohten in die Lage versetzen wollte, rechtzeitig Gegenmaßnahmen einzuleiten, verstand. Luthers Warnung vor ungehörter Verurteilung, wie sie im Präventivkrieg zum Ausdruck kam, wollte der Landgraf durch die Aufforderung an die Gegner vor Feldzugsbeginn, vom Breslauer Bündnis zurückzutreten, entsprechen.

Auch über den Kurprinzen suchte Philipp auf die Entscheidung Johanns einzuwirken. Dabei bemühte er sich, die Eigenständigkeit von Luthers politischem Ratschlag gegen das Weimarer Bündnis zu relativieren: „Mich dunckt, der cantzler [sc. Gregor Brück] fider die pfeyl und Lutter muß sie schiessen. ... So der Lutter recht bericht werde, so wirt er auch woll recht dun.“ Gegen das auf angeblich falschen Voraussetzungen aufbauende Votum des Theologen stellte Philipp die eigene Glaubwürdigkeit, um den Bündnispartner bei der ursprünglichen Vereinbarung festzuhalten[29].

---

26. Burkhardt, Forschungen, 591.

27. Vgl. WAB IV, 425 ff.; ein „bedencken, gegen doctor Martin Luthers Ratschlag furgewandt“, nannte es der Kurfürst zutreffend in seinem Brief an Philipp vom 16. Apr. 1528 (vgl. unten Anm. 30).

28. Eine Fehlinterpretation von Luthers Gutachten war es allerdings, wenn der Landgraf glaubte, Luther sei nicht von der Echtheit des Bündnisses überzeugt. Luther hatte nur darauf aufmerksam gemacht, daß die Schuld der Gegner noch nicht offen zu Tage lag, da sie noch keine Anstalten zum Kriege trafen.

29. Vgl. den Brief Philipps an den Kurprinzen Johann Friedrich vom 12. Apr. (?) 1528 (eigenhändiges Original in Weimar, Staatsarchiv, Reg. H 21, 16 r-v): Lieber Han Frith, ich halt on tzweiffel, du hast gut gewissen, was hans Toltzig von wegen dins vaters an mich geworben hatt [zur Mission Doltzigs vgl. Dülfer, 100 f.]. Nu hast du leychtlich zu bedencken, wie woll mirs gefelt, ich habb auch antwort drauff in der eyl geben, wie dich Doltzig berichten wirt, meyn vorsehens, die Martinus gern horen wirt, er wol dan gots worts gern wieder underdruck sehen, auch gern sehen, das ich vor eyn lugner und buben gehalten wurde, als du bedencken kanst, Die weyl ich es an so vill ort gesagt habb. Nu hoff ich, deyn vater werde sich seyner zusag und verpflichtung halten und ansehen, was ich vor hern und frundt umb seynt willen begebe. So es aber die meynung haben solt, das man meyn fleys, muhe und erbeyt nit ansehen wult, mir zusage und vorschribung nit halten, als ich doch nit hoff, so gescheg mit keinem recht, ich sesse tzwischen tzwen stullen nider. Du kanst aber bedencken, wie willig ich seyn wurde und wie wol mirs gefallen wurde, ich wurde auch vielleicht dazu geursacht, das ich villieber underlassen wult, wan du kanst dencken, so es die meynung haben solt, als ich nit hoff, so wil ich in der lugen nit sten, es sall auch iderman erfaren, was man mit mir ist eyns worden und vorschriben hat. Summa, wil man mir halten, drauen und glauben, wie deyn vatter schuldig ist uß gots wort und eren halben — so ers auch nit dut, so ist er, du und ich und wir alle verjagt —, so will ich meyn leib und gut, kindt und leut bey uch setzen und nichts ansehen. wil man aber nit, so will ich euer mussig gehen, doch meyn ich dich

Besprechungen zum Ausgleich der Differenzen setzte Kurfürst Johann auf den 28. April an[30] und unterrichtete den Landgrafen von seiner Absicht, „auch doctor Martin und Philipp Melanchton mit mir (zu) bringen und ynen neben euer lieb den handel noch ainsten mit seinen umbstenden (zu) erzellen und also gegen eur lieb schriftlichen uberschickten erynnerung und furwendung [= die Ausarbeitung vom 10. April], auch was ferner zu notturfftiger bewegung bedacht mag werden, ir bedencken darauf ferner an(zu)hören und mich alsdan mit euer lieb nottdurfftiglich und fruntlich (zu) underreden". Zwar wollte er am Weimarer Bündnis festhalten, „soverr es anders nit wider got ist", aber ohne Konsultation seiner theologischen Ratgeber in dieser Angelegenheit nicht mehr tätig werden.

Für diese Beratungen lag ein neues Gutachten von Luther und Melanchthon vor[31], das außer den bereits erörterten prinzipiellen Warnungen konkrete Vorschläge enthielt, wenn auch die Theologen ihre Kompetenz mit dem Hinweis, daß sie „der wellt und hofe weise nicht kund noch verstendig[32]", d. h. für die politische Behandlung der Streitfrage nur mangelhaft vorbereitet wären, einschränkten. Ihr wichtigster Rat zielte darauf ab, Vermittler einzuschalten, um die verworrene Lage zu klären: Falls der Gegner der Auflösung des Bündnisses zustimmte, waren weitere Kriegsvorbereitungen auf evangelischer Seite überflüssig; eine Ablehnung dieser Forderung war einer Kriegserklärung und der erfolgten Eröffnung von Feindseligkeiten gleichzusetzen[33]. Der Weg zur Gewaltanwendung in der Defensive war dann frei, die Frage des präventiven Kriegs stellte sich nicht mehr.

Luthers Argumente haben zweifellos auf die sächsische Verhandlungstaktik einen nicht unerheblichen Einfluß ausgeübt; der Inhalt des am 30. April abgeschlossenen zweiten Weimarer Vertrags[34] zeigt, daß sich der von den Wittenberger

---

nit, und in keyner buntnuß numer mit uch seyn. Mich dunckt, der cantzler [Brück] fider die pfeyl und Lutter muß sie schiessen. Den vorstendigen ist gut predigen. Alle sachen sten woll, ich weys rütter und knecht und gelts gnug nach laut meyner anzall, wil man vort, so schicken sich alle sachen woll. will man aber nit, so werden sihe die rütter nemen und uns selbst uff den ars slagen. Forder die sach got, deym vater landt und leuten selbst zu gut. ich halt, so der Lutter recht bericht werde, so wirt er auch woll recht dun. Do mit bis got bevolen, schrib mir doch, wie ir uch schickt, mich dunckt, es gehe langsam zuhe.

Datum cassel etc., duts nit von noten, so las deyn vater den briff nit sehen, dut es aber von noten, so laß in sehen, vorrede [Ausreden?] weren auch rede. Philipps L. z. hessen etc.

30. Vgl. Johann an Philipp, Torgau, 16. April 1528 (Konzept Weimar, Staatsarchiv, Reg. H 21, 10 r-v).

31. Vgl. WAB IV, 431 ff. Nach Dülfer, 164, hat das Schriftstück den Dorsalvermerk: „Dr. Martinus und Philippus Bedencken." In der Chronologie dieses und der folgenden Texte folge ich Dülfer, der als erster die richtige Ordnung der Texte rekonstruiert hat; die Datierungen Burkhardts, denen Schwarz und auch Becker, 62 ff. folgen, beruhen teilweise auf falschen Voraussetzungen. Ein Gutachten Bugenhagens vgl. bei Burkhardt, Forschungen, 593 ff.

32. WAB IV, 432, 48 f.

33. Vgl. ebd., 432, 55 f.

34. Vgl. Mentz, Geschichte, 184 ff.

Theologen vertretene Standpunkt im wesentlichen durchgesetzt hat. Die wichtigste Modifizierung der ersten Vereinbarung bestand in der Übereinkunft, vor dem Angriff Gesandte nach Mainz, Würzburg und Bamberg zu schicken, um „fride und versicherung bei inen zu suchen[35]“. Auch bei der Frage der Rüstungskostenerstattung wurde einer Anregung Luthers entsprochen[36]; Sachsen und Hessen wollten bei einer als sicher vorauszusetzenden Weigerung des Gegners, für die Kosten aufzukommen, über diesen Punkt eine Vereinbarung treffen, „uf das nicht zu vermerken sein sol, das unßer furnemen aus fursetzigem willen zu einigem ungutem, sunder zu christlichem friede und sicherheit aus gedrungener und geursachter gegenwehr gemeint und furgewant sei[37]“. Die vom Landgrafen angeregte Forderung nach einer ungehinderten Ausbreitung der evangelischen Lehre fand im Vertrag keine Berücksichtigung.

Luther und Melanchthon begrüßten vor allem den Verzicht auf das präventive Vorgehen ohne vorherige Warnung des Gegners, den Beschluß über eine Botschaft an den Kaiser und die erklärte Verhandlungsbereitschaft, waren aber auch mit der Fortsetzung der Rüstungen als Verteidigungsmittel einverstanden[38]. Vorschläge zur Beilegung der Krise, die sie zugleich unterbreiteten, schlugen sich im Vertragstext allerdings nicht nieder[39]. Ihre schon früher vorgebrachte Anregung, sich der Vermittlung anderer Reichsstände zu bedienen, erneuerten sie; was aber geschehen sollte, falls die Beschickten auf entsprechende Ersuchen „steiff, langsam, nichts“ antworteten, wollten sie noch nicht festlegen, sondern diese „responsio infinita“ temporisierend und im Verzicht auf die Berechnung künftiger Konstellationen Gott anheimstellen[40]. Daß Sachsen und Hessen bei einer abschlägigen Antwort auf die Aufforderung, das Bündnis aufzulösen, legitimiert waren, sich den Defensionsstatus zuzusprechen und zu handeln, als ob die Aggression bereits begonnen habe[41], wurde von Luther und Melanchthon nicht wiederholt. In Übereinstimmung mit Bugenhagen[42] regten sie dagegen an, den Konflikt dem nach Regensburg einberufenen Reichstag vorzutragen und vor diesem Forum einen rechtlichen Krieg in Gang zu setzen.

35. Ebd., 184 § 1; vgl. auch 186 f. §§ 8. 10.

36. Vgl. WAB IV, 433, 62 ff.

37. Mentz, Geschichte, 190 § 21.

38. Vgl. WAB IV, 434, 1–435, 3. Daß das Gutachten auf Grund von Entwürfen zum zweiten Weimarer Vertrag oder von Nebenabreden verfaßt ist, scheint mir aus dem Absatz über die Gesandtschaft an den Kaiser hervorzugehen. Vom Inhalt der Instruktion und des Auftrags der Gesandtschaft ist aber im Vertrag selbst nichts gesagt; vgl. Mentz, Geschichte, 189 § 13. Für die Abfassung vor der endgültigen Festlegung des Vertragstextes spricht m. E. auch der zweite Teil des Gutachtens mit eigenen Vorschlägen; WAB IV, 435, 4 ff.

39. Gegen den Vorschlag, eine Konzentrierung der Truppen zu vermeiden, vgl. die Vertragsbestimmung bei Mentz, Geschichte, 185 § 2; 189 § 14.

40. Vgl. WAB IV, 435, 11 ff.

41. Vgl. oben S. 121.

42. Vgl. Burkhardt, Forschungen, 596.

Eine gänzlich veränderte Situation ergab sich, als unmittelbar nach Abschluß des zweiten Weimarer Vertrags das Mandat des Reichsregiments vom 16. April in Weimar bekannt wurde[43], das die Einhaltung des Landfriedens und die Einstellung der Rüstungen verlangte sowie auf den rechtlichen Austrag von Streitigkeiten vor Regiment und Reichskammergericht verwies. Das Eingreifen der Reichsspitze verschob für Luther alle bisher geltenden Proportionen, da an die Stelle der Konfliktbeziehung zwischen rechtlich Gleichrangigen jetzt das Herrschafts- und Gehorsamsverhältnis von Obrigkeit und Untertan trat. Damit wurde jeder Präventivkriegspolitik endgültig der Boden entzogen. Die Verbindlichkeit des Mandats war für ihn aber nicht allein juristischer Natur als obrigkeitlicher Befehl, sondern zunächst und vor allem metapolitischer Art als ein Zeichen des unmittelbaren Eingreifens Gottes. Luther verstand das Mandat als die das geduldige Warten belohnende Tat Gottes, als Bestätigung der Temporisierungspolitik, als handgreiflichen und sinnfälligen Beweis für die Erhörung des Friedensgebets und als die Frucht der Bemühungen um eine Verhinderung des Krieges. Diese unvermutete und unverdiente Gnadengabe Gottes durfte nicht ausgeschlagen werden: Gott „grusset vns fur war freundlich, wo wir yhm kundten antworten vnd wol empfahen[44]". Gott selbst gab durch das Mandat Sachsen und Hessen das Mittel zum Frieden an die Hand; es galt, den Augenblick zu ergreifen, die Möglichkeit, solange sie geboten wurde, zu nutzen und nach 2. Kor. 6, 1 die Gnade Gottes nicht vergeblich anzunehmen.

Die Wittenberger Theologen reagierten daher auf die Nachricht vom Inhalt des Mandats unverzüglich mit einem eindringlichen Appell an ihren Landesherrn[45]; wenige Tage später faßten sie ihre Überlegungen vor ihrer Rückkehr nach Wittenberg in einem „denck zeddel" überdies noch einmal zusammen[46]. Als geeignete Reaktion auf das Mandat empfahlen sie die sofortige Abordnung einer Gesandtschaft nach Speyer, die den Gehorsam Sachsens und Hessens anzeigen und Klage gegen die Breslauer Verbündeten erheben sollte[47]. Um der Aufforderung, den

---

43. Die Ankunft des Mandats in den Tagen zwischen 30. Apr. und 2. Mai 1528, als die beiden Fürsten noch in Weimar anwesend waren, leitet Dülfer, 165 f. daraus ab, daß in dieser Zeit unter Bezugnahme auf das Mandat bereits die Instruktion für die Werbung beim Regiment aufgesetzt wurde. Vgl. auch RTA VII, 921 Nr. 957 (mit zahlreichen Fundorten); zum Inhalt vgl. ebd., 217 Anm. 1.

44. WAB IV, 448, 10 f.

45. Vgl. ebd., 448 ff.; von Melanchthon auf Papier der kursächsischen Kanzlei geschrieben.

46. Vgl. ebd., 450 f.; wahrscheinlich am 6. Mai abgefaßt vor der Abreise aus Torgau, wohin die Wittenberger an diesem Tag mit dem Kurfürsten von Weimar gereist waren. Einen Brief entsprechenden Inhalts an den Kurprinzen vgl. ebd., 452 f. Die Begründung zur Hinterlassung dieser Aufzeichnung: „weil wir heut von hynnen zu haus werden zihen", paßt besser an den Abschluß einer längeren Reise als zum Ende eines nur zweitägigen Torgauer Aufenthaltes am 14./15. Mai, den Burkhardt, Forschungen, 591 vermutete und Schwarz, 143 f. als Tatsache akzeptierte.

47. Im „Denkzettel" wird auch eine Gesandtschaft an König Ferdinand empfohlen, „den glympff zurhalten und mehren"; WAB IV, 451. Die Instruktion für die Gesandt-

Wink Gottes zu verstehen und sich dem Kairos nicht zu verschließen, den nötigen Nachdruck zu verleihen und zu zeigen, wie ernst es ihm war mit der Mahnung, den Frieden zu suchen, drohte Luther zudem bei einem Beharren des Kurfürsten auf den Kriegsplänen mit seinem Fortgang aus Sachsen „umb des Euangelii willen[48]"; damit wäre der Grund des geplanten Präventivkriegs, die Verteidigung des Evangeliums, von den Predigern dieses Evangeliums öffentlich desavouiert und der sächsisch-hessische Anspruch, durch Gewaltmaßnahmen die reine Lehre gegen ihre Widersacher zu schützen, negiert worden durch den Exodus der Repräsentanten eben dieser Lehre aus ihren Gebieten.

Luthers Argumente richteten sich in diesem Zusammenhang allerdings weniger an den Kurfürsten als an den Landgrafen, von dem er befürchtete, er könnte aus Übereilung oder — und in dieser Vermutung wird die skeptische Einstellung Luthers zu Philipp von Hessen sichtbar — aus Kriegslust die angebotenen „gottliche(n) mittel ... verjeuche(n) und zerstrewe(n)[49]". Es hing daher viel von dem mäßigenden Einwirken des Kurfürsten auf seinen Verbündeten ab, um das Luther eindringlich ersuchte, damit zu der von Gott gebotenen Möglichkeit auch die erforderliche Friedensgesinnung hinzukam und wirksam wurde[50].

Auf die eigentlichen Verhandlungen zur Beilegung der Krise, die unter massivem militärischem Druck des Landgrafen stattfanden und am 5. bzw. 11 Juni zu Verträgen führten[51], hat Luther keinen Einfluß mehr genommen. Die Zurückweisung des Bündnisvorwurfs durch die altgläubigen Fürsten hat ihn allerdings nicht überzeugt[52], so daß er im Folgejahr mit Georg von Sachsen über eine entsprechende Äußerung in eine erbitterte Polemik geriet[53]. Für die Zukunft der ge-

---

schaft an das Regiment wurde noch in Weimar aufgesetzt (vgl. Anm. 43), während sie erst am 17. Mai von Kassel nach Speyer abging.

48. WAB IV, 449, 57.

49. Ebd., 451, 20 f.; vgl. auch ebd., 452, 23 f.

50. Vgl. ebd., 463 f. an Kurfürst Johann, 18. Mai 1528. Der Brief ist von Luther abgefaßt und von Melanchthon mitunterzeichnet worden; vgl. CR I, 980. Ein ähnliches Schreiben an den Kurprinzen, der sich in Kassel aufhielt, in dem Luther dem Landgrafen gleichfalls unverhüllt Kriegslust unterstellt, vgl. WAB IV, 465. Ein gleichzeitiges Sondergutachten Melanchthons für den Kurfürsten vgl. CR I, 979 f., in dem ausgeführt wird, daß das Mandat das Weimarer Bündnis aufhebe. Luthers Brief und Melanchthons Sondervotum schickte Johann von Sachsen an seine in Kassel mit Philipp von Hessen verhandelnde Gesandtschaft; vgl. WAB IV, 464 Anm. 5.

51. Vgl. Schwarz, 162 ff. Im Mainzer Domkapitel lehnte der Dekan Lorenz Truchseß von Pommersfelden die von Erzbischof Albrecht erbetene Mitbesiegelung des Vertrages von Gelnhausen zwischen Sachsen-Hessen und Mainz ab, da in ihm der Verzicht auf die geistliche Jurisdiktion in den beiden evangelischen Territorien enthalten war; vgl. F. Herrmann, Die Protokolle des Mainzer Domkapitels III (Paderborn 1932), 368; über die Verhandlungen im Kapitel während der „Packschen Händel" vgl. ebd., 362 ff.

52. Vgl. z. B. WAB IV, 479, 4 ff.; 480, 3 ff.; 481, 7 ff.; 483, 6 ff. Vgl. noch WA 30/III, 459, 18 ff. (Wider den Meuchler zu Dresden, 1531).

53. Vgl. WA 30/II, 25 ff. (Von heimlichen und gestohlenen Briefen, 1529); zur Vorgeschichte vgl. die Einleitung ebd., 1 ff. und WAB IV, 481 ff.

samtevangelischen Politik wurde ebenso wichtig wie sein Einspruch gegen den Präventivkrieg die Konfrontation der Wittenberger Postulate mit der aktivistischen hessischen Politik, der Luther seit der Erfahrung von 1528 immer mit Mißtrauen und Reserve gegenüberstand.

4. Bündnispolitik und Bekenntniseinheit 1529/30

4.1 Die Wittenberger Erörterungen über Bündnis und Widerstandsrecht 1529

Die Bündnisverhandlungen nach dem zweiten Speyerer Reichstag lösten unter aktiver Beteiligung Luthers nach der Selbstisolierung in den „Packschen Händeln" die zweite große Krise des politischen deutschen Protestantismus aus, die nur durch die Einberufung des Augsburger Reichstags und den Verlauf der dortigen Verhandlungen überlagert wurde. Hatte Speyer I zur Folge gehabt, daß die Reformation „aus einer Reichssache zur Territorialsache geworden war[1]", so bedeutete Speyer II den Versuch, die den Territorien überlassene Zuständigkeit in dieser Frage für das Reich zurückzugewinnen. In der kritischen Phase, die der Formulierung des Abschieds voranging, hat der hessische Landgraf erneut versucht, das evangelische Lager politisch zu organisieren. Nach vorausgegangenen Sondierungen[2] kam es nach der Annahme des Abschieds durch die altkirchliche Mehrheit[3] am 22. April zu einer grundsätzlichen, wenn auch mangels ausreichender Vollmachten nur vorläufigen Abmachung zwischen Sachsen, Hessen, Ulm, Straßburg und Nürnberg[4]; Lüneburg und Brandenburg-Ansbach blieben der Vereinbarung dagegen fern[5]. Ausgehend von der Überzeugung, daß die Beschlüsse des Reichstags „wenig zu fridden und einigkeit im reich dienstlich", sah der Bündnisentwurf gegenseitige Hilfe bei einem Überfall „von wegen des gotlichen worts" vor und enthielt auch Bestimmungen über das Verhalten der Bündnispartner bei einem Angriff, bei dem der Gegner „zu einer ursach andere wege dan das gottlich wort" benutzen sollte; noch allgemeiner war die Formulierung, daß die Beistandspflicht auch gegeben sein sollte, falls „ander ursachen furfielen, doraus doch vermuttung mocht gefast werden, als wurde es zu einem schein dargetan und doch im grunde des gotlichen worts halben gemeint" sein[6].

Bei Kursachsen vorhandene religiöse Skrupel wegen der Rechtgläubigkeit der oberdeutschen Städte[7] wurden durch eine Straßburger Deklaration über das dortige

---

1. v. Schubert, Anfänge der Bekenntnisbildung, 23.
2. Vgl. Kühn, Geschichte, 80. 106. 111 f. 121. 233 u. ö.
3. Zum Inhalt vgl. RTA VII, 1296 ff.
4. v. Schubert, 138 ff.; RTA VII, 1231 ff.; vgl. auch Fabian, Entstehung, 39 ff. 184 ff.
5. Zum Nichtbeitritt Brandenburg-Ansbachs vgl. Schornbaum, Georg, 71 ff.
6. Auch diese Klausel war Philipp v. Hessen offenbar nicht elastisch genug; im Marburger Exemplar heißt es zu diesem Satz in einer Randglosse: „Non inseretur"; vgl. RTA VII, 1323 Anm. a.
7. Vgl. die Äußerung Brücks in Schmalkalden Dez. 1529, Pol. Corr. I, 421 f.; vgl. auch unten Anm. 11.

Abendmahlsverständnis[8] beseitigt, obwohl in deren Formulierungen die objektive, substantielle Realpräsenz ausgeschlossen war[9]. Daß diese Erklärung Voraussetzung des Bündnisabschlusses war, läßt sich nur vermuten; wenn sich die Städte im Dezember 1529 darauf beriefen, daß „die verstentnus von den fursten vor und ee derselbig zettel uberantwort were", an sie gelangt sei[10], handelte es sich dabei vermutlich vor allem um Sondierungen Hessens, das in der strikten Übereinstimmung in der Sakramentsfrage von vornherein kein entscheidendes Bündniskriterium sah. Auf jeden Fall gaben sich die sächsischen Vertreter in Speyer mit der Straßburger Erklärung, der vermutlich die Ulmer Städteboten beitraten, zufrieden[11], wenn auch der weitere Gang der sächsischen Politik darauf hindeutet, daß der Kurfürst wie 1528 von der raschen Entschlossenheit des Landgrafen zunächst überrannt wurde. Eigene Bedenklichkeit[12] und Einwirkung der Theologen kamen zu spät und ließen nur einen kompromittierenden Rückzug offen.

---

8. Pol. Corr. I, 349 Anm. 1; RTA VII, 819 f.; Pollet I, 23 (aus einer Göttinger Abschrift). Allerdings kann der Passus über das Abendmahlsverständnis ebensogut auf die Lutheraner wie auf das Reichsregiment gezielt gewesen sein.

9. Vgl. Köhler, Zwingli und Luther II, 31 f.; Pollet I, 20 f. („une déclaration authentique de la doctrine eucharistique professée à Strasbourg en 1529"). Zur scharfen Kritik in einem Gutachten der Nürnberger Geistlichen vom 19. Juni vgl. den Abdruck bei J. B. Riederer, Nachrichten zur Kirchen-, Gelehrten- und Bücher-Geschichte Bd. 2, Altdorf 1765, 216 ff. (bereits 1584 von Selnecker, Gründliche, wahrhafftige Historia von der Augsburgischen Confession, 141 ff. publiziert). Nach Riederer, 215 und Köhler a. a. O., 50 Anm. 2 ist das Gutachten, das sich gegen ein Religionsgespräch mit den Zwinglianern wendet und dabei einen erheblichen Mangel an Überzeugung in die Tragkraft der eigenen Sache gegenüber der für die ratio leichter faßbaren Lehre Zwinglis erkennen läßt, von Osiander verfaßt.

10. Relation des Ulmer Abgesandten Besserer; v. Schubert, 158.

11. Kühn, in: RTA VII, 821 nennt zwei Ursachen für die Annahme der Straßburger Erklärung durch Sachsen: Not des Augenblicks und Fernhalten Melanchthons von den Verhandlungen. Im Dez. 1529 hieß es dagegen in dem Gutachten Brücks, daß man die Städte in Speyer zum Bündnis zugelassen habe auf Grund einer Erklärung, „die wir dazemal nit gnugsam vernomen, ob sie mit oder wider uns des sacraments halben weren"; v. Schubert, 150 f.

12. Köhler, Zwingli u. Luther II, 31 ff., der — zweifellos unzutreffend — die sächsische Haltung von Melanchthons Äußerungen her zu interpretieren versucht, datiert den Gesinnungswandel Sachsens bereits auf den 20. April: „Die Speyrer Protestation vom 19. April 1529 und die daran anschließende Besprechung vom 20. April ist der Termin der Verschiebung des Bekenntnisses vor das Bündnis für Kursachsen." Indem Sachsen den Vermittlungsvorschlägen zustimmte, die die Zwinglianer ausschlossen, habe es die bisher gewahrte Einheitsfront aller Evangelischen aufgegeben. Daß dennoch das Bündnis mit den Städten zustandegekommen sei, erklärt er mit der großen Not des Augenblicks und der Schockwirkung des Reichsabschieds. Das Argument von der Not des Augenblicks ist zweifellos zutreffend, aber diese Not wurde erst am 24. April durch die gegenseitigen Friedenszusagen behoben, so daß der Wandel der sächsischen Bündnispolitik frühestens von diesem Tage zu datieren ist. Mit den Schweizern als den eigentlichen Zwinglianern hatte Sachsen auch während der Politik der „Einheitsfront" nichts im Sinn.

Die Theologen sind zu den Bündnisverhandlungen nicht hinzugezogen worden, obwohl sich Melanchthon in Speyer befand[13]. Auch nachträglich sind sie nicht informiert worden, so daß Luthers Wissen von Bündnisabsprachen und seine Bewertung der politischen und kirchenpolitischen Situation anscheinend ausschließlich auf Melanchthon beruhte, der, bestürzt über das Ergebnis des Reichstags, am 14. Mai wieder in Wittenberg eintraf; seinen Eindrücken und Erfahrungen hat Luther die Voraussetzungen für sein eigenes Urteil entnommen[14]. Melanchthons Beurteilung der Speyerer Vorgänge beruhte auf dem Axiom, daß imperium und ecclesia zusammengehören. Die Protestation gegen den Abschied konnte er von seiner Reichsvorstellung her nur als Zerreißung einer vorgegebenen Einheit, als „res horribilis" interpretieren[15], wobei er die Schuld für die Spaltung des Reichstags entsprechend seiner Neigung, Fehler vor allem in der Maßlosigkeit der eigenen Ansprüche zu suchen, zu nicht geringen Teilen den Lutheranern beimaß[16]. Vor allem in der angeblich zu lange durchgehaltenen Solidarität mit der „factio Cingliana", besonders den Straßburgern, sah er die Ursache für das Ergebnis des Reichstags; bei rechtzeitiger Distanzierung nicht nur von deren Lehre, sondern auch von jeder Art politischen Zusammenhangs hätte auf die Schlußentscheidungen so eingewirkt werden können, daß der Abschied den Vorstellungen der evangelischen Stände gemäß ausgefallen wäre[17]. Aber auch den vorliegenden Text beurteilte er nicht gänzlich negativ[18]; in merkwürdiger Voreingenommenheit schien er ihm für die Evangelischen noch vorteilhafter zu sein als der Abschied von 1526[19].

Scharf verurteilte er dagegen die politisch und religiös kompromittierende „societas turpis", in die Kursachsen durch die Bündnisabsprache geraten war[20].

---

13. Gegen Kühn, der Melanchthon als Gegenspieler Philipps von Hessen auffaßt, stellt Köhler, Zwingli und Luther II, 21 mit Recht fest, daß man Melanchthon in Speyer nicht politisch verstehen dürfe, sondern nur theologisch. Eine Beteiligung der Theologen an den Bündnisberatungen setzt auch Gußmann I/1, 364 ohne Nachweis voraus.

14. Vgl. die Zusammenstellung des nicht sehr reichen Materials in RTA VII, 838 ff. Anm. 1; 951 f.

15. CR I, 1059 (an Camerarius, 21. April 1529); Melanchthons Beurteilung der eigenen Passivität in Speyer erklärt vermutlich von vornherein sein Verhalten in Augsburg 1530. Zu Melanchthons Bemühen um die Verhinderung der Spaltung vgl. Kantzenbach, Ringen um die Einheit, 93 ff.

16. Vgl. CR I, 1059. Bei seinen Vorwürfen übersah Melanchthon, daß die evangelischen Stände Türkenhilfe und Zahlungen zum Unterhalt der Reichsbehörden ausdrücklich von der Protestation ausgenommen hatten. Die Dinge haben sich ihm erst nachträglich zurechtgeschoben; unter dem Eindruck der Proposition Ferdinands vom 14. März hatte er den Willen der Gegenseite zur Unterdrückung des Evangeliums durchaus erkannt; vgl. CR I, 1039 (15. März an Camerarius).

17. Vgl. ebd., 1069 (an Spengler, 17. Mai), 1076 (14. Juni an Jonas), 1059 (an N. N.).

18. Vgl. CR I, 1069 (an Spengler, 17. Mai): „decretum ... neque nobis utile et imperio periculosum".

19. „Articuli, ibi [sc. Spirae] facti non gravant nos, immo plus tuentur nos quam superioris conventus [= Speyer I] decretum" (CR I, 1059).

20. Vgl. CR I, 1070 (an Baumgartner, 17. Mai).

Der Abschied war für ihn in Umkehrung der tatsächlichen Vorgänge nur die logische Folgerung der altkirchlichen Partei aus einer Haltung der Evangelischen, die ihren Ausdruck im Bündnis gefunden hatte. Von der Tatsache der Verhandlungen mit den Städten hat er offenbar erst spät erfahren[21] und wußte auch nicht, wieweit die Besprechungen in Speyer bereits gediehen waren[22]. Die Initiative schrieb er den Straßburgern zu[23], mit denen „quidam ex nostris" aus Leichtfertigkeit übereinstimmten[24].

Durch seine Berichte hat Melanchthon offensichtlich Luther veranlaßt, beim Kurfürsten vorstellig zu werden, auch ohne um ein Gutachten ersucht worden zu sein. Luther hat das Bündnis vor allem vor dem Hintergrund der Krise von 1528 beurteilt und in ihm einen neuen Anlauf der Politik des Landgrafen gesehen, die er wegen ihres Aktivismus seit dem Vorjahr mit großem Mißtrauen beobachtete[25]. Daher war sein Urteil jetzt noch schärfer als damals: 1528 hatte er zwar den Präventivkrieg verworfen, nicht aber das Bündnis als solches[26], jetzt hingegen lehnte er die angestrebte Schutzvereinbarung von vornherein ab.

Zu dieser Ablehnung bestimmten ihn theologische, juristische, politische und moralische Erwägungen. Seine Argumentation steigerte sich im Verlauf des Jahres 1529 und wurde umso eindringlicher, je konkretere Formen die Bündnispläne annahmen. Auch für seine eigene theologische und politische Konzeption wurde 1529/30 zur Krisenzeit, die ihn zwang, seine Voraussetzungen neu zu überprüfen. Sein Urteil ist im Verlauf der Auseinandersetzung nicht immer eindeutig, seine Gutachten bleiben in vielem undeutlich und ohne letzte Klarheit. Bezeichnend für seine Haltung ist, daß er zwar mehrfach vor dem Bündnis warnt, aber nie darauf aufmerksam macht, daß er Sinn und Zweck jeder Abmachung unter theologischem und juristischem Ansatz verneint, insofern er kein Notwehrrecht gegen die Obrigkeit anerkennt. So lange nicht unmittelbar danach gefragt wird — und das geschieht erst im Januar 1530 — äußert er sich entweder überhaupt nicht oder begnügt sich mit Andeutungen, obwohl auch für ihn kein Zweifel daran bestehen konnte, daß sich das intendierte Bündnis mindestens potentiell auch gegen den Kaiser richtete. So kommt es, daß die prinzipielle Voraussetzung 1529/30 erst zuletzt diskutiert wird.

Luthers erste Reaktion auf das Speyerer Bündnis ist in einem sorgfältig disponierten[27] Schreiben an den Kurfürsten vom 22. Mai 1529 enthalten, in dem aus-

---

21. Erste Nachrichten über das Bündnis finden sich in Melanchthons Briefen nach Nürnberg vom 17. Mai 1529 (CR I, 1068. 1070); 1068 heißt es ausdrücklich: „postea rescivi".

22. Es heißt bei ihm nur: „cupere quosdam ... foedus facere" (CR I, 1068).

23. Vgl. ebd., 1070 (an Baumgartner, 17. Mai).

24. Vgl. ebd., 1077 (an Baumgartner, 20. Juni).

25. Vgl. das ungünstige Urteil über Philipp WAB V, 125, 39 ff. (an J. Brießmann, 31. Juli 1529): „Iuvenis ille Hessus inquietus est et cogitationibus aestuat. ... Itaque undique nobis plus est periculi a nostris quam ab adversariis".

26. Vgl. oben S. 117.

27. Auf eine Introductio, die Ursache und Beweggrund des Schreibens nennt (Zl. 5—

drücklich auf Melanchthons Reichstagsbericht Bezug genommen wird[28]. Allerdings hat Luther Melanchthons Voraussetzung, die Sorge für die Einheit der res publica Christiana und die Schädlichkeit der Spaltung des Reichs nicht zur Grundlage seines Urteils gemacht, sondern theologische Kriterien zur Bewertung des Bündnisses herangezogen. Trotzdem ist sein Votum in prägnanter Weise situationsgebunden und auf den vorliegenden Fall abgestimmt. Im Mittelpunkt steht die theologische Prämisse, daß das Speyerer Bündnis nur als Ausdruck des Mißtrauens gegen Gott verstanden werden kann, ohne daß aber trotz reichlicher Schriftzitate diese apodiktische Feststellung expliziert wird. Da das Postulat bedingungsloser Unterwerfung unter Gottes Willen und Tun, ohne sich durch das Vertrauen auf menschliche Hilfe abzusichern, Luther früher nicht grundsätzlich an der Tolerierung einer Verabredung zu gegenseitigem Beistand gehindert hatte[29], besteht das Proprium der Ablehnung von 1529 zweifellos in der Kritik an der Verbindung mit den „zwinglianischen" Städten Ulm und Straßburg, von denen Luther voraussetzte, daß sie zu den Kreisen gehörten, „so wider Gott und das Sacrament streben[30]". Eine Verbindung mit diesen per se bündnisunfähigen und inadäquaten, weil im Zentralpunkt des Bündniszwecks divergierenden Partnern war „das allerärgste[31]" und bewies ihm, daß der Bündnisplan im Abfall von Gott gefaßt worden war. In solcher Verbindung machten sich die lutherischen Teilnehmer mitschuldig an den Irrtümern ihrer Partner[32]; damit war die Absicht der Verabredung, der Schutz des Evangeliums, von vornherein pervertiert.

Luther lehnte das Bündnis aber auch aus politischen Gründen ab, da zum gegenwärtigen Zeitpunkt keine Bedrohung vorlag und die augenblickliche Lage keine Veranlassung zu einem Zusammenschluß gegen einen Angriff bot: „so uns doch noch niemand jagt noch sucht[33]." Wie 1528 mußte der Gegner eindeutige und konkrete Schritte tun, bevor von evangelischer Seite gehandelt werden konnte, d. h. der Bündnisabschluß mußte bis zur wirklichen Gefahr hinausgeschoben werden. Daß es dann vermutlich zu spät war, eine gemeinsame Verteidigung ins Werk zu setzen, blieb dabei unberücksichtigt.

Zentralpunkt von Luthers politischen Erwägungen war das aus der Erfahrung von 1528 herrührende Mißtrauen gegen die Politik des Landgrafen. Daß Philipp von Hessen an der Speyerer Vereinbarung beteiligt war und sogar als ihr Initiator galt[34], genügte Luther, um diese Verabredung abzulehnen und seinem Landes-

---

19), folgt eine ausführliche narratio, verbunden mit der argumentatio, in drei Punkten (Zl. 20–57); ein pastorales exordium bildet den Schluß (Zl. 58–62).

28. WAB V, 76 f. Nr. 1424 (die Zitate im Folgenden ebd.).

29. Vgl. oben S. 37 f. und 117.

30. WAB V, 77, 36.

31. Ebd., 77, 35.

32. Hier wäre für Luther der Ort gewesen, die Straßburger Erklärung zu analysieren. Daß dies nicht geschieht, ist m. E. ein Beweis dafür, daß Luther sie nicht kannte. Die Befürchtung: „participes fieri alienorum peccatorum" begegnet 1529 öfter bei Luther; auch 1530 kehrt sie wieder; vgl. WAB XII, 176; vgl. auch unten S. 238.

33. WAB V, 77, 33 f.

herrn zu empfehlen, dem Vorbild des brandenburgischen Markgrafen zu folgen, sich von dem Bündnis zurückzuziehen und den Hessen „mit seinem Bundmachen[35]“ allein zu lassen. Daß Philipp die gegebenen Möglichkeiten zur Verteidigung im Vertrauen auf Gott nutzen wollte, erschien in Wittenberg offensichtlich ganz unglaubhaft, im Gegenteil rechnete Luther mit der Gefahr, daß der Landgraf durch den Zusammenschluß nicht nur Schutz vor Angriffen suche, sondern selbst offensiv werden wolle.

Seine auf die Schrift gestützte[36] Ablehnung eines „solch(en) Bündnis(ses) menschlicher Hilfe[37]“ beschränkte Luther aber auf den aktuellen Fall der Speyerer Absprache[38]. Damit wurde implizit zugestanden, daß bei Vorliegen anderer Bedingungen als der gegenwärtigen durchaus Möglichkeiten für Bündnisse gegeben waren. Solche Bündnisse im Zeichen der cooperatio gab aber Gott „ohne unser Suchen und Sorgen“, wie Luther aus Mt. 6, 33 und 1. Petr. 5, 7 ableitete[39]; festzulegen, wie dieses Postulat in die Praxis übertragen werden konnte, war nicht Aufgabe des Theologen.

Vermutlich nur wenig später als dieser erste Ratschlag in der Bündnisfrage ist ein weiteres, gleichfalls für Johann von Sachsen bestimmtes und im Namen der Wittenberger Theologen abgefaßtes[40] Gutachten entstanden[41], das bei grundsätzlicher Übereinstimmung die Argumente sorgfältiger abwägt und differenzierter urteilt; die theologischen Beweggründe und die emotionalen Urteile treten hinter dem Bemühen um Rationalität in der Beweisführung zurück. Das intendierte Bündnis wird von Luther nun nicht mehr als gottloses Unterfangen völlig verworfen, im Gegenteil akzeptiert er als Argumentationsbasis, daß „dis verbundnis sol den namen haben und der meynung geschehen, das die lere des Euangelii da

---

34. Vgl. ebd., 76, 7; 77, 30.
35. Ebd., 76, 17.
36. Angeführt werden Jes. 7, 3 ff.; 8, 10 ff. und 30, 15.
37. WAB V, 77, 47 f.
38. Vgl. ebd., 76, 11. 20; 77, 47: „solch und dergleichen Bündnis“.
39. Ebd., 77, 51.
40. Vgl. ebd., 80, 80: „vnser bedenken“.
41. Ebd., 78 ff. Nr. 1424 Beil. – Da der Text undatiert ist, sind verschiedene Datierungen für ihn in Ansatz gebracht worden. Während Müller, Historie, 230 ff. ihn unter Ende Mai 1529 veröffentlichte, folgte Clemen, in: WAB V, 78 v. Schubert, 54 f. und datierte ihn auf Ende Juli oder Anfang August 1529; vgl. entsprechend auch Hillerdal, Evangelisk politik, 131. Diese Einordnung läßt sich jedoch nicht halten, v. Schubert glaubte in zwei von Luther zitierten Einwänden (Zl. 49 ff.) Argumente aus dem Brief Philipps von Hessen an Johann von Sachsen vom 18. Juli zu erkennen; die Parallelen sind jedoch keineswegs so eindeutig, wie vorausgesetzt, zumal beim zweiten Einwand nicht, dessen erster Teil im Brief des Landgrafen überhaupt nicht vorkommt. Diese Einwände können auch schon vor dem 18. Juli erhoben worden sein, etwa von der sächsischen Bündnispartei zur Widerlegung der Argumente in Luthers erster Äußerung vom 22. Mai. Zur Datierung müssen m. E. zwei Punkte mehr als bisher gewürdigt werden: 1. die Verwerfung einer Disputation mit den Zwinglianern (Zl. 72 ff.); 2. der Anhang „Caesari scribendum“ (Zl. 82 ff.). Ad 1: Nach der wenn auch widerstrebend gegebenen

durch bey uns erhallten und beschutzt werde[42]". Gegen diese Voraussetzung werden die Einwände, die nur zum Teil mit denen vom 22. Mai identisch sind, in sorgfältiger Abstufung vorgetragen. Ein Glaubensbündnis der projektierten Art erscheint als

1. der Sache nach unmöglich und ohne Effizienz, da die Partner nicht die gleiche Glaubenssubstanz besitzen und teilweise unzuverlässig sind;
2. politisch gefährlich und der durch das Bündnis gesuchten größeren Sicherheit geradezu abträglich wegen der Teilnahme des Landgrafen und der Städte Straßburg und Ulm, die Kursachsen in abenteuerliche Unternehmungen hineinziehen können;
3. theologisch verdächtig und anstößig wegen des Appells an das brachium carnale anstelle des Vertrauens auf Gottes Zusagen;
4. unchristlich wegen der Heterodoxie der zwinglianisch gesinnten Partner, deren Irrtümer durch das Bündnis gedeckt werden und bei Eintreten des casus foederis sogar verteidigt werden müssen.

Ein wirkungsvolles Bündnis setzt vor allem gleichgesinnte Partner voraus, da nur dann eine Gewähr für die Verläßlichkeit bei Eintreten des casus foederis gegeben ist; besonders den Städten gilt in diesem Zusammenhang Luthers Mißtrauen, sowohl hinsichtlich ihrer religiösen Standhaftigkeit als auch ihrer politischen Stabilität. Wenn neben der Unzuverlässigkeit der Bundesgenossen ihre Gefährlichkeit für die friedliche sächsische Politik herausgestellt wurde, hatte Luther damit auch den Anknüpfungspunkt gewonnen, um noch einmal vor den politischen Ambitionen des Landgrafen zu warnen. Eine politische Verbindung mit Hessen bedeutete

---

Zusage zur Beteiligung am Marburger Religionsgespräch vom 23. Juni (vgl. WAB V, 101 f.) hat Luther Vergleichsverhandlungen mit den Zwinglianern nicht mehr so kategorisch ablehnen können oder mußte auf seine Marburger Erfahrungen verweisen. Ad 2: Ergibt sich aus dem Bisherigen als Terminus post quem non der 23. Juni, so rückt der Abschnitt mit Bemerkungen über den Inhalt eines an den Kaiser zu richtenden Schreibens die Abfassungszeit noch etwas höher hinauf. Richtlinien für ein Schreiben an Karl V. zu entwerfen, war sinnvoll nur zu einem Zeitpunkt, an dem die erste Appellationsgesandtschaft noch nicht abgereist war bzw. Luther vom Ergebnis des Nürnberger Tages (Abschied vom 27. Mai), auf dem die Instruktion ausgearbeitet wurde (vgl. RTA VIII, 4 ff.), noch keine Kenntnis hatte, oder nach dem Ende ihrer Mission (die Nachricht von der Gefangennahme wurde am 25. Okt. von Nürnberg weitergegeben) und der Vorbereitung eines neuen Schrittes. Da für den letzteren Fall ein anderes Gutachten Luthers existiert (WAB XII, 107; vgl. unten S. 134 f.), ist es naheliegend, daß die in Frage stehende Aufzeichnung „Caesari scribendum" und damit das ganze Gutachten bei der Vorbereitung der ersten Gesandtschaft entstanden ist. Als Abfassungszeit wäre demnach Mai/Juni, genauer: nach 22. Mai (erstes Bedenken Luthers) und vor 23. Juni (Zustimmung zum Religionsgespräch), anzusetzen. Engelhardt II, 188 f. denkt an eine Entstehung während der Vorbereitungen auf den Tag von Rodach (6.—8. Juni). Die Erwähnung von „Doctor luthers schreiben" in der Instruktion für Minckwitz könnte sich auf den Brief vom 22. Mai wie auch auf unseren Text beziehen; vgl. dazu unten S. 135. — Auch RTA VIII, 78 f. Anm. 1 entscheidet sich für eine Abfassungszeit: „ca. 22. Mai 1529".

42. WAB V, 78, 1 f.

für ihn nach wie vor, sich willentlich in Gefahr zu begeben und damit gegen die Weisung Mt. 4, 7 zu verstoßen. Aber auch von den verbündeten Städten erwartete er eine aktivistische Politik; daß in diesem Zusammenhang Basel genannt wird, zeigt entweder seine Unkenntnis über den Umfang des Bündnisses oder seine Erwartung, der Landgraf werde die Schweizer unmittelbar in die Verabredung von Speyer einbeziehen[43].

Gegenüber diesem subjektiven Urteil über die Partner der Speyerer Verbindung ist die theologische Argumentation gewichtiger, wenn auch weniger durch substantiell neue Aussagen als durch bemerkenswerte Nuancen gegenüber der ersten Warnung. War dort der Zusammenschluß der Reichsstände unter den gegebenen Umständen als Ausdruck des Mißtrauens gegen Gott und seine Absichten verworfen worden, so wird jetzt nur mehr auf die Gefahr des Mißverständnisses und der glaubensgefährdenden Fehlinterpretation bei den Untertanen aufmerksam gemacht, für deren schwachen Glauben das Bündnis zur Anfechtung werden könnte, falls sie es zum Fixpunkt ihres Vertrauens machen; die zur Stütze dieser Auffassung aus dem Alten Testament angezogenen Beispiele Jud. 8, 27 und 17, 5 ff. haben allerdings mehr den Charakter einer allegorischen Kapriole, als daß sie überzeugend wirken konnten.

Mit zwei Argumenten, die offenbar gegen sein Schreiben vom 22. Mai vorgebracht worden waren[44], hatte sich Luther auseinanderzusetzen. Dabei wies er die Auffassung, daß die Übereinstimmung in den übrigen dogmatischen Grundfragen wichtiger sei als die Differenz im Abendmahlsverständnis, unter Berufung auf Jos. 7, 1 ff. und Jak. 2, 1 zurück[45]. Der andere Einwand versuchte einerseits, die außertheologische Entscheidung in der Bündnisfrage damit zu rechtfertigen, daß es hier um politische Angelegenheiten, den Schutz gegen äußere Gefahr, und nicht um eine Glaubensfrage ging, und verwies zum anderen auf die Bereitwilligkeit der Partner, sich belehren zu lassen. Luther lehnte jedoch den Anspruch auf politisch autonome Entscheidungen in einem Bereich, der nach seinem Verständnis auch theologische Interessen berührte, ab. Da das Bündnis ausdrücklich zum Schutz gegen einen Angriff wegen der Religion eingegangen werden sollte, war eine Übereinstimmung in den Lehrmeinungen bei den Partnern unabdingbare Voraussetzung wirksamer Verteidigung. Das Lehrgespräch und die Unterrichtung der Zwinglianer brachte dagegen die Gefahr mit sich, die eigene Lehre gleichfalls der Nach-

---

43. Darauf weist auch Köhler, Zwingli und Luther II, 34 f. hin.

44. Nach v. Schubert, 54 f. stammen sie aus dem Brief Philipps von Hessen an den Kurfürsten vom 18. Juli; vgl. aber oben Anm. 41.

45. Über das Problem der Preisgabe eines Glaubensartikels, mit dem zugleich die ganze Glaubenssubstanz aufgegeben wird, vgl. auch WA 40/II, 45, 9 ff. (über Gal. 5, 9), wo unterschieden wird zwischen unveräußerlicher doctrina und veränderlicher vita: „Salva doctrina nihil est, quod non tolerare velimus". Luther verfolgt diesen Gedanken bis zur Zuspitzung: „Quantum ipsi amplificent charitatem et concordiam, Nos dei verbum" (ebd., 47, 12 f.).

prüfung zu unterwerfen und dadurch die Gläubigen in Verwirrung zu stürzen[46]. Das „Erbieten zur Erkenntnis“ war daher für Luther ein untaugliches Mittel zur Behebung dogmatischer Differenzen[47].

Die für die weiteren politischen Planungen wichtige Frage, ob das Bündnis in der jetzigen Zielsetzung wenigstens mit religiös konformen Partnern erlaubt war, ließ Luther unbeantwortet; nur im Umkehrschluß konnten bestimmte positive Kriterien erhoben werden: Glaubenseinheit unter den Partnern; sachgerechte Interpretation des Bündnisfaktums, um die Gefahr eines Mißverständnisses bei den Massen der Schwachgläubigen zu vermeiden; politische Verläßlichkeit der Partner; defensiver Bündniszweck.

Ausgespart blieb auch in diesem Votum das grundlegende Problem der Bündnisvoraussetzung: der Erstreckungsbereich der Beistandspflicht. Die Frage nach dem Widerstandsrecht gegen den Kaiser fand keine Beantwortung, obwohl Luther im Zusammenhang mit der Erörterung seiner These von der Unzuverlässigkeit der städtischen Bundesgenossen die Wahrscheinlichkeit hervorhob: „Wenn denn nu der keiser etwa angriffe, so wurden sich denn gar wenig finden, die bestehen[48].“ Ein eindeutiges Votum gegen das Widerstandsrecht ließ sich dieser Feststellung jedoch nicht entnehmen[49].

Dem Gutachten ist eine Aufzeichnung „Caesari scribendum“ angehängt[50], die den Theologen unmittelbar in die Politik hineinführte. Wahrscheinlich ist Luther vom kurfürstlichen Hof aufgefordert worden, die Grundzüge eines von den evangelischen Ständen an den Kaiser zu richtenden Schreibens zu entwerfen, weil eine Gesandtschaft bei Karl V. gegen den Speyerer Reichsabschied protestieren und ihn von den rechtlichen Schritten der Minorität in Kenntnis setzen sollte[51]. Der von

---

46. So auch das Argument im Gutachten der Nürnberger Geistlichen, § 7; vgl. oben S. 126 Anm. 9.

47. Ob mit dem abschließenden Rat – nach v. Schubert, 55 ist vor WAB V, 80, ein breiter unbeschriebener Zwischenraum –, statt den Einwänden nachzugeben, es bei den „artickeln, die gestellet sind auff solche handlung“ (ebd., 80, 80 f.) bleiben zu lassen, auf die Schwabacher Artikel gezielt ist, muß offen bleiben. Es können auch andere Texte, etwa die Grundzüge der sächsischen Instruktion zum Tag von Rodach gemeint sein, zumal wenn man mit Köhler, Zwingli und Luther II, 42 f. den Begriff „Artikel“ nicht zu eng faßt. Den im ersten Teil entwickelten vier Bedenken halfen die Schwabacher Artikel ohnehin nicht ab.

48. WAB V, 79, 9 f.

49. Es ist m. E. methodisch verkehrt, die Gutachten von 1529 von der negativen Entscheidung im Bedenken des 6. März 1530 her zu werten; sie müssen je für sich in den unmittelbaren Zusammenhang der Ereignisse gestellt werden, um in ihrer Wichtigkeit für die sächsische Politik zutreffend beurteilt werden zu können.

50. WAB V, 81, 82 ff. Der äußeren Beschaffenheit des Originals nach stellte „das Gutachten (deutscher und lateinischer Text) wohl immer eine Einheit dar“ (frdl. Auskunft des Staatsarchivs Weimar).

51. Die Aktenstücke über diese Gesandtschaft vgl. bei Müller, Historie, 143 ff.; RTA VIII, 134 ff.; außerdem vgl. Schornbaum, Georg, 386 ff. Anm. 400; A. Engelhardt, Eine mißglückte Gesandtschaft unter Nürnbergs Führung. In: Mitteilungen des Vereins für

Luther aufgesetzte Text ist nicht nur ein Lehrstück über die Illusionen, die er hinsichtlich der Aufgeschlossenheit des Kaisers für die kirchlichen Veränderungen hegte, sondern zeigt auch einen politischen Dilettantismus, der umso erstaunlicher wirkt, als der Verfasser bewußt politisch argumentieren wollte, um Karl V. dafür zu gewinnen, den Beschlüssen von Speyer II die Genehmigung zu versagen. Die von Luther ad hominem herausgestellten Verdienste der evangelischen Lehre um die Festigung der Autorität der Obrigkeit und die Sicherung des allgemeinen Friedens waren jedoch kaum geeignet, den Adressaten zu beeindrucken. Der Versuch, vom Zentralpunkt der neuen Lehre, der Berufung auf Schrift und Gewissen, abzusehen und dafür deren weltlich-praktische Vorzüge als kirchenreinigenden und obrigkeitsstabilisierenden Faktor einsichtig zu machen, war irreal. Von den „beneficia principis erga ecclesiam et rem publicam", die Luther nannte, war kaum eines dazu angetan, den Kaiser vom Nutzen der evangelischen Lehre für Reich und öffentlichen Frieden zu überzeugen. Daß Luther diese Einsicht in die Denkzusammenhänge auf der Gegenseite nicht besaß oder bei Abfassung des Textes unterdrückte, bleibt erstaunlich. Die Politiker waren klüger; Luthers Vorschlag hat auf die Formulierung der Instruktion für die Gesandtschaft an Karl V. keinen Einfluß ausgeübt[52]. Auch sein Rat, die oberdeutschen Städte als Zwinglianer von der Beteiligung an der Gesandtschaft auszuschließen, um sich nicht durch Gemeinschaft mit ihnen zu kompromittieren, blieb unbeachtet.

Der den Vorschlag für das Schreiben an den Kaiser prägende Mangel an Wirklichkeitssinn wird noch deutlicher in der Konfrontation mit dem Gutachten, das Luther und Melanchthon im Dezember 1529 ausgearbeitet haben zu der Frage, was nach dem durch die Protestationsgesandtschaft übermittelten Befehl Karls V., den Abschied nachträglich anzunehmen, zu tun sei[53]. Dieser Text ist weit entfernt von der Naivität des Schriftstücks „Caesari scribendum". Zwar ist auch in ihm

---

Geschichte der Stadt Nürnberg 32/1934, 79 ff.; Engelhardt II, 173 ff.; Steglich, 166 ff. v. Schubert, 237 Anm. 1 erwägt, ob „Caesari scribendum" auf den Plan von Sonderverhandlungen des Kurfürsten mit dem Kaiser zurückgeht; er verweist auf den Brief Philipps v. Hessen an Johann v. Sachsen: „Ob E. L. schon mit dem König von Böheim (Ferdinand) in schriftlichen Verstandt stünde, wirds doch nicht helffen" (Müller, Historie, 276 f.).

52. Vgl. Müller, Historie, 147 ff.; RTA VIII, 25 ff.; nach Schornbaum, Georg, 74 von Spengler entworfen; vgl. Steglich, 167 ff.

53. WAB XII, 106 ff. Nr. 4235. Das Bedenken nimmt deutlich Bezug auf die Antwort Karls V. an die Gesandtschaft vom 12. Okt. 1529, in der der Kaiser befohlen hatte, „daß sy solchen gemachten Abschid nochmals annemen, dem Gehorsam geleben vnd dawider durch sich selbst noch die Iren nichts fürnemen oder handlen" (Müller, Historie, 198). Die Aufforderung zum Gehorsam haben Luther und Melanchthon auf das Reichstagsmandat gegen die Wiedertäufer bezogen (WAB XII, 109, 80 ff.; ebenso in der Instruktion für die zweite Gesandtschaft; vgl. Müller, Historie, 358 f. 371 f.), während in Piacenza vom Gehorsamsgebot gegen den Abschied allgemein die Rede gewesen war. Der Ratschlag wurde vermutlich am 31. Dez. 1529 von Brück an den Kurfürsten geschickt, der ihn an den sächsischen Delegierten für den Nürnberger Tag Christian Beyer übermittelte; vgl. RTA VIII, 525 f.

eine deutliche argumentatio ad hominem enthalten, aber ebenso eine fundierte Interpretation der evangelischen Lehre als „unterricht vom glauben Christi und vom gehorsam der oberkeit[54]", in dem der Dienst am weltlichen Regiment und die geistliche Aufgabe zusammengebunden werden. Die illusionären „beneficia principis" werden nicht wiederholt, stattdessen greift Luther diesmal auf den historischen Zusammenhang zurück[55], demzufolge die Evangeliumsverkündigung sowohl eine Entwicklung aufgehalten hat, die zum allgemeinen Abfall von der Kirche und zur Hinwendung zum „Epikuräismus" zu führen drohte[56], als auch eine „unordige, sturmische farliche mutation oder enderung[57]" in der Art Müntzers verhindert hat. Die Forderung des Kaisers nach Erfüllung des Speyerer Abschieds sollte der Kurfürst unter Berufung auf das eigene Gewissen, das die Sünde des Gewissenszwangs der Untertanen verbot, ablehnen.

Die sächsische Politik hat die Stellungnahmen Luthers gegen die Speyerer Abmachung sofort aufgegriffen, wenigstens soweit sie vor der Beteiligung der „zwinglianischen" Städte warnten. Schon in der Instruktion für die Rodacher Tagung im Juni 1529 wurde der kursächsische Gesandte angewiesen, aus „ursachen, so uns etliche unser gelarten im vertrauen angezaigt und in Doctor luthers schreiben nach der lenge befunden werden[58]", im Zusammenwirken mit Nürnberg, das vielleicht ebenso „in mitler zeit den sachen ferner nachgedacht", die oberdeutschen Städte aus dem Bündnis herauszudrängen, wenn sie nicht neue, befriedigende Erklärungen über ihr Abendmahlsverständnis abgaben. An dem Streit über den Kreis der Bündnispartner, der sich durch das ganze Jahr 1529 hinzog[59], ist schließlich die ursprüngliche Speyerer Konzeption eines Verteidigungsbündnisses möglichst aller sich zur neuen Lehre bekennenden Reichsstände zerbrochen. Daneben trat aber rasch das Problem des Erstreckungsbereichs des Bündnisses in den Mittelpunkt der Diskussion, d. h. die Frage der „exclusio Caesaris", die zugleich die Frage nach dem Widerstandsrecht gegen die Obrigkeit war.

Luther ist während der politisch-religiösen Auseinandersetzungen über die Möglichkeit eines Bündnisses mit „Zwinglianern" und über das Problem der exclusio Caesaris bis zum November 1529 nicht mehr konsultiert worden, nachdem er mit seinen Voten die Bündnisdiskussion erst eigentlich ausgelöst hatte. Die Ausschaltung der wichtigsten theologischen Autorität Kursachsens aus der weiteren Diskus-

---

54. WAB XII, 107, 17 f.

55. Vgl. zu dieser Sicht der Reformationsanfänge auch WADB 11/II, 90 (Vorrede zur Übersetzung des Daniel, 1541).

56. Die Abhaltung des „epikuräischen Wesens" von Deutschland durch die evangelische Lehre begegnet als Argument noch einmal in einem für die Verlängerung des Bundes votierenden Gutachten 1545; vgl. CR V, 721.

57. WAB XII, 107, 21 f.

58. v. Schubert, 61. Gemeint ist entweder der Brief vom 22. Mai oder, wofür m. E. die größere Wahrscheinlichkeit spricht, das wenig spätere Gutachten. Die bei v. Schubert, 61 ff. abgedruckte Instruktion wurde erstmals von Ranke (III, 132) veröffentlicht; vgl. jetzt auch RTA VIII, 89 ff.

59. Zu den Verhandlungen vgl. v. Schubert, 21 ff. 117 ff.; Köhler, Zwingli und Luther

sion wird noch auffälliger dadurch, daß im September zwar ein theologisches Gutachten über Bündnis und Widerstandsrecht eingeholt wurde, dieser Auftrag aber an Bugenhagen erging. Veranlaßt wurde diese Gutachtenforderung durch ein zum Bündnisabschluß drängendes Schreiben des Landgrafen an den Kurfürsten vom 14. September 1529[59a], in dem eindeutige Auskunft über die Haltung Kursachsens bei einem Angriff des Kaisers verlangt wurde. Johann von Sachsen, der offenbar erst jetzt diese Dimension des Bündnisproblems in ihrem ganzen Umfang begriff, lud Philipp von Hessen auf den 3. Oktober nach Schleiz zu einer Beratung ein, was die Fürsten „in solchem fal, der den kayser angehet etc., mit Got thun konnen und auch vormugen werden, auff das wyr von des worts wegen wider dasselbige wort nit in Gottes urteil fallen und die straffe mit hone und spot und mit fahr unser selen uber uns kome[59b]". Außerdem suchte er nun erstmals theologischen Rat in der Frage des Widerstandsrechts. Da Luther und Melanchthon sich auf der Reise nach Marburg befanden[60], wandte sich Brück im Auftrag des Kurfürsten an Bugenhagen, der die Fragen über Bündnis und Widerstandsrecht am 29. September beantwortete[61].

Bugenhagen ist sich der Schwierigkeit der ihm gestellten Aufgabe durchaus bewußt gewesen und hat sein Votum offensichtlich nur ungern ohne Beratung mit seinen Freunden abgefaßt; mehrfach hat er im Text die Vorläufigkeit seiner Aussagen hervorgehoben[62]. Er konzentrierte sich auf theologische und pragmatische Argumente, juristische Überlegungen fehlen. Wie 1523 arbeitete er den Doppelaspekt beider Probleme klar heraus: die ihm vorgelegten Fragen betrafen das persönliche Gewissen des Fürsten als Christen, erstreckten sich aber in ihren Folgen auf seine Eigenschaft als Landesherr, auf das Territorium und die Untertanen. In seiner Untersuchung kam Bugenhagen in allen Punkten zu einem Ergebnis, das die von Sachsen bisher betriebene Politik theoretisch absicherte und theologisch fundierte. Auf die den Argumenten des Landgrafen entsprechende Frage, ob einem Bündnis „mit den Steden, die das Sacrament Christi verleugnen vnd nach vermanung[63] sich nicht bessern", religiöse Bedenken entgegenstünden, gab Bugenhagen eine mit Luthers Voten von Mai 1529 übereinstimmende Auskunft, da er wie jener von der Gefährlichkeit und Unerlaubtheit einer Schutzverbindung mit religiös inadäquaten Partnern überzeugt war[64]. Den Einwand, eine Verbindung

II, 35 ff.; Fabian, Entstehung, 44 ff.; Steglich, 161 ff. sowie RTA VIII, passim.

59a. Müller, Historie, 275 ff.; RTA VIII, 241 f.; vgl. auch v. Schubert, 218 f. – Die ausweichende Antwort des Kurfürsten vom 23. Sept. vgl. RTA VIII, 246 f.

59b. Ebd., 247, 14 ff. Philipps abschlägige Antwort vgl. bei Fabian, Abschiede, 63 f. Vgl. auch Kolde, Schleiz, 104 f.

60. Vielleicht ist aber auch Luther, dessen frühere Äußerungen bekannt sein mußten, von den sächsischen Politikern bewußt übergangen worden; immerhin befand er sich auf seiner Reise nach Marburg noch bis Ende des Monats in Thüringen (29. Sept. in Gotha) und wäre für Anfragen leicht erreichbar gewesen; vgl. Buchwald, Luther-Kalendarium, 67 f.

61. Vgl. Scheible, 25 ff.; vgl. zum Inhalt auch Hering, 79.

62. Vgl. den Anfang und Schluß des Textes; Scheible, 25. 29.

63. Gedacht ist vermutlich an das Marburger Gespräch.

64. In diesem Zusammenhang macht Bugenhagen allerdings auf die Möglichkeit auf-

sei selbst mit Heiden erlaubt, wies er zurück, da dies nur galt, wenn der casus foederis politische Fragen betraf, hier aber im Notwehrfall das Wort Gottes zur Verteidigung stand.

Keine Möglichkeit einer Rückversicherung an Luthers Gutachten vom Mai bot dagegen die Frage nach dem Recht auf Gegenwehr auch gegen den Kaiser, „wen er mit gewalt wolte uns uberzihen umb Gots worts willen". Bugenhagen orientierte sich aber auch nicht an früheren Äußerungen Luthers, sondern bejahte wie 1523[65] mit durchaus eigenständiger Begründung das Recht des Fürsten auf Verteidigung gegen einen ungerechtfertigten Angriff der Obrigkeit. Dabei bemühte er sich vor allem, das Dilemma zu beseitigen, in das Röm. 13, 1 ff. den Fürsten führte, falls er den Kaiser als seine Obrigkeit anerkannte. Anders als Philipp von Hessen, der die Obrigkeitsaussagen der Schrift durch historische Interpretation entaktualisierte[66], suchte der Theologe eine neue exegetische Basis in der Schrift selbst. Neu war bei seiner Lösung nicht so sehr die Feststellung, daß die Verbindlichkeit von Röm. 13, 1 ff. sich nicht nur auf die Untertanen richtet, sondern auch Pflichten für die Obrigkeit impliziert, wohl aber die in aller Schärfe ausgesprochene Folgerung, daß ein Verstoß gegen Gottes Ordnung auch aus dieser Ordnung verstößt, denn der Gehorsamsanspruch von Röm. 13 gilt nur für die das Böse strafende und dadurch sich im Amt legitimierende Obrigkeit. Widergöttliches Verhalten beraubt die Obrigkeit dieser Legitimation und läßt ihre hoheitliche Funktion erlöschen, so daß die exzedierende Gewalt nicht nur Unrecht begeht, sondern in diesem Unrechtsakt sich selbst als Obrigkeit absetzt. Gegen die Gehorsamsvorschriften des Neuen Testaments stellte Bugenhagen 1. Sam. 15, 23: „Weil du des Herrn Wort verworfen hast, hat er dich auch verworfen, daß du nicht König seist." Die exzedierende Gewalt steht nicht mehr unter dem Schutz und dem Gehorsamsanspruch von Röm. 13, sondern ist eine satanische Verkehrung, die Gottes Ordnung aufhebt und sich durch ihre Taten als Nichtobrigkeit entlarvt. Im Gegensatz zu Luther ist für Bugenhagen die Verfolgung des Worts Gottes nicht ein bloßer Exzeß, sondern involviert den Verlust der Legitimation als Obrigkeit. Bugenhagen braucht daher für das sachgerechte Verhalten nicht wie Luther auf die clausula Petri und den Leidensgehorsam zu verweisen, denn beide gelten nur gegenüber der Obrigkeit, nicht aber gegenüber einem Gewaltinhaber, der durch gewissenzwingende Befehle seinen Obrigkeitscharakter verliert. Allerdings gilt diese Selbstentsetzung nicht total; Anordnungen, sofern sie sich im Rahmen der Zuständigkeit halten, mithin keinen Gewissenszwang ausüben, sind weiterhin zu befolgen.

---

merksam, daß vorgeschlagen werden könnte, den Abendmahlsartikel als hauptsächlichen Differenzpunkt vom casus foederis auszuschließen, ohne dazu weiter Stellung zu nehmen. In der Tat hat Hessen im Verlauf der Verhandlungen 1529 diese Möglichkeit vorgeschlagen; vgl. Schornbaum, Georg, 399 Anm. 431; v. Schubert, 121 Anm. 1; Fabian, Abschiede, 91.

65. Vgl. oben S. 107.

66. Vgl. RTA VIII, 128 f.; vgl. auch unten S. 171 f.

In der Anwendung dieser grundsätzlichen Überlegungen auf die deutschen Verfassungsverhältnisse spitzt sich das Problem auf die Definition des magistratus superior und die Funktion des magistratus inferior zu. Bugenhagen erkennt die Trias Oberherr-Mittelgewalt-Untertan grundsätzlich an und setzt sie voraus. Anders als Luther und die süddeutsche Opposition[67] versteht er jedoch in Berücksichtigung der tatsächlichen Gegebenheiten die deutschen Fürsten nicht als bloße Mediatgewalten, deren Recht von einem kaiserlichen Auftrag abgeleitet ist; der Fürst ist für ihn nicht Beamter oder Mandatar des Kaisers. Kaiserliche Obrigkeit und ständische Mittelgewalt stehen sich, anders als bei Luther, nicht wie Herr und Knecht, Fürst und amtloser Untertan gegenüber, sondern der magistratus inferior hat im Gegensatz zum bloßen Untertanen Schutzpflichten an ihm von Gott anvertrauten Menschen zu erfüllen und ist in dieser Funktion unmittelbar in der Obrigkeitsdefinition von Röm. 13 mitbegriffen. Seine Stellung kann, weil er seine Ansprüche auf Gehorsam aus eigenem Recht aus Röm. 13 herleitet, nicht mediatisiert werden, wenn er in Relation zur kaiserlichen Obrigkeit gesetzt wird; er ist nicht unbedingter Befehlsempfänger, vor allem dann nicht, wenn der Kaiser gewissenszwingende Befehle erteilt und sich damit seines Obrigkeitscharakters und seines Gehorsamsanspruchs begibt.

Auf der Basis dieses Amtsverständnisses polemisiert Bugenhagen gegen die Konsequenzen des Gehorsamsgebots für die ständische Gewalt, indem er Amt des Fürsten und Amt des Predigers parallelisiert; beide haben die gleiche Pflicht, mit je ihrer Amtsgabe der ungerechten Gewalt zu widerstehen: „Sol eyn furste mit dem schwerde nicht weren dem uberherren, wen er nicht eyn uberherr, sondern eyn frevel mörder wil seyn der unschuldigen untersässen des fursten, so sol ich prediger auch mit dem worde Gots nicht straffen die uberigheit, wen sie sundiget". Letzteres ist unvorstellbar, also auch das andere nicht zutreffend.

Den Einwand, daß der Christ bei Verfolgung zum Leiden bereit sein muß, macht sich Bugenhagen selbst, differenziert aber zwischen Amts- und Privatperson, so daß die Leidenspflicht für Fürsten nur gilt, „wen es yhre personen alleyne betrieffe und nicht yhr leute, und das selbe alse Christen und nicht als fursten"; als Amtsperson ist der Fürst dagegen von der Leidenspflicht dispensiert. Der Schritt zum aktiven Widerstandsrecht in der causa fidei ist allerdings für Bugenhagen nicht kausal mit der Amtspflicht gegeben, sondern wird ausgelöst von den Untertanen: Erst wenn diese die Realisierung der Schutzpflicht als Gegenleistung für Schoß und Zins verlangen, muß der Fürst seiner Verpflichtung nachkommen. Die Vorschaltung eines Schutzbegehrens vor den aktiven Widerstand soll die Möglichkeit ausschließen, daß das Volk aus zum Leiden bereiten Christen besteht, die den Schutz ihrer Obrigkeit ablehnen; in diesem Fall erlischt der Amtsauftrag der magistratus inferiores.

Bugenhagens Gutachten hat zweifellos den Erwartungen der sächsischen Räte vollkommen entsprochen, da die Verwerfung des Bündnisses mit Straßburg und Ulm bei ihnen seit Rodach offenbar beschlossene Sache war und sie in der Frage

---

67. Vgl. dazu unten 146 ff.

der exclusio Caesaris zum gleichen Ergebnis wie der Wittenberger Theologe kamen[68]. Über die Vorläufigkeit und Betonung der subjektiven Ansicht gerade im entscheidenden Abschnitt[69] sahen sie anscheinend hinweg.

Als Resultat des Marburger Religionsgesprächs sind die Wittenberger nochmals mit der von ihnen bereits mehrfach erörterten Frage des Bündnisses mit den oberdeutschen Städten konfrontiert worden. Nachdem Philipp von Hessen den Kurfürsten gedrängt hatte, das Bündnis nicht am Abendmahlsartikel scheitern zu lassen[70], beauftragte Johann von Sachsen im November 1529 Gregor Brück, von den Theologen noch einmal ein Votum zu dieser Frage einzuholen, um für die auf der Tagung in Schmalkalden zu erwartenden Auseinandersetzungen gerüstet zu sein: „Nachdem ir aber wist, das sich diser handel obberurts verstentnus uf vorigen gehalten tagen an dem vornemlichisten artikl des hochwirdigen Sacraments halben etwas gestossen, welchs sonder zweivel itzt nit weniger dan vorhin zubewegen furfallen wirdet, und der lantgraff solches irthumbs nichts bewegt, sonder hart darauff dryngt, das solchs keyns wegs soll angesehen werden – domit wir nu in dem etwas gefast und versichert sein mogen, ist unser gnedigs begeren, Ir wollet auff den Credentzbrif hierbey [fehlt] mit doctor Martin, dem Pomer und Philipo davon reden und bey inen gesynnen, das sie uns iren Rat und bedenken in dem schriftlich mittailen und bey Euch zuschiken wolten, ob villeicht diese verstentnus aus dem, das man desselben vornemlichisten artikels mit dem sacrament noch nit entlich uff dißmall entschlossen, auf ein [gestrichen: anzal jar] zeyt einzugehen sein ader ob sye alß schwache bruder zu dulden und wye es allenhalben soll gehalten werden, dyewyll nicht dye ganz Commun villeicht in dem irthumb, zuweylen etzlich auß der gemeyn, eyns teyles vom rath und obs eyn kirch anders hilte dan dye ander, ob derhalben eyn unterschied zu machen, wie es domit uff alle fell, dye sye woll bewegen werden, zu halten sein solt, und uns denselben iren Ratslag mit euch anher [nach Torgau, wohin Brück im ersten Teil des Schreibens geladen wurde, um an der Reise nach Schmalkalden teilzunehmen] bringen[71].“ Diese Anweisung läßt erkennen, daß der Kurfürst nicht mehr so eindeutig entschlossen war wie bisher, auf keinen Fall ein Bündnis mit den oberdeutschen Städten einzugehen.

Auf das Ersuchen des Kurfürsten antwortete Luther für die Wittenberger Theologen mit einem Gutachten, das in seiner Originalgestalt verloren und nur in der Umarbeitung durch Brück erhalten ist[72]. Ein daneben an den Kurfürsten abge-

---

68. Zu Brücks Haltung vgl. sein Gutachten von Dez. 1529; v. Schubert, 144 ff. Brück war als Befürworter eines Widerstandsrechts gegen den Kaiser bekannt, so daß L. Spengler ein entsprechendes Schriftstück des Landgrafen für ein Votum Brücks hielt; vgl. ebd., 208 Anm. 1.

69. Vgl. Bugenhagens Einschränkung: „achte ich, beschleusse aber nichts, sondern wil gerne mich unterrichten lassen“; Scheible, 28.

70. Vgl. RTA VIII, 321 f.

71. Konzept Weimar, Reg H 11, 58 r-v; vgl. RTA VIII, 363 f. Der Satz: „ob sye alß schwach ... zu machen“, ist am Rande nachgetragen.

72. Vgl. v. Schubert, 144 ff.; zum Inhalt vgl. unten S. 142 f.

gangenes Schreiben Luthers vom 18. November 1529, das die Übersendung des Votums begleitete[73], ging über die gestellte Frage hinaus und lehnte nun grundsätzlich das Bündnis zur Verteidigung des Glaubens mit weltlichen Mitteln ab[74], ohne auf den aktuellen Fall der „Sakramentierer" im einzelnen einzugehen. In seinem Votum maß Luther nur die theologische Dimension des sachgemäßen Verhaltens des Christen aus und setzte sie absolut; juristische und politische Deduktionen blieben ausgeschaltet[75]. Indem er in personaler Interpretation die Sache des Evangeliums mit sich und seinen Freunden identifizierte, sah er die Absicht des Bündnisses nur darin, die aktiven Bekenner und Prediger vor dem Zugriff des Kaisers zu schützen. Damit war für ihn die Konstellation von 1523 wiederhergestellt[76]: Für das Evangelium sind er und seine Freunde verantwortlich; ihr Gewissen läßt es damals wie jetzt nicht zu, daß für diese Lehre andere, vielleicht nicht einmal von deren Wahrheit Überzeugte in Gefahr geraten.

Die Verkennung der Situation war eklatant, denn nicht Auskunft über ihr eigenes Gewissen war von den Theologen gefordert, sondern eine Gewissensberatung des für sein Land verantwortlichen Fürsten. Bei Luther überwog jedoch noch immer der Gesichtspunkt der gegen ihn selbst gerichteten Drohung des Wormser Edikts, und seine Antwort fiel dieser personalen Beschränkung entsprechend aus. Sollte der Kaiser seine und seiner Freunde Auslieferung verlangen, so würden „wir fur uns selbs mit Gottes Hülfe erscheinen[77]", ohne den Landesherrn durch Schutzbegehren in den Konflikt einzubeziehen. Daß es in diesem Augenblick längst nicht mehr nur um einzelne Personen ging, übersah Luther. Das evangelische Territorium und die neue Kirchenorganisation stellte ein mit den Kategorien der Anfangsjahre nicht erfaßbares Phänomen dar, sondern war neu zu durchdenken und auch in die theologischen Erwägungen zu integrieren. Daß es in diesen Territorien Massen von Schwachgläubigen gab, die schutzbedürftig waren, blieb anders als bei Bugenhagen bei Luther in diesem Zusammenhang unberücksichtigt. Er konzentrierte sich in religiösem Rigorismus nur auf die wirklichen Christen, für die galt, daß jeder auf eigene Gefahr glaubt und seinen Glauben in Notzeiten ohne äußere Hilfe zu bewähren hat. Wer glaubt, muß zur willigen Hinnahme des verhängten Leidens bereit sein. „Es muß ja Christus' Kreuz getragen werden, die Welt will's nicht tragen, sondern auflegen, so müs-

---

73. WAB V, 181 ff. Nr. 1496 (ebd. im Folgenden die Zitate); dort ist nicht berücksichtigt, daß das eigentliche Gutachten nicht mehr vorhanden ist und Luthers Brief nur ein Begleitschreiben darstellt; zum Inhalt vgl. auch Müller, Äußerungen, 20; v. Schubert, 119 f. und 220 f.

74. Zwar heißt es nur: „solch Verbündnis" (Zl. 10), das bezieht sich jedoch, wie aus dem Folgenden hervorgeht, auf ein Bündnis zur Verteidigung des Glaubens gegen einen Angriff im allgemeinen ohne Differenzierung der Partner.

75. Köhler, Zwingli und Luther II, 166 meint dagegen unverständlicherweise, daß Luther nur die politische Seite des Bündnisses berühre.

76. Auf seine damalige Antwort an Kurfürst Friedrich verweist Luther ausdrücklich; WAB V, 183, 55 f.

77. Ebd., 183, 53 f.

sens freilich wir Christen tragen, auf daß es nicht ledig da liege oder nichts sei[78]." Dieser Leidensbereitschaft korrespondiert dann das Wissen von der Macht Gottes, der die Seinen nicht verlassen wird, wie die Erfahrung „in öffentlicher Hilfe Gottes[79]" in den vergangenen Jahren bewiesen hatte. Gott wird daher nach Luthers Überzeugung auch jetzt die Sache des Evangeliums nicht untergehen lassen, so daß ein bewaffneter Schutz unnötig ist.

Von der Feststellung, daß für die Christen die äußere Gefahr keinen die Glaubensexistenz bedrohenden Charakter hat, da sie als Prüfung auf die Festigkeit ihres Glaubens dient, wird der Bogen zur politischen Aktualität geschlagen mit dem Urteil, daß das Bündnis als menschliche Abwehr der Versuchung des Glaubens durch Gott nur ein Instrument des Teufels ist, das die Beteiligten in eine falsche und vordergründige Sicherheit hineintreibt. Aus dieser Interpretation ergibt sich dann der Rat an die Politiker, abzuwarten, um Raum zu lassen für neue Konstellationen, und Gottes Möglichkeiten nicht vorzugreifen: „In dem verläuft viel Wassers und wird Gott wohl Rat finden, daß nicht so gehen wird, wie sie gedenken[80]." Dem Vertrauen auf Gott stellte Luther dabei jetzt nicht den Korrelataspekt der cooperatio, der Bereitschaft zum Handeln als Instrument Gottes gegenüber, weil dies in der gegebenen Situation nur zu neuen Mißverständnissen Anlaß geben und das Vertrauen erneut in unzulässiger Weise beschränken konnte[81].

Der Kurfürst erscheint in dem Votum nur als Christ qua persona privata, nicht als Landesherr. Das Problem der mittleren Obrigkeit und des Erstreckungsbereichs ihrer rechtlichen Vollmachten wird ausgeklammert zugunsten dieser privat-personalen Sicht. Indem jeder, auch der Fürst, nur für den eigenen Glauben zuständig ist, erlischt die Schutzpflicht des obrigkeitlichen Amts, da die zu Schützenden auf diesen Schutz als Bekenner des Evangeliums verzichten müssen. Der Fürst ist von der Verantwortung für seine Untertanen befreit; bei einem Befehl des Kaisers in Religionssachen ist er wie jeder andere nur als Einzelner gefordert.

Luthers Bedenken redete einer politischen Passivität das Wort, die das Kurfürstentum handlungsunfähig gemacht hätte. Es widersprach Bugenhagens Gutachten nur insofern nicht, als der dort herausgehobene Aspekt der Schutzpflicht für die schwachgläubigen Untertanen hier nicht erwähnt wurde, da Luther nur auf die vollkommenen Christen abzielte. Daß diese im Fall ernsthafter äußerer Anfechtung nur eine Minorität darstellten, war ihm zweifellos bewußt; indem er aber die Realität, d. h. die schutzbegehrende Masse nicht in seine Erwägungen einbezog, ließ er die Politiker letztlich ratlos[82].

---

78. Vgl. WAB V, 182, 32 ff.; vgl. dazu Heckel, Lex, 129 f.; Lau, Luthers Lehre, 58; vgl. auch WA 7, 548, 12 ff.; 18, 310, 6 ff.

79. WAB V, 182, 42.

80. Ebd., 183, 61 f.

81. In anderem Zusammenhang schreibt Luther an Philipp v. Hessen ähnlich: „Got behute nur uns auch, das wir nicht auff unser witze und krafft pochen, sondern seiner hulffe begeren und gewarten, So wird sie gewislich komen" (WAB V, 203, 11 ff.).

82. Die Formel vom „unpolitischen, der Wirklichkeit ganz entrückten Optimismus und Idealismus" (v. Schubert, 221) ist allerdings zu einschichtig, um die Problematik der Aussagen Luthers zu erfassen.

Das mit dem Begleitbrief Luthers eingereichte theologische Bedenken ist in eine Denkschrift Brücks eingegangen und nur in dieser Fassung erhalten[83]. Wieweit den Wittenbergern die zu Beginn dieser Denkschrift zusammengestellten Gründe für das Bündnis bekannt geworden sind, ist unsicher[84]; vermutlich haben sie sich auf die in der Instruktion des Kurfürsten an sie genannten Fragen beschränkt: Pflicht zur Nachsicht mit Schwachen, aber Belehrbaren, und der mögliche Anteil an Rechtgläubigen in den „zwinglianischen" Städten. Beide Fragen wurden von ihnen negativ beantwortet. Zwingli und seine Anhänger waren, wie das Marburger Gespräch erwiesen hatte, nicht als Schwache anzusehen, sondern als Verstockte, auf die die Vorschrift von Tit. 3, 10 f. zutraf, sich nicht mit Ketzern einzulassen. Gegen die vor allem von Hessen betriebene Relativierung der Wichtigkeit des einheitlichen Abendmahlsverständnisses zieht das Gutachten Jak. 2, 10 heran: Wer in einem irrt, irrt im Ganzen[85]. Die Skrupel des Kurfürsten wegen der „echten Christen" in den Städten werden mit der Feststellung, daß hierüber nichts bekannt sei, beschwichtigt; hinzutritt die realistische Feststellung, daß der Vertragspartner der lutherischen Stände in jedem Fall die „haupter und Magistrate der stette" seien, die den Irrtum in ihrem Machtbereich duldeten und ihm anhingen, nicht aber einzelne Gruppen der politischen Gemeinden.

Die über die Fragen des Kurfürsten hinausgehenden Darlegungen der Denkschrift setzen gegen Luthers Rat das Bündnis selbst als nicht zu diskutierendes Faktum voraus[86], werden also von Brück stammen. Während Luther die Pflicht des Fürsten zur defensio fidei vom geforderten Verhalten des einzelnen Gläubigen her verneinte[87], wird sie hier in Übereinstimmung mit Bugenhagens Votum mit Einschränkungen bejaht. Sie gilt, aber nur bei alleinigem Vertrauen auf Gottes Hilfe, nicht im Sich-Verlassen auf „mittel der creaturn[88]". Dabei muß, was im Einzelnen

---

83. Dieses Faktum wurde v. Schubert entdeckt (Textabdruck jetzt in RTA VIII, 365 ff.). Allerdings ist sein Urteil (S. 135), durch Ausscheiden der Zusätze von Brücks Hand sei der ursprüngliche Text wiederherzustellen, zu optimistisch. Die Rekonstruktion des Wittenberger Gutachtens läßt sich nur sehr ungefähr vornehmen.

84. Mindestens die Teile RTA VIII, 366, 30 ff., in denen auf Schwabach, das Verhalten Nürnbergs und die Folgen der Trennung für die Protestationsgesandtschaft Bezug genommen wird, dürften erst in Schmalkalden entstanden sein (so auch v. Schubert, ebd., S. 135). Sie fehlen auch in der Widerlegung. Auf hessischen Ursprung dieser Argumente weist Köhler, Zwingli und Luther II, 166 ff. hin. Von Brück stammt vermutlich auch die Relativierung der Straßburger Abendmahls-Erklärung; RTA VIII, 372, 24 ff.

85. Die weiteren Zitate Mt. 12, 30 und 9, 40 sind vielleicht erst von Brück eingefügt, da nur zu Jak. 2, 10 ausdrücklich vermerkt wird: „widerfichtets der Luther und die andern und ziehen an den spruch Sanct Jacobs" (ebd., 368, 23 ff.); diese Auskunft könnte sich allerdings auch auf das Gutachten von Mai 1529 beziehen; vgl. WAB V, 80, 55 f. Das aus Tit. 3, 10 f. hergeleitete Argument findet sich auch im Gutachten der Nürnberger Prediger vom 19. Juni 1529 (vgl. oben S. 126 Anm. 9) (Riederer, 116 § 1), auf das Brück in dem Text ausdrücklich einmal verweist; vgl. RTA VIII, 369, 23 ff.

86. Vgl. ebd., 374, 9 ff.

87. Vgl. oben S. 140 f.

88. RTA VIII, 370, 23.

nicht ausgeführt wird, zwischen „ziemlichen und zugelassenen" Mitteln und verbotenen Mitteln, zu denen das Bündnis mit Abtrünnigen zählt, unterschieden werden.

Obwohl das Speyerer Bündnis im Dezember 1529 als gescheitert anzusehen war, wurden die mit ihm verknüpften Probleme weiterhin diskutiert. Vor allem Philipp von Hessen bemühte sich nach wie vor um einen Zusammenschluß der Protestanten. Als Hebel benutzte er jetzt das kaiserliche Mandat vom 12. Juli 1529 gegen die Speyerer Minderheitsstände[89], das zwar nie verkündet worden war, aber inoffiziell verbreitet wurde und damit seinen Zweck erreichte, die gemeinten Empfänger zu beunruhigen, ohne mit der Verkündigung auch die Verpflichtung, es im Weigerungsfall exekutieren zu müssen, auf sich zu nehmen. In dem Mandat wurde den protestierenden Ständen der Befehl erteilt, dem Mehrheitsbeschluß von Speyer nachträglich beizutreten mit der Drohung, „wo ir uber unser gnedig warnung verrer ungehorsamlich erscheinen wurdet, mochten wir nit umbgeen, sonder wurden und mueßten zu erhaltung schuldiger gehorsam im heilgen Reich gegen euch ernstlich straffen furnemen[90]".

Philipp von Hessen legte dem Kurfürsten „etwas nach der leng" seine Ansicht über dieses Mandat und das kaiserliche Verlangen nach Türkenhilfe dar und bat, Luthers Votum dazu einzuholen[91]. Johann von Sachsen hat sich daraufhin am

89. Müller, Historie, 208 f. nach einer Weimarer Kopie (mit Unterschriften Karls V. und Alexander Schweis'); eine entsprechende Abschrift befindet sich u. a. im Staatl. Archivlager Göttingen (Königsberg), Ostpr. Fol. 84, 170 f. Offiziell war das Mandat den evangelischen Ständen noch im Januar 1530 nicht zugestellt; vgl. Müller, Historie, 357 f.; Fabian, Abschiede, 119. Vgl. zum Ganzen jetzt RTA VIII, 694 ff. – Spengler erhielt den Text bereits im September 1529 aus Straßburg; vgl. Pol. Corr. I, 392 f. Seinem Bericht zufolge hatte ihn der brandenburgische Kanzler Vogler um die Ausarbeitung einer Antwort ersucht, „ob die schrift noch ausgieng, das man mit ainer stattlichen antwurt gefasst were"; vgl. auch v. Schubert, 188; RTA VIII, 699. Vgl. auch die Straßburger Instruktion für Schmalkalden Pol. Corr. I, 417, in der Beratungen über das Mandat gefordert werden; vgl. auch ebd., 423. Die Protestationsgesandten schickten den Text aus Lyon nach Nürnberg und an den Markgrafen; vgl. RTA VIII, 696 f. Anm. 5.

90. Ebd., 696.

91. Dieser Brief, dessen Form und Inhalt aus der Antwort des Kurfürsten vom 23. Dez. 1529 zu entnehmen ist (vgl. Anm. 92), ist nicht identisch mit dem ersten, nach der Schmalkaldener Zusammenkunft am 9. Dez. abgefaßten, da in diesem nur ganz kurz an die in Schmalkalden erbetene Auskunft über Mandat und Türkenhilfe erinnert wird (Konzept, Marburg, Pol. Arch. 2544, 72 r; vgl. RTA VIII, 510). Am 13. Dez. 1529 verwies Philipp in einem nicht eigenhändigen Brief (Original Weimar, Reg H 12, 68–70; vgl. RTA VIII, 513 f.) auf ein früheres Schreiben: „wie wier dan das [sc. Türkenhilfe, Friedenssicherung] E. l. vor wenigen tagen mit eigener handt zugeschrieben, bei welchem unserm trewen gutbedencken wir es nachmals beruhen lassen und daruff von E. l. antwurtt warten" (Konzept Marburg, Pol. Arch. 2544, 80 ff.). Dieser eigenhändige ausführliche Brief, der etwa gleichzeitig mit der Bitte vom 9. Dez. zu datieren ist, ist offenbar verschollen. Im Weimarer Archiv befinden sich außer den genannten keine weiteren Schreiben des Landgrafen von Dezember 1529 oder früher, auf die sich Luthers Gutachten beziehen könnte (frdl. Auskunft des Staatsarchivs Weimar).

23. Dezember, „nachdem wir vermerkt, das es E. L. nit entgegen“, bereit erklärt, „das wir doctor Luthers bedenken in demselben horen wollen. Das wollen wir also thun und E. L. alsdann unserm vorigen erbieten nach weitere antwurt geben[92]“. Das Ersuchen an Luther muß aber schon vor diesem Schreiben an den Landgrafen abgegangen sein, da das Wittenberger Bedenken bereits vom 24. Dezember datiert ist. Aus ihm läßt sich entnehmen, daß ein Votum zu folgenden Problemen gefordert war: Stellung zum kaiserlichen Mandat, Frage prophylaktischer Rüstungen, Präventivschlag gegen die altkirchlichen Stände.

Luthers Gutachten[93] ist von einer äußersten Konzentration auf den Augenblick bestimmt. Für die Zukunft wird in ihm alles offengelassen, Luther vermeidet es bewußt, Entscheidungen, die nach seiner Beurteilung der Lage erst später notwendig wurden, zu antizipieren und begnügt sich mit der Erörterung der unmittelbar aktuellen Probleme. Er argumentiert diesmal nicht ausschließlich theologisch, sondern mindestens in gleichem Ausmaß politisch-juristisch und empirisch. Der religiöse Aspekt, daß die gegenwärtige Situation nur eine Versuchung Gottes zur Prüfung des menschlichen Vertrauens und Glaubens sei, der vor allem mit Gebet begegnet werden müsse, klingt nur kurz an, ohne daß Folgerungen daraus gezogen werden[94]. Über das Bündnis und seine Erlaubtheit wird kein Wort gesagt, auch die Verbindung mit den „Zwinglianern“ nur an einer Stelle berührt[95]. Wichtiger ist der politisch-juristische Gesichtspunkt, der sich in der Frage zuspitzt, ob die Vorbedingungen für eine gerechtfertigte Notwehr jetzt, im Dezember 1529, erfüllt sind. Luthers Situationsanalyse führt ihn zur nachdrücklichen Betonung der Notwendigkeit des Temporisierens; auffällig oft kehren Wendungen wie „noch nicht“, „nicht so früh“, „zu früh“ im Text wieder. Für ihn ist die Entscheidungssituation offensichtlich noch nicht gegeben, er rät daher zum Abwarten und zum Versuch, dem drohenden Unheil mit friedlichen Mitteln zuvorzukommen, zumal noch nicht alle Möglichkeiten, im normalen und geordneten Verfahren mit dem Kaiser zu verkehren, erschöpft sind.

Der Hinweis auf die loci classici des biblischen Obrigkeitsverständnisses fehlt in dem Gutachten, dagegen wird das Gehorsamsgebot in bemerkenswerter Weise eingeschränkt: Der Kaiser ist Obrigkeit und ihm ist, „so viel ymer muglich“, mit Demut zu begegnen, man darf „nicht so balde trotzen“. Ob aber eine Situation vorstellbar ist, in der diese Einschränkung fällt zugunsten legitim ausgeübter Notwehr, läßt Luther unerörtert. Fest steht für ihn nur, daß gegenwärtig keine Veranlassung zur Notwehr besteht, „wenn gleich [= auch wenn] der Kaiser ein gleicher furst were[96]“ — was er nach Luthers Verfassungsverständnis aber nicht ist.

---

92. Konzept Weimar, Reg H 12, 73 r.

93. WAB V, 208 ff. Nr. 1511 (ebd. die Zitate im Folgenden). Müller, Äußerungen, 20 ff., dem Carlyle VI, 280 f. folgt, preßt den Inhalt zu sehr, um eine Aussage zugunsten des Widerstandsrechts zu erhalten; ähnlich Kalkoff, Verhältnis, 284 ff. Vgl. dagegen Hillerdal, Evangelisk politik, 131 Anm. 2; Dörries, Widerstandsrecht, 215 f. Anm. 42.

94. Vgl. WAB V, 209, 19 ff.; 210, 65 ff.

95. Luther schlägt eine Gesandtschaft an den Kaiser vor, die aus den evangelischen Ständen bestehen soll, „so eins unzertrennten glaubens sind“ (ebd. 209, 10).

96. Ebd., 210, 43.

Eine explizite grundsätzliche Entscheidung für oder gegen ein Widerstandsrecht trifft Luther nicht, sondern schließt jede Aktion nur für die gegenwärtige Situation aus. Ob die Bedingungen für ein Notwehrrecht sich überhaupt herstellen lassen, bleibt dabei offen, wenn auch verschiedene Formulierungen den Gedanken nahelegen, daß unter bestimmten Voraussetzungen der Obrigkeitsgehorsam suspendiert werden kann. In diese Richtung zielt vor allem, daß Luther als Ungehorsam und Aufruhr den Fall bezeichnet, daß sich die Untertanen „so früh" zur Wehr setzen. Daß die Extremsituation des „nicht mehr so früh" die Notwehr rechtfertigen könnte, ließe sich aus der summierenden Äußerung des Votums ableiten: „Derhalben ist mein gutduncken, das dis furnemen, yns feld zu zihen, nachbleibe. Es kome denn noch viel andere not und sachen[97]." Aber auch in einem solchen Fall durfte die Notwehr nach seiner erneut bekräftigten Überzeugung nur als repressiver Notbehelf gegen eine offene oder für jedermann erkennbar unmittelbar bevorstehende Aggression, gegen „thettliche gewalt odder unmeydliche not[98]" geübt werden[99], war dann aber durch natürliches Recht und Billigkeit sanktioniert. Allerdings blieb die entscheidende Frage, ob dies auch für den Fall der Aggression von seiten des Kaisers galt, wiederum ohne Antwort[100].

Den Präventivkrieg gegen die altkirchlichen Stände verwarf Luther im Dezember 1529 wie in den „Packschen Händeln", da damit „beyde, Gott und wellt ... hochlich erzurnet und wir billich verdampt" würden[101]. Die Gründe für diese Ablehnung sind dieselben wie 1528: Maßnahmen des Gegners sind nicht erkennbar, die rechtlichen Prozeduren noch nicht einmal eingeleitet. In der Stufenfolge: Erlaß des Mandats — Achtserklärung — Exekution, blieb dann genügend Raum für das Eingreifen und Wirken Gottes[102]. Dieser Raum für das göttliche Handeln durfte nicht auch nur gedanklich eingeengt werden. So erschien es Luther durchaus denkbar, daß Gott seit der ungnädigen Antwort an die Protestationsgesandtschaft den Kaiser gemäß Spr. 21, 1 bereits umgestimmt haben könnte.

Das Argument Philipps von Hessen, sich der vom göttlichen Willen bereitgestellten Mittel zu bedienen, um sich nicht der undankbaren Verachtung und Herausforderung Gottes schuldig zu machen, hat Luther 1529 lange umgangen, da Philipp es auf die militärische Potenz der „zwinglianischen" Städte bezog. Jetzt erkennt er seine Berechtigung zwar grundsätzlich an, spricht sich aber gegen das offenbar von Philipp als geeignete Maßnahme vorgeschlagene „Zu-Felde-Ziehen[103]", d. h. die präventive Rüstung oder das Aufstellen eines Heeres, aus, da

97. Ebd., 211, 90 f. (zu: „ins Feld ziehen" vgl. unten Anm. 103).

98. WAB V, 209, 35.

99. Vgl. dazu H. Mayer, Christ, 354 ff.

100. Dörries, Widerstandsrecht, 215 Anm. 42 beschränkt die Erlaubnis auf die Gleichrangsfürsten.

101. WAB V, 211, 86 f.

102. Vgl. dazu auch oben S. 36 ff.

103. Der Ausdruck begegnet im Gutachten Luthers auffällig oft; vgl. Zl. 30: zu Felde ziehen; 34: zu felde ziehen und sich zur wehre stellen; 36 f.: zu frue ausziehen und sich wehren wollen; 44 f.: keinen krieg anfangen noch zu felde ziehen; 71: man were schon zu felde ynn der gegen wehre; 90: dis furnemen, yns feld zu ziehen. — Im Deutschen Wör-

dies ein im Augenblick „ersuchtes“, durch menschliche Kalkulation und Überlegung herbeigezwungenes Mittel wäre, das „noch zur Zeit unnotig und zu frue[104]“ ist und dem die Bestätigung des göttlichen Einverständnisses fehlt. Dabei ist mit der Terminierung: „zur zeit unnotig“, wiederum der Vermutung Raum gelassen, daß zur richtigen Zeit dieses Mittel sehr wohl von Gott bereitgestellt werden könnte[105]. Bis dahin ist für Luther christlich verantwortbar nur das Offensein und das Warten auf die Weisungen Gottes; wie diese sich konkretisieren, darf nicht im voraus gefragt werden.

Für die politischen Planungen des Landgrafen war ein derart auf den gegenwärtigen labilen Stand der Dinge fixiertes Gutachten nur brauchbar, wenn er auf die konditionalen Untertöne verzichtete und die offen gelassenen Folgerungen Luthers in seinem Sinn ausfüllte, das „noch nicht“ zu einem „aber dann“ ergänzte[106]. Kurfürst Johann, der Luthers Votum schon am 26. Dezember nach Hessen weiterleitete, erklärte sich mit dessen Inhalt einverstanden; wie Luther zeigte er sich davon überzeugt, „das es nützs und von nöten wolle sein“, nochmals zu versuchen, den Kaiser umzustimmen, zumal das Mandat noch nicht verkündet und der Rechtszug gegen die Protestanten noch nicht eröffnet worden war. Mit dieser die Entscheidung vertagenden Politik schloß jedoch auch Johann ein Widerstandsrecht nicht ausdrücklich aus[107]. Luther wurde aber wenige Wochen später doch zu einer präzisen Grundsatzentscheidung über die Berechtigung des Widerstands gegen den Kaiser gezwungen, als auf dem Tag zu Nürnberg die religiös motivierte Opposition gegen dieses dem Bündnis zugrundeliegende Prinzip sichtbar wurde.

4.2 Der Tag zu Nürnberg Trium regum 1530 und die süddeutsche Opposition gegen das Widerstandsrecht

Nachdem sich auf dem Tag von Schmalkalden (28. November – 3. Dezember 1529) das sächsische Prinzip der Vorordnung des Bekenntnisses vor das Bündnis

---

terbuch Bd. 3, 1478 ist zur Erklärung nichts in den Zusammenhang Passendes angegeben. Die Formel bedeutet offensichtlich nicht: Präventivkrieg anfangen (vgl. 44 f.), sondern nur: rüsten, Defensivmaßnahmen treffen, ein Heer zusammenziehen, sich zum Krieg vorbereiten. Auch v. Schubert, 222 f. versteht den Ausdruck anscheinend in dieser Weise, wenn er als Veranlassung des Briefes angibt: der Kurfürst legt Luther die Rüstungsfrage vor. Schwiebert, 114 f. übersetzt „zu Felde ziehen“ entsprechend mit: „preparation for war“.

104. WAB V, 210, 58.

105. Vgl. die Auskunft über das „selbstgesuchte Bündnis“ im Mai-Gutachten oben S. 129 f.

106. Der Kurfürst hatte ihm das Gutachten im Original zugeschickt. Am 7. März 1530 bezog sich der Landgraf in einem Brief an Georg von Brandenburg darauf: „So habb ich auch in Lutters selbsteygen hantschrifften, an kurfürsten von Sachsen gethan, anders [als der Markgraf, der das Widerstandsrecht verneinte] gesehen, das Lutter zulest, das der kurfürst sich auch kegen den keyser weren mag, so er mit unrecht seyn lieb uberzihen thet“ (v. Schubert, 217).

107. Vgl. Johann an Philipp, 26. Dez. 1529; RTA VIII, 519 f.

durchgesetzt hatte[1], war auf den 6. Januar 1530 nach Nürnberg eine Zusammenkunft nur noch der lutherischen Stände einberufen worden, die dazu dienen sollte, sich über die Reaktion auf die brüske Abweisung der Protestationsgesandtschaft durch den Kaiser zu verständigen[2]. Trotz Luthers letzter Warnung vor einem Bündnis zum Schutz des Glaubens bemühte sich Kursachsen auf dieser Tagung erneut, die bisher ablehnenden glaubensverwandten Stände Nürnberg und Brandenburg-Ansbach für den Beitritt zum Magdeburger Bündnis von 1526 zu gewinnen[3]. Das Bündnis mit den „zwinglianischen" Städten war dagegen für Sachsen kein Verhandlungsgegenstand mehr; ausdrücklich bestimmte die Instruktion für den sächsischen Kanzler Beyer[4], daß selbst eine Trennung von Hessen in Kauf genommen werden sollte, falls der Landgraf sich von den oberdeutschen Städten nicht lossagen wollte oder gar ein eigenes Bündnis mit ihnen geschlossen hatte[5].

Die Frage eines identischen Verhaltens der evangelischen Stände zur Türkenhilfe und zum Unterhalt der Reichsinstitutionen führte in Nürnberg zu der folgenreichen Debatte über die Grenzen der Gehorsamspflicht und die Berechtigung des Widerstands gegen den Kaiser[6], in der ein überraschender Wechsel in der politischen Haltung Brandenburgs Sachsen zwang, über die frühere Problematik der exclusio Caesaris hinaus die Grundlage des Bündnisses erneut zu überdenken. Der brandenburgische Kanzler Vogler erklärte auf die hessische Anregung, die Türkenhilfe abzulehnen, „es wurden dan wir zuvor vorsichert, das wir und die unsern uns keins uberfals zubefahen hatten", sein Landesherr wolle gegenüber dem Kaiser alle Pflichten erfüllen, und präzisierte auf den Einwand[7]: „Jha, was nicht den glauben belanget, aber sunst nicht", den Standpunkt Ansbachs: „Wue der keiser seinen hern ubertzug mit gewaldt, so wolt sein gnad sich nit weren und alles leiden, was im Got zufugt". Die Nürnberger Vertreter stimmten Vogler zu „und (haben) gesagt, es were pillich".

Während Hessen offenbar gar nicht in diese Debatte eingriff, führte der sächsische Kanzler „fur sich ... ausserhalb seins bevelichs", da seine Instruktion für diesen Fall versagte, in deutlicher Anlehnung an die Argumente Bugenhagens von

1. Der Verlauf dieser Tagung ist durch verschiedene Relationen gut zu rekonstruieren: *Nürnberg:* Strobel, 113 ff.; *Konstanz:* Köhler, Zwingli und Luther II, 169 ff.; *Straßburg:* Pol. Corr. I, 418 ff.; *Ulm:* v. Schubert, 152 ff.; *Brandenburg-Ansbach* (Vogler): Schornbaum, Nürnberg, 207 ff. Vgl. auch RTA VIII, 399 ff.

2. Vgl. zum Nürnberger Tag zuletzt Steglich, 185 ff.

3. Bereits in Schmalkalden hatte Brück Vogler gebeten, dafür zu sorgen, daß Nürnberg und Ansbach im Januar in das Bündnis aufgenommen werden könnten; ebenso setzte sich der Kurfürst selbst dafür ein; vgl. Schornbaum, Nürnberg, 195. 211.

4. Vgl. RTA VIII, 523 ff.

5. Andererseits war Sachsen in Sorge, Hessen könne dem Nürnberger Tag überhaupt fernbleiben, und suchte dies zu verhindern; vgl. RTA VIII, 512 f.

6. Das Folgende beruht auf der Relation des sächsischen Kanzlers Beyer über den Nürnberger Tag; Original: Weimar, Reg H 13, 72 ff. (jetzt gedruckt in RTA VIII, 529 ff. 549 ff.); Referat bei Müller, Historie, 350 ff.

7. Die folgenden Zitate stammen aus dem Bericht Beyers (vgl. oben Anm. 6).

September 1529[8] aus, daß der Kaiser nicht als Obrigkeit, sondern als Feind anzusehen wäre, „wue er die fursten und ander magistrat, der gewaldt auch von Got were, mit gewaldt zu der papisterey wolte dringen". Mit dem Nachsatz: „doch wolt er solchs nit disputirn, sondern den gelertten bevelhen", versuchte er, die heikle Diskussion zunächst zu beenden; Nürnberg und Ansbach zeigten sich dazu jedoch nicht bereit, da ihnen „die sach also hefftig angelegen, das sie nit davon liessen, sonder vilmals derhalben rhede hielten". Vogler berief sich auf Ratschläge von Johann Brenz „und ander gelerter", d. h. vor allem auf Spengler[9]. Der vom sächsischen Kanzler zu einer Aussprache gebetene frühere Altenburger, jetzt Nürnberger Pfarrer Wenzeslaus Link bestätigte die Haltung der beiden süddeutschen Stände: Man soll dem Kaiser nicht widerstreben, „es volget hiraus, was schaden und nachteil es umer meher sein solt". Die gegenteilige Ansicht seines Amtskollegen Andreas Osiander kritisierte er als „seins achtens uf menschlich vernunfft gebauet". Osiander wie Link wurden daraufhin von Beyer um ein schriftliches Gutachten gebeten[10].

Die sächsischen Politiker müssen von dem brandenburgischen Kurswechsel vollkommen überrascht worden sein, nachdem beide Stände noch im Oktober in Schwabach gemeinsam eine Erklärung gegen die exclusio Caesaris vorgelegt hatten[11] und auch in der brandenburgischen Instruktion für Schmalkalden festgestellt worden war, daß der Kaiser bei einem Angriff um des Glaubens willen nicht als Obrigkeit anzusehen, sondern dem Türken gleichzusetzen sei[12]. Hessen war dagegen die veränderte Haltung Ansbachs schon andeutungsweise bekannt. Auf die Frage Philipps, ob er im Fall eines kaiserlichen Angriffs wegen des göttlichen Worts und der neuen Ordnung Unterstützung leisten würde, hatte der Markgraf am 12. Dezember 1529 nur ausweichend auf die zwischen beiden Ständen bestehenden Erbeinungen, in denen aber Papst und Kaiser ausgenommen waren[13], verwiesen[14]. Der Nürnberger Rat[15] hatte sogar noch früher seine neue Position deutlich gemacht, wenn er die ungnädige Behandlung der Gesandtschaft durch Karl V. als Glaubensprobe interpretierte, die mit der täglich zu bewährenden Leidens-

---

8. Vgl. oben S. 137 f.

9. Irrig Hauswirth, 20 f., daß die Weigerung des Markgrafen, das Widerstandsrecht zu praktizieren und ein Bündnis einzugehen, auf dem Schrecken über die Verhaftung der ersten Appellationsgesandtschaft beruhte. Auf dem Schmalkaldener Tag ist von dieser Haltung Brandenburgs noch nichts zu bemerken; erst unter der Einwirkung von Spenglers Gutachten erklärte sich Markgraf Georg gegen das Notwehrrecht.

10. Das Gutachten Links ist verloren; vgl. v. Schubert, 224 Anm. 1; über Osianders nachträglich eingereichtes Gutachten (Nürnberg, Staatsarchiv, S I L 68 Nr. 6, 257 ff.) vgl. Möller, Osiander, 126 ff. und Hirsch, Osiander, 135 ff.

11. Vgl. RTA VIII, 297 ff.

12. Vgl. ebd., 381 ff.; v. Schubert, 141 ff.

13. Darauf machte Philipp in seiner Antwort vom 21. Dez. 1529 aufmerksam; vgl. v. Schubert, 199; RTA VIII, 487.

14. v. Schubert, 196; RTA VIII, 486 f.

15. Über die Nürnberger Haltung zu Widerstandsrecht und Bündnis vgl. Franz, Nürnberg, 105 ff. Über die Hintergründe der Reichstreue Nürnbergs vgl. Baron, 415 ff. 615 ff.

bereitschaft des Christen zu bestehen war. Daher „gezimpt sich unsers achtens nit weniger, dißen handel got zu bevelhen ... dann die sachen auf ain entlichen widerstand, gegenwere und menschliche rettung, zuvor [= zumal] wider unser oberkait und ordenlich zeitlich haubt, zu stellen[16]".

Ausgelöst war der Umschwung offenbar durch ein Gutachten des Nürnberger Ratsschreibers Lazarus Spengler, „die erste prinzipielle Auseinandersetzung der Frage, die das Widerstandsrecht glatt verneint, der Anstoß und die Vorlage für alle weiteren[17]". Spengler hatte bereits in einem Bündnisentwurf, der in Rodach vorgelegt worden war, den Kaiser aus dem Erstreckungsbereich der Verbindung herausgenommen[18] und reichte im November 1529 dem Rat und dem Markgrafen eine für den jeweiligen Empfänger etwas variierte umfangreiche Denkschrift ein, in der er sich erneut entschieden gegen das Widerstandsrecht gegen den Kaiser aussprach. Sein Gutachten „Ob einer christlichen Obrigkeit mit Gott und gutem Gewissen zustehe, sich gegen den Kaiser in gewaltiger Handlung des Evangeliums mit Gewalt aufzuhalten und ihm mit der Tat zu widerstehen[19]", folgte den in Luthers Schriften der Jahre 1523—26 enthaltenen Anweisungen für das Verhalten des Christen in politischen Dingen und aktualisierte sie in ihren radikalen Konsequenzen[20]. Obwohl das Gutachten eines Laien[21], orientierte es sich jenseits aller

---

16. Rat von Nürnberg an den Landgrafen, 8. Nov. 1529, in Erwiderung einer Anfrage Philipps, ob nach Verhaftung der Appellationsgesandtschaft nicht das Bündnis intensiver zu fördern und auch über die Verweigerung der Türkenhilfe zu beraten sei; vgl. v. Schubert, 232; Engelhardt II, 209.

17. v. Schubert, 192. Zur Institution des Ratsschreiberamts und zu seinem Einfluß auf die städtische Außenpolitik vgl. v. Schubert, Spengler, 22 (mit Lit.). 63. 77 ff.

18. Vgl. RTA VIII, 100.

19. Vgl. Scheible, 29 ff.; RTA VIII, 469 ff. Der Text liegt in verschiedenen Fassungen vor:

1. „Ausführlichste und originellste Form" (v. Schubert, 192 Anm. 1), die offenbar für den Rat der Stadt bestimmt war, da in ihm die Stellung einer Reichsstadt zum Kaiser ausführlich auseinandergesetzt wird: Nürnberg, Landeskirchl. Archiv, Fen. IV, 906, 154 ff. (danach bei Pressel, Spengler, 60 ff., Scheible und RTA gedruckt); RTA = S.
2. Von Spengler nach dem 15. Nov. 1529 an Georg Vogler geschickte (vgl. v. Schubert, 194) kürzere Fassung: Nürnberg, Staatsarchiv, ARA XVI, 198 ff.; Staatl. Archivlager Göttingen (Königsberg), Ostpr. Fol. 84, 209 ff.; RTA = V.
3. Erheblich gekürzte Fassung, von Spengler anonym an Melanchthon geschickt (v. Schubert, 194 Anm. 3 und 222 Anm. 1): Gedruckt bei Hortleder, Rechtmäßigkeit I, 7 p. 7 ff.
4. Von Vogler (Scheible, 29 f. Anm. 74 irrig: von Spengler selbst) umgearbeitete (statt „Nürnberg" „ein Rat" u. ä. „ein Fürst" eingesetzt) Fassung von 2, von Vogler an den Landgrafen geschickt (vor 21. Dez. 1529): Nürnberg, Staatsarchiv, ARA Suppl. I, 352 ff.; vgl. v. Schubert, 198. RTA = H.

Nach W. Steglich, in: RTA VIII, 469 ist Nr. 2 die Originalfassung, Nr. 1 eine spätere und erweiterte Fassung.

20. Spengler beruft sich auf Luthers Schriften „Von weltlicher Obrigkeit", „Ob Kriegsleute", „Vermahnung zum Frieden"; außerdem auf Melanchthons Widerlegung der Zwölf

juristischen oder politischen Erwägungen an einer Gewissensentscheidung, die Spengler aus seinem Verständnis der Schrift gewonnen hatte[22]. Eine Korrektur seiner Stellungnahme, zu der er sich erbot, erschien ihm daher auch nur möglich, falls die Widerlegung sich auf Aussagen der Bibel berufen konnte[22a].

Spenglers Ablehnung des Widerstandsrechts begründet sich auf die loci classici der neutestamentlichen Gehorsamsforderungen und auf die Überzeugung, daß alle Rechte der potestates mediae erlöschen, sobald diese Rechte in Relation zur kaiserlichen potestas superior treten. Indem er den Herrschaftsbereich des Kaisers als unlimitiert versteht, da er durch göttliche Einsetzung in sein Amt gelangt ist, wird jede Gehorsamsverweigerung zur Auflehnung und zum unmittelbaren Verstoß gegen göttliches Gebot. Von diesem absoluten Gehorsamsgebot sind auch die Reichsstände als unmittelbare Untertanen des Kaisers nicht ausgenommen. Ihre Rechte gegenüber ihren Untertanen leiten sich einzig von einer Machtdelegation durch den Kaiser her; ihr eigenes Regiment ist nur ein „verordent mittel des keisers halben kegen den underthanen". Ein Widerstandsrecht für sie müßte nach dem Gleichheitsprinzip auch die Zuerkennung desselben Rechts für ihre eigenen Untertanen zur Folge haben; damit wäre der Weg frei für den Umsturz der Rechtsordnung und totale Anarchie. Zwar räumt Spengler ein, daß der Kaiser bei Befehlen, die Glauben und Gewissen angehen, gegen Amt und Auftrag verstößt, das hat aber nicht die Aufhebung des Gehorsamsgebots zur Folge, da den Untertanen die Kompetenz, über Handlungen ihrer Obrigkeit zu urteilen, fehlt.

Spengler bestreitet jedoch nicht nur auf Grund seiner verfassungsrechtlichen Interpretation des Verhältnisses Kaiser-Reichsstände die Berechtigung zum Widerstand in der causa fidei, sondern vor allem auch seine Notwendigkeit, weil nach der Verheißung der Schrift das Evangelium durch weltliche Gewalt in keinem Fall vernichtet werden kann, so daß ein bewaffneter Schutz nur Mißtrauen gegen die Zusage Gottes, sein Werk nicht im Stich zu lassen, bedeutet. Einziger Ausweg bei einem gewissensbedrohenden Befehl der kaiserlichen Obrigkeit – in der aktuellen Situation: einem Befehl zur Entlassung der evangelischen Prediger und zur Restitution der „papistischen Mißbräuche" – bleibt für die Stände die Berufung auf die clausula Petri und die daraus resultierende Haltung des passiven Unge-

---

Artikel und dessen Kolosserbrief-Kommentar; vgl. Scheible, 39.

21. Über Spenglers Bildungsgang vgl. v. Schubert, Spengler, 69 ff.; über Spenglers Verhältnis zum Humanismus vgl. E. W. Kohls, Die Durchdringung von Humanismus und Reformation im Denken des Nürnberger Ratsschreibers Lazarus Spengler. In: Zeitschrift für bayerische Kirchengeschichte 36/1967, 13 ff.

22. Zu Spenglers an der Schrift orientiertem unbeschränktem Gottvertrauen vgl. v. Schubert, Spengler, 360 f.; vgl. ebd., 309 ff. nach Spenglers Traktat „Die tröstliche christliche anweisung und artznei in allen widerwertikaiten" über den positiven Sinn des Leidens.

22a. Vgl. auch Spengler an Vogler, 12. Dez. 1529: „Wollt warlich zehen gulden darumb geben, das ich derselben ort [sc. Wittenberg und von Brenz] das widerspil finden mocht auß Gottes wort, damit ich das gewissen befriden mocht. So gern wollt mein alter Adam disesfalls ain anders annemen, sorg aber, ich werd kain anders finden", RTA VIII, 469.

horsams. Eine Sorgepflicht für den Nächsten existiert hier nicht, die Sorge für das eigene Gewissen steht alles andere ausschließend voran.

Spenglers eindeutige Absage an ein Widerstandsrecht gegen den Kaiser und an den Schutz der evangelischen Lehre mit Waffengewalt wurde durch ein zustimmendes Votum Johann Brenz', des theologischen Beraters des brandenburgischen Markgrafen, unterstützt, der den ihm von Vogler übermittelten Text als „gantz göttlich und Christenlich" billigte und mit eigenen Erörterungen ergänzte[23]. Brenz hatte sich schon früher mit der Problematik der Notwehr beschäftigt. Als 1527 die Gefahr einer zwangsweisen Restitution der bischöflichen Jurisdiktion durch den Schwäbischen Bund mit Hilfe eines kaiserlichen Mandats drohte, hatte er nicht nur versucht, den Widerstand gegen den Kaiser selbst zu untersagen, sondern auch das Mandat als genuinen Ausdruck obrigkeitlichen Willens akzeptiert und gefolgert: „einer reichsstadt gebuhret es nimer, von des evangeliums sachen wegen wider ire hochste oberkait, den kayser, zu streyten und zu fechten". Führten friedliche Verhandlungen nicht zum Ergebnis, so war für den Christen, auch für den Christen im Stadtregiment, nur der Weg zum Leiden offen[24]. Dieser Haltung entsprechend, hat Brenz dann 1530 auf die Frage nach dem richtigen Verhalten gegenüber einem unchristlichen Reichsabschied geraten, zwar alle Rechtsmittel, vor allem die Appellation an das Konzil auszunutzen, aber dem Kaiser keinen Widerstand zu leisten, wenn er sich über die Appellation hinwegsetzte[25]. In diesem Fall sollte ihm vielmehr die Bereitschaft der Stadtobrigkeit, es hinzunehmen, „das kay. M. ir itzige prediger und pfarer vertreybe, andere verordne und in der kirchen aufrichte, was Ir. M. gefellig sey", mitgeteilt werden. Damit waren dann die Gefahren einer gewaltsamen Exekution auf die wirklichen Christen eingeschränkt, die nach Brenz' Überzeugung das „geringst tail" darstellten, während die Kommune insgesamt unbelastet blieb.

In seiner Stellungnahme zu Spenglers Gutachten geht Brenz davon aus, daß das Reich Karls V. und die kaiserlichen Rechte nach der Schrift als Ordnung Gottes zu verstehen und hinzunehmen seien[26]. Demzufolge erlöschen die Rechte der magistratus inferiores gegenüber dem Kaiser, in Relation zu dem sie nur „recht naturlich underthon" sind. Die zum Gehorsam mahnenden und vor Aufruhr warnenden Schriftworte, von denen Dt. 32, 35; Mt. 5, 39 und 26, 52 zitiert werden, gelten in der Beziehung zum Kaiser auch für die mittlere Gewalt. Der Kaiser ist nicht, wie Bugenhagen postuliert hatte, ein „unordentlicher zuchtiger der Sund

23. Vgl. Brenz an Markgraf Georg, 27. Nov. 1529; Pressel, Anecdota, 44 ff.; Scheible, 40 ff.; RTA VIII, 483 ff. Über die Gutachten Brenz' von 1529/30 vgl. auch Hartmann-Jäger I, 275 ff. (mit falschen chronologischen Beziehungen). Irrig bezieht Kantzenbach, Brenz, 76 f. die Äußerung Brenz', die er gegen das überlieferte Datum ohne Begründung auf Jan. 1530 datiert, auf ein Bedenken Osianders, das ihm der Markgraf zur Stellungnahme zugeschickt habe.

24. Vgl. Köhler, Brentiana III, 183.

25. Vgl. Pressel, Anecdota, 94 ff. 97 f.; vgl. dazu auch Kantzenbach, Brenz, 73 f.

26. Vgl. Pressel, Anecdota, 43; vgl. auch 47, wo die Wahlordnung als Ordnung Gottes bezeichnet wird.

und ... gewalltiger Strassreuber", sondern ordentliche, d. h. göttlicher Ordnung entsprechende Obrigkeit. Das Verhalten bei exzedierendem Handeln der Obrigkeit läßt Brenz allerdings unerörtert.

Einen Versuch zur Widerlegung der Thesen Spenglers und damit auch Brenz' unternahm Philipp von Hessen[27], der von der Überzeugung ausging, daß ein Angriff um des Evangeliums willen „die hochste und grobste unrechte gewalt an seel und leib" sei; wer ihn unternimmt, stellt sich dem Türken gleich oder übertrifft ihn sogar. Folglich darf, wer den Türken bekämpft, auch den Glaubensverfolger abwehren. Das Amt des Fürsten wird vom Landgrafen wesentlich anders verstanden als von Spengler, Brenz oder auch Luther, da der Fürst für ihn keine Einzelperson ist, die als Christ zum Leiden und Dulden verpflichtet wäre, sondern unmittelbare, vom Kaiser unabhängige Verantwortung für seine Untertanen trägt; er muß seine Untertanen daher „vor unrechtem und unbillichem gewalt in zeitlichen und viel meher in geistlichen, doran die eher gottes und die Seligkeit gelegen, beschirmen." Unter Berufung auf diese Pflicht verwahrt sich Philipp gegen den Vorwurf, aus egoistischen Motiven für das Widerstandsrecht einzutreten; die Fürsten wollen nicht deshalb zur Notwehr berechtigt sein, um ihr Regierungsrecht zu sichern, sondern um ihren Untertanen das Evangelium zu erhalten. Wie früher lehnt er auch in diesem Gutachten die Applikation der Auskünfte des Neuen Testaments über Obrigkeit und Gehorsam auf das Verhältnis Kaiser-Reichsfürsten ab, da der Kaiser und die Stände durch obligatio mutua einander verpflichtet sind.

Seines Briefcharakters entkleidet[28], schickte Georg von Ansbach Philipps Schreiben an seine beiden Gutachter und ersuchte sie um eine Stellungnahme. Spenglers zweites Votum „Eine kurze Schutzrede auf etlich verzeichnete Argumenta[29]" erklärt die Gründe des Landgrafen, die durch „forstliche vernunft, die sich nimermeher darein schicken kan, wie man gewaldt und unrecht leyden und dem posen mit gewaldt nit widerstreben soll", bewirkt seien, für falsch, weil ihnen die Basis im Wort Gottes fehle. Eine cura animarum der potestates inferiores erkennt Spengler nicht an, da die Sorge für die Seelen Gott befohlen ist, der durch den heiligen Geist „christen machen, erhallten und seligen kann. ... Was gehet es mich ahn, welchen auß meynen underthanen got der almechtig in disses, des keisers Tirannei erhalten will, wan ich allein seinem bevelich gemeß handelt", d. h. Gehorsam übe. Das Argument Philipps von der Verpflichtung des Kaisers gegenüber den Ständen hält für Spengler vor der Schrift nicht stand, da der Gehorsam nicht an verfassungsrechtliche Regeln gebunden ist. Immerhin hat er unter

27. Der Landgraf hatte das Gutachten von Vogler erhalten; Philipp von Hessen an Georg von Brandenburg, 21. Dez. 1529; v. Schubert, 199 ff.; Scheible, 43 ff.; RTA VIII, 487 ff.

28. Diese Fassung vgl. bei Hortleder, Rechtmäßigkeit II, 12 p. 91 f.

29. Auch von Spengler II gibt es zwei Fassungen; die ausführliche vgl. bei Scheible, 50 ff. und RTA VIII, 501 ff. (mit den Varianten der kürzeren Fassung), eine frühere kürzere bei Hortleder, Rechtmäßigkeit I, 11 p. 25 ff. (abschriftlich auch im Staatl. Archivlager Göttingen (Königsberg), Ostpr. Fol. 84, 221 ff.).

dem Eindruck der Ausführungen des Landgrafen die rechtliche Seite des Problems eingehender als bisher geprüft und verweist jetzt auf einen ordnungsgemäßen, wenn auch unter den gegebenen Umständen ungangbaren Ausweg aus dem Dilemma von Tyrannei und Gehorsam: die rechtsförmliche Absetzung des Kaisers durch die Kurfürsten. Außer ihr bleibt aber nur das „widerstreben mit dem geistlichen schwert gotliches worts" und der passive Ungehorsam.

Auf die Möglichkeit der Absetzung des Kaisers verweist auch Brenz, der eine umfangreiche „Ablehnung der Einrede" als Antwort auf die hessische Ausarbeitung abgefaßt hat[30], in der er seine früheren Argumente wiederholt. Zur Abwendung der Verfolgung empfiehlt er der ständischen Obrigkeit – und darin zeigt sich der praktische Seelsorger gegenüber dem Doktrinär –, den Anfang bei sich selbst zu machen, und schlägt als „rechte göttliche Mittel" vor: gerechtes Regiment, Erleichterung der Beschwerden der Untertanen, Bekenntnis zum Evangelium, Gebet, untertäniges Ansuchen beim Kaiser. Gegen den seine Gewalt mißbrauchenden Kaiser kann nicht der Bruch der obligatio mutua als Kriegsgrund ins Feld geführt werden, sondern hier ist die clausula Petri die einzige von der Schrift zugelassene Widerstandsnorm, wobei Brenz ausdrücklich auf die damit geforderte Verhaltensweise aufmerksam macht: passiver Ungehorsam, nicht aber aktive Abwehr. „Es ist zweyerley, nit gehorsam sein und mit gewalt widerstreben[31]". Den Versuch des Landgrafen, die Verbindlichkeit der paulinischen Aussagen über das Gehorsamsverhältnis zu relativieren, weist Brenz zurück, da das Widerstandsrecht nicht vom Faktor der Erblichkeit der Macht abhängig gemacht werden kann. Auch die cura animarum erkennt er nicht an. Sie ist für ihn, entgegen Philipps Behauptung, kein Bestandteil des obrigkeitlichen Amts, da Gott die Obrigkeit nur zu irdisch-weltlichen Zwecken konstituiert hat; die Fürsten haben eine cura animarum nur als Christen in der Pflicht der Nächstenliebe[32]. Der Kaiser hat ihnen aber ihr Land nicht als „Apostolen oder predigern" zugewiesen, sondern als „weltlichen regierern". Damit war auch in der Frage nach der Herleitung und Legitimation der ständischen Macht und ihrer Zuständigkeit der Dissens zwischen Hessen und Spengler/Brenz deutlich markiert.

---

30. Pressel, Anecdota, 47 ff.; RTA VIII, 492 ff.; v. Schubert, 206. Das Datum bei Pressel ist unrichtig und muß lauten: Anfang Jan. 1530; Georg von Brandenburg hatte Brenz am 31. Dez. 1529 um ein weiteres Gutachten zur Frage, „ob Kay. Mt. ... moge widerstand beschehen", ersucht; vgl. Brenz I, XXXII f. Nr. 35. Ein Auszug nach den Papieren Brenz' ist gedruckt von Köhler, Brentiana V, 287 ff. Zu dem Votum vgl. auch Brecht, 294 ff., der als Veranlassung irrig „eine Schrift der Nürnberger Prediger" annimmt. Noch stärker verkennt Kantzenbach, Brenz, 77 den historischen Zusammenhang und die Stellung des Markgrafen, wenn er das Gutachten als Antwort auf Einwände und Widerlegungsversuche „der Umgebung des Markgrafen" versteht.

31. Dieses Argument begegnet 1530 bei Melanchthon; vgl. unten S. 162 f.; in der Formulierung, der Unterschied zwischen „nicht bewilligen" und „mit Gewalt widerstehen" müsse respektiert werden, steht es auch in Spenglers zweitem Gutachten; vgl. Scheible, 51 f.

32. In einem Gutachten über die Pflicht des christlichen Fürsten zur Reform der Kirche vom 1. Juni 1529 unterscheidet Brenz anders; Pressel, Anecdota, 46 ff.

4.3 Die Ablehnung des Widerstandsrechts durch die Wittenberger Theologen (März 1530)

Die beiden Süddeutschen, die so entschieden die Möglichkeit eines ständischen Widerstandsrechts verneinten, kamen den Wittenberger Theologen zuvor bzw. widersprachen den Thesen Bugenhagens, dessen September-Gutachten ihnen jedoch offenbar unbekannt geblieben ist. Mindestens Melanchthon kannte den Text von Spenglers erstem Gutachten bereits seit Dezember 1529, da dieser es ihm anonym in wenig veränderter Form hatte zugehen lassen[1], ohne aber eine Antwort zu erhalten. Die Wittenberger Theologen wurden ihrerseits vom sächsischen Kurfürsten am 27. Januar 1530 zu einem „ordentlichen Ratschlag" aufgefordert, nachdem der Bericht Beyers über die Auseinandersetzung auf dem Nürnberger Tag vorlag. Daß ihnen dabei eine das Widerstandsrecht nicht ablehnende Stellungnahme nahegelegt wurde, läßt das von Brück redigierte Schreiben an Luther[2], in dem als bisheriger Bezugspunkt der sächsischen Politik in dieser Frage das September-Gutachten Bugenhagens ausdrücklich genannt wurde[3], deutlich erkennen. Luther sollte nach Beratung mit seinen Freunden innerhalb von drei Wochen ein Gutachten zu der Frage einreichen: „So sich Kais. Maj. oder jemandes anders in derselben Kais. Maj. Namen unterstehen wird, uns und unsere Land und Leute oder Andere umb des göttlichen Worts willen ... zu uberziehen und gewaltiglich furzunehmen, ob wir solches zu dulden schuldig oder aber desselben Gewalts uns wiederum aufhalten möchten." Mit der Aufforderung zu untersuchen, was „göttlich, christlich und recht" sei, wurde eine Auskunft verlangt nicht nur über die theologische Problematik, sondern auch über den, wenn nicht positiv-rechtlichen, so doch naturrechtlichen Aspekt.

Luthers Antwort vom 6. März[4] ist seine erste eindeutige und ausführlich begründete Äußerung über das Widerstandsrecht in der Diskussion von 1529/30[5].

---

1. Vgl. v. Schubert, 222 und oben S. 149 Anm. 19. Vielleicht bezieht sich auf diese Zusendung auch Melanchthons Brief CR I, 984 (an Baumgartner, 18. Jan. 1530; Datum in CR falsch). Auch Spenglers zweites Gutachten sowie beide Voten von Brenz müssen bis zum März 1530 in Wittenberg bekannt gewesen sein, da ihre Argumente teilweise in Luthers und Melanchthons Stellungnahmen vom 6. März 1530 wiederkehren. An Philipp von Hessen waren die zweiten Gutachten Spenglers und Brenz' am 18. Febr. 1530 aus Ansbach geschickt worden; vgl. v. Schubert, 213 f.

2. WAB V, 223 f.; vgl. die wichtigen Ergänzungen in WAB XIII, 120 f. — Zwischen Gutachtenforderung und Votum blieb die sächsische Politik auf ihrer bisherigen Position. Als Philipp von Hessen am 18. Febr. 1530 dem Kurfürsten Gerüchte über Truppenzusammenziehungen weitergab und daß des Kaisers „entlichs furhaben, gemuet und meynunge sey, die evangelische ... uberziehen zu lassen", mit der Frage nach Beistand und Hilfe bei Überzug (RTA VIII, 565 f.), erhielt er am 26. Febr. die Antwort, daß im Notfall Sachsen sich „vermuge unser veraynigung und verwandtnus in alwege erzaigen" werde (vgl. ebd., 567).

3. Im Konzept war ursprünglich sogar von der Annahme ausgegangen worden, das September-Gutachten stamme von Luther; vgl. WAB XIII, 120.

4. WAB V, 258 ff.; Müller, Äußerungen, 22 ff. interpretiert den Text abweichend von dem im Folgenden dargelegten Verständnis als Zulassung des Widerstandsrechts; ähnlich

Formal ein gemeinschaftliches Gutachten, ist sie nicht nur von Luther aufgesetzt, sondern auch von ihm inhaltlich bestimmt worden[6]. Ihr Gedankengang beruht auf drei Axiomen:

1. politisch: Die exzedierende Obrigkeit verliert den Charakter einer Obrigkeit und damit auch ihren Gehorsamsanspruch nicht.

a) theologische Begründung: Sie ist eine Einsetzung Gottes, eine göttliche Ordnung;

b) politische Begründung: Bei Möglichkeit des Gehorsamsentzugs besteht die Gefahr der Anarchie.

2. juristisch-verfassungsrechtlich: Gegenüber dem magistratus superior verliert der magistratus inferior seine obrigkeitliche Funktion und wird zum Untertan.

3. theologisch: Der Christ ist in der Nachfolge seines Herrn zum Leiden verpflichtet; das Risiko des Glaubens trägt jeder für sich selbst.

Alle drei Axiome lassen nur den Gehorsam als Schlußfolgerung zu. An möglichen Auswegen werden von Luther vorgezeichnet:

a) juristisch: die Absetzung des Kaisers durch die dazu befugten Fürsten (Einfluß Spenglers und Brenz');

b) theologisch: das Gebet um Hilfe und Beistand.

Zentralbegriff des Gutachtens vom 6. März ist das Gewissensprinzip: Das Gewissen verbietet dem Kurfürsten bei Kenntnis der von Luther genannten Voraussetzungen, der satanischen Versuchung nachzugeben und in einer vordergründig politischen Situation politisch zu handeln; will der Kaiser die Evangelischen verfolgen, so „mag er thun auff seine gewissen“[7]; der einzelne Christ kann ohne Verletzung seines Gewissens nicht Hilfe zur Verteidigung seines Glaubens fordern oder zulassen.

Trotz aller Vorbehaltlosigkeit steht aber hinter Luthers Erörterungen auch in diesem Gutachten die durch die Erfahrung der Kirchengeschichte und der zurückliegenden Jahre gestützte Überzeugung, daß Gott die Seinen nicht im Stich lassen, „on unser witze und macht wol mehr weise zu schutzen und zu helffen“ wissen wird[8]. Jenseits aller politischen und juristischen Interpretation versteht Luther die aktuelle Gefahr nur als Zeichen Gottes, durch das er den Glauben der Handelnden prüfen will; Gott selbst führt die gefährliche Situation herbei, um seine Macht und seine Möglichkeiten zu erweisen.

Schubert, Reichstage, 216; anders z. B. Wünsch, Bergpredigt, 125. Dörries, Widerstandsrecht, 209 ff. läßt Luther zutreffend das Widerstandsrecht verneinen, indem er die Auskunft von 1523 wiederhole, daß der einzelne Gläubige die Verfolgung zu bestehen habe.

5. Daß Luther der Frage des Kurfürsten ausweicht oder sie nicht vollständig beantwortet, wie Müller, Äußerungen, 25 und Fabian, Entstehung (1. Aufl.), 50 behaupten, läßt sich am Text nicht verifizieren.

6. Daß der Text von Luther stammt, bezeugt Melanchthon noch 1546; „(ist) diese Meinung erstlich vom ehrwürdigen Herrn Doct. Martino allein also begriffen“; CR II, 603 f. (mit falschem Datum).

7. WAB V, 260, 82.

8. Ebd., 260, 93.

Luthers Gutachten enthält, dem kurfürstlichen Auftrag entsprechend, eine eingehende Erörterung der Rechtslage[9]. Das positive Recht wird dabei verhältnismäßig kurz abgetan, da selbst seine Sätze nach Meinung der Wittenberger nicht eindeutig ein Widerstandsrecht zulassen[10]. Die offenbar von den Juristen des sächsischen Hofes angeführten Argumente für ein „resistere potestati", die den Theologen über Brück bekannt geworden sein dürften, sind im vermutlich gleichzeitigen[11] Gutachten Melanchthons genannt: Vernachlässigung der Amtspflicht durch Rechtsverweigerung — „quando non vult cognoscere rem nec defert appellationi"; Überschreitung der Amtspflicht durch Amtsanmaßung — "quando praecipit ea, quae non sunt officii sui"; bewußte Rechtsverletzung — „quando constat iniustitia[12]". Luther geht allerdings nicht im einzelnen auf diese Rechtssätze ein.

Als untaugliches Instrument zur Begründung eines Widerstandsrechts lehnt er das von den Hofjuristen hoch eingeschätzte Rechtsmittel der noch unerledigten Appellation der evangelischen Stände von Speyer II ab, indem er auf den geringen Wert eines solchen Schritts gegenüber einem zum Krieg entschlossenen Gegner und einem voreingenommenen Richter verweist. Selbst zur formalen Rechtsbehauptung erscheint ihm die Appellation nicht dienlich, da dieser Rechtsbehelf den evangelischen Ständen rasch durch ungerechten Urteilsspruch entzogen werden könnte, so daß der Kaiser bei einem vorzeitigen Angriff ohne vorherige justizielle Erledigung der Appellation dem förmlichen Urteil nur geringfügig vorgriffe[13]. Auch der Satz von der Erlaubtheit der gewaltsamen Repression von Gewalt wird von Luther — in Anlehnung an Spenglers erstes Gutachten[14] — als untauglich für die Frage des Widerstandsrechts zurückgewiesen. Spenglers Deduktionen folgend, erschüttert er die Beweiskraft dieses Satzes mit zwei gegenläufigen, die vindicta licita ausschließenden Rechtssätzen: „Nemo debet esse iudex in causa propria" und „Wer widerschlägt, ist im Unrecht[15]". Ob allerdings Cod. Iust. III 5, 1: „Ne quis in sua causa iudicet vel sibi ius dicat" auf den Fall der Gegenwehr überhaupt anwendbar war, konnte berechtigten Zweifeln unterliegen, denn es ging bei der Gegenwehr nicht um Judikatur oder Exekution, sondern um Abwehr eines durch angemaßte Judikatur ergangenen, notorisch falschen Machtspruchs. Die Erlaubnis zur Notwehr, die sich aus den zivilrechtlichen Bestimmungen Dig. XLIII

9. G. Weber, 29, der dem Gutachten Luthers „rhetorische Weitschweifigkeit" vorwirft, läßt die Formulierung des Auftrags unberücksichtigt.

10. Vgl. Luthers Formulierung: „das villeicht ... etliche mochten schliessen" (258, 8).

11. Vgl. zur Datierung unten Anm. 40.

12. Vgl. v. Schubert, 234; Scheible, 57.

13. Dabei übersah Luther allerdings, daß sich die Appellation auch auf das „schirstkunftig, frei, christlich, gemein concilium und versamblung der heiligen Christenheit" erstreckte; vgl. RTA VII, 1533. Auch der Kurfürst hatte in seinem Auftrag vom 18. Jan. 1530 diese Ausdehnung der Appellation unerwähnt gelassen.

14. WAB V, 259, 44—49 ist aus Spengler I übernommen (= Scheible, Widerstandsrecht, 34).

15. Für dieses bei Luther beliebte Rechtssprichwort vgl. die Zusammenstellung im Revisionsnachtrag zu WA 32, 331, 22.

16.1.27 über die Besitzkehr (vim vi repellere) herleiten ließ, konkurrierte im vorliegenden Fall mit dem Verbot des Judizierens in eigener Sache nicht. Zudem ließ Luther die Notwehr gegen Gleichrangige zu, obwohl konsequenterweise auch hier „Ne quis in sua causa" hätte eingeführt werden müssen. Die Unterwerfung unter diesen Rechtssatz hinsichtlich der Notwehr gegen die Obrigkeit ließ sich sogar als eine Urteilsunsicherheit über die Rechtmäßigkeit des angegriffenen Guts deuten, als eine prinzipielle Unfähigkeit, darüber zu befinden, ob die herangetragene Gewalt rechtmäßig oder unrechtmäßig ausgeübt wurde.

Wichtiger aber als sich widersprechende Rechtssätze ist für die Entscheidung Luthers die von ihm festgestellte Diskrepanz zwischen weltlichem und kanonischem Recht auf der einen und dem Wort Gottes auf der anderen Seite. Röm. 13, 1 und 1. Petr. 2, 13 werden zwar nicht angezogen, da sich Luther mit der Vorschrift von 1. Petr. 2, 17 f. begnügt und als Hauptstütze Mt. 22, 21: „Date Caesari ..." anführt, stehen aber unausgesprochen hinter dem Postulat des Primatanspruchs der Schrift gegenüber dem positiven Recht. Die inhaltliche Bestimmtheit von Mt. 22, 21 ist dabei für Luther offenkundig unproblematisch, obwohl ja gerade in Frage stand, was im gegebenen Fall „des Kaisers" war. Wie Spengler und Brenz, die ihrerseits Luthers Ausführungen in „Ob Kriegsleute" von 1526 reproduzierten, ebnet er die obrigkeitliche Gewalt der Reichsstände gegenüber der Superiorität des Kaisers ein. Der Fürst ist für ihn dem Kaiser nicht nur subordiniert, sondern wie jeder andere schlechthin Untertan des Kaisers; seine eigenen Untertanen sind „auch des kaisers unterthan, ia mehr denn der fursten[16]". Das Gehorsamsverhältnis der Untertanen zum Kaiser ist mithin nicht ein indirektes, durch das Medium des magistratus inferior vermitteltes, sondern ein unmittelbares, dessen Loyalitätsverpflichtung im Konfliktfall dem Gehorsam, der der ständischen Obrigkeit geschuldet wird, voranzustellen ist[17].

Luther kennt für die Territorialobrigkeit keine Ausnahme von dem Gehorsamsgebot, das sich auf alle erstreckt. Über die Herkunft der Gewalt des Reichsstands macht er zwar keine Angabe, aber sein Vergleich des Fürsten mit dem Bürgermeister einer Landstadt läßt erkennen, daß er, anders als Bugenhagen, der aus Röm. 13 eine Eigenlegitimation der potestas inferior herleitete, mit Spengler und Brenz den Fürsten als bloßen Mandatar des Kaisers, als Inhaber einer von diesem geliehenen Macht auffaßt[18]. Die Geltendmachung einer Schutzpflicht für die Untertanen gegen den magistratus superior bedeutet daher die Proklamation des Ungehorsams, da niemand die Untertanen gegen die Obrigkeit in Schutz nehmen darf, ohne gegen Mt. 26, 52 zu verstoßen und „rotterey, auffrhur und zwitracht

16. WAB V, 259, 50; vgl. dazu auch oben S. 89 f.

17. Brenz hatte in seinem zweiten Gutachten vorgreifend auch die Konsequenzen aus dieser Betrachtungsweise gezogen: Untertanen der Fürsten sind nicht verpflichtet, Mandate ihrer Landesobrigkeit gegen den Kaiser auszuführen; vgl. Pressel, Anecdota, 49.

18. Gegen v. Schubert, 226 ist das Fehlen einer weiteren Reflexion über das Verhältnis Kaiser-Fürst keine Blöße, da Luther nach seinen früheren Erörterungen die Gleichung Fürst = kaiserlicher Untertan voraussetzen konnte. Zum Vergleich der Stellung des Fürsten mit der des Bürgermeisters von Torgau vgl. auch oben S. 90.

an(zu)fahen[19]". Auch schuldhaftes und rechtswidriges Verhalten des Kaisers führt nicht zur Selbstentsetzung oder zur Entbindung der Fürsten vom Gehorsam als kaiserliche Untertanen: „Bliebe mit der weise wol gar keyne oberkeyt noch gehorsam ynn der wellt, weil ein iglicher unterthan kund diese ursach furwenden, seine Oberkeit thet unrecht widder Gott[20]." Auch hier schlägt sich die Gleichstellung des Fürsten und des amtlosen Untertanen gegenüber dem Kaiser nieder in der Parallele gleichen Anspruchs und gleicher Forderung.

In einem an das eigentliche Gutachten angefügten Anhang[21] erörtert Luther die Konsequenzen einer Bejahung des Widerstandsrechts, fragt also, das — von ihm bestrittene — „Licet" vorausgesetzt, nach dem „Expedit", der Opportunität. Diese hypothetische Erörterung auf einer von vornherein in ihrer Tragfähigkeit negierten Basis sollte anscheinend dazu dienen, den Juristen und Politikern, soweit sie sich von den theologischen Deduktionen nicht hatten überzeugen lassen, auf diesem Wege die Gefährlichkeit ihres Ansatzes vor Augen zu führen[22].

In der Untersuchung des „Expedit" werden die Folgen des Widerstandsrechts am Postulat der Verhältnismäßigkeit der Mittel zur bestrittenen Sache gemessen und das Widerstandsrecht aus diesem Grund zurückgewiesen. Mit der Ausübung des Notwehrrechts steht für Luther in unmittelbarer Verbindung nicht nur die Gefahr einer Anarchie, sondern geradezu der Zwang zur revolutionären Veränderung der Reichsverfassung, da die Konsequenzen des bewaffneten Konflikts mit dem Kaiser zum Vernichtungskampf um die Macht führen mußten und der Kurfürst, bliebe er siegreich, die oberste Gewalt im Reich zu übernehmen hätte. „Unausprechlich morden und iamer[23]" würden die Folge sein, da der neue Herrscher sich dann gegen bisherige Bundesgenossen und nunmehrige Konkurrenten um die Macht zur Wehr setzen mußte. Diese weitausholenden Überlegungen waren jedoch für die sächsischen Politiker kaum schlüssig, da die Behauptung in der angefochtenen Position und das defensive Zurückdrängen[24] unrechtmäßiger Aggression nicht zum Kampf um die Vorherrschaft im Reich führen mußten. Auf sie konnte daher lediglich der Hinweis, daß beim Kaiser „doch ... der große hauffe" wäre[25], mit dem Luther auf das militärische Kräfteverhältnis aufmerksam machte, überzeugend wirken.

Mit dem theologisch begründeten Obrigkeitsverständnis, wie es dem Votum vom 6. März 1530 zugrundeliegt, kommt der von Luther in Anlehnung an Spengler

---

19. WAB V, 259, 42 f.

20. Ebd., 258, 24 ff.

21. Vgl. ebd., 260, 130 ff.

22. v. Schubert, 226 nennt diese Erörterung des „Expedit" eine weitere Blöße des Gutachtens; er verkennt damit ihren nur hilfs- und ersatzweisen Charakter für den Fall, daß die anderen Argumente für die Politiker nicht beweiskräftig genug sein sollten.

23. WAB V, 260, 110. — Der Gedankengang des „Expedit" kehrt in gleicher Weise bei Melanchthon wieder; vgl. unten S. 163 f.

24. Gegen Müller, Äußerungen, 26 ist aus WAB V, 260, 105 kein Präventivkrieg abzuleiten.

25. WAB V, 260, 107.

und Brenz aufgewiesene Ausweg der rechtsförmlichen Absetzung nicht eigentlich zur Deckung, da nach Luthers Voraussetzungen nur der Sturz des die Gebote Gottes übertretenden Herrschers durch Gott selbst das Problem der ungerechten Obrigkeit auflösen konnte[26]. Im März 1530 wird aber das unbedingte Gehorsamsgebot durch den Hinweis eingeschränkt, daß den Befehlen des Kaisers nur gehorcht werden müsse, „weil [= solange] das reich und die kurfürsten yhn fur keiser halten und nicht absetzen“ oder „bis das er abgesetzt oder nimer keiser were[27]“. Damit ist gegenüber der bisherigen Einstufung der obersten Reichsautorität, die allem menschlichen Zugriff entzogen ist, da sie außer Gott keine höhere Obrigkeit als Richter über sich hat, unter Spenglers und Brenz' Einfluß die Verfassungswirklichkeit des Wahlreiches stärker berücksichtigt. Fehlte 1526 mangels eines der königlichen Autorität übergeordneten Richters ein rechtsverbindliches Kriterium, an dem der Bruch von geschworenen Eiden und Pflichten festgestellt und geahndet werden konnte[28], so erkennt Luther jetzt erstmals dem Corpus der Reichsstände eine solche Richterfunktion zu; eine Handlungsberechtigung der Kurfürsten allein besteht in seiner Sicht anscheinend nicht, da er mit der Formel: „das reich und die kurfürsten[29]“ offenbar den Konsens aller Stände für notwendig erklärte.

Die Einführung der verfassungsrechtlichen Möglichkeit der Absetzung des Kaisers in die Obrigkeitsdiskussion des Votums bedeutet einen Bruch in der Argumentation. Das Recht zur Verlassung des die eingegangene Selbstbindung unrechtmäßig auflösenden Herrschers wurde von Luther mit dem theologischen Axiom von der göttlichen Einsetzung der Obrigkeit bestritten, die nur von Gott selbst rückgängig zu machen war; dennoch eröffnete er nun mit der Absetzung, die er als Strafe für die Sünde verstand, eine diesseits der clausula Petri liegende juristische Verfahrensmöglichkeit. „Sünde hebt oberkeit und gehorsam nicht auff, Aber die straffe hebet sie auff[30]“. Daß diese Strafe durch die Reichsfürsten verhängt werden durfte, war die neue Erkenntnis Luthers, die allerdings unverbunden neben seiner Überzeugung von der völligen Untertanschaft der Fürsten unter den Kaiser stand. Zwar ließ sich eine solche, auf Rechtsnormen gegründete Deposition theologisch als Vollstreckung eines Urteilsspruchs Gottes durch seine irdischen Beauftragten und als komplementäre Funktion des von Luther nicht in Frage gestellten Wahlrechts interpretieren, wie aber das Absetzungsrecht der Reichsfürsten mit ihrer Verpflichtung als Untertanen des Kaisers in Übereinstimmung zu bringen war, hat er nicht herausgearbeitet. Offensichtlich wird der magistratus inferior im Verhältnis zum Kaiser nur als Landesobrigkeit verneint, behält aber

---

26. Vgl. oben S. 82 f. – Auch bei Brenz ist der Sturz des Tyrannen durch Gott einer der beiden Auswege; vgl. Pressel, Anecdota, 59. Als Absetzungsgrund, über den Luther hier schweigt, hatte er 1526 nur Wahnsinn als legitim angesehen; vgl. oben S. 84.

27. WAB V, 258, 18 f. und 259, 33 f.; vgl. auch noch ebd., 258, 31; 259, 39 f. 54. 72.

28. Vgl. dazu oben S. 83.

29. WAB V, 258, 18 f. Vgl. auch 259, 29 f. Zu der hohen Bewertung des Reichstags als Institution, die hier anklingt, vgl. Schubert, Reichstage, 216. Vgl. auch oben S. 93.

30. WAB V, 259, 38 f.

seine Funktion im Reichsrecht als Wähler und als Richter über den Kaiser. Unter dem Aspekt des Absetzungsrechts existiert er als Amtsträger sui generis aus eigenem Recht. Die Frage nach der theologischen Legitimation der Depositoren und nach dem Kriterium der Absetzung blieb aber ohne Antwort.

Die Übernahme des verfassungsrechtlichen Arguments erklärt sich vermutlich aus Luthers Bemühen, alle Gründe gegen die bewaffnete Notwehr zu mobilisieren, insofern aus dem Hinweis auf die Absetzung, deren Verwirklichungsmöglichkeit Luther in der aktuellen Situation zweifellos negativ beurteilte, eine zusätzliche Stütze für sein Plädoyer gegen einen gewaltsamen Widerstand zu gewinnen war. Solange der Kaiser im Besitz seines Amts war, war Gewalt nicht erlaubt; wurde er wegen unrechtmäßigen Vorgehens vom Reich abgesetzt, erübrigte sie sich.

Mit den Darlegungen über das Erlöschen aller Pflichten und Rechte der Landesobrigkeit im Verhältnis zum Kaiser war die Frage: „Was sol man denn thun[31]", bereits negativ entschieden; außer der Absetzung im Verein mit den anderen Reichsständen besaß der sächsische Kurfürst kein legitimes Mittel, um die Gewalt des magistratus superior aufzuhalten. Luthers Antwort auf die Frage nach dem religiös einwandfreien Verhalten ging von der These aus, daß bei einem Angriff des Kaisers nicht eigentlich die Territorien Zielpunkt der Aggression sein würden, sondern deren gläubige Einwohner. Mit dieser Voraussetzung war der Anknüpfungspunkt für eine Repristination des Modells von 1522/23 gewonnen, und die Problematik reduzierte sich erneut auf die persönliche Bewährung des einzelnen in seinem Christsein und seine Bereitschaft zum Martyrium für die erkannte Wahrheit; jeder „sol als denn fur sich selbs stehen und seinen glauben erhalten mit darstreckung seins leibs und lebens[32]". Die Versicherung von 1522: „Christus hat mich nicht gelehrt, mit Schaden für einen anderen Christ zu sein[33]", galt unverändert auch jetzt noch. Luther berücksichtigte 1530 wiederum nicht, daß das Problem auf der personalen Ebene nicht mehr erledigt werden konnte und er dem Kurfürsten in seinem Amt als Territorialherr mit dieser Auskunft nicht gerecht wurde. Die in der Anfangszeit allenfalls gültige Voraussetzung, der Kaiser werde sich mit der Exekution der entsprechenden Reichsbeschlüsse gegenüber den Evangeliumspredigern begnügen, war mit der Entstehung evangelischer Territorien und nach der Speyerer Protestation endgültig zur Fiktion geworden. Nachdem bereits das Votum vom November 1529 von dieser eingeschränkten Argumentation bestimmt gewesen war, wurde sie nun auch 1530 entscheidend für die Vorschläge zur Überwindung der Krise[34]. Die politische Fragwürdigkeit der Überlegungen Luthers 1529/30 wird hier erneut sichtbar: der religiöse Rigorismus berücksichtigte nur die entschiedenen Christen und verlangte von jedem Gläubi-

31. Ebd., 259, 64.
32. Ebd., 259, 69 f.
33. WAB II, 456, 111 f.; vgl. dazu auch oben S. 97 f.
34. Mit der Auskunft: „Wil k. Mt. widder *uns*" (WAB V, 259, 65) sind dem Zusammenhang nach zweifellos die evangelischen Prediger als Repräsentanten der neuen Lehre gemeint; Müller, Äußerungen, 25 erweitert diese Aussage auf die evangelischen Untertanen allgemein.

gen das gleiche Äußerste, was Luther selbst zu tun bereit war; wieder ging es nur um die verhältnismäßig kleine Schar aktiver Bekenner, die zum Martyrium bereit waren.

Auf den Fürsten angewendet, bedeutete dieses Urteil, daß der Landesherr sich einem Schutzersuchen der Schwachgläubigen, die Luther an sich gar nicht im Blick hatte, entziehen mußte, sofern er selbst Christ war, da er als solcher den Weisungen der Schrift zum Gehorsam gegen die Obrigkeit zu folgen hatte. In doppelter Funktion mußte er gegenüber seiner Obrigkeit inaktiv bleiben: als Untertan des Kaisers, der als persona privata den Befehlen des magistratus superior unterworfen war, und als Christ, der sich in der Nachfolge seines Herrn zum Leiden für seinen Glauben gerufen wußte. Wie 1522 dem Kurfürsten Friedrich, riet Luther daher jetzt dessen Nachfolger nur: Der Fürst „lasse dem keiser land und leute offen stehen als die seinen und befehle die sachen Gott[35]".

Jedoch durfte diese Passivität des Nichthandelns nicht auf Bewilligung und Sanktionierung des Unrechts hinauslaufen. Daher war der Gehorsam dann nicht mehr zu leisten, wenn die eigene Glaubensexistenz durch Aufforderung zur aktiven Mitwirkung betroffen wurde. Hier gab Luther, nachdem er das passive Gewährenlassen wie 1522 beschrieben hatte[36], die damals verweigerte Auskunft: Einem Befehl zur Beteiligung an der Verfolgung der Christen darf der Fürst, wenn er selbst Christ ist, nicht nachkommen, die aktive Teilnahme am Unrecht übersteigt seine Gehorsamspflicht und muß unter Berufung auf die clausula Petri abgelehnt werden[37]. Die Folgen der Weigerung muß er als Christ und als persona privata auf sich nehmen. Damit verlangt Luther vom Kurfürsten das, was Philipp von Hessen „mit gutem gewissen nit verantworten" zu können meinte: „das wir volnkomende Christen seien ... und leiden, das man uns leib, gut, ehr und alles nimbt, und zusehen, wiewol wir es wol weren konten[38]."

Auch der Unterschied zu Bugenhagens Ansatz vom September 1529 wird hier nochmals deutlich erkennbar. Bugenhagen denkt politisch-pragmatisch, Luther personal-spirituell. Wo Bugenhagen das evangelische Territorium als eigenes Problem in den Blick nimmt, sieht Luther die Bewährungsprobe für den einzelnen. Einig sind beide in der Bestimmung der Koordinaten für das Verhalten der entschiedenen Christen: Pflicht zum Leiden bis zum Martyrium in der Nachfolge ihres Herrn. Luther bleibt aber bei dieser Auskunft stehen, die er auch auf den Fürsten als Landesherrn erstreckt, während Bugenhagen darüber hinausgeht und auch die Schwachgläubigen, die den Schutz des Landesherrn anrufen und ihn nach weltlichem Recht als Entgelt für ihre Leistungen verlangen dürfen, berücksichtigt. Auch in der Beurteilung der unrechtmäßig handelnden Obrigkeit unterscheiden

---

35. WAB V, 259, 66 f.

36. Vgl. WAB II, 459, 96 ff.; vgl. oben S. 98.

37. Insofern stellt sich hier nicht die Frage des Widerstandsrechts auf einer neuen Stufe, wie Müller, Äußerungen, 25 interpretiert. Die clausula Petri berechtigte bei Luther stets nur zum passiven Ungehorsam mit der Bereitschaft, die Konsequenzen dieser Haltung auf sich zu nehmen.

38. Pol. Corr. I, 408.

sich beide Gutachten. Für Bugenhagen hebt der Exzeß den Obrigkeitscharakter nach 1. Sam. 15, 23 auf und läßt für diesen Fall Mandat und Gehorsamsanspruch erlöschen, für Luther hebt nicht bereits die Sünde die Obrigkeit auf, sondern erst die justizielle Strafe, mit der dann der Gehorsam entfällt. Die Antinomie von Schutzpflicht des magistratus inferior nach unten und Gehorsamspflicht nach oben löst Luther durch Aufhebung der Schutzpflicht, Bugenhagen durch Bestreitung der unbedingten Geltung der Gehorsamspflicht. Hier hat Bugenhagen, wenn das Gutachten vom 6. März 1530 auch in seinem Namen abgefaßt ist, der These Luthers nachgegeben.

Melanchthon hat im März 1530 ein eigenes Votum eingereicht[39], das als Rechtsgutachten die theologischen Erwägungen Luthers mit derselben Aussagetendenz, wenn auch anderer Argumentation ergänzte[40]. Die Anwendungsmöglichkeit der

39. Statt des korrupten Textes CR II, 20 ff. ist der Abdruck bei v. Schubert, 233 ff. zu Grunde gelegt, mit dem die Jenaer Handschrift Bos q 24 s, 238 v ff., die zum Vergleich herangezogen wurde, fast zur Gänze übereinstimmt; vgl. auch Scheible, 57 ff. Zum Inhalt vgl. auch v. Schubert, 226 ff.; Lüthje, 521 ff.; Nürnberger, Kirche und weltliche Obrigkeit, 28 ff.; G. Weber, 29 ff. Nach Dörries, Widerstandsrecht, 213 Anm. 38 ist das Gutachten für Nürnberg bestimmt gewesen (ohne Beleg).

40. G. Weber, 29 möchte die Entstehung des Gutachtens in die Zeit der Torgauer Beratungen im Okt. 1530 verlegen. Dafür scheinen zwar gewisse Teile des Inhalts zu sprechen, jedoch wäre kaum verständlich, daß Melanchthon, der sich der Nachgiebigkeit Luthers gegenüber den Argumenten der Politiker und Juristen anschloß, daneben ein ablehnendes Votum abgefaßt hätte. Auch die zahlreichen sachlichen Entsprechungen zu Luthers März-Gutachten (Ablehnung des „vim vi"-Satzes mit Hilfe von: „Nemo esse debet iudex in causa propria"; Erörterung des „expedit", die gleichlautende Schlußfolgerung für den Einzelnen) lassen eine parallele Abfassungszeit vermuten. Die Melanchthons Gutachten einleitenden Rechtssätze, die teilweise in der Tat im Juristenvotum über den ungerecht prozedierenden Richter im Okt. 1530 begegnen (vgl. unten S. 166 f.), können auch aus mündlichen Rechtsauskünften der Wittenberger Juristen stammen. Wenn Melanchthon das Rechtsgutachten von Okt. 1530 widerlegen wollte, mußte er vor allem die dort enthaltenen Zitate aus dem kanonischen Recht kritisch würdigen. Daß er von Rechtssätzen zugunsten der Notwehr auch schon vor Okt. 1530 wußte, geht aus einem wohl von Anfang 1530 stammenden Brief hervor: „Iurisconsulti possunt aliquid excogitare, ut defendant illam rem non esse iniustam, quia ius concedat πόλεμον αἴρειν, si recuset magistratus causam cognoscere, sed est nimis calidum" (CR I, 1086 f.; dort irrig auf Juli 1529 datiert). Die Gleichzeitigkeit mit Luthers Gutachten vom 6. März 1530 scheint mir auch aus der Instruktion des Nürnberger Rates für seine Gesandten in Schmalkalden (Dez. 1530) hervorzugehen, in der das Widerstandsrecht gegen den Kaiser abgelehnt wird mit Berufung auf „berattschlagungen, von den Luther und Melanchthon gemacht"; vgl. den Bericht der Ulmer Gesandten bei Fabian, Beschlüsse I, 67; vgl. auch unten S. 192. Es liegt daher näher, die traditionelle Datierung „um den 6. März 1530" (Scheible, 57 datiert: vor 6. März 1530) beizubehalten und das Gutachten in den Zusammenhang der damaligen Diskussion einzuordnen. Lüthje, 521 f. datiert das Gutachten gleichfalls auf März 1530, glaubt aber den Inhalt wesentlich mitbestimmt durch das Reichstagsausschreiben, das erst am 11. März in Torgau einging; vgl. Förstemann, Urkundenbuch I, 2.

Sätze des positiven Rechts auf ein Widerstandsrecht verneinte Melanchthon mit Hilfe der offenbar von Brenz übernommenen Unterscheidung von „non oboedire" und „vi resistere[41]". Obwohl er auf diese Differenzierung großen Wert legte, war sie für die Lösung des Problems nicht hilfreich, da er die Konsequenz aus dem „non oboedire" nicht verfolgte. Beim Versuch der Gehorsamserzwingung wandelte sich die Unterscheidung von „non oboedire" und „vi resistere" zur Alternative „pati" – „non pati = vi resistere"; daß aber die Gesetze kein Leidensgebot enthielten, räumte Melanchthon selbst ein. Die eigentliche Begründung des Widerstandsrechts durch die Juristen sah er denn auch nicht im positiven Recht, sondern in der „ratio naturalis" des „Vim vi repellere licet". Wie Spengler und Luther stellte er diesem Satz den anderen gegenüber: „Nemo debet esse iudex in propria causa", fand aber die stärkere Widerlegung im „ius divinum" von Mt. 26, 52. Auch zur Widerlegung des Arguments der obligatio mutua verließ Melanchthon den Boden der juristischen Beweisführung, indem er einer Gewaltanwendung gegen den Kaiser das Gehorsamsversprechen der Untertanen und das für den Christen zusätzlich gültige „mandatum dei, quod vetat gladium accipere contra potestatem" entgegenstellte[42].

Die Erörterung des „Expediat" führte bei Melanchthon wie bei Luther zu dem Schluß eines Dauerkampfs um die Macht, wie er auch Bucers und Zwinglis Eintreten für ein Widerstandsrecht nur mit deren Wunsch nach größerer „perturbatio Imperii et Ecclesiae" erklärte. Widerstand war für ihn nur der Versuch, die bestehende Ordnung aufzuheben und zu vernichten. Wie Luther von der theologischen, gelangte Melanchthon von der juristischen Argumentation her zu einem Resultat, das das Widerstandsrecht auf die Frage nach dem sachgerechten Verhalten des einzelnen reduzierte: Jeder Christ, gleich welchen Ranges, glaubt auf eigene Gefahr, muß für sich das Evangelium bekennen und die Folgen seines Bekenntnisses auf sich nehmen.

Melanchthons Gutachten ignorierte das Problem der Amtsbefugnis und der Schutzpflicht des magistratus inferior; offenbar setzte es Luthers Theorie der Untertanschaft voraus. Ob die landesherrliche Obrigkeit eine Sonderstellung einnahm und legitimiert war, im Konfliktfall mit dem Kaiser Mt. 26, 52 nicht auf sich zu beziehen, überging Melanchthon zugunsten einer allgemeinen Instruktion für das Handeln des Christen[43].

---

41. Dieselbe Differenzierung begegnet im etwa gleichzeitigen Kommentar zu Aristoteles' Politik; vgl. CR XVI, 440. Vgl. Brenz' Auskunft: „Es ist zweyerley, nit gehorsam sein und mit gwallt widerstreben. In ungöttlichen gebotten dem menschen nit gehorsam leisten, gehört allen Christen zu. Aber wider k. Mt. als naturlich oberkeit gweltig streiten, ist allen Christen hohes und niederns stands verbotten" (Pressel, Anecdota, 61).

42. Diese doppelte Gehorsamsbindung: pactum zwischen Volk und Herrscher (gilt für alle) und mandatum dei (gilt für den Christen), vgl. auch im Aristoteles-Kommentar CR XVI, 441.

43. Nur vielleicht die letzten Sätze des Gutachtens könnten auf die Problematik des magistratus inferior bezogen sein: Dem Kaiser soll freie Hand gelassen werden, „ut ipse cum subditis agat pro sua voluntate. Si vult ordinare ecclesias, ordinet. Interea qui volunt confiteri evangelium tanquam privati, confiteantur et patiantur, si opus erit."

Der kurfürstlichen Instruktion entsprechend, erörterten Luther und Melanchthon nur die Frage, ob ein Recht zum Widerstand bestehe, in Melanchthons Terminologie das „Licet“ des Problems. Die weiterführende Frage einer Widerstandspflicht wurde wegen der aufgestellten Prämissen nicht angeschnitten, nur an einer etwas unklaren Stelle seines Votums berührt Melanchthon sie: „tutius nobis est tolerare vim iniustam quam bella suscipere, praesertim cum non habeamus mandatum de gerendo bello. Tantum disputatur, utrum liceat[44]“, ohne sie zu vertiefen. Aber er gab damit doch zu erkennen, daß hinter der Dimension des „Licet“ im bejahenden Fall die weitere des „Oportet“ auftauchte.

Über die Resonanz, die die Wittenberger Gutachten bei den kurfürstlichen Politikern gefunden haben, ist nichts bekannt. Daß sie als für die Politik der evangelischen Stände nicht ungefährlich angesehen wurden, erhellt aus der Geheimhaltung, die offenbar verfügt wurde, so daß Melanchthon selbst Spengler den Text nicht zukommen lassen konnte[45]. Zu unbekannter Zeit übersandte jedoch der Kurfürst dem Nürnberger Rat Luthers und Melanchthons Voten, auf deren Inhalt die Nürnberger dann bei den Bündnisverhandlungen im Dezember 1530 zurückgriffen[46]. Dem Landgrafen scheint der Text dagegen unbekannt geblieben zu sein[47]; falls er ihm bewußt vorenthalten wurde, könnte das dafür sprechen, daß die sächsischen Politiker mit Luthers Ausführungen nicht einverstanden gewesen sind, ohne aber sofort in eine Auseinandersetzung mit den Wittenbergern einzutreten. Kurfürst Johann hat dagegen Luthers Votum ohne Einschränkung als für sich verbindlichen Gewissensrat angenommen; er übergab den „Ratschlag, mit des D[octors] hand geschrieben“, seinem Beichtvater, „das er den wolt mit fleiß ubersehen, denn er wolle darauff beichten, absolution und sacrament darauff empfangen, das er dem wolte also auff dem Reichstage nachsetzen, sein leib, leben und was im

---

44. v. Schubert, 235. Auf diese Stelle macht G. Weber, 31 besonders aufmerksam, der aber sonst das „Expediat“ überbewertet als die für Melanchthon entscheidende Frage nach den Folgen; dies ist aber nur ein Aspekt des Gutachtens, und zwar der weniger wichtige.

45. Vgl. an Camerarius, ca. Mitte März 1530: „Hieronymo Baumgartnero [dem Nürnberger Kirchenpfleger] dicas Spenglero missam esse nostram sententiam περὶ τοῦ μὴ ἀντιπολεμεῖν τῷ αὐτοκράτορι καὶ οὕτως ἡμετέρῳ ἄρχοντι ἀπεκρινάμεθα. Non licuit ea de re mittere Λουθήρου σύγγραμμα. Sed cum istuc venerimus, ostendam. Si enim procedent Comitia, iter istuc habebimus“ (CR II, 22). Mit „nostram sententiam“ bezeichnet Melanchthon hier zweifellos – gegen die Annahme O. Clemens in: WAB V, 250, die in sich nicht schlüssig ist, da Spengler kaum Interesse an Luthers Original, das zudem in der Hand des Kurfürsten war, gehabt haben dürfte und σύγγραμμα auch nur „scriptum“ bedeutet – sein eigenes Gutachten, wenn man nicht einen verlorenen Text, der eine Zusammenfassung der Wittenberger Argumente enthalten hätte, supponieren will.

46. Vgl. oben Anm. 40.

47. Vgl. seine Äußerung zu Luther im Okt. 1530 (WAB V, 653, 6 ff.): „Ich will euch nicht unangezeigt lassen, das wohl etliche sind“, die sich gegen ein Widerstandsrecht aussprechen. Das hätte Philipp nicht in dieser Weise formulieren können, wenn er gewußt hätte, daß auch Luther zu diesem Kreis gehörte.

gott gegeben, daran setzen etc.[48]" Die Ausschreibung des Reichstags und das nach dem Abschied von Speyer und dem kaiserlichen Mandat vom 12. Juli 1529 überraschend versöhnliche Berufungsschreiben Karls V. entspannten die Situation vorübergehend, so daß die Diskussion über die Wittenberger Stellungnahmen bis zum Herbst aufgeschoben werden konnte.

5. Die Widerstandsdiskussion nach dem Augsburger Reichstag

5.1 Die sächsischen und hessischen Gutachten

Der Fehlschlag des Augsburger Reichstags ließ, obwohl der endgültige Abschied sich bis November 1530 verzögerte, das Problem der 1529/30 nicht zustandegekommenen politisch-militärischen Verbindung wieder dringlicher werden. Um ein erneutes Scheitern der Bündnisverhandlungen zu vermeiden, war es vor allem notwendig, einen Konsens über das wichtigste Problem zu erreichen, das Recht zur Notwehr gegen den Kaiser. In Sachsen mußte jetzt die Auseinandersetzung über die Wittenberger Gutachten von März 1530, die wegen der Ausschreibung des Reichstags unterblieben war, aufgenommen werden. Kurfürst Johann selbst, der Luthers Votum damals akzeptiert hatte, drängte auf eine neue Diskussion und forderte auf seiner Rückreise von Augsburg Ende September 1530 auch den Nürnberger Rat, „multa ... praeter morem suum fortissima (dicens)[1]", auf, Gutachten zur Frage nach dem richtigen Verhalten gegenüber einem gewaltsamen Vorgehen des Kaisers einzuholen. Die anderen evangelischen Städte sollten gleichfalls ihre theologischen Ratgeber konsultieren, die Voten dann auf einer gemeinsamen Tagung erörtert werden, um zu einer gesamtevangelischen Stellungnahme und Handlungsanleitung zu kommen[2].

Das Ergebnis dieser Klärung nahm auf sächsischer Seite ein umfangreicher „Ratschlag eines ungefarlichen Bedenckens notturfftiger und verursachter bestellung auff den ungnedigen kay. m. abschied zu Augsburg [sc. den Entwurf vom 23. September 1530] ...„ unsern heiligen glauben belangend", vorweg[3]. In ihm wurde

---

48. Vgl. Matthäus Ratzeberger, Arzt und Ratgeber Kurfürst Johann Friedrichs (vgl. über ihn G. Müller, in: K. Brinkel — H. v. Hintzenstern, Des Herren Name steht uns bei Bd. 1, Berlin 1961, 109 ff.), an Christian Brück, 27. Febr. 1557 (Weimar, Reg O 781, 2 v); vgl. auch WAB V, 256 Anm. 1.

1. So Bucer nach der Erzählung des zur Ratsdeputation gehörenden Baumgärtner; Pol. Corr. I, 514.

2. Vgl. Soden, 340. Gegen Fabian, Entstehung, 134 f., der sich zu Unrecht auf Ludewig beruft, ging nach diesem Bericht die Initiative vom Kurfürsten aus: „Uf des kurfursten gesynnen" wurde am 1. Okt. von Nürnberg nach Heilbronn, Reutlingen, Windsheim, Weißenburg und Kempten geschrieben; vgl. Schornbaum, Georg, 146 und 457 f. Anm. 687—690.

3. Weimar, Staatsarchiv, Reg H 48, 129 ff.; vgl. Fabian, Entstehung, 114 f.; das Schriftstück ist von Brück und Doltzig verfaßt und von ersterem am 23. Okt. 1530 eingereicht worden.

ohne Berücksichtigung von Luthers März-Gutachten die Berechtigung zum Widerstand gegen die kaiserliche Obrigkeit ohne weiteres vorausgesetzt und vorgeschlagen, die Landstände über die gefährliche Situation zu unterrichten sowie eine Zusammenkunft aller Konfessionsverwandten einzuberufen, um zu beraten, „ob man des angriffs erwartten wolle ader den anfangk des vortails, wie es bedacht, zugebrauchen[4]". Das Gutachten entschied sich mit der Aufforderung: „Vor allen dingen, was den Kriegszugk belangend, durch gots gnade darauf zugedencken, das wir nicht ubereylet, sonder den vorzugk ins feld gebrauchen[5]", für Präventivmaßnahmen[6].

Neben diesem Ratschlag liegen aus dem Herbst 1530 verschiedene juristische Gutachten vor, die auf unterschiedlichen Wegen ein Recht auf Gegenwehr theoretisch begründeten[7]. „Der sechsischen rechtsgelerten rathschlag, das man in des glaubens sach die defension wider kayserliche Mt. gebrauchen moge[8]", stützt sich auf Allegate vor allem des kanonischen und des Privatrechts, um die Frage, „iudici procedenti iniuste an licitum sit resistere" zu beantworten[9]. Dabei werden zunächst in großer Ausführlichkeit Autoritäten, Glossatoren und Kommentatoren zu X I 29. 8 Si quando[10] zitiert, um die Berechtigung, trotz Beschreitens des Rechts-

---

4. Weimar, a. a. O., 131 r. Außerdem wurde die Versendung eines Ausschreibens in deutscher, lateinischer und französischer Sprache vorgeschlagen sowie eine Unterrichtung Englands, Frankreichs, Schottlands, Polens und der böhmischen Landschaft. Von allen Nachbarn sollten Friedenszusagen eingefordert werden. — Die angeregte Berufung des Landtages erfolgte im Jan. 1531 nach Zwickau; die Erwartung des Kurfürsten auf tatkräftige Unterstützung im Fall eines gewaltsamen Überzugs wegen der Religion wurde von den Landständen wohlwollend aufgenommen; vgl. Burkhardt, Landtagsakten, 399 ff.; vgl. auch E. Müller, 201. 227. Ein Ausschußtag im März 1531 bewilligte eine Steuer „zur Not- und Gegenwehr"; vgl. Burkhardt a. a. O., 227 ff.

5. Weimar a. a. O., 143 v.

6. Ein für Karl V. gleichfalls im September ausgearbeiteter Ratschlag endet mit der entsprechenden Mahnung; vgl. Maurenbrecher, Anhang S. 16* ff.; vgl. auch E. W. Meyer, Forschungen, 40 ff.

7. Wenn auch zweifellos nicht alle im Folgenden erwähnten Texte Luther in Torgau zur Kenntnis gekommen sind, so werden sie hier doch zusammenfassend erörtert, um Einblick zu geben in das Denken und die Argumentation der sächsischen und hessischen Politiker in der Phase der Vorbereitung des Schmalkaldischen Bundes in Konfrontation mit den Auskünften der Theologen.

8. Vgl. Müller, Äußerungen, 89 ff.; Scheible, 63 ff. Müller hat auch erstmals die Zusammenhänge aufgehellt, in die dieser Text gehört, nachdem noch v. Schubert, 187 Anm. 1 ihn vermutungsweise in die Zeit der Verhandlungen von Schleiz setzen wollte. Vgl. auch Fabian, Entstehung, 117 f., der aus dem Vorkommen von Korrekturen in Brücks Handschrift (B^1 bei Müller) den Schluß zieht, der Text stamme im wesentlichen von jenem. Die bei Müller fehlende Überschrift vgl. ebd., 117; wörtlich übereinstimmend auch auf einer Abschrift in der Königsberger Handschrift Ostpr. Fol. 84, 321 r. Unvollständig aus den Papieren von J. Brenz gedruckt von Köhler, Brentiana V, 231 ff.

9. Die Ergebnisse dieses Gutachtens sind den Theologen in Torgau vorgelegt worden; vgl. unten S. 177.

10. In X I 29. 8 wird bestimmt, daß bei unrechtmäßiger Einweisung eines Klerikers

wegs sich gegen einen Richter zur Wehr zu setzen, zu begründen. Dieses Recht wird für drei Fälle konstatiert: wenn der Richter trotz einer Appellation an die nächsthöhere Instanz weiter prozediert; bei einem Verfahren „extraiudicialiter", das zu einem „gravamen irreparabile" führt; bei einem Verfahren zwar „iudicialiter, sed iniuste", gleichfalls mit einem „gravamen irreparabile" als möglicher Folge. Die Herleitung eines Widerstandsrechts aus Si quando war allerdings nur in gezwungener Beweisführung möglich und zeigt exemplarisch die Schwierigkeit, aus derartigen Rechtssätzen eine juristisch einwandfreie Lösung der Probleme von 1530 zu gewinnen[11]. Der Kaiser wurde in die Rolle des iudex iniuste procedens gerückt, seine Jurisdiktion zweifach negiert und die eigene Position doppelt abgesichert. Nach dem Befund der sächsischen Juristen hat der Kaiser überhaupt kein Richteramt in Glaubenssachen (Kompetenzbestreitung); wenn er es aber doch haben sollte, so ist es im Spezialfall durch die Appellation an das Konzil aufgehoben. Im Gegensatz zu Luthers Beurteilung der Appellation[12] legen die Juristen großes Gewicht auf diesen Rechtsakt, der vor allem in seiner Erstreckung auf das Konzil gewertet wird. Eine Rechtsqualität in der causa religionis besitzt für sie der Kaiser nicht als Richter, sondern nur als Exekutor; er besitzt aber nach der Appellation an das Konzil auch als Exekutor päpstlicher Verfügungen kein gültiges Mandat, da die Konzilsappellation auch etwaige Befugnisse des Papstes suspendiert.

Die Ergebnisse des Gutachtens standen dem März-Votum Luthers diamentral entgegen. Aus dem die clausula Petri heranziehenden Satz: „Obedire Caesari in edictis vel mandatis suis contra verbum esset gravamen irreparabile et magis oportet in causa fidei obedire Deo et veritati evangelicae quam homini", zogen die Theologen nach ihren Prämissen die Folgerung des leidenden Ungehorsams, während die Juristen daraus einen Beweis für die Berechtigung der Notwehr gegen den Kaiser gewannen. Aus der Beurteilung eines Angriffs von seiten des Kaisers als notorischen, durch kein Gesetz gedeckten Unrechts mit der Folge eines „gravamen irreparabile" leiteten sie ein Recht zum bewaffneten Widerstand ab, wozu sich Luther im März 1530 nicht bereitgefunden hatte, obwohl die Voraussetzung hinsichtlich der Nicht-Kompetenz des Kaisers in Glaubenssachen für juristische und theologische Betrachtungsweise identisch war.

Vermutlich in die gleiche Zeit wie dieses prozessualistische Gutachten gehört eine Thesenreihe: „Quod liceat inferiori magistratui in certis casibus se contra superiorem defendere[13]", die offenbar für eine Diskussion unter Wittenberger Juristen

---

durch den päpstlichen Delegaten „ordinarius iudex non debet iudicis delegati mandato resistere violenter, sed apud ipsum instare debet, ut differat eos in possessionem mittere, donec nobis rei veritas innotescat".

11. Wolzendorff, 184 bestreitet daher auch die Legitimität der Bemühungen der sächsischen Juristen, die Lehre vom Widerstandsrecht der niederen Obrigkeit aus dem geltenden Recht abzuleiten, da sie sich wesentlich nur politisch begründen ließ. Politische Erscheinungen wären hier rechtlich umgedeutet worden.

12. Vgl. oben S. 156.

13. Überliefert in den Papieren Brenz'; gedruckt von Köhler, Brentiana V, 231 f. Die

bestimmt gewesen ist[14]. In ihr sind ohne speziellen Rekurs auf einzelne Rechtssätze oder auf Autoritäten und ohne jede Anleihe bei theologischen Vorstellungen die Argumente zugunsten eines Widerstandsrechts kurz zusammengefaßt. Mit dem prozessualistischen Gutachten besteht Übereinstimmung in der Feststellung, daß dem Kaiser kein Richteramt in Glaubenssachen zusteht, wie auch darin, daß „vis iniusta" ohne Rücksicht darauf, von wem sie ausgeht, einen Grund zur Verteidigung darstellt. Dabei ist „vis iniusta" in der Definition der Thesen diejenige Gewalt, die ohne Gerichtsspruch oder rechtsverbindlichen Grund — „nulla causa praecedente" — und daher nicht legitim exekutiert wird. Die Situation der evangelischen Stände wird mit dem bekannten Paradigma der privaten Notwehrsituation, in der ein Sohn bei Unmöglichkeit, der Gefahr, die ihm von seinem Vater droht, anders zu entgehen, jenen ungestraft töten darf, identifiziert, da auch gegen sie „propter defectum iurisdictionis eorum, qui tulerunt sententiam", keine Instanz ein gültiges Urteil ergehen lassen kann. Ein Angriff des Kaisers ist daher keine Exekution, sondern „vis iniusta", gegen die nicht nur gleichgeordneten Rechtsgenossen, sondern auch Untertanen („subditi") nach dem „ius naturale et positivum" die Verteidigung erlaubt ist. Einem solchen Handeln steht der geschworene Treueid nicht entgegen. Ob der Verfasser damit ein allgemeines, für jeden Untertanen gültiges „Revolutionsrecht" auch gegen die Landesobrigkeit proklamieren will, ist fraglich, wird aber durch den Wortlaut nicht ausgeschlossen, zumal eine These ausdrücklich darauf hinzuweisen scheint[15]; jedenfalls erfolgt keine Differenzierung zwischen magistratus inferior und subditus[16]. Damit ist nach These und Antithese der Syllogismus vollständig: Gegen Unrecht ist Verteidigung erlaubt; der Kaiser begeht gegen die evangelischen Stände Unrecht; also ist ihnen gegen den Kaiser die Verteidigung erlaubt.

Neben diese mit dem Natur- und dem Privatrecht argumentierenden Texte tritt ein umfangreiches „staats- und verfassungsrechtliches" Gutachten, das wahrscheinlich gleichfalls in den Herbst 1530 gehört, auch wenn weder Verfasser noch Entstehungszeit überliefert sind[17]; nähere Berührungspunkte mit den Überlegungen Philipps von Hessen aus dem Jahre 1529 legen die Vermutung nahe, daß es in dessen Umgebung entstanden ist[18]. Dieses Votum untersucht zunächst die recht-

---

ungefähre Datierung dürfte sich daraus ergeben, daß in dem Kodex das erwähnte prozessualistische Gutachten dieser Aufzeichnung folgt.

14. Vgl. die Bemerkung am Schluß: „Ad proximum diem sabbathi apud Melchiorem Kling". Über Kling, der seit 1527 in Wittenberg Jurisprudenz studierte, vgl. ADB 16, 185 f.; Stintzing I, 284. 305 ff.; Kisch, 70.

15. Vgl. These 8: „Talis defensio non tantum in paribus erga pares, sed etiam in subditis erga superiorem de iure naturali et positiva est licita."

16. Vgl. These 1: „Defensio contra iniustam vim de iure cuilibet est permissa."

17. Vgl. Hortleder, Rechtmäßigkeit, II 8 p. 81 ff.; Scheible, 69 ff.

18. Vgl. auch Müller, Äußerungen, 47 und Fabian, Entstehung, 120. Auch nach Dörries, Widerstandsrecht, 220 gehört das Gutachten „vielleicht in die Nähe Philipps." Eine Abfassung Ende Oktober vermutet Winckelmann, Bund, 271 Anm. 91, während Scheible den Text auf: nach 19. Nov. 1530 datiert; der Abschied, auf den er sich dabei bezieht,

liche Basis, „ob man in deß Glaubenssachen die Defension wider den Keyser gebrauchen möge", und findet die Hauptstütze für ein Notwehrrecht im ius feudale[19], das einem Lehnsmann, dem der Lehnsherr trotz Rechtsspruch das Lehen nicht folgen lassen will, die Fehde gegen diesen erlaubt. Gleicherweise wird das Widerstandsrecht aus dem „ius naturale sive gentium" deduziert, wenn auch die Anwendung des Satzes „Vim vi repellere licet" ausgeschlossen wird, da er nach Melanchthons „Loci communes" nur Ausdruck eines „pravus affectus" sei. Wichtig für die weiteren Überlegungen ist aber vor allem die Norm, daß bei Kompetenzkonflikten „das folgend Gebott ... billich dem vorgehenden" weicht. In der Explikation dieser These zieht das Gutachten aus einer Konstellation, in der Gottes- und Menschengehorsam nicht mehr zur Deckung kommen, zwar den Schluß der Prävalenz des ersten Gebots vor dem vierten – hingewiesen wird ergänzend auch auf die clausula Petri –, aber anders als bei Luther folgt daraus nicht die Leidenspflicht, sondern ohne weiteren Beweis wird die Erlaubtheit des Widerstandsrechts gegen obrigkeitliches Unrecht gefolgert und festgestellt, daß im entsprechenden Fall zur Heiligung des göttlichen Namens, also zur Verteidigung des zweiten Gebots des Dekalogs, aktive Abwehr des „Muthwil" des Kaisers gefordert ist.

Eingehend wird die Frage nach der Zuständigkeit, dem Träger eines Widerstandsrechts, erörtert. Von der Voraussetzung ausgehend, daß die Fürsten dem Kaiser gegenüber personae privatae seien, hatten Spengler und Brenz den Befürwortern des Widerstandsrechts den Gleichheitsgrundsatz vorgehalten, demzufolge dann auch den Untertanen ein Widerstandsrecht gegen ihre Landesherren zugestanden werden mußte[20]. Das Gutachten lehnt diese Konsequenz ab, indem es auf das Schwertamt jeder Obrigkeit verweist; nur diese, nicht der einzelne, ist vom Verdikt Mt. 26, 52 dispensiert. Das „Schwert der mindern Obrigkeiten" ist im Gegenteil „eine gute Artzeney, uns von Gott gegeben" gegen unrechte Gewalt, gleichgültig, wer sie ausübt. Der magistratus inferior hat nicht nur das Recht, sondern auch die Pflicht zum Widerstand, wobei es nicht erforderlich ist, daß die Untertanen um den obrigkeitlichen Schutz nachsuchen; vielmehr soll der Landesherr „vermuthen, daß der meiste Theil solchs begehre ... So seyndt auch viel Unmundiger unter dem Hauffen, welche nicht bitten können".

Neben den Versuch, das selbständige Recht des magistratus inferior aus der Schrift zu begründen, treten verfassungsrechtliche Erwägungen, die den Überlegungen Philipps von Hessen deutlich nahestehen. Vor allem wird auch hier die unhistorische Identifikation des deutschen Kaisertums des 16. Jahrhunderts mit den römischen Cäsaren verworfen: „Zu Christus zeiten und etliche hundert Jahre hernach seynd die Keyser principes mundi gewest ... Jetzt aber zur zeit ist der

---

wurde aber bereits am 13. Okt. zum erstenmal verlesen, sein Entwurf stammt sogar schon vom 22. Sept.; vgl. Förstemann, Urkundenbuch II, 474 ff.

19. Zitiert wird aus den Consuetudines feudorum 2, 22 § 1. Der Einwand, das Lehnsrecht sei kein geschriebenes Recht, wird mit der Bemerkung aus D. I 3. 33 niedergeschlagen: „Consuetudinem pro lege haberi".

20. Vgl. oben S. 150 f.

Keyser den Chur- und Fursten widerumb mit Eyden verpflichtet." Das Reich des 16. Jahrhunderts ist im Gegensatz zum römischen „viel mehr" eine Aristokratie als eine Monarchie; Kaiser und Fürsten verhalten sich zueinander nicht anders als Konsul und römischer Senat, Bischof und Kapitel, Doge und Senatoren[21]. Der Einwand von der Majorität der Reichsstände, die auf seiten des Kaisers steht und das Argument der willkürlichen Amtsübung widerlegen könnte, wird mit dem Hinweis auf die mangelnde Zuständigkeit des Kaisers für eine Entscheidung der Religionsfrage und auf das nicht zu majorisierende Gewissen abgefangen[22].

Die verfassungsrechtlich unterschiedliche Stellung des Kaisers und der Landesfürsten dient dem Gutachten als Basis, um das von den Gegnern des Widerstandsrechts in der Analogie: Was dem Fürsten gegen den Kaiser erlaubt ist, muß auch dem Untertanen gegen den Fürsten gestattet sein, vorgetragene Anarchieargument zu widerlegen. Der Kaiser ist „kein Monarcha", da er sein Amt der Wahl verdankt und mit den Ständen zusammen regieren muß, während der Landesfürst seine Rechtsstellung kraft Erbrecht besitzt und keineswegs von der Bestätigung seiner Untertanen abhängig ist; sein Recht ist also besser und uneingeschränkter. Dazu kommen die bekannten Argumente aus der Diskussion von 1529: Der Fürst ist Obrigkeit mit dem Auftrag Gottes, das Schwert zu führen, die Untertanen besitzen dieses Mandat nicht; jede Gewalt von ihrer Seite ist daher Aufruhr und steht, wie der Bauernkrieg bewiesen hat, unter dem Verdikt von Mt. 26, 52. Auseinandersetzungen auf Territorialebene sind nur auf dem Rechtsweg unter Ausschluß von Gewalt möglich.

Wenn auch der Wortlaut dieses Gutachtens Luther vermutlich unbekannt geblieben ist[23], sind ihm doch dessen Hauptthesen durch den Landgrafen vermittelt worden, der sich am 21. Oktober an ihn gewandt hatte, um ihn um Auskunft zu bitten und ihm zugleich seine eigene „Meinung in diesem Fall anzuzeigen[24]". Da er Luthers negatives Votum vom 6. März offenbar nicht kannte[25], ging er davon aus, daß dieser zum gegenwärtigen Zeitpunkt mindestens noch unentschlossen, wenn nicht positiv eingestellt war[26]. Um ihn „etlicher Ursachen dieses Falls zu

---

21. Auf Grund dieser Passage nennt Smend, Kaiser und Reich, 13 den Ratschlag einen „kecken Vorläufer des Bodinus und Hippolithus", bei dem die Anwendung der Formel „Kaiser und Reich" zwar noch nicht vorgenommen worden sei, aber doch schon sehr naheliege.

22. In anderem Zusammenhang wird im Gutachten gegen das Argument der Übereinstimmung von Kaiser und Augsburger Reichstagsmehrheit D. IV 2. 9 § 3 („Quod metus causa gestum erit, ratum non habebo") ins Feld geführt und die Bedeutung der pars maior durch das traditionelle Argument der pars sanior relativiert unter Zitat der Glosse zu D. XXII 5.2: „Ponderat testes, non numerat".

23. Vgl. oben Anm. 18 zur Datierung. Nach Stintzing I, 277 und Winckelmann, Bund, 37 hat dagegen in Torgau auch dieser Text den Theologen vorgelegen; dabei ist übersehen, daß die verfassungsrechtlichen Ausführungen auch im Brief Philipps von Hessen an Luther vom 21. Oktober 1530 enthalten waren.

24. WAB V, 653 ff.

25. Das scheint aus ebd., 653, 6 ff. hervorzugehen; vgl. auch oben S. 164 Anm. 47.

26. Er berief sich Luther gegenüber auf – eigenwillig interpretierte – Auskünfte aus

erinnern, uf daß ihr ihnen dester stattlicher nachdenken mogt", fügte der Landgraf seiner Bitte eine umfangreiche Ausarbeitung bei, der eine Aufzeichnung „Ob man sich wol kegen den keiser weren moge" zugrundeliegt[27]. Dieser Text wiederholte Philipps frühere Vorstellungen über das unter der obligatio mutua stehende Verhältnis von Wahlkaiser und Erbfürsten und seine Ablehnung, Verpflichtungen der Fürsten gegenüber dem Kaiser aus dem biblischen Gehorsamsgebot herzuleiten[28], da „in der zeit der apostel ader darnach ... solcher fal nicht gewest, das fursten ader gantze komunen zum glauben gefallen sein und von dem keiser verfolgt wurden"; außerdem konnte Röm. 13 nur auf das temporär ausgeübte Landpflegeramt bezogen werden, nicht aber auf das anders strukturierte deutsche Fürstentum. Mit dem Hinweis auf Beispiele des Alten Testaments und in der jüngeren Vergangenheit des Widerstands der Böhmen und Schweizer wollte der Landgraf verdeutlichen, daß die Gegenwehr kein neu entstandenes Problem darstellte[29].

---

der Zeit der „Packschen Händel" 1528 und von Dez. 1529 (WAB V, 656 Anm. 5 ist nicht erkannt, daß die Stelle: „Ihr schreibt weiter ..." sich nicht auf 1528 bezieht — das angegebene Zitat stimmt nicht —, sondern auf das Dezember-Gutachten, das Philipp am 7. März 1530 auch gegenüber Georg von Ansbach entsprechend auslegte; vgl. oben S. 146 Anm. 106; von „vornehmig Glied" des Reiches war bei Luther allerdings keine Rede gewesen). Philipp übersah bei seiner Interpretation, daß es im ersten Fall nicht um die Gegenwehr gegen den magistratus superior gegangen und daß das Dezember-Gutachten nicht eindeutig ausgefallen war. Entgegen Fabian, Entstehung, 119 kann daher von „geschickter Anknüpfung" an Luthers frühere Argumente nicht gesprochen werden.

27. Franz, Urkundliche Quellen II, 121 f. Abschriftlich mit kleinen Änderungen auch in den Ansbacher Akten, Nürnberg, Staatsarchiv, ARA Suppl. I a, Bl. 398. Gußmann I/1, 397 sieht in dieser Aufzeichnung nur die Vorarbeit für den Brief des Landgrafen an Luther vom 21. Okt. 1530; demgegenüber weist Braune, 41 mit Recht darauf hin, daß dann kaum Kopien davon angefertigt worden wären. Zweifellos hat der Text sowohl der Unterrichtung der hessischen Theologen wie der Vorbereitung des Briefes an Luther gedient und ist, wie die Ansbacher Akten zeigen, auch außerhalb Hessens bekannt gewesen.

28. Beide Argumente (obligatio mutua und Inkompetenz der biblischen Belege) begegnen erstmals in der Instruktion für den Saalfelder Tag Anfang Juli 1529, werden wiederholt in den Instruktionen für den geplanten Tag von Schwabach vom 18. Aug. und die Schleizer Zusammenkunft vom 28. Sept. und sind ausführlich dargelegt im Brief an Markgraf Georg von Brandenburg vom 21. Dez. 1529; vgl. RTA VIII, 489 f. In der Auseinandersetzung über das Widerstandsrecht mit Georg hat Philipp von Hessen am 7. März 1530 gleicherweise auf die obligatio mutua hingewiesen, in der die „große Obrigkeit" des Kaisers und die „andere Obrigkeit", die Fürsten, stehen; bei Zwang zur Sünde darf die fürstliche Obrigkeit gegen die kaiserliche mit Gewalt verteidigt werden; vgl. RTA VIII, 573 f.; vgl. dazu Rassow, Kaiser-Idee, 76. — Aus der Aufzeichnung gingen beide Thesen in den Brief an Luther über (vgl. WAB V, 653, 21 ff.), der Hinweis auf die obligatio mutua taucht wenig später in einer Randbemerkung des Landgrafen erneut auf (vgl. Franz, Urkundliche Quellen II, 124 f. Anm. 1).

29. Die historischen Beispiele kehren im Brief an Luther wieder; zu den Schweizern, die nicht um des Glaubens willen kämpften, wird dort eingeräumt, daß „dis Exempel in diese Sach nit hort" (WAB V, 655, 106 ff.).

Im Schreiben an Luther wird von diesen Argumenten besonders die beschränkte und an die Zuständigkeit der Stände gebundene Macht des Kaisers hervorgehoben. Dabei unternimmt der Landgraf große Anstrengungen, um die These, daß der Kaiser nur mit Zustimmung der Stände handeln darf, aufrechtzuerhalten und doch zugleich mit dem pars-sanior-Argument die Unterstützung Karls V. durch die Majorität in Augsburg zu relativieren. Die richterliche Kompetenz des Kaisers wird von ihm kasuell und grundsätzlich bestritten; kasuell, da Karl V. zugunsten des Konzils auf die Richterfunktion verzichtet habe[30], grundsätzlich, da er überhaupt in der causa fidei kein entsprechendes Mandat besitzt[31] und selbst „uber Leib und Gut" nicht uneingeschränkt urteilen darf.

Philipps Überzeugung, daß Gott im Alten Testament die Seinen nie verlassen habe und „nihe lassen ein land untergehen, das uf ihn getrauet hat", entsprach derjenigen Luthers, nur waren Voraussetzungen und Folgerungen unterschiedlich. Das Vertrauen auf Gott bedeutete für den Landgrafen, die irdischen Machtmittel als von Gott angeboten zu verwenden und selbst aktiv zu werden, für Luther aber voraussetzungslose Hingabe an Gott im Gebet und Warten auf seine Befehle und sein Eingreifen.

Wie wichtig Philipp von Hessen die im Schreiben an Luther vorgetragenen Gründe und Argumente waren, zeigt ihre Verwendung im Verlauf der Bündnisverhandlungen. Für den auf den 13. November 1530 angesetzten Tag von Nürnberg instruierte er seine Gesandten, falls es zu einer Debatte über das Widerstandsrecht käme, „die gestelten artikel, wie wir dem Luther geschrieben, in rat fur(zu)bringen[32]". Seine eigenen Theologen entzogen sich dagegen einer eindeutigen Stellungnahme und gaben ihr Votum[33] nur als ihr „duncken und meinunge, nicht gewisse sententz oder responsa" ab. Zwar bestand auch für sie die Aufgabe der Obrigkeit in der Erfüllung des Auftrags von Röm. 13, „ob aber E. F. G. sampt den underthanen, wo von K. M. mehre gefordert, denn man aus Pflicht schuldig ist, oder aber die Frommen verfolgt und die Gottlosen beschützt, sich zu weren aus nachlas der heiligen schrift macht habe, wissen wir nicht". Auch das auf Empfehlung der Theologen, die dem Landgrafen zugleich eine Anfrage in Wittenberg anrieten, eingeholte und am 5. November 1530 „in grosser eil" vom

---

30. Nach Philipp hat der Kaiser dies „uf allen Reichstagen gesagt und us Hispanien geschrieben" (ebd., Zl. 47 f.); wahrscheinlich ist bei letzterem nicht an eine bestimmte Äußerung Karls V. gedacht; auf keinen Fall ist jedoch das Mandat vom 12. Juli 1529 (vgl. oben S. 143) gemeint, wie WAB V, 656 Anm. 8 angegeben.

31. Vgl. die entsprechende Äußerung Philipps auf dem Augsburger Reichstag nach der Verlesung der Confutatio; Grundmann, Philipp von Hessen, 51.

32. Franz, Urkundliche Quellen II, 125.

33. Vgl. Gussmann I/1, 333 ff.; vgl. dazu auch Braune, 42 ff. Daß Philipp das Votum seinem Brief an Luther beigelegt habe, wie von Gussmann, 59 f. angegeben, ist aus den Akten nicht zu erheben, bei der so wenig im Sinn des Landgrafen ausgefallenen Antwort aber unwahrscheinlich. Den Theologen lag offenkundig die Aufzeichnung des Landgrafen: „Ob man sich kegen den keiser weren moge", vor, wenn sie von „mancherlei bedenken ..., aus diesem grund und alten geschichten ersucht und erforbracht", sprachen.

hessischen Kanzler Feige und anderen Räten erstattete juristische Votum[34] begnügte sich mit Pauschalfeststellungen, ohne auf Einzelheiten einzugehen. Immerhin enthielt es die Auskunft: „Sovil wir ... in unsern büchern als halb juristen finden, so achten und halten wir dafur, ... daß die Gegenwehr mit ziemlich, billiger, rechtlicher maß, die dann natürlichen rechtes ist, erlaubt sey". Für die wichtigste Frage aber, ob die Gegenwehr „mit gott und gewisshen gescheen moge", erklärten sie sich nicht zuständig, da dies in die Kompetenz der Theologen fiel.

5.2 Luthers Torgauer Stellungnahme

Im Gegensatz zu Melanchthon und den in politischen Kategorien Denkenden hatte Luther das Scheitern der Religionsverhandlungen und die Verweigerung der pax politica in Augsburg nicht als negatives Faktum verstanden, sondern als ein Angebot Gottes, als Möglichkeit der Katharsis[1]. Das Fehlen eines gesicherten Friedens zwang zur Konkretisierung der bisher nur „verbaliter" manifestierten theologia crucis. „Nunc stet unusquisque pro se[2]" — das war für den Theologen ein durchaus positives Ergebnis des gescheiterten Ausgleichs. In dem von ihm 1530 wiederholt angezogenen Zitat Phil. 1, 6 fand Luther die Bestätigung seiner Gewißheit von der Gottgewolltheit der evangelischen Sache und seiner nicht auf politische Kriterien begründeten Hoffnung für die Zukunft[3]. Über den Kaiser urteilte er während des Reichstags wie bisher wohlwollend, wenn er sich dabei auch vor allem auf die nicht immer objektiven Berichte aus Augsburg stützte[4]. Immer noch war er wie seine Freunde und die Mehrzahl der evangelischen Stände der Auffassung, der Kaiser selbst sei guten Willens und nur von übelwollenden Ratgebern umgeben, die ihn gegen seine eigentliche, gute Intention lenkten[5]. Die unter dem Eindruck des scharfen Reichsabschieds in der Canticum-Vorlesung im November

---

34. Marburg, Staatsarchiv, Pol. Archiv 256, 22 ff.; vgl. auch Fabian, Entstehung, 132 und Zimmermann, 6 f.

1. Vgl. die Aufzeichnung „Cur gaudeat non factam pacem"; WAB XIII, 178 f. Der Text ist offenbar frühestens im August 1530 entstanden, da damals zuerst skeptische Äußerungen über die Möglichkeiten einer pax politica überliefert sind; vgl. WAB V, 531, 48 f.; 552, 25 f.; 578, 44.

2. WAB XIII, 179, 19.

3. Vgl. vor allem WAB V, 646, 13 f.

4. Die gegenteiligen Ausführungen bei Fabian, Entstehung, 116 und 122 f. über eine veränderte „Grundstimmung" Luthers gegenüber Karl V. während des Reichstages gehen auf unzutreffende Interpretation zurück. Vgl. dazu auch Dörries, Widerstandsrecht, 218 Anm. 46.

5. Vgl. etwa WAB V, 422, 22 ff.; 458, 26 ff.; 472, 1 ff.; vgl. auch die Zusammenstellung in WA 58, 193 ff. In WAB V, 532, 56 ff., wo Luther von Tyrannen spricht, die evtl. im Namen des Kaisers handeln, sind gegen Fabian, Entstehung, 122 ff., der hier eine Vorwegnahme der 1539 eingeführten Konzeption des „Großtyrannen" sieht, mit den Tyrannen (Plural!) sich selbst ernennende Mandatare des Kaisers gemeint, nicht aber dieser selbst.

1530 zutage tretende distanziertere und kritische Stellungnahme war Ausdruck einer nur vorübergehenden Verstimmung[6]; in den Schriften von 1531 kehrt die positive Beurteilung wieder[7].

Auch in der Frage des dem Kaiser geschuldeten Gehorsams hat Luther 1530 an der bisher von ihm vertretenen Auffassung festgehalten: „Als ein Knecht seinem Hausherrn zu Willen dienet und gehet", sollte sich der Kurfürst zu den kaiserlichen Anordnungen hinsichtlich Predigt und Zeremonien verhalten[7a]. Einem Gewissenszwang durfte er sich jedoch nicht fügen, so daß von der Kirche auferlegte Fasten außer acht zu lassen waren[8]. Die Entscheidung der Glaubenskontroverse durch einen Richterspruch des Kaisers hat Luther aber auch 1530 abgelehnt[9]. Hervorgerufen wurde diese Ablehnung nicht so sehr durch ein grundsätzliches Mißtrauen in die Absichten des Kaisers, als durch die prinzipielle Sorge vor der confusio regnorum; keiner weltlichen Obrigkeit konnte das Recht, über die res spirituales Entscheidungen zu fällen, zugestanden werden, da sie bei einem Urteil nach dem Maßstab menschlicher ratio immer in die Gefahr geraten mußte, Normen festzulegen, die vom Wort Gottes und der christlichen Lehre abwichen. Das Richteramt des Kaisers war auch deshalb von vornherein inakzeptabel, weil es dem göttlichen Verbot, sich auf Menschen zu verlassen, widersprach. Luther riet daher den sächsischen Politikern, den Kaiser an das Reichstagsausschreiben zu erinnern und bei Intransigenz der Gegenseite soweit Gehorsam zu versprechen, als die kaiserlichen Befehle nicht mit dem Gebot der Schrift kollidierten[10]. Der Ansatz zur Diskussion des Widerstandsrechts, der hier implizit enthalten war, wurde von ihm nicht verfolgt, wie er auch keinen Rat für den Fall erteilte, daß der Kaiser das Richteramt usurpieren und dessen Autorität gegen die dissentierenden Reichsstände ausnutzen würde. Eine indirekte Antwort enthielt jedoch sein Gutachten von August 1530, in dem er zur Restitution der Klöster Stellung nahm[11]. Der Befehl des Kaisers verpflichtete diesem Rat zufolge zwar den Kurfürsten zum Schutz des äußeren Bestands der Klöster, nicht jedoch dazu, gegen besseres Wissen und unter Verletzung seines Gewissens die „regeln und messen" zu schützen. Kaiserliche Amtshandlungen waren zu dulden, denn „Seine Mt. ist oberherr und mags schaffen auff yhr eigen gewissen ynn solchen sachen"; nur durfte der Oberherr nicht das

6. Vgl. WA 31/II, 635, 28 ff.; 640, 28 ff.; 657, 7 ff. In einer Bemerkung innerhalb einer Vorlesung von März 1530 findet sich noch die übliche Betrachtungsweise; vgl. 615, 15 ff.

7. Vgl. unten S. 186.

7a. WAB V, 313, 29 f. Auch zum einmaligen Besuch der Messe riet Luther dem Kurfürsten, wenn auch vor allem deshalb, damit sich der Kurfürst durch diesen Schritt von den „Sakramentierern" und deren Verachtung des Sakraments distanzierte; vgl. ebd., 313, 24 ff.

8. Vgl. ebd., 493, 63 ff. — In anderem Zusammenhang hat Luther schon 1528 gleichfalls geraten, als weltliches Gebot verordnete Fasten einzuhalten; vgl. WA 26, 585, 34 ff. (Bericht an einen guten Freund).

9. Vgl. WAB V, 454, 28 ff.

10. Vgl. ebd., 454, 43 ff. und XIII, 180, 64 ff.

11. Vgl. WAB V, 594 f.

Gewissen des Fürsten reglementieren, er „sol unser gewissen nicht gleich mit beschweren[12]“. Wieder blieb Luther aber bei dieser Feststellung stehen und gab nicht zu erkennen, welches Verhalten angemessen war, wenn der Kaiser den Fürsten zur Exekution eines entsprechenden Befehls zwingen wollte.

Einen ersten Ausweg aus den Fesseln des Gehorsamsgebots eröffnete Luther aber noch während des Reichstags mit der Unterscheidung von Aktionen des Kaisers und Handlungen von Gegnern, die den kaiserlichen Namen abusiv zur Erreichung eigennütziger Ziele verwendeten[13]. Damit war es unter der Voraussetzung, daß der Kaiser von schlechten Ratgebern umgeben war, nicht allzu schwierig, jede seiner Anordnungen oder Handlungen als nicht seiner eigenen, besseren Intention entsprechend anzusehen[14] und ihr den Rechtsanspruch auf Gehorsam abzusprechen. Allerdings blieb das Urteil über die eigentlichen Absichten des Kaisers der subjektiven und arbiträren Bewertung des Betroffenen überlassen, die Formulierung: „Caesari [sc. si vi et armis urgebit] cedemus vero, sed larvatus Caesar [= Georg von Sachsen] si quid tentarit, aliud erit[15]“, täuschte eine Eindeutigkeit der Differenzierungsmöglichkeit vor, die in dieser Weise nicht bestand.

Die nach dem Reichstag notwendig gewordenen Verhandlungen der Räte des Kurfürsten mit den Wittenberger Theologen über das Widerstandsrecht fanden Ende Oktober 1530 in Torgau statt. Über ihren Verlauf ist fast nichts bekannt[16]. Außer aus dem Endgutachten lassen sich nur aus späteren Briefen Luthers und Melanchthons, die teilweise in apologetischer Absicht abgefaßt sind und daher manches bewußt oder unbewußt anders darstellen, einige Aufschlüsse über die Beratungen gewinnen[17]. Deutlich wird aus ihnen vor allem, daß es bei den Verhandlungen zu harten Auseinandersetzungen kam[18], da die Räte des Kurfürsten auf jeden Fall eine Revision der von Luther im März abgegebenen Stellungnahme

---

12. Ebd., 595, 189 ff.

13. Im Ansatz findet sich diese Differenzierung bereits 1528; vgl. oben S. 118.

14. Vgl. etwa WAB V, 532, 59 ff.

15. Ebd., 480, 30 ff.; vgl. auch Zl. 28: „larvatus iste Caesar“.

16. Luther ist in Torgau vom 26.–28. Okt. 1530 nachweisbar (vgl. WAB V, 659, 27 und 661, 30). Der unmittelbare Anlaß zu der Zusammenkunft war nach der ansprechenden Vermutung bei Fabian, Entstehung, 114 das Eintreffen der Nachricht vom verschärften Abschiedsentwurf vom 13. Oktober. Theologische Teilnehmer an der Beratung waren nach der – zuverlässigen? – Überschrift auf einer Kopie des Gutachtens außer Luther, Melanchthon und Jonas auch Spalatin (vgl. gegen dessen Anwesenheit Enders VIII, 299 Anm. 2; Höss, Spalatin, 353 f. schweigt von einer Beteiligung Spalatins an den Torgauer Beratungen) und „etliche andere der heiligen schrift gelerten“ (vgl. Müller, Äußerungen, 89); wer von juristischer Seite teilnahm, ist unbekannt. Melanchthon spricht vom „ῥήτωρ“, was CR II, 471 Anm.* zutreffend auf Brück gedeutet wird. Nach dem Brief des Kurfürsten an die Nürnberger Losunger stand das Ergebnis der Verhandlungen bereits am 27. Okt. fest; vgl. Fabian, Entstehung (1. Aufl.), 146 und unten S. 188 f.

17. *Luther:* WAB VI, 16 f. (an Link, 15. Jan. 1531); 35 ff. (an Spengler, 15. Febr.); 55 ff. (an N. N., 18. März). *Melanchthon* an Camerarius: CR II, 469 (1. Jan. 1531); 471 (16. Febr.).

18. Vgl. WAB VI, 36, 8.

herbeiführen wollten. Fraglich ist allerdings, ob Luther tatsächlich noch eine Schlüsselstellung zukam, ob er nicht vielmehr nur eine bereits eingeleitete und festgelegte Politik durch eine ostensible schriftliche Äußerung sanktionieren sollte. Die Politiker waren ganz offenbar in Torgau von vornherein nicht willens, sich theologischen Vorhaltungen gegen das Widerstandsrecht zu fügen; der Hinweis der Wittenberger auf Gottes Hilfe, die in der Not nicht ausbleiben werde, verfing bei ihnen nicht[19], woraus Luther und Melanchthon auf die Glaubensschwäche oder gar Glaubenslosigkeit ihrer Partner schlossen[20]. Die Politiker waren anscheinend auch bereit, notfalls ohne die theologische Zustimmung zu handeln[21]; einige sprachen in Gegenwart der Theologen offen aus, daß sie sie in dieser Frage überhaupt für inkompetent hielten[22].

Luther sah sich in Torgau einer zweifachen Rechtsbelehrung ausgesetzt: durch die sächsischen Juristen und durch die verfassungsrechtlichen Darlegungen des Landgrafen vom 21. Oktober[23]. Dieses Schreiben Philipps von Hessen muß den Juristen außerordentlich gelegen gekommen sein, denn es unterstützte ihre Bemühungen, nicht so sehr die Immediatstellung auch des magistratus inferior aus der Bibel oder dem Naturrecht zu begründen, sondern vielmehr den Nachweis zu führen, daß die obrigkeitliche Macht und der Gehorsamsanspruch des Kaisers verfassungsrechtlich, d. h. durch das positive Recht beschränkt waren.

Die Ausgangspositionen waren diametral verschieden: Dem auf Dt. 32, 35 und Röm. 12, 17 gestützten theologischen Axiom vom Verbot der Selbstrache stand der juristische Satz gegenüber: „Defensio contra vim iniustam de iure cuilibet licet[24].“ Eine Herleitung des Widerstandsrechts aus dem Naturrecht lehnte Luther aber auch in Torgau ab, da er seine Sachkompetenz als Theologe auf die Beurteilung der Normen des göttlichen und natürlichen Rechts erstreckte[25]; lediglich das positive Recht entzog sich der theologischen Begründung und Nachprüfung. So wurde die Berufung auf den Rechtssatz „Vim vi repellere licet“, mit dem die Juristen offenbar zunächst operierten, von ihm verworfen[26]. Erst gegenüber dem Vorbringen, daß das kaiserliche Recht den Widerstand im Fall von „notoria iniustitia“ zulasse[27], gab er nach, da es sich hier um ein „novum ius, ultra naturale, sed politicum et imperiale“[28], über das die Juristen zu befinden hatten, handelte.

---

19. Vgl. ebd., 17, 16 f. und CR II, 469.
20. Vgl. WAB VI, 17, 19 und CR II, 469 („tanta imbecillitas animorum“).
21. Vgl. als Beispiel das Memorandum Brücks und Doltzigs oben S. 165 f.
22. Vgl. WAB VI, 16, 12 f.; 36, 8 f.
23. Wann Luther den Brief erhalten hat, ist nicht sicher; seine Antwort stammt vom 28. Okt. 1530 aus Torgau (WAB V, 660 f.). Argumente aus Philipps Schreiben sind von Luther in den Konzepten und Notizzetteln zur „Warnung an seine lieben Deutschen“ verwertet worden; vgl. dazu unten S. 187 f.
24. Vgl. oben S. 168.
25. Darauf weist vor allem Kern, Luther, 334 f. Anm. 5 hin.
26. Vgl. WAB VI, 37, 27 f.; 56, 10 f.
27. Vgl. dazu oben S. 167.
28. WAB VI, 37, 29 f.

Die sächsischen Räte legten den Wittenberger Theologen einen „zetel[29]" vor mit einem Verzeichnis der Fälle, in denen nach dem positiven Recht die Ausübung des Widerstands gestattet war[30]. Luther antwortete darauf mit einem vorsichtig formulierten Schriftstück, in dem er auch im Namen seiner Kollegen seine Stellung zu den juristischen Argumenten festlegte[31]. Daß er diese Festlegung nur sehr ungern und widerstrebend vornahm, geht aus dem Text deutlich hervor, ist aber auch sonst bezeugt[32]. Allerdings ging sie dem Inhalt nach nicht sehr weit. Sie lief auf einen Syllogismus mit dem terminus medius „lex" hinaus, dessen Prämissen freilich auf verschiedenen Grundlagen beruhten, von denen die Theologen nur den Obersatz als zutreffend anerkannten, auf ihm aber auch mit Nachdruck bestanden,

---

29. Ob es sich bei dem „Zettel" um den Wortlaut des prozessualistischen Gutachtens handelte oder um einen Auszug ohne die Belege aus dem kanonischen Recht, ist ungeklärt. Müller, Äußerungen, 50, dem Kern, Luther, 335 Anm. 5 und WAB V, 661 und VI, 37 Anm. 10 folgen, schließt aus WAB VI, 37, 22 f. („iuristarum probationem expectamus, quam non vidimus"), daß Luther die Belege absichtlich vorenthalten worden sind, während Scheible, 67 Anm. 288 nach dem Aktenbefund (Abschrift der Erklärung Luthers gleich anschließend an das prozessualistische Gutachten) die Vorlage des vollen Wortlauts annimmt. Dörries, Widerstandsrecht, 217 Anm. 45, der bezweifelt, daß der Text den Theologen absichtlich vorenthalten geblieben sei, entscheidet sich nicht. M. E. wird man das nicht ganz kurze prozessualistische Gutachten nicht als „Zettel" bezeichnen können, so daß, worauf auch Luthers Äußerung WAB VI, 37, 22 f. deutet, den Theologen nur eine Zusammenfassung des Gutachtens oder der für das Problem wichtigere zweite Teil (ab: „Principes et civitates appellarunt ..." = Scheible, 65 f.) vorgetragen worden ist. – Der Zettel ist vermutlich identisch mit dem „sunderlich(en) verzeichnuß", aus dem zu entnehmen war, „was ... die recht, doe die oberigheyt gewalt und unrecht uben und prauchen will, zulassen, vil meher, do die nit allain unrechtlich, sundern auch nichtiglich handelt aus dem, das sy der sachen kein richter ist noch einichen zwang darin hadt, als hie die kay. Mt. keynen hadt in sachen des glaubens"; dieses – im Weimarer Archiv nicht mehr aufzufindende – Verzeichnis sollte der sächsische Abgesandte zum Nürnberger Rätetag am 13. Nov. 1530 mitnehmen; vgl. Fabian, Entstehung (1. Aufl.), 152.

30. Die drei im prozessualistischen Gutachten genannten Fälle vgl. oben S. 167.

31. Die Bedeutung, die Fabian, Entstehung, 121 der Überschrift auf einer Kopie (vgl. oben S. 175 Anm. 16) beimißt, ist übertrieben; vgl. dazu auch Dörries, Widerstandsrecht, 216 Anm. 41. Müller, Äußerungen, 32 f. Anm. 2 ist – gegen Fabian – keineswegs unzureichend, sondern stützt sich auf Melanchthons Zeugnis; außerdem spricht Luther selbst von dem in Torgau Geschehenen als durch ihn verhandelt („ich habe"; nicht: „wir haben"); vgl. WAB V, 660, 17 f.; VI, 16, 14 f. Luthers Autograph ist auch nicht ein unvollständiges Konzept, dem vollständigere Reinschriften gegenüberstehen, sondern die weiteren Ausführungen stellen ein zusammenfassendes Protokoll der Verhandlungen, die sich an die theologische Erklärung Luthers anschlossen, dar.

32. Vgl. Melanchthon an Camerarius: „Vix extorsit illi (= Luther) ὁ ῥήτωρ (= Brück)"; CR II, 471. Vgl. an verschiedenen Urteilen über Luthers Bereitwilligkeit zur Abgabe der Erklärung etwa Stintzing, 278: Die ganze Sache war Luther „in innerster Seele widerwärtig". Auch für Dörries, Widerstandsrecht, 216 war Luther von Bedenklichkeit erfüllt, während nach Neuser, 70 Luthers Zustimmung keineswegs widerwillig abgegeben worden ist.

während für den Untersatz die Juristen die Verantwortung trugen[33]:

Das Gesetz des Kaiser verpflichtet zu Gehorsam (theologische Aussage);
das Gesetz läßt für bestimmte Fälle Widerstand zu (juristische Aussage);
ergo: Leistung von Widerstand gehört zum Gehorsam gegen das Gesetz[34].

Drei Feststellungen, von denen die erste und die letzte zusammengehören, werden von Luther getroffen:

I. Da das Evangelium nicht gegen das weltliche Recht Stellung nimmt, sondern zu seiner Beachtung verpflichtet, können die Theologen, die das weltliche Recht anerkennen, mit der Schrift das Widerstandsrecht gegen den Kaiser oder seinen Mandatar dann nicht anfechten, wenn die doppelte Voraussetzung, für deren Richtigkeit die Beweislast bei den Juristen liegt, gilt: a) daß die vorgetragenen Rechtssätze stimmen; b) daß der in diesen Sätzen vorausgesetzte Fall jetzt gegeben ist.

II. Die zweite Feststellung enthält nichts Neues. Wie 1528 in den „Packschen Händeln[35]", hält Luther es für erlaubt, in der augenblicklichen gefährlichen Lage vorbeugende Rüstungen zu betreiben, ohne damit ihre Verwendung zu präjudizieren. Zwei Gründe für die Notwehr, der solche Rüstungen dienen können, werden unterschieden: „aus weltlichem recht" — zweifellos gemäß der in I ausgesprochenen neuen Erfahrung: gegen die kaiserliche Obrigkeit — und „aus pflicht und not des gewissens". Dieser zweite Grund wird dem ersten gegenübergestellt oder aber dient zu seiner Ergänzung; er soll sich vermutlich auf die von Luther schon immer erlaubte Notwehr gegen gleichgeordnete Rechtsgenossen erstrecken. Eine Gewissenspflicht zum Schutz der Untertanen ließ sich für Luther aus den zu I genannten Rechtssätzen nicht ableiten; diese sagten nur, daß man sich fallweise wehren „muge" [= könne]. Die Kann-Formulierung des positiven Rechts mochten die Juristen im Sinne einer Nezessitätsbestimmung erstrecken, einen Zwang zum Widerstand sah Luther hier nicht — im Gegensatz zum Verteidigungskrieg gegen pares, in dem der Kurfürst eine Schutzpflicht an seinen Untertanen zu erfüllen hatte.

III. Die bisherige negative Einstellung zur Erlaubtheit des Widerstandsrechts wird erklärt mit der Unkenntnis der entsprechenden Rechtsbestimmungen und dem Mangel an Rechtsbelehrung.

Von einer spezifisch theologischen Sanktionierung des Widerstandsrechts kann nach dem Wortlaut dieses Gutachtens keine Rede sein, nur von einer Neuverteilung der Zuständigkeiten, insofern die Juristen eine erhebliche Kompetenzverschiebung zu ihren Gunsten erreichten. Beide Seiten hatten jedoch Grund, unbefriedigt zu sein. Luther hatte die Einwirkungsmöglichkeit auf ein entscheidendes Problem der Politik, das auch den religiösen Bereich unmittelbar betraf, preisgegeben, nachdem zwar seine Theologie diese Zuständigkeit immer abgelehnt, er sie aber in Form der Gewissensberatung des Landesherrn in Anspruch genommen

33. Vgl. WAB VI, 37, 21 ff.; 56, 6.
34. Vgl. ebd., 37, 19 ff. Zum Syllogismus vgl. auch Hillerdal, Evangelisk politik, 134.
35. Vgl. WAB IV, 434, 19 ff.; vgl. oben S. 117.

hatte; die Juristen hatten keine theologisch fundamentierte Absicherung ihrer spezifischen Rechtsinterpretation erreicht.

Wenn Luther auch im nachhinein die Kontinuität zwischen 6. März und Oktober 1530 betonte[36], so war doch ein grundsätzlicher Wandel, der sich äußerlich in der Abgrenzung der Zuständigkeiten ausdrückte, erfolgt. Dieser Wandel hatte sich allerdings schon vor Torgau angebahnt, obwohl es nicht angängig ist, ihn als bloßen Reflex auf die durch den Verlauf des Reichstags verschlechterte Lage der evangelischen Partei zu verstehen[37]; eine solche Interpretation spricht Luthers früheren Voten die Glaubwürdigkeit ab mit der Unterstellung, daß ihr Verfasser religiös verankerte Postulate in gefährlicher Situation aus Opportunitätserwägungen preisgegeben hätte. Vermutlich veranlaßt durch die Augsburger Vorgänge, vor allem durch den kaiserlichen Anspruch auf das Richteramt und die damit drohende confusio regnorum, hat Luther offenbar das Problem der Zwei-Reiche-Lehre neu durchdacht und auf die Frage nach dem Recht des Widerstands ausgedehnt. In Bucers Bericht über seine Unterredung mit Luther auf der Coburg am 26. September 1530 wird das erste Anzeichen eines Abrückens von der bisherigen Position deutlich: „Lutherus perstat non tamen per omnia firme in sententia de non defendendo, sed addit suum non esse de rebus profanis consulere, principes hic facile visuros, quid facto opus sit[38].“ Luther hielt danach zwar an der Leidenspflicht für den Christen fest, rechnete aber zugleich die Entscheidung über die Zulässigkeit der Notwehr und des Bündnisses zu den res profanae, für die die weltlichen

36. Vgl. WAB VI, 36, 7; 37, 31 f.

37. Besonders Hillerdal, Geschichtsdeutung, 106 verweist darauf, daß Luthers bisherige Stellungnahme zwar unter dem Eindruck von Augsburg revidiert worden sei, aber auch weiterhin nicht primär von politischen Voraussetzungen her verstanden und bewertet werden darf, da er auch im Okt. 1530 wesentlich als Verkündiger des Evangeliums handelt. Cardauns, Widerstandsrecht, 7 ff. interpretiert das Torgauer Votum dagegen rein politisch und glaubt, daß Luther die alte Ansicht im entscheidenden Augenblick fallen gelassen habe, daß der Politiker über den Theologen gesiegt habe. Einen „Umbruch“ unter dem Eindruck der Augsburger Vorgänge sehen vor allem W. Köhler, Luther und das Luthertum in ihrer weltgeschichtlichen Auswirkung (SVRG 155 Leipzig 1933), 109; Gussmann I/1, 368; Winckelmann, Bund, 37 f. Wohlnick, 10 f. setzt die Wende schon auf 1529/30 an, als durch die Protestation dem Beschluß der Majorität widerstanden wurde. Dieser Akt tangierte aber in Luthers Sicht die Frage des Widerstandsrechts als einer Konsequenz der Gehorsamsverweigerung noch nicht. Fehr, 21 f. verlegt im Anschluß an die Interpretation des Votums vom Dez. 1529 bei Müller, Äußerungen, 20 ff. die Anerkennung des Widerstandsrechts als weltliches Recht durch Luther schon auf 1529. Jordan, 162 f. stellt dagegen bei Luther im Okt. 1530 „kein wirkliches Abbiegen von seinen prinzipiellen Gedanken“ fest, da sich seine Ablehnung des Widerstandsrechts auf rechtliche Einwände stützte, die nun hinfällig wurden; damit ist der theologische Ansatz der früheren Voten nicht hinreichend gewürdigt. Wünsch, Bergpredigt, 125 f. sieht gleichfalls keinen Widerspruch zwischen Mai und Oktober 1530 und setzt die Wende erst auf 1539 an; ähnlich Schwiebert, 115 f.

38. Pol. Corr. I, 514 (dort ist statt „tantum“ „tamen“ zu lesen, wie der Sinnzusammenhang fordert). Von Melanchthon, mit dem er in Nürnberg am 29. Sept. verhandelte, hatte Bucer den Eindruck: „videbatur ... iam defensionem non improbare“ (ebd.).

Instanzen zuständig waren. Damit ist das Torgauer Ergebnis mindestens vorbereitet, denn der Schlüssel zum Verständnis des Verhaltens Luthers dort liegt in seinem Entschluß, die Notwehrfrage zur res profana zu erklären und aus der theologischen Zuständigkeit zu entlassen[39]; die Entscheidung über sie ging den Theologen nichts mehr an[40], der in der Schrift nur die Weisung fand, den Gesetzen zu gehorchen. Die Nachprüfung der Normen des positiven Rechts gehörte nicht zu seiner Kompetenz.

Der Verzicht auf eine theologische Beurteilung des Widerstandsrechts, wie er in Torgau schriftlich fixiert wurde, lief letztlich auf eine Sanktionierung von Leerformeln hinaus. Im vorliegenden Fall erhielt die Forderung Mt. 22, 21: „Date Caesari, quae sunt Caesaris", die von den Theologen bislang als Verhaltensnorm allen Bemühungen, das Gehorsamsgebot zu relativieren, entgegengehalten worden war, plötzlich von den Juristen einen entgegengesetzten Inhalt, ohne ihren normativen Charakter einzubüßen, da gemäß der Torgauer Einigung über den Inhalt des „Quae" nun vom positiven Recht befunden wurde: „Des Kaisers" ist nicht Gehorsam, sondern Ungehorsam[41].

Dieser Rückzug der Theologen und der Verzicht auf Beratung ist in dieser Zuspitzung zwar nicht auf Dauer aufrechterhalten worden, im Oktober-Gutachten akzeptierte Luther jedoch die Fakten und enthielt sich der Stellungnahme über deren Inhalt. In diesem Verzicht auf die Geltendmachung des theologischen Urteils über das positive Recht liegt die eigentliche „Kapitulation" des Theologen vor den Politikern. Seine bisherige Auffassung, daß über das Widerstandsrecht als einer Gewissen und Religion angehenden Frage nicht ohne ihn befunden werden konnte, wurde aufgegeben. Wenn Luther versicherte: „Nos theologi in nostra sententia mansimus priore[42]", war das formal zutreffend, insofern er dem Christen auch weiterhin die Leidenspflicht als Folge der Priorität des Gottesgehorsams vor dem Menschengehorsam einschärfte, aber diese Leidenspflicht brauchte nun nicht mehr realisiert zu werden, nachdem die bisherige Auffassung des Menschengehorsams durch das positive Recht einen neuen Inhalt bekommen hatte und aus der Gehorsamsprämisse jetzt andere Folgerungen abgeleitet wurden. In einer zeitlich etwas späteren Auskunft verneinte Luther dementsprechend die Frage, ob es seines Amtes sei, die Gesetze über das Widerstandsrecht kritisch zu würdigen: „Theologus tantum docet credendum Christo, deinde generaliter adhortatur unumquemque, ut suum officium faciat in fide." Ein materielles Prüfungsrecht besitzt der Theologe für diese Frage ebenso wenig, wie er dem Schuster seine Handwerksregeln vorschreibt. „Tantum generaliter docet (theologus). . . . Sic ego generaliter doceo in hac quaestione de caesare, quod sint sequendae leges, quae autem leges

---

39. Bugenhagen, der sich 1530/32 in Lübeck aufhielt, berichtet 1547 im Vorwort zur „Erklerung D. Mart. Luthers", Bl. A iij^b f., daß Melanchthon ihm dorthin mitgeteilt hätte, Juristen und Theologen wären übereingekommen, „das sie es wolten bleiben lassen beim Keiser Rechte, weil es ist eine weltliche sache, die Mord und unrechte gewalt betrifft".

40. Lüthje, 526 spricht vereinfachend von einer „Neutralitätserklärung" Luthers.

41. Vgl. WAB VI, 37, 16 ff.

42. Ebd., 37, 31 f.

sint et quales, hoc neque scio neque scire volo, quia non est officii mei[43]." Dieses Denken in Zuständigkeiten lief auf die Empfehlung des Gehorsams gegenüber einer vieldeutigen Formel „lex" hinaus, sogar ohne deren bestimmten Inhalt ausdrücklich unter den Vorbehalt der clausula Petri zu stellen. Dieser Rückzug manifestiert sich im Torgauer Gutachten, das Luther selbst dahin interpretierte, daß er nicht als Theologe geraten („consulere"), sondern den Juristen zugelassen („permittere") habe, ihre Normen anzuwenden[44]. Bislang hatte er das Widerstandsrecht als res Christiana betrachtet, die den Christen, auch den Fürsten, nur als einzelnen anging, als ein Individualproblem, das seine Lösung nur im Leidensgehorsam finden konnte. In seinen Voten war er vom Primat des Religiösen in dieser Frage ausgegangen, vom Entgegenstehen weltlicher Gesetze hat er z. B. im Gutachten vom 6. März 1530 gewußt[45], sie waren aber für den Christen, der sich an den Weisungen der Schrift orientieren mußte, uninteressant. Jetzt heißt es unter der neuen Voraussetzung, derzufolge das Widerstandsrecht ein weltliches Problem ist, das seine Lösung im positiven Recht findet, daß die Theologen nicht das positive Recht, mit dem der Kaiser sich selbst in seiner Macht beschränkt, zu ändern haben, sondern es akzeptieren müssen[46].

Luther versäumte aber in Torgau, diese Aussage durch die Erklärung, daß ein materielles Prüfungsrecht des Theologen hinsichtlich der Übereinstimmung des Rechts mit dem göttlichen Obrigkeitsauftrag nach wie vor bestand, zu modifizieren[47]. Über die weltlichen Gesetze hatten die Theologen bisher die Gebote Gottes gestellt; mit der jetzt erarbeiteten Formel wurde mindestens theoretisch darauf verzichtet, die Frage zu prüfen, ob und in welchem Ausmaß das positive Recht mit dem Evangelium zur Deckung kam. Es blieb unausgesprochen, daß auch gegenüber der Autonomie des positiven Rechts die clausula Petri galt. Daß die Gesetze mit dem göttlichen Auftrag an die Obrigkeit: Schutz der Frommen und Strafe der Bösen, übereinstimmten, ist offenbar von Luther vorausgesetzt worden, so daß er deshalb den Hinweis auf Act. 5, 29 unterließ. Indem das Widerstandsrecht zur politisch-juristischen Frage erklärt wurde, fiel es aus der Zuständigkeit des Theologen, der zur Vermeidung einer confusio regnorum die Gesetze des weltlichen Reiches nicht zu reglementieren hatte. Wie der Christ sich im Rahmen der Zwei-Reiche-Lehre als Weltperson, als „Bürger oder membrum corporis politici" zu verhalten hatte, bestimmte das weltliche Gesetz, der Theologe war zuständig nur für die Christperson als „membrum Christi et corporis ecclesiastici[48]". Für beide Status stellte sich das Problem des Widerstands je verschieden. Der Christ durfte sich, „ut qui mundo sit mortuus", dem Bösen nicht widersetzen, der Fürst als Amtsperson wurde in Torgau auch für die Notwehrfrage, was er in Luthers Theologie theoretisch schon immer gewesen war: „politica persona et sic agens

43. WATR I, Nr. 109.
44. Vgl. WAB VI, 16, 14 ff.
45. Vgl. oben S. 156.
46. Vgl. WAB VI, 37, 30 f.
47. Dieses Versäumnis wird vor allem von Brenz kritisiert; vgl. unten S. 199.
48. WAB VI, 56, 12 f.

non agit ut Christianus[49]". Die Erfüllung der hochgespannten Leidensforderung an jeden Christen wurde für Luther nun zur besonderen Gabe Gottes: „Ich als ein Prediger sol es leiden, das weis ich wol. Wer die gnade hat, der leide es auch[50]." Wenn Luther sich 1531 dagegen verwahrte, seine Meinung geändert zu haben, so ließ er sich in Torgau doch auf eine nur partielle Zuständigkeit für den Christen als Einzelperson zurückdrängen, neben der die Politiker die ihre für den Christen als Weltperson im sozialen Gefüge erhielten. Die Diskrepanz zwischen Theologie und Jus und ihren beiderseitigen Ansprüchen wurde durch die Einführung der Zwei-Reiche-Lehre in diesen Fragenkomplex überbrückt.

Damit wurde es auch möglich, das von Luther bisher immer umgangene Problem des evangelischen Territoriums in die Diskussion über das Widerstandsrecht einzubeziehen. Der Fürst als persona publica auch gegenüber dem Kaiser — das war nur denkbar, wenn das Widerstandsrecht zur juristischen Frage und das Verhältnis von magistratus superior und inferior von den Juristen definiert wurde. Luther hatte bis Oktober 1530 den Aspekt des Fürsten als Christ und Einzelperson absolut gesetzt, da er ihm den publicus-Charakter gegen den Kaiser nicht zugestand, sondern ihn in dieser Relation nur als Untertanen im Blick hatte; jetzt akzeptierte er den autonomen, theologiefreien Raum der Politik. Bisher bestand für den Fürsten faktisch eine Identität von christlicher Pflicht zum Ertragen des Unrechts und weltlichem Gehorsamsgebot mit allen Konsequenzen bis zur Schwelle von Act. 5, 29; im Oktober 1530 treten beide auseinander, und dem Leidensgebot, das nur für den Christen gilt, wird für die res profanae das Gehorsamsgebot — und zwar ein Gehorsamsgebot, das in bestimmten Fällen zum Ungehorsam ermächtigt und ein Widerstandsrecht konstituiert, — substituiert. Die fürstliche Obrigkeit behält so ihr Gewaltmandat trotz Mt. 26, 52 auch gegen den Kaiser. Damit konnten die bisher gegen das Widerstandsrecht vorgebrachten Schriftbelege Mt. 22, 21 und Röm. 13 nun für dasselbe in Anspruch genommen werden.

Sehr tragfähig waren allerdings die Beweise der Juristen aus dem positiven Recht nicht, denn der in seiner Macht eingeschränkte Kaiser konnte diese Einschränkung durch neue Rechtssetzung aufheben. Beide Male war nach Röm. 13 der Obrigkeit zu gehorchen, im Fall der Zurücknahme das Widerstandsrecht mithin erneut ungesichert[51]. Noch fragwürdiger war, daß die Theologen sich mit dem Argument des notorie iniuste Handelnden als rechtlicher Basis für das Widerstandsrecht zufriedengaben[52], obwohl Melanchthon im März 1530 darauf hingewiesen hatte, daß darüber, wer als notorie iniustus handelte, kein Konsens bestehen konnte, sondern die eigene Überzeugung absolut gesetzt werden mußte[53].

Der äußere Widerspruch des Torgauer Votums zum Gutachten vom 6. März 1530 ist eklatant, klärt sich aber, wenn die je unterschiedlichen Voraussetzungen ihrer Entstehung berücksichtigt werden. Das Gutachten vom 6. März war für den

---

49. Ebd., 17, 10; vgl. die Textberichtigungen in WAB XIII, 191 f.
50. WA 30/III, 461, 22 f.; vgl. auch ebd., 467, 24 ff. (Wider den Meuchler, 1531).
51. Vgl. dagegen die Argumentation des staatsrechtlichen Gutachtens bei Scheible, 72 f.
52. Das läßt sich jedenfalls aus dem Brief an Spengler ableiten; vgl. WAB VI, 36, 12 f.
53. Vgl. Scheible, 58 f.

Fürsten als Einzelchristen bestimmt[54], das Oktober-Votum dagegen für den Fürsten als persona publica; diese Qualität, die er im Konflikt mit dem Kaiser nach der bisherigen Meinung Luthers verlor, behielt er nach der juristischen Feststellung. Diese Unterscheidung der Voraussetzungen beider Gutachten läßt sich allerdings nicht reinlich durchhalten, da das März-Gutachten sich keine Beschränkung auf die theologische Deduktion auferlegt, sondern daneben auch juristische und politische Gründe gegen das Widerstandsrecht angeführt hatte. Auch daß nach Auffassung einiger Juristen ein Widerstandsrecht in den „kaiserlichen odder weltlichen rechten" festgelegt sei, war schon damals erwähnt worden[55] — insofern war es nicht ganz zutreffend, wenn Luther im Oktober seine Stellungnahme damit begründete, er habe zuvor nicht gewußt, „das solchs [sc. die Erlaubnis zur Gegenwehr] der oberkeit rechte selbs geben[56]" —, ohne daß daraus Konsequenzen in der Art des Oktober-Votums gezogen worden wären.

Wenn Luther nach der Akzeptierung der juristischen Kompetenz für die zutreffende Beurteilung des Notwehrkomplexes in Torgau überhaupt noch ein Gutachten abfaßte, in dem die neuen Zuständigkeiten festgelegt wurden, geschah das offenbar auf Drängen der Räte, die, um die widerstrebenden Lutheraner in Süddeutschland zu überzeugen, ein schriftliches Votum der Wittenberger Autoritäten in der Hand haben, andererseits aber auch ihr eigenes sachgerechtes Handeln bestätigt wissen wollten. Vielleicht bezieht sich das von Melanchthon bezeugte Sträuben Luthers, ein Gutachten abzugeben[57], auf die Überzeugung, daß die Theologen sich nicht mehr zu einer Frage zu äußern brauchten, die in den Zuständigkeitsbereich des weltlichen Regiments gehörte. Nicht „seelsorgerliche Ängstlichkeit" oder Geschäftsunkenntnis[58] hat Luther zur Abfassung seiner Erklärung veranlaßt, sondern die seelsorgerliche Verantwortung für das Gewissen der Politiker. Niemand sollte meinen, unchristlich zu handeln und sein Gewissen zu belasten, wenn er der theologischen Anerkennung des positiven Rechts für das Handeln in der Welt zustimmte: „minus eos peccare aut tutius agere, si civili iure egerint, quam si prorsus contra conscientiam et certa voluntate contra scripturas egerint. Interim ipsi credunt nec contra scripturas sese agere, dum non contra ius civile agunt[59]." Ob die von den Juristen unterstellte Übereinstimmung von Schrift

---

54. Vgl. oben S. 157 f.
55. Vgl. WAB V, 258, 7 ff.
56. Ebd., 662, 18.
57. Vgl. S. 177.
58. Gegen die von Müller, Äußerungen, 52 aufgestellte These von der seelsorgerlichen Ängstlichkeit entscheiden sich außer Kern, Luther, 336 auch Fabian, Entstehung (1. Aufl.), 53; Hillerdal, Evangelisk politik, 135 ff., der sich mit Recht besonders gegen Müllers Parallele (Äußerungen, 45) zu Luthers Beichtrat von 1539 (Doppelehe Philipps von Hessen; vgl. WAB IX, 132, 32 ff.) wendet; J. Heckel, in: ZRG 74 Kanon. 43/1957, 482; indirekt auch Dörries, Widerstandsrecht, 221.
59. WAB VI, 17, 21 ff. Nicht zutreffend ist die Interpretation von Wünsch, Bergpredigt, 105: „Das ius civile deckt sich mit der Schrift. Mit solchen Erkenntnissen schiebt Luther die Verantwortung in unangenehmen Rechtssachen von sich". Luther gab hier nicht seiner eigenen Meinung Ausdruck, sondern der der Juristen („ipsi credunt").

und Inhalt des ius civile wirklich vorhanden war, wollte Luther nicht entscheiden. Er verzichtete jedoch nicht auf den Appell an das Gewissen der Juristen, die die Verantwortung dafür übernahmen, daß das positive Recht von ihnen zutreffend interpretiert worden war. Das Torgauer Ergebnis war nicht Ausdruck einer Resignation oder eines Versagens Luthers, sondern die von ihm akzeptierte Anwendung der Lehre von den Zwei Reichen und dem je verschiedenen Verhalten des Christen in ihnen auf das Problem der Gegenwehr gegen die Obrigkeit und die damit verbundene Selbstbeschränkung der Theologen auf das geistliche Regiment[60].

Scheinbar im Widerspruch zu der im Gutachten festgelegten Selbstbeschränkung der Theologen stehen die von Luther in Torgau gemachten Vorschläge für das Verhalten bei drohender Exekution des Reichsabschieds[61]. Er wollte mit diesen Vorschlägen den Politikern aus Sorge vor dem Glaubenskrieg politischen Rat geben, um sie davon zu überzeugen, daß es „bequemer[62]", d. h. dem Landesinteresse angemessener sei, friedliche Mittel anzuwenden und die Erlaubnis des positiven Rechts zur bewaffneten Verteidigung nicht in Anspruch zu nehmen. Krieg bedeutete eine eindeutige Fixierung der Situation; auf das Moment der Zeiterstrekkung kam es Luther aber entscheidend an, um Gottes Eingreifen nicht zu antizipieren. In der Exekution des Abschieds sah er noch keinen Grund zur Gegenwehr, erst der kriegerische oder administrative Modus procedendi entschied für ihn über ihre Anwendung. Hinzu kam, daß Luther die Restitution der alten Kirche nicht als unerträglichen Eingriff in die landeshoheitliche Gewalt auffaßte, sofern der Fürst nicht selbst damit beauftragt wurde[63]. Er schlug daher vor, dem Kaiser nochmals die Gründe für die Ablehnung des Abschieds vorzutragen, ihn

---

60. Weit entfernt von der Wirklichkeit der Torgauer Verhandlungen ist Melanchthons Darstellung, die er im Febr. 1531 Camerarius in Nürnberg gab; vgl. CR II, 471 (im Folgenden nach der Urschrift, die von Camerarius für den Druck verändert wurde). Auf den Zentralpunkt der Auseinandersetzungen geht Melanchthon überhaupt nicht ein, sondern stellt als Ergebnis heraus, daß keine Gegenwehr erfolgen solle, „si de restitutione ageret Caesar" (CR II, 471 nach Cam. nur: „si de restitutione ageretur"); aber: „si attingere personam principis vellent nonnulli, quos scis, uteretur suo iure, si quod ei promittunt iuris consulti". Damit wurde Melanchthon der Argumentation Luthers fraglos in keiner Weise gerecht. Den Widerstand bei einem die „persona principis" betreffenden Konflikt hatte dieser nie erlaubt, im Gegenteil forderte dieser Fall den Fürsten als Einzelchristen heraus und verpflichtete ihn zum Leiden. Zudem geht es bei der von Melanchthon formulierten Fragestellung gar nicht um ein Widerstandsrecht gegen den Kaiser, sondern der Gegensatz zwischen „ageret Caesar" und „attingere vellent nonnulli" zwingt dazu, unter „nonnulli" andere Reichsstände zu verstehen, gegenüber denen das bellum inter pares ohne Probleme stattfinden konnte.

61. WAB V, 662 (unten). Müller, Äußerungen, 39 ff. sieht in den praktischen Vorschlägen die eigentliche Meinung Luthers, ohne dabei zu berücksichtigen, daß kein ausdrücklicher Widerspruch zum schriftlichen Votum besteht.

62. Falls der Kaiser den Abschied exekutieren wolle, „sollt bequemer sein", ihm die gewaltlose Unterwerfung der Stände anzuzeigen.

63. Zu einem entsprechenden Votum während des Reichstags vgl. oben S. 174 f.

aber bei Ausbleiben einer positiven Reaktion davon zu unterrichten, daß man ihn die Restitution von Klöstern und Messen „auf Ihrer Maj. Verantwortung gegen Gott dem Allmächtigen" ohne gewaltsames Entgegentreten vornehmen lassen werde. Bei solchem Verhalten erwartete Luther als entsprechendes Entgegenkommen des Kaisers, diese Restitution auf administrativem Wege durchzuführen statt mit Gewalt. Neben der Verhinderung des bewaffneten Konflikts lag der Vorteil dieser Lösung in einem von Luther auf ein bis zwei Jahre geschätzten Zeitgewinn, innerhalb dessen sich die Verhältnisse ändern konnten.

Fraglich ist allerdings, ob sich Luther über die Konsequenzen seines Rates im klaren gewesen ist. Die vom Kaiser gewaltlos durchgeführte Restitution bedeutete für ihn offensichtlich nicht Ablösung der neuen Ordnung, sondern nur Wiedererrichtung des alten Kirchenwesens neben den neu entstandenen Landeskirchen. Ein solches Nebeneinander von zwei verschiedenen Glaubenssystemen entsprach aber keineswegs den Absichten Karls V. und der Reichstagsmehrheit.

Daß der Ausweg aus der gefährlich zugespitzten Situation im Krieg lag, hat Luther auch im Oktober 1530 nicht akzeptiert. Den protestantischen Ständen konnte nichts daran gelegen sein, aber nach seiner Überzeugung auch den altkirchlichen nicht, da ein Krieg zur Vernichtung der Bischöfe führen mußte[64]. Gerade in den Tagen von Torgau gab er der Hoffnung Raum, „das Gott ein mittel werde treffen, das vmb dieser sachen willen kein blut vorgiessen sol geschehen[65]". Diese Erwartung erleichterte ihm den Rat, von evangelischer Seite nichts zu tun, was einen Gewaltakt der Gegenseite provozieren konnte[66].

Exkurs:
Die Verarbeitung der Torgauer Ergebnisse in der „Warnung an seine lieben Deutschen"

Luthers Torgauer Erfahrung und die dort empfangene Rechtsbelehrung haben in den Schriften von 1531, vor allem aber in Konzepten und Notizen zur „Warnung an seine lieben Deutschen" ihren Niederschlag gefunden[1]. Diese Schrift richtete sich in der Form eines „Christlich unterricht[2]" über die altgläubigen Fürsten hinweg an deren Untertanen, die von Luther aufgefordert wurden, im Falle

64. Vgl. Bucers Bericht über seinen Besuch bei Luther auf der Coburg; Pol. Corr, I, 514.

65. WAB V, 660, 16 f. (an Landgraf Philipp); das Folgende: „So hab ich auch (wo es yhe dazu komen wolt, da Gott fur sey) meinem gnedigsten herrn dem kurfursten, meine meynung angezeigt, was man thun muge mit der gegenwere" bezieht sich auf das allgemeine Votum ebd., 662 (oben) (gegen ebd., 661 Anm. 5).

66. Zur Reaktion der sächsischen Politiker vgl. unten S. 188.

1. WA 30/III, 392 ff.; vgl. WATR I, 323 ff. Zum Folgenden vgl. auch Müller, Äußerungen, 53 ff., dessen Kritik an der Ansetzung der Entstehungszeit der „Warnung" in WA 30/III zuzustimmen ist. WAB V, 660 kann entgegen Clemens Versuch nicht für die frühe Abfassung in Anspruch genommen werden, so daß Ende 1530/Anfang 1531 als Datierung zutreffender sein wird.

2. WA 30/III, 290, 31 f.

eines Aufgebots zum Krieg gegen die evangelischen Stände den Gehorsam zu verweigern, da sich kein Christ mit gutem Gewissen an einem solchen Kampf, der eindeutig ungerecht wäre, beteiligen könne[3]. An die fürstlichen Gegner der neuen Lehre wandte sich Luther mit der Warnung, die Reaktion der evangelischen Seite auf eine Aggression nicht falsch einzuschätzen, indem er nun auch öffentlich die Torgauer Neuverteilung der Kompetenzen zur Anwendung brachte. Niemand sollte sich darauf verlassen dürfen, daß Luther bei einem Krieg die Gewaltanwendung ausdrücklich verwerfen und seine Glaubensgenossen an der Abwehr eines Angriffes hindern würde. Trotz seiner Lehre von der Leidenspflicht des Christen war jetzt Widerstand denkbar, denn – und diese Einsicht ist zweifellos die unmittelbare Frucht von Torgau –: „Wol ists geleret, aber die thetter kan ich nicht schaffen[4]". Niemand konnte mehr darauf rechnen, ein theologisches Votum gegen das Widerstandsrecht des Christen werde das politische Verhalten der evangelischen Obrigkeiten bestimmen. Im Gegenteil proklamierte Luther in Konsequenz der Abgrenzung der Zuständigkeiten, daß der Theologe im Kriegsfall als inkompetent schweigen werde und „lassen gehen, was da gehet[5]." Zwar hielt Luther in der „Warnung" daran fest, daß nach seinem „rat odder willen" nur die durch Röm. 13 legitimierte Obrigkeit Krieg führen dürfe[6], überließ aber jetzt auch vor der Öffentlichkeit den Juristen die Antwort auf die Frage, ob die Reichsstände in der Kriegssituation unter die Obrigkeitsdefinition von Röm. 13 fielen oder unter dem Gehorsamsgebot standen.

Bei seinen Erörterungen mußte Luther davon ausgehen, daß die Gegenseite im Kriegsfall unter der Leitung des Kaisers stand. Wie aber schon während des Augsburger Reichstags[7], nahm er auch jetzt den Kaiser als Person aus und stellte ihn, der nur von den „mörderische(n) und blutgyrige(n) Papisten[8]" verführt werde, als friedfertig und wohlmeinend hin[9]. Allerdings ließ er keinen Zweifel daran, daß, wenn der Kaiser wider Erwarten selbst und aus freiem Entschluß den Kriegszug unternahm, er nicht allein gegen das göttliche Recht handelte, sondern auch „wider sein eigen Kaiserliche recht, eyde, pflicht, siegel und brieve[10]"; dann war ihm niemand, den er zum Kriegszug aufbieten würde, Gehorsam schuldig, dieser

3. Damit geht Luther nicht weiter als 1526 in „Ob Kriegsleute", wo er die Verweigerung des Kriegsdiensts in einem als ungerecht erkannten Kriege proklamiert; vgl. dazu oben S. 79.

4. WA 30/III, 278, 4 ff.

5. Ebd., 282, 10; ebd.: „wills lassen gehen und geschehen, das sie es eine not were heissen und wil sie damit ins recht und zu den Juristen weisen" (Zl. 24 ff.) Über das „permittere" (WAB VI, 16, 15) war Luther auch in Torgau nicht hinausgegangen. Vgl. auch die entsprechende Argumentation WA 30/III, 461, 23 ff. (Wider den Meuchler).

6. Vgl. WA 30/III, 299, 1 ff.

7. Vgl. oben S. 173 f.

8. WA 30/III, 282, 23.

9. Vgl. ebd., 290, 34 f.; 291, 34 ff.; 297, 21 ff.; fortgesetzt in der „Glosa auf das vermeinte kaiserliche Edikt" (WA 30/III, 362, 25 f.; 388, 13 ff.) und in „Wider den Meuchler" (ebd., 448, 5 ff.).

10. Ebd., 291, 27 ff.

im Gegenteil von Gott verboten. Die von Bugenhagen 1529 entwickelte Konzeption, dem Kaiser im Fall der Verletzung seines eigenen Rechts die obrigkeitliche Befugnis abzusprechen, hat Luther in diesem Zusammenhang nicht aufgegriffen. Sie findet sich nur in den die „Warnung" vorbereitenden Aufzeichnungen, in denen Luther einen Zusammenstoß der evangelischen Stände mit dem Kaiser als Konflikt inter pares interpretierte, begründet einmal mit der Differenzierung von Täter und Getriebenem, weil statt des Kaisers in Wirklichkeit die fürstlichen Gegner des Evangeliums handeln[11], zum andern wird der unrechtmäßig prozedierende Kaiser als Tyrann verstanden, der den Charakter der Obrigkeit verliert, da er seine Pflicht, „politiam et leges" aufrechtzuerhalten, verletzt und die Staatsordnung zerstört[12].

In die Konzeptblätter zur „Warnung[13]" ist von den juristischen Vorhaltungen in Torgau insgesamt mehr eingegangen als in die Schrift selbst; soweit Luther aber die dort enthaltenen Argumente nicht in den veröffentlichten Text übernommen hat, kann der Inhalt der Zettel nur sehr bedingt für seine Überzeugung in Anspruch genommen werden, zumal es sich bei verschiedenen Überlegungen offensichtlich um Denkmodelle handelt, mit denen er sich nicht identifizierte, um von außen an ihn herangetragene Meinungen, die er in immanenter Interpretation skizzierte[13a]. Eindeutiger als in der Schrift hat Luther in den Notizen die sich aus der Zwei-Reiche-Lehre ergebenden Folgen für das Verhalten in der Welt und gegenüber den Gesetzen, die Unterscheidung von Christperson und Weltperson herausgestellt: „Politicus vir non est Christianus, quia non est sic credendum Christo, ut sit destruenda politia, ius etc. Sed quisque officium suum facere debet salva fide et credere debet salvo officio[14]." Der nur für sich verantwortliche Christ nimmt kein Recht in Anspruch und wehrt sich nicht, gleich welchen Rang der Angreifer in der weltlichen Hierarchie einnimmt; der „politicus" oder „princeps" ist dagegen durch die „iuramenta imperii" gehalten, sein Recht auszuüben. Die verfassungsrechtlichen Aufzeichnungen[15] spiegeln die juristischen Gründe aus den Tor-

---

11. Vgl. WA 30/III, 394, 32; 394, 5 f.; 396, 12 f.

12. Vgl. ebd., 396, 4 f.

13. Müller, Äußerungen, 56 ff., der die Zettel interpretiert, hat sie in sechs Gruppen geordnet: I = WA 30/III, 392, 1–14 (in der „Warnung" verwertet); II = 392, 14–31 (nicht verwertet, schon von Aurifaber in ihrem fragmentarischen Charakter nicht mehr verstanden und deshalb bei der Übersetzung innerhalb der Ausgabe von Luthers Tischreden 1566 fortgelassen; eine Deutung versucht Müller, 57 f.); III = 394, 1–20 (nur in Auswahl verwertet); IV = 394, 21–33 (dto); V = 396, 1–10 (nicht verwertet); VI = 396, 11–398, 42 (verwertet).

13a. Das betrifft vor allem die Gruppen III–V (vgl. Anm. 13).

14. Ebd., 394, 7 ff.

15. Ob sie eine Frucht der Torgauer Einwirkungen (Brief Philipps und evtl. staatsrechtliches Gutachten) oder Ergebnis eigenen weiteren Nachdenkens sind, wie Müller, Äußerungen, 62 meint, ist nicht zu entscheiden. Da Luther ausdrücklich die Frage an die Juristen verwiesen hatte, ist es m. E. kaum glaublich, daß er sich nachträglich eingehend mit den Fragen des Reichsstaatsrechts beschäftigt hätte. Viel eher ist doch an eine Rekapitulation ihm vorgetragener Erwägungen zu denken. Auch Dörries, Widerstandsrecht, 230

gauer Verhandlungen und die Belehrungen des Landgrafen über die „obligatio mutua" wider[16]. Wieweit Luther sie sich zu eigen gemacht hat, steht dahin; in die „Warnung" hat er sie jedenfalls nicht übernommen.

5.3 Die Reaktion auf die Torgauer Ergebnisse

Die das Votum Luthers ergänzenden Ratschläge zur Entschärfung der Krise wiesen die sächsischen Räte noch in Torgau zurück[1], indem sie das Zugeständnis, daß die evangelischen Stände „mit Gewissen" ein Widerstandsrecht zur Erhaltung des Worts Gottes in Anspruch nehmen konnten, in eine Pflicht der Fürsten, den Glauben ihrer Untertanen zu schützen, erweiterten. Den von Luther vorgeschlagenen Modus procedendi der Restitution lehnten sie als undurchführbar ab und entschieden, daß „solch Bedenken der Gelehrten nit hat mögen fur furtreglich angesehen werden"; die Zusage, dennoch darüber auf der nächsten Zusammenkunft der protestantischen Stände in Nürnberg zu beraten, war demgegenüber eine bloße Formalität[2].

Das weitere Schicksal der Torgauer Erklärung, die nur ohne den von den Politikern abgelehnten Ratschlag wirksam wurde, verbindet sich unmittelbar mit den Verhandlungen über den Abschluß des Schmalkaldischen Bündnisses[3]. Nachdem der sächsische Vertreter Albrecht von Mansfeld auf der Rückreise vom Reichstag am 16. Oktober dem Nürnberger Rat Mitteilung vom verschärften Abschiedsentwurf gemacht hatte, ersuchte dieser den Kurfürsten, einen Tag zur Beratung über eine Gesandtschaft, die Karl V. um einen friedlichen Anstand bis zum Konzil bitten sollte, anzusetzen. Johann von Sachsen schrieb hingegen zwei Tage aus, auf den 13. November einen Rätetag nach Nürnberg und auf den 28. November eine Fürstenzusammenkunft mit den Städteboten nach Schmalkalden. Nürnberg wurde gebeten, zu diesen Tagungen neben den städtischen Mitunterzeichnern der CA auch Straßburg und die anderen Städte der Tetrapolitana einzuladen[4]. An die zwei Losunger des Nürnberger Rates richtete der Kurfürst am 27. Oktober ein

---

Anm. 74 warnt davor, die Konzepte als dem Traktat gleichrangige Quelle zu benutzen. Vgl. auch die vorsichtige Bewertung der Zettel bei Hillerdal, Evangelisk politik, 137 ff. Dagegen bescheinigt Kraske, 84 ff., der die Zettel als Niederschlag der eigenen Überzeugung Luthers versteht und in ihnen den Wendepunkt seines Verfassungsverständnisses sieht, Luther in der Analyse der Gruppe IV eine „schnelle Rezeption".

16. Nach einer Tischredenaufzeichnung von 1531 hielt er persönlich daran fest, daß die Fürsten gegenüber dem Kaiser personae privatae seien, schob aber die Diskussion darüber den Juristen zu; vgl. WATR II, Nr. 2285 a.

1. Vgl. die Aufzeichnung ihrer Argumente WAB V, 663.

2. Der auf den 13. Nov. 1530 angesetzte Rätetag fand ohnehin nicht statt.

3. Im Folgenden werden nur die großen Linien der politischen Verhandlungen zur Herstellung des Faktenzusammenhanges nachgezeichnet, um die Verwendung des Torgauer Votums und die Reaktion darauf in den Ablauf der Ereignisse einzuordnen.

4. Das kurfürstliche Schreiben an Straßburg, das die Nürnberger durch ihre Reichstagsgesandten weiterleiten sollten, erging am 31. Okt.; vgl. Pol. Corr. I, 535 f.

gesondertes Schreiben[5], in dem er ihnen mitteilte, daß er, obwohl vor einem Jahr „allerley ratschlag bescheen und gestalt, was sich mit gott und gewissen der gegen- und notwehr halben fugen und die oberkait von wegen irer undertanen schuldig sein solten oder nit", der mit dem Rat im September getroffenen Übereinkunft gemäß[6] „die selbig sachen" unter Berücksichtigung der Augsburger Ereignisse „durch etliche unsere wegerste [= tüchtigsten] gelarten und andere verstendigen" habe beraten lassen. Als Ergebnis der Beratungen habe sich ergeben, daß die ständischen Obrigkeiten „die not- und gegenwehr zu tun verpflicht und uns allerseits fugen und geburen wolle[7]". Daß die Losunger gebeten wurden, auf dem Rätetag die Verhandlungen über die Gegenwehr zu fördern, lag danach in der Konsequenz der Dinge.

Ebenso wichtig wie die Wendung des Kurfürsten zur Bejahung des Widerstandsrechts war die plötzliche Zulassung der „Sakramentierer" zu den Bündnisverhandlungen. Die Initiative hierzu hatte Albrecht von Mansfeld ergriffen, der bei ersten Bündnissondierungen der Straßburger erklärte, der Abendmahlsartikel der Tetrapolitana sei dem der CA „nit zuwider, sonder, sovil er verstünde, im grund derselben gemeß[8]". Offenbar beunruhigt über die politische Lage, akzeptierte der Kurfürst diese Auffassung, ohne seine Theologen zu konsultieren[9].

Der Nürnberger Rat ist auf die Neuorientierung der sächsischen Politik trotz des Besuchs Mansfelds offensichtlich in keiner Weise vorbereitet gewesen. Den größeren Schrecken flößte ihm angesichts dieser Entwicklung nicht die Bejahung des Widerstandsrechts ein, sondern die Zumutung, Straßburg und seine Mitverwandten zu der Tagung einzuladen. „Deß haben wir uns und, wie ir zubedenken habt, nit unpillich zum höchsten entsetzt[10]." Vor allem das Verhältnis zum Kaiser glaubte der Rat weiter zu belasten, wenn die oberdeutschen Städte, die nach Nürnberger Überzeugung durchaus auf ihrem falschen dogmatischen Weg beharrten, in engere Verbindung mit den CA-Verwandten traten, da Karl V. „denselben steten zum höchsten und vor allem andern sollichs irsals halben widerwertig ist". Der Rat wußte sich nicht anders zu helfen, als Sachsen unter Hinweis auf günstigere Nachrichten aus Augsburg zu bitten, den Tag vom 13. November bis zum Ende des Reichstags zu verschieben. Spengler teilte seinem politischen Partner, dem Ansbacher Kanzler Vogler, „in sonderm vertrauen" den Inhalt des kurfürstlichen Schreibens an die Losunger mit[11]: „Auß dem vernempt ir, wes ge-

5. Vgl. Fabian, Entstehung (1. Aufl.), 145 f.

6. Vgl. oben S. 165.

7. Fabian, Entstehung (1. Aufl.), 146.

8. Vgl. Pol. Corr. I, 517; über die Verhandlungen Mansfelds in Augsburg vgl. Winckelmann, Bund, 30 ff.

9. Vielleicht verstand man am kurfürstlichen Hof die in Coburg zwischen Bucer und Luther erreichte Annäherung antizipierend als völlige Einigung.

10. Schreiben des Nürnberger Rates an seine Reichstagsgesandten vom 8. Nov.; vgl. W. Vogt, Die Korrespondenz des Nürnberger Rates mit seinen zum Augsburger Reichstag von 1530 abgeordneten Gesandten. In: Mitteilungen des Vereins für Geschichte der Stadt Nürnberg 4/1882, 56.

11. Spengler an Vogler, 15. Nov. 1530; Nürnberg, Staatsarchiv, ARA XVI, 52r.

muts der Churfurst und landgrave sein und wazu sie den fromen alten herrn [sc. den Kurfürsten] ytzo gleichwol vil ainer andern gestaldt, dann ich das hievor gesehen und gehört, beredt haben". Nürnberg und Ansbach übernahmen damit für Spengler verstärkt die Pflicht, sich in politischen Sachen als Christen zu verhalten und nichts wider das Gewissen, das den Gehorsam vorschreibe, zu tun. Der Richtigkeit seiner eigenen Haltung war sich der Ratsschreiber sicher: „Mich wurdet noch in acht Tagen kain Mensch, und haiß Luther oder anders, dahin nymmermer bereden, das es Christenlich, der schrifft und dem wort Gottes gemeß sey, dem keyser alls unserm herrn, das sey gleich offensive oder defensive, das ist fur sich selbs mit aygen thatt oder gegenwers weise thattlichen widerstand zu thun."

Spengler ließ auch in Wittenberg anfragen, welche Stellung man dort jetzt zum Widerstandsrecht einnahm[12]; aus seinem Referat des kurfürstlichen Briefes an die Losunger vom 27. Oktober: „eam sentenciam [sc. vim iniustam Caesaris repellendam] a suis consiliariis et doctoribus (de theologis nihil addidit) approbatam esse", geht hervor, daß die Beteiligung Luthers am Torgauer Ergebnis in Nürnberg noch im Zweifel stand. Für die neue sächsische Politik machte Spengler vor allem Albrecht von Mansfeld verantwortlich, den er mit Philipp von Hessen im Einvernehmen glaubte[13].

Um für Diskussionen mit den Nürnbergern und Ansbachern über das Widerstandsrecht gerüstet zu sein, befand sich unter den sächsischen Aktenstücken für den geplanten Rätetag neben einer Zusammenstellung der juristischen Gründe für das Notwehrrecht[14] auch das „Verzeichnuß ..., was der gelerten der hl. schrifft meynung und bedencken darauff ist[15]". Als sich die sächsischen Delegierten dann in Schmalkalden bei der Diskussion dieses Punktes auf die Wittenberger Theologen beriefen, „als ob es gewis und on zweifenlich sey, das doctor Martinus und Philippus ytzo das widerspil raten, dann sie vor geraten haben[16]", ließ Spengler zunächst durch Wenzeslaus Link Luther um Aufklärung bitten, „an verum sit consuluisse ... resistendum esse Caesari[17]". In seiner Antwort erklärte Luther sein Torgauer Votum damit, daß er sich von der Unterscheidung zwischen den zwei Personen „Christianus" und „princeps" habe leiten lassen[18]. Spengler gegenüber bestritt er wenig später, sein Gutachten vom 6. März 1530 in Torgau widerrufen zu haben[19]. Zwar räumte er ein, daß die Juristen für den Inhalt der An-

12. Vgl. WAB V, 689, 16 ff. (20. Nov. 1530).

13. Vgl. ebd., 689, 23 f.; vgl. auch Vogt (Anm. 10), 57.

14. Vgl. dazu oben S. 177 Anm. 29.

15. Vgl. die Instruktion Brücks für Minckwitz bei Fabian, Entstehung (1. Aufl.), 152. Auch die Aufzeichnung über den Ratschlag der Theologen über die Restitution wurde beigefügt, damit eine entsprechende Argumentation mit Hilfe des negativen Bescheids der Räte widerlegt werden konnte.

16. Spengler an Dietrich, 3. Febr. 1531; Mayer, Spengleriana, 78.

17. WAB VI, 16, 10 f.

18. Vgl. ebd., 16, 9 ff. Der die Torgauer Verhandlungen betreffende Teil dieses Briefes fand auch Eingang in die amtlichen Akten; S. 16, 9—17, 14 abschriftlich überliefert in Nürnberg, Staatsarchiv, ARA Suppl. I a, 229.

19. Vgl WAB VI, 36 f. (15. Febr. 1531).

weisung Mt. 22, 21: „Date Caesari ...“ zuständig seien, versicherte aber zugleich, die Richtigkeit der juristischen Interpretation des Reichsrechts in suspenso gelassen zu haben, um die rechtlichen Beweisstellen für die These des erlaubten Widerstands abzuwarten. Von diesem Prüfungsrecht war allerdings im Torgauer Gutachten keine Rede gewesen.

Wie Luther hatte auch Melanchthon Nürnberger Fragen standzuhalten[20]. Schon bevor in Schmalkalden Luthers Votum bekannt wurde, muß Camerarius nach dem Ergebnis der Torgauer Verhandlungen gefragt haben, da Melanchthon ihm am 1. Januar 1531 Auskunft gab, jedoch nicht die Zulassung des Widerstandsrechts eingestand, sondern nur die Billigung der vorbeugenden Rüstungen („apparatus“) mit der Begründung, daß die Politiker aus Glaubensschwäche sich nicht auf die Verheißung Mt. 6, 31 f. hätten verlassen wollen[21]. Von Camerarius auf das Vorgehen der sächsischen Vertreter in Schmalkalden aufmerksam gemacht, bedauerte er, Luthers Gutachten „in totam Germaniam spargere et quasi hoc classico concitare civitates ad pangenda foedera[22]“, machte jedoch über das Ergebnis von Torgau wiederum keine eindeutigen Angaben[23].

Auf der Tagung in Schmalkalden (Dez. 1530/Jan. 1531)[24] wurde das Torgauer Gutachten Luthers von den sächsischen Delegierten dazu benutzt, um religiös motivierte Einwände gegen das Widerstandsrecht abzuwehren. Im Gegensatz zu den oberdeutschen Städten[25] hatten sich Nürnberg und Ansbach wie Anfang 1530 bei den Vorbereitungen auf die Tagung erneut auf ein negatives Votum geeinigt[26]. Die Argumentation der sächsischen und hessischen Vertreter antizipierend, wurde in den Instruktionen für ihre Gesandten, die in der Widerstands- und Bündnisfrage wörtlich übereinstimmten[27], hervorgehoben, daß, selbst wenn das Widerstandsrecht „christlich und an alle beschwerung sein sollt“, dann doch die pragmatische Erwägung noch immer gegen seine Anwendung sprach: „ab die thetlich gegenwehr auch furtreglich und on grössern nachteil und fhar bescheen mög“. Im übrigen sollte Sachsen daran erinnert werden, daß der Kurfürst und der brandenburgische Markgraf bzw. Nürnberg „diesen Fall“ bei ihren Theologen, „sonderlich

---

20. Zum Folgenden vgl. auch Lüthje, 525 ff. — Recht änigmatisch ist die kurze Erwähnung des Problems in einem Brief Melanchthons an Dietrich vom 12. Nov. 1530; CR II, 438. Vgl. dazu Lüthje, 526.

21. CR II, 469. Der Satz, in dem Melanchthon sein Verständnis für diese Haltung ausdrückt: „Neque ego ... datur“ ist von Camerarius eingefügt und fehlt im Original; dort heißt es stattdessen: „Dabimus tamen operam“.

22. CR II, 471.

23. Vgl. oben S. 184 Anm. 60; die Sätze: „Habes omnia ... redeamus ad preces“ fehlen im Original und sind gleichfalls von Camerarius für den Druck hinzugefügt worden.

24. Zum Verlauf vgl. Pol. Corr. I, 566 ff.; Winckelmann, Bund, 49 ff.; Schornbaum, Georg, 158 ff.; Fabian, Entstehung, 151 ff.

25. Vgl. Keim, 252 f. Zur Ulmer Instruktion vgl. Fabian, Beschlüsse I, 65.

26. Über vorherige Absprachen, die auf einen Vorschlag Spenglers zurückgingen (vgl. Nürnberg, Staatsarchiv, ARA XVI, 52 ff.), vgl. Schornbaum, Georg, 153 ff.

27. Die Ansbacher Instruktion vgl. Nürnberg, Staatsarchiv, ARA XVI, 73 ff., die Nürnberger ebd., 98 ff. und XVII, 116 ff.

Doctor Luthern, Philipo Melanchton[28] und Prentzio[29] (hätten) stattlich beratslagen lassen" und diese sich „ganz lauter und one allen anhang" gegen ein Widerstandsrecht ausgesprochen hätten. Die Ratschläge Luthers und Melanchthons waren, wie hervorgehoben wurde, vom sächsischen Kurfürsten selbst übersandt worden und „(sind) noch bey unsern henden[30]". Beide Stände erklärten sich außerstande, ohne weitere theologische Unterrichtung einem Bündnis zuzustimmen.

In Sonderverhandlungen mit den kursächsischen Räten Albrecht von Mansfeld und Hans von der Planitz wiesen die brandenburgischen Gesandten Vogler und Seckendorff alle Argumente für das Widerstandsrecht unter Berufung auf Luthers Gutachten vom 6. März 1530 zurück: „Wir hatten uns ... ainer solchen frage uber [= über ... hinaus] des khurfursten selbs Theologen vorigen ratschlag gar nit versehen", denn Georg von Ansbachs Überzeugung von der Unerlaubtheit des Widerstandes gegen den Kaiser gründe auf den Ratschlägen seiner eigenen, „des kurf. selbs und anderer Theologen[31]". Planitz und Mansfeld räumten daraufhin ein, „Luther und ander weren anfencklich faßt der maynung gewesen, sich des gewalts nit aufzuhalten", orientierten ihre Gesprächspartner jedoch über die Wende von Torgau und die dort vorgebrachten Argumente: „Als sie [sc. die Theologen] aber die rechtsverstendigen auch gehort und aus den weltlichen rechten allerlai grunde, wie ains ungerechten Richters unpillich urthail nit exequiert, auch denselben Richtern, die wider recht sprechen und ubel handeln, irs furnemens nit sollt verhangt noch gestatt werden, und ander mer ursach und grunde, die wider ir vorige meinung were, vernomen, heten sie sich gar auf andere wege, nemblich, das die gegenwere billich und mit gutem gewissen geschehen mocht, kondt und sollt, gelegt und solche gerathen." Mit dieser Formulierung war das Torgauer Zugeständnis Luthers zweifellos zweckdienlich vergröbert worden[32]; von einem

---

28. Die Gutachten vom 6. März 1530; der Termin ihrer Übersendung durch den Kurfürsten ist nicht bekannt; keinesfalls geschah sie erst im Oktober 1530, wie aus Fabian, Beschlüsse I, 67 Anm. 11 hervorzugehen scheint; in dem dort erwähnten Brief ist von einer Übersendung nicht die Rede, außerdem ist die ganze Intention dieses Schreibens eine andere als die der Gutachten vom März 1530. Auf die Übersendung der März-Gutachten Luthers und Melanchthons nimmt der Nürnberger Rat auch Bezug in seiner Antwort an die Gesandtschaft der Schmalkaldener im Febr. 1531; vgl. unten S. 200.

29. Gemeint ist vermutlich das ausführliche Gutachten Brenz' von Jan. 1530; vgl. dazu oben S. 153.

30. Vgl. auch den Vortrag der Nürnberger Gesandten vor den Städteboten vom 26. Dez. 1530; Fabian, Beschlüsse I, 72 f.

31. Vgl. den Bericht der ansbachischen Gesandten an den Markgrafen vom 28. Dez. 1530; Nürnberg, Staatsarchiv, ARA XVII, 130 ff. Vgl. Schornbaum, Georg, 159 ff. Im Abschlußbericht Voglers, ARA XVII, 140 ff. (vgl auch Schornbaum, Georg, 481 Anm. 759), kommt Luthers Gutachten bzw. seine veränderte Stellung nicht zur Sprache.

32. Melanchthon spricht von „illam chartam Lutheri truncatam", die in Schmalkalden vorgelegt worden sei; CR II, 471. Müller, Äußerungen, 52 Anm. 2 will diesen Ausdruck nicht auf Luthers Torgauer Votum beziehen. Nach Clemen, in WAB VI, 36, dem sich Dörries, Widerstandsrecht, 221 anschließt, ist gemeint: ohne den praktischen Ratschlag. Daß die einleitenden Sätze, die sich auf das Rechtsgutachten beziehen und die Bedingun-

theologischen „Rat" zur Notwehr war in Torgau jedenfalls keine Rede gewesen. Von sich aus fügten die sächsischen Räte hinzu, daß die Inanspruchnahme des Widerstandsrechts gegen den unrechtmäßig vorgehenden Kaiser nicht Auflehnung gegen die von Gott gesetzte Obrigkeit sei, da der Obrigkeitsbegriff an der Ausfüllung seiner Definition, Recht zu tun und Unrecht zu bekämpfen, durch den Amtsinhaber zu messen sei.

Die gleichen Vorhaltungen haben Planitz und Mansfeld auch den Nürnberger Vertretern gemacht, hier verbunden mit der Unterstellung, die Stadt habe offenbar ein geheimes Verständnis mit dem Kaiser[33]. Die Gesandten beider Stände ließen sich jedoch nicht zu einer Änderung ihrer Haltung bewegen. Der Nürnberger Rat verwahrte sich in einer seinen Boten am 2. Januar 1531 überschickten Rechtfertigung gegen die Vorwürfe und wiederholte seine Übereinstimmung mit der bisherigen Lehre der sächsischen Theologen; daß diese ihre Ansicht geändert hatten, war ihm „sonderbar zu vernehmen". Er hob hervor, die Stadt wolle sich auch weiterhin nach dem Wort Gottes richten, gleichgültig gegen Gnade und Ungnade des Kaisers, nicht überzeugt aber auch von den theologischen und juristischen Argumenten zugunsten des Widerstandsrechts. Dennoch wurden die Gesandten angewiesen, sich im Austausch gegen Nürnberger Gutachten das Torgauer Votum der Wittenberger zur Prüfung durch die Nürnberger Instanzen aushändigen zu lassen[34].

Nach dem Bündnisabschluß in Schmalkalden und der Kenntnis des Torgauer Votums sind in Nürnberg und Ansbach neue Gutachten zum Problem des Widerstandsrechts der Reichsstände ausgearbeitet worden. Spengler, der 1529/30 die Politik beider Stände in dieser Frage entscheidend mitbestimmt hatte, hat zwar offenbar selbst kein neues Votum abgegeben, blieb aber bei seiner bisherigen Ansicht[35]. Zwar gab es auch für ihn Fälle, in denen gemäß der clausula Petri Ungehorsam geboten war, aber Erlaubnis oder Verpflichtung zum Ungehorsam war nicht identisch mit „mit der fausst zuwidersteen". Neben diese grundsätzlichen Einwände traten für den Ratsschreiber solche der Opportunität. Ein Bündnis mußte den Kaiser erst recht zum Feind der Evangelischen machen, vor allem aber mußte der Teilnehmerkreis die gute Sache kompromittieren, da Nürnberg im Ge-

---

gen nennen, ausgelassen worden sind, ist unwahrscheinlich, da die Nürnberger Gutachten, die Luthers Votum zu widerlegen versuchten, darauf deutlich eingehen (vgl. unten S. 195 f.).

33. Bericht der Nürnberger Gesandten vom 26. Dez. 1530; Nürnberg, Staatsarchiv, ARA XVII, 157 ff.; vgl. auch Soden, 345; Schornbaum, Georg, 160 f.; Ludewig, 134 f.; Franz, Nürnberg, 116 f. Besonders Albrecht von Mansfeld hat sich nach Spengler massiver Verdächtigungen bedient; vgl. Mayer, Spengleriana, 78.

34. Vgl. v. Soden, 345 und Engelhardt II, 275 f. Daß Luthers Votum den Nürnberger und Ansbacher Vertretern ausgehändigt wurde, ergibt sich aus den Berichten von der Tagung und den abschließenden Relationen nicht; für Ansbach vgl. aber Schornbaum, Georg, 481 Anm. 759. Vgl. auch die Gegengutachten unten S. 195 ff.

35. Das ergibt sich aus seinem Brief an Vogler, 10. Jan. 1531 (Nürnberg, Staatsarchiv, ARA Suppl. I a, 227; vgl. Engelhardt II, 278) und an Albrecht von Preußen, 16. Apr. 1531 (Göttingen, Staatl. Archivlager HBA A 4).

gensatz zu Sachsen die Abendmahlsdifferenz mit den Oberdeutschen noch nicht als beseitigt und daher – wenigstens nach außen hin – weiterhin als Hinderungsgrund für einen Bündnisabschluß ansah[36]. Die juristische Entscheidung des Gegenwehrproblems lehnte Spengler ab: „Ist die frag nit, was ainem menschen auß natürlichen rechten, sonder ainem chrissten auß gottes wort zuthun gebüre. Nun sollen wir aber ye nach den worten des Aposteln [Röm. 3, 8] nit pöses oder unrecht thun, das gutts daraus ervolgt[37]."

Sehr entschieden wurde das Widerstandsrecht von den Nürnberger Ratsjuristen Johann Müller und Christoph Scheurl bestritten[38]. Wichtiger als ein die üblichen Argumente gegen das Widerstandsrecht enthaltendes Gutachten Müllers[39] ist ein zweites desselben Verfassers[40], in dem das Problem anhand der Normen des positiven Rechts untersucht wird, um die Argumente der sächsischen Juristen zu prüfen und durch ihre Widerlegung auch Luthers darauf aufgebautes Votum in seinem Aussagewert zu erschüttern. Dabei geht Müller in unreflektiertem Positivismus vom bestehenden Rechtszustand aus und setzt die überlieferte altkirchlich-theologische Rechtsauffassung als für beide Seiten weiterhin verbindlich voraus. Folgerichtig kommt er nach dem weltlichen und kanonischen Recht zu dem Ergebnis, daß der Kaiser bis jetzt nicht gegen die Gesetze verstoßen hat, daß auch der Augsburger Reichsabschied rechtsverbindlich zustandegekommen ist, „cum plures imperatoris sentencie quam lutherane sentencie adhereant". Einer Exekution des Abschieds stehen daher rechtliche Gründe nicht entgegen. Auch bei anhängiger Appellation ist im Gegensatz zur sächsischen Rechtsauffassung eine Exekution möglich, zumal die Appellation an das Konzil nach dem geltenden geistlichen Recht verboten und nichtig ist. Die sächsischen Belegstellen für das Notwehrrecht gegen einen ungerecht prozedierenden Richter lassen sich auf einen Konflikt mit dem Kaiser nicht anwenden, da sie sich lediglich auf iudices minores beziehen, von denen eine Appellation an die höhere Instanz möglich ist, während vom Kaiser als der Spitze der weltlichen Herrschaftspyramide nicht appelliert werden kann. Wenn auch Richter, von deren Urteil appelliert wird, für die Streitsache nicht länger zuständig sind „und mögen in werendem irem ampt oder nach ausgang desselben sindiciert und umb abtrag der iniuri und ungerechtikait furgenomen werden", so gilt doch das kaiserliche Amt auf Lebenszeit, sein Inhaber kann daher „durante imperio" nicht verklagt werden. Außerdem ist er als absoluter Herr „stricto iure legibus solutus". Der Nürnberger Jurist räumt zwar ein, daß es im

---

36. Dagegen war der brandenburgische Kanzler Vogler zufriedengestellt, als ihm auf der Tagung in Schmalkalden auf die Frage nach den Bekenntnisvoraussetzungen Sturm den Abendmahlsartikel der Tetrapolitana vorlas; vgl. Pol. Corr. I, 569; Schornbaum, Georg, 162.

37. Göttingen, HBA A 4 (an Albrecht von Preußen).

38. Nach Seebaß, 160 (aus den Ratsverlässen) erteilte der Rat am 7. Jan. 1531 den Auftrag zu Gutachten über das Widerstandsrecht an Juristen und Theologen, die am 19. Jan. vorlagen.

39. Hortleder, Rechtmäßigkeit I, 9 p. 14 ff.; vgl. auch Engelhardt II, 279 f.

40. Nürnberg, Staatsarchiv, S I L 68 Nr. 6 Pr. 23; vgl. Engelhardt II, 280 ff.

Recht „sondere ausgenomen felhe“ gibt, stellt aber ohne weitere Begründung fest: „deren unser fal keiner ist“.

Gegen die Bestreitung des kaiserlichen Richteramts in Glaubenssachen setzt Müller die These, daß der Kaiser in dieser Angelegenheit nicht so sehr als Richter oder Exekutor eigenen Richterspruchs handelt, sondern als durch sein Amt als Kirchenvogt legitimierter Exekutor einer Sentenz des Papstes, der nach dem geltenden Recht die Kompetenz zur Prüfung und Urteilsfällung besitzt. In diesem Zusammenhang bestreitet Müller zugleich die Beweiskraft des iniuste-notorie-Handelns, da dieses Argument eine bloße Parteibehauptung darstellt, deren Richtigkeit die Gegenseite keineswegs zugesteht. Gleicherweise verwirft er die Begründung des Widerstandsrechts auf das damnum irreparabile, das bei Gewährenlassen des Kaisers entsteht, da es für ihn juristisch mindestens strittig ist, ob die Vollziehung positiven Rechts überhaupt als Schaden bezeichnet werden kann, vielweniger als unwiederbringlicher Schaden.

Die Argumentation des Nürnberger Juristen, der sich durchgängig mit Rechtssätzen und Zitaten aus Kommentatoren und Glossatoren absichert, lehnt mit der Deduktion der sächsischen Rechtsgelehrten auch das auf ihnen beruhende Torgauer Votum Luthers ab, dessen schwachen Punkt er genau anvisiert: „Der Theologen [im Konzept[41] hieß es stattdessen ursprünglich: Doctor Martinus] Schreyben bewegt mich in diesem fal auch nit, dann dasselb hat Condiciones, bedinge und anhenge, nemlich 'so der doctorn des Rechtens verzaichnus gegrundt sey und so wir gewieslich in sollichen fellen steen, darin man der Oberkait widersteen möge', diese bede geding und anhenge sein nit allain im Bapstischen und weltlichen Rechten mißlich [Konzept: ungegrundt], Sonder meins erachtens nit gegrundt [Konzept: unfintlich]. Dis ist auch der fäll keiner, die wir im rechten haben, damit wir die gegenwehr entschuldigen möchten.“

Mit Müller stimmt Christoph Scheurl überein[42], der gegen die sächsische Rechtsauffassung feststellt, daß es kein kaiserliches Gesetz gibt, „das den unterthanen zuelaß, sich gegen eynem Romischen kayser, sunderlich, der gerichtlich exequiert, zwentporen und gewaltiglich zuwidersetzen“; der Satz „vim vi repellere licet“ hat Gültigkeit nur im Zivilrecht, nicht aber „gegen unsern obern“.

Die für den Widerstand gegen einen ungerecht prozedierenden Richter von den sächsischen Juristen angeführten Autoritäten gelten für Scheurl gleichfalls nur für untere Richter; außerdem ist in ihnen nur die Rede von tätlicher Gegenwehr, während bei der Anwendung auf den Kaiser ein „landskhrieg“ entsteht, den die Gesetze eindeutig verbieten. Das notorie-iniustum-Argument lehnt er mit der gleichen Begründung ab wie Müller, wegen des damnum irreparabile verweist er auf

---

41. Nürnberg, Staatsarchiv, S I L 68 Nr. 6 Pr. 24.

42. Nürnberg a. a. O., Pr. 25; vgl. auch Engelhardt II, 282 f. – Zum Vergleich mit dem Gutachten von 1531 sei auf Scheurls Stellungnahme zur Publikation des Wormser Edikts in einem Ratsgutachten von 1521 hingewiesen, in dem aus dem positiven Recht deduziert wurde, daß bei einem eindeutig ungerechten Befehl, wie er in der Publikationsforderung erteilt wurde, die Untertanen nicht gehorchen dürften; vgl. v. Schubert, Spengler, 308.

das bevorstehende Konzil, auf dem alle Anordnungen der Nachprüfung unterworfen werden können.

Gegen Müller und Scheurl wendet sich der anonyme Verfasser eines anderen juristischen Votums[43], der das sächsische Gutachten verteidigt, wenn auch mit nicht immer überzeugenden Gründen. Die Geltung des Rechtssatzes „Vim vi repellere licet" ist nach Meinung dieses Verfassers unbeschränkt, Widerstand gegen jeden ohne Ausnahme erlaubt. Bei Gewaltanwendung gegen die Stände überschreitet der Kaiser sein Amt und wird zur persona privata. Die theologische Implikation der Leidenspflicht ist juristisch unverbindlich, da sich sonst als Regel ergäbe, daß Unrechttun Recht und im Recht zugelassen ist. Die von Müller und Scheurl vertretene Auffassung von der nicht statthaften Applikation der Rechtssätze über den ungerecht prozedierenden Richter auf den Kaiser glaubt der Verfasser mit dem naiven Schluß aus den Angeln zu heben, daß die Rechte zwar in der Tat nicht vom Kaiser in diesem Zusammenhang sprechen, aber nur deswegen nicht, weil Unrechttun des Kaisers dem Gesetzgeber unvorstellbar gewesen sei.

Die Nürnberger Geistlichen konnten sich nicht auf eine einheitliche Stellungnahme einigen. Andreas Osiander[44] bejahte die Frage, ob ein Fall denkbar sei, in dem trotz der biblischen Weisung einem Oberherrn „in unchristlichem verderblichem Vornehmen seine eigenen Untertanen mit Gewalt widerstreben und Widerstand tun mögen", und ging dabei von der Überzeugung aus, daß „die liebe in allen dingen uber alle gepot und recht herschen" soll; zugunsten dieses Postulats löste er sich von der isolierten Exegese einzelner Schriftallegate und verlangte, die Bibel im Zusammenhang zu verstehen. Die im Doppelgebot der Liebe Mt. 22, 37ff. enthaltene Forderung der Verantwortung für den Nächsten ist für ihn das einzige Kriterium für die Bejahung oder Verneinung des Obrigkeitsgehorsams im konkreten Fall. Sind die materiellen und physischen Voraussetzungen nicht gegeben, soll um der Liebe zu den Untertanen willen auf das zustehende Recht verzichtet werden. Die Kompetenz zur sachgemäßen Situationsanalyse übertrug Osiander den Politikern, gab aber damit zugleich die Entscheidung über die Auslegung des Liebesgebots für oder gegen Ausübung des Widerstands im konkreten Fall aus der Hand.

Gegen Osiander richtet sich ein anonymes Gutachten[45], das in den Grundzügen vielfach mit Spengler und Brenz übereinstimmt und in dem davor gewarnt wird, unter dem Schein der Liebe als des obersten Gebotes in Wirklichkeit der eigenen

---

43. Nürnberg, Staatsarchiv, S I L 68 Nr. 6 Pr. 18.

44. Nürnberg a. a. O., Pr. 28 (eigenhändig); teilweise gedruckt und im übrigen paraphrasiert aus den Papieren von J. Brenz bei Köhler, Brentiana V, 233 ff. (Köhler glaubt ebd., 228 den Text Wittenberger Theologen zuweisen zu können); vgl. auch Engelhardt II, 279. v. Schubert, 224 Anm. 1 setzt den Text ins Jahr 1530 und sieht in ihm das von Osiander auf der Nürnberger Tagung Jan. 1530 versprochene Gutachten. Seebaß, 21 Nr. 114 und S. 160 f. datiert das Gutachten auf: zwischen 7. und 19. Jan. 1531, bezeichnet es aber irrtümlich als ungedruckt. Über Osianders Widerstandslehre vgl. Hirsch, Osiander, 135 ff.; Seebaß, 158 ff. Vgl. auch oben S. 148.

45. Nürnberg, Staatsarchiv, S I L 68 Nr. 6 Pr. 17.

Neigung zu folgen. Osianders Unterscheidung von Obrigkeit und Oberherr und die daraus folgende Erlaubnis zum Widerstand gegen den sein Amt mißbrauchenden Amtsinhaber wird mit 1. Petr. 2, 18 verneint. Auch Luthers Torgauer Differenzierung der verschiedenen Verhaltensweisen des Christen nach der Zwei-Reiche-Lehre folgt das Votum nicht, sondern postuliert die Leidenspflicht unterschiedslos für alle Christen, nicht nur für „sondere [= einzelne] personen, ... dann was einmal war ist, das ist allzeit und on unterschied der personen war". Ungerechte Obrigkeit ist als Strafe für die eigenen Verfehlungen hinzunehmen und bleibt trotz ihres Amtsmißbrauchs Obrigkeit. So mußten, wie mit einem Versuch historischer Argumentation dargelegt wird, die Juden die Römer als Strafe für den Mord an Christus ertragen, und mit der Vorschrift „Date Caesari" hat Christus selbst den Obrigkeitscharakter der durch bloße Okkupation ohne Rechtstitel in Palästina herrschenden Römer bezeugt. Aber auch wenn die Notwehr rechtens wäre, besteht keine Pflicht, sie auszuüben, zumal in der Pflichtenkollision der von der Schrift geforderte Gehorsam Vorrang vor dem Schutz der Untertanen beansprucht. Außerdem erstreckt sich das im weltlichen Recht proklamierte Widerstandsrecht nur auf materiellen Schaden, nicht auf die causa fidei, für deren Schutz der magistratus inferior überhaupt keine Kompetenz besitzt. Er darf nicht der wenigen Frommen wegen die Masse der Gottlosen und Gleichgültigen in Gefahr bringen.

Dem Gedankengang dieses Gutachtens eng verwandt ist ein anderes Votum unbekannten Ursprungs, das sich gleichfalls strikt gegen ein Widerstandsrecht ausspricht und den Versuch einer biblischen Begründung dieses Rechts als unzulässige Verdeckung menschlicher Untugend anprangert[46]. Die einzige Möglichkeit, sich der Obrigkeit des Kaisers zu entziehen, besteht in seiner rechtsförmlichen Absetzung; bis zu diesem Punkt aber besitzt er die Vollgewalt der Herrschaft, so daß „alle verwandten des Reichs in Furstenthumen, Herrschaften oder Steten ... des Kaisers unterthanen (sind), ime unterworffen on allen schutz, austzug oder freventliche widersetzunge". Für die augenblickliche Situation weiß das Gutachten nur das Vertrauen auf Gott zu empfehlen, der entweder den Kaiser umstimmen oder, wie im Alten Testament vorgezeichnet, Menschen erwecken wird, die ihn stürzen.

Die brandenburgischen Theologen[47], die im Februar 1531 in Ansbach berieten, versuchten wie Johann Müller eine unmittelbare Widerlegung des sächsischen Gutachtens und damit der Torgauer Entscheidung Luthers[48]. Mehrere inhaltliche Ent-

46. Ebd., Pr. 16 (gegliedert in 35 Abschnitte).

47. Brenz wurde zu dieser Zusammenkunft von Georg von Ansbach eingeladen; vgl. Pressel, Anecdota, 104 f.

48. Vgl. Schornbaum, Georg, 164. Textabdruck bei Hortleder, Rechtsmäßigkeit I, 8 p. 11 ff. und Scheible, 83 ff.; teilweise gedruckt aus den Papieren Brenz' von Köhler, Brentiana V, 236 ff.; ebd., 228 irrtümlich nach Wittenberg als Entstehungsort verwiesen. Abschriftlich auch in Nürnberg, a. a. O., Pr. 28 und Stuttgart LB, Cod. Suev. Hall., 218 f. (Brenz-Papiere). — Das Torgauer Votum von Oktober 1530 wurde „in der versamlung der theologen zu Onoltzpach umb Valentini [= 14. Febr.] im 31. jar gehort"; vgl.

sprechungen zu den 1529/30 erstatteten Gutachten wie auch die Anfügung von Gründen, „genugsam und weitleuftig in den vorigen rathschlegen [sc. dem zweiten Gutachten Brenz' von Anfang 1530] begriffen[49]", weisen Brenz als den Verfasser des Textes aus, zumal er zweifellos in der Versammlung der bedeutendste Theologe war. Das Gutachten prüft — anders als Luther in Torgau — die Einlassungen der sächsischen Juristen, um ihre Unbrauchbarkeit für den in Frage stehenden Fall zu beweisen. In der Auseinandersetzung mit pars sanior und notoria iniustitia folgt es dabei bis in die einzelnen Argumente den Darlegungen Müllers. Auch für Brenz sind die Mehrheitsbeschlüsse der Stände mit dem Kaiser „decreta summi Magistratus in summo Imperio", gegen die die Minderheit zur Durchsetzung ihrer Meinung ebensowenig einen Tumult entfachen darf wie die dissentierende Minorität der Beisitzer am Gericht das Volk gegen die Mehrheit mobilisiert. Das Argument der notoria iniustitia wird mit der Begründung zurückgewiesen, daß die Mehrheit der Stände im Gegenteil „das wesen der Christlichen stende" für Irrtum und Ungehorsam hält, gegen den vorzugehen sie als notorisch gerecht ansehen müssen[50].

Daß die Konzilsappellation die Jurisdiktion des Kaisers als des niederen Richters suspendiert, hält Brenz für nicht bewiesen, wie er überhaupt mehrfach den Mangel an Beweisen im sächsischen Gutachten konstatiert. Das Konzil ist für ihn unter dem Aspekt des weltlichen Schwerts keine höhere Instanz als der Kaiser, da es nur das geistliche Schwert des Wortes Gottes führt. Die Analogie der Appellation vom niederen Richter an den Kaiser setzt aber für die Appellation vom Kaiser an das Konzil den Instanzenzug innerhalb der Administration des weltlichen Schwerts voraus; hier ist jedoch der Kaiser „der höchst und öberst Magistrat", so daß seine Gewalt nicht durch eine Appellation suspendiert werden kann.

Für Brenz und die Ansbacher Theologen ist auch der Beweis, daß einem „unbillichen Fürnehmen" des höchsten Magistrats mit Gewalt widerstanden werden darf, nicht erbracht, zumal sie Sätze aus den „leges Pontificis", wie sie im sächsischen Gutachten herangezogen sind, nicht gelten lassen, da das kanonische Recht nach 2. Petr. 2, 10 die weltliche Gewalt verachtet. Daß aber die kaiserlichen Rechte einen Widerstand gegen die höchste Obrigkeit im Reich nicht zulassen, erhellt für sie in Übereinstimmung mit Müller schon aus der rechtswidrigen „mutatio imperii" als der faktischen Konsequenz einer solchen gewaltsamen Notwehr. Das Einschreiten wegen eines „gravamen irreparabile" legitimiert in der Reli-

---

Brenz I, XXXIII Nr. 41. — Zur Kritik der Ansbacher an Luther vgl. auch Dörries, Widerstandsrecht, 225 f.

49. Scheible, 87 f. Genannt werden hier: das Evangelium darf nicht mit weltlicher Gewalt geschützt werden, sondern will nur durch die „grundvhest gotlichs worts" erhalten werden (entspricht Pressel, Anecdota, 49); Mt. 26, 52 gilt auch für die magistratus inferiores, die wie Petrus dem Kaiser gegenüber Untertanen und Privatpersonen sind (= Pressel, 48 f.); das Beispiel Saul-David (= Pressel, 50 f.); die Unterscheidung von „widerstreben mit Gewalt" und „nicht gehorchen" (= Pressel, 52 f.).

50. Scheible, 85: vgl. die entsprechende Argumentation Melanchthons oben S. 182.

gionssache gleichfalls kein Notwehrrecht, da eine Verfolgung nach Tertullian[51] der Kirche keinen Schaden zufügen kann, sondern Förderung für sie bedeutet. Außerdem wird eine Religionsverfolgung nur die wenigen überzeugten Christen treffen, denen gerade die Liebesgesinnung, die Osiander für das Widerstandsrecht ins Feld geführt hatte, verbietet, durch Appell an das Schwert innerlich Unbeteiligte wegen eines von diesen nicht ernsthaft bekannten Glaubens in die Gefahr hineinzuziehen.

Als besonderer Mangel der Torgauer Erklärung Luthers wird herausgestellt, daß die Wittenberger mit ihrer pauschalen Freigabe des positiven Rechts die Prüfung der Kongruenz dieses Rechts mit dem Wort Gottes versäumt haben. Bei der generellen Auskunft, daß man „weltliche Rechte soll lassen gehen, gelten und halten, was sie vermögen", fehlt Brenz der notwendige Vorbehalt der clausula Petri. Das weltliche Gesetz ist für ihn ausdrücklich nur soweit Gottes Ordnung, als es mit seinem Wort übereinstimmt; bei Divergenz zwischen Schrift und Gesetz, die latent vorhanden ist[52], obwohl in Torgau darüber nichts gesagt worden sei, muß der Christ dem Wort Gottes folgen und die Vorschriften des Rechts mißachten. Den eigentlichen Skopos von Luthers Votum, die verschiedene Stellung des Menschen als Christ und in den sozialen Zusammenhängen der Welt, mit je unterschiedlicher Handlungsanweisung, hat der Ansbacher Ratschlag bei seiner Kritik dagegen nicht berücksichtigt.

Brenz urteilte über das Widerstandsrecht auf der Grundlage seiner früheren Voten und ihres Verständnisses vom Amt des magistratus inferior. „So will es gentzlich mit keinem guten gewissen den christlichen stenden geburn, sich wider die vervolgung keyr. Mt. von wegen des Ewangelions geweltigelich zu weren[53]." Positivrechtlich mochte ein die Gegenwehr erlaubendes Gesetz bestehen, es war aber im Ernstfall unanwendbar, da der Kaiser es als „viva et animata lex[54]" vor einer Gewaltanwendung mit Bewilligung der Ständemehrheit aufheben konnte; religiös kollidierte ein solches Gesetz mit dem höherwertigen Gebot des Obrigkeitsgehorsams in Röm. 13, 1 und des verbotenen Schwertgebrauchs in Mt. 26, 52.

Angesichts dieser Voten konnte die auf der Schmalkaldener Tagung im Dezember 1530 angekündigte Gesandtschaft Sachsens und Hessens, die Nürnberg und die Markgrafschaft doch noch für das Bündnis gewinnen sollte, keinen Erfolg haben. Sie verhandelte am 16. und 17. Februar in Ansbach, am 19. in Nürnberg[55]. Ihr Vortrag vor dem Markgrafen wiederholte im wesentlichen die Argumente von

---

51. Auf Tertullian, Apol. 50, 13 beruft sich Brenz auch in früheren Voten; vgl Pressel, 52.

52. Als Beispiel nennt Brenz die Ehescheidung, die nach dem weltlichen Gesetz, wie es im Gesetz Mose niedergelegt ist, erlaubt ist, für den Christen aber nicht; ebenso verhält es sich bei der vom Gesetz gestatteten Tötung des Ehebrechers auf handhafter Tat.

53. Scheible, 87.

54. Vgl. C. X 1. 5; die Argumentation richtet sich hier eher gegen das staatsrechtliche Gutachten hessischen Ursprungs.

55. Das Vorbringen der Gesandten Hans von der Planitz und Albrecht von Waldenstein abschriftlich in Nürnberg, Staatsarchiv, ARA Suppl. I a, 239 ff.

Schmalkalden. „In allem, das irer Mat. Obrikhait zustunde und in den fellen, da Ir Mt. ain Obrikhait ader Oberherr were", wollten die evangelischen Stände, die das Bündnis einzugehen im Begriff waren, dem Kaiser gehorchen; was hingegen nach Mt. 22, 21 „Gottes ist", fiel aus der Kompetenz des Kaisers heraus. Nachdrücklich wurde auf die praktischen Konsequenzen des passiven Ungehorsams aufmerksam gemacht, die auf Grund der Schwäche der menschlichen Natur bei drakonischen Strafandrohungen des Kaisers gegen die Predigt des Evangeliums rasch zum Erlöschen des neuen Glaubens führen müßten.

Jedoch verfehlte diese Mischung aus theologischen, juristischen und politischen Argumenten, die entsprechend auch in Nürnberg vorgetragen wurden[56], ihre Wirkung völlig, da der Markgraf sich auf das Gutachten Brenz' und der ansbachischen Theologen, das er verlesen und überreichen ließ, zurückzog; außerdem führte er noch einmal die „vorigen der wyttenbergischen und anderen treffentlichen Theologen rathschlegen" ins Feld, aus denen hervorging, daß „unangesegen der angetzogen geschriben recht nach spruch und exempel der schrifft" dem Christen kein Widerstand gegen den Kaiser zukam[57]; die durch Torgau und die Einführung der Zwei-Reiche-Lehre veränderte Dimension in der Wittenberger Argumentation war damit erneut umgangen.

Die Nürnberger, von vornherein zu dilatorischer Behandlung des Antrags auf Bündnisbeitritt entschlossen, rechtfertigten ihr Verhalten in Schmalkalden den Abgesandten gegenüber mit der „not ires gewissens" und den früheren Gutachten Luthers und anderer Wittenberger Theologen. Die Schwäche des Torgauer Gutachtens stellte die Antwort des Rats auf das Vorbringen klar heraus, indem unter Heranziehung der Voten Müllers und Scheurls die juristischen Voraussetzungen angezweifelt wurden: „Ob wol unsers gnedigsten herren, des Churfursten Theologi, wie ain Rat bericht wurd, die Sachen auf die kayserlichen Recht und derselben Rechts verstendig stellen, dergestalt 'wo sich in denselben Rechten lautter erfynden sollt, das man dem kayser in ettlichen fellen mit der thatt widersteen sollt und das diese sach derselben fell einer were, das als dann derselb widerstandt christenlich bescheen mocht' etc., hat doch ain Rate uber stattliche irer Rechtgelertten Beratschlagung so viel ausdrucklichs bestendigs grundts und ursachen, demselben gemeß, bißhere nit fynden konnen, dadurch sie ir gewissen hierin versichern und freyen möchten". Zwar gab der Rat zu, daß die eigenen Theologen und Juristen „noch uff heuttigen tags" in ihrer Meinung gespalten seien, berief sich aber auf die das Widerstandsrecht ablehnende Mehrheit und bat um Zeit für weitere Überlegungen[58]. Damit hatte das Torgauer Votum weder in Ansbach noch in Nürnberg den ihm zugedachten Zweck erfüllen können.

---

56. Vgl. v. Soden, 346 ff.; Schornbaum, Georg, 165 f.

57. Die Antwort der markgräflichen Räte vgl. Nürnberg, Staatsarchiv, ARA Suppl. I a, 231 ff.

58. Die Antwort der Nürnberger Deputation vgl. ebd., Suppl. I a, 247 ff.; vgl. v. Soden, 349 ff.; Franz, Nürnberg, 117.

6. Die sächsische Stellungnahme zur Königswahl Ferdinands

Wie für die schwierige Diskussion über Widerstandsrecht und Bündnis mit den süddeutschen Ständen haben die sächsischen Politiker nach dem Augsburger Reichstag versucht, Luthers Autorität auch in der Frage der sächsischen Teilnahme an der Wahl Ferdinands zum römischen König für sich nutzbar zu machen. Erst nachdem der Beschluß gefaßt worden war, sich nicht an der Wahl zu beteiligen[1], und die sächsische Gesandtschaft sich mit einer Protestinstruktion bereits auf dem Weg zum Wahlort Köln befand, wurde Luther konsultiert, in dieser Phase offensichtlich nicht mehr, um die eigene Politik einer nachträglichen Prüfung auszusetzen, sondern um mit Hilfe eines diese Politik bestätigenden Gutachtens die evangelischen Stände auf der bevorstehenden Schmalkaldener Zusammenkunft davon zu überzeugen, daß es sich bei der Königswahl, die in dem sächsischen Ausschreiben als das erste Tractandum noch vor der Erörterung der Bündnisfrage genannt war[2], um eine causa religionis handelte, die gesamtprotestantische Solidarität erforderte[3].

Trotz einer im Inhalt unbekannten Unterrichtung durch Gregor Brück[4] hat Luther die sächsische Politik in dieser Frage nicht gebilligt[5]. Obwohl er der Person des Kandidaten außerordentlich kritisch gegenüberstand[6], hielt er die Vorteile einer Wahlbeteiligung für größer als die aus der Wahl Ferdinands zu befürchtenden Nachteile. Im Gegensatz zur sächsischen Politik, die in der Wahl die Aushöhlung der kurfürstlichen Rechte bekämpfte, sah er in einer Beteiligung an der Wahl vor allem die Chance, die Stellung Johanns, der noch nicht die kaiserliche Bestätigung seiner Lehen empfangen hatte, rechtlich zu sichern. Außerdem machte er geltend, daß bei einer Abwägung der Güter die Rücksicht auf den Frieden des Reichs höher zu stellen war als ein Vorbehalt zugunsten eigener Rechtsbehauptung. Ließ sich die Wahl nicht verhindern, sollte der Kurfürst, „wenn sie ia wolten einen konig welen, ... ym namen Gottes ymer mit hin ... welen“ helfen[7]. Indem Luther sich weigerte, die Wahlfrage zur causa fidei zu erklären, sie vielmehr als Problem auffaßte, das „weltlicher weise[8]“ auf Befehl der kaiserlichen

---

1. Vgl. dazu Mentz I, 76 ff. Die Aktenstücke vgl. bei Walch, 16, 2160 ff.; vgl. auch Noack, Exception, 19 ff. aus Akten der Jahre 1531—34 (Argumente Sachsens und Gegenargumente zur Verteidigung der Rechtsgültigkeit der Wahl).
2. Vgl. Winckelmann, Bund, 50; Fabian, Entstehung, 142.
3. Dieser Bestimmungsgrund des Gutachtens Luthers wird schon bei Enders VIII, 331 Anm. 1 erwogen.
4. Zu Brücks Haltung in der Wahlfrage, die der kursächsischen Politik völlig entsprach, vgl. die bei Goldast, Politische Reichshändel (Frankfurt/M. 1614), 137 ff. (falsch datiert, da ebd., 138 Kurfürst Johann als gestorben erwähnt wird) und 140 ff. abgedruckten Bedenken von 1532. Ebd., 142 ff. ein weiteres sächsisches Bedenken von 1532.
5. Vgl. WAB V, 697 ff. (an Kurfürst Johann, 12. Dez. 1530).
6. Vgl. die im Gegensatz zu seinen Urteilen über Karl V. fast ausnahmslos negativen Äußerungen über Ferdinand, die WA 58, 217 f. zusammengestellt sind.
7. WAB V, 698, 16 f.
8. Ebd., 698, 29 f.

Obrigkeit zu lösen war und dem „kein schrifft noch not[9]" entgegenstand, gab er dem Kurfürsten die Freiheit, sich an der Wahl mit unverletztem Gewissen zu beteiligen.

Die Wahlweigerung verstand Luther dagegen als Versuch, sich einer mit dem kurfürstlichen Amt gegebenen Verantwortung zu entziehen. Außerdem aber – und das war in diesem Zusammenhang für ihn das Wichtigere – erreichte die Wahlweigerung das Gegenteil des intendierten Zwecks: Statt durch die Ablehnung, einen Feind des Evangeliums zum König zu wählen, Gefahren für die Zukunft zu vermeiden, führte sie mit ihren möglichen Folgen Fürsten und Land gerade in Gefahr. Erst mit dieser Zurückweisung der kurfürstlichen Absicht, der Wahl nicht nur aus rechtlichen Bedenken, sondern vor allem aus Sorge vor den Folgen eines Königtums Ferdinands fernzubleiben, hob Luther die Frage auf die theologische Ebene des Problems der Antizipation der Zukunft[10]. Auch in diesem Fall war die Sorge für das Kommende Gott zu überlassen; der Versuch, sich im voraus gegen etwaige Konsequenzen der Wahl abzusichern und Entscheidungen dementsprechend einzurichten, bedeutete, Politik im Zeichen des Mißtrauens gegen Gott zu betreiben. Unter Rekurs auf die Erfahrung von Augsburg warnte Luther davor, das dort bezeugte und auch bewährte Vertrauen auf Gott nun bei diesem neuen Problem durch „gedancken von zukunfftigen dingen[10a]" zu verdrängen.

Gleichrangig stehen neben diesen religiösen Erwägungen politische und Opportunitätsgründe, die für eine Beteiligung sprachen. Dabei ging Luther von der Voraussetzung aus, daß die Ansetzung des Wahltags einen Versuch darstellte, das in Augsburg verfehlte Ziel einer Unterdrückung des Evangeliums nun auf anderem Wege zu erreichen, in der Hoffnung, den Kurfürsten durch eine Weigerung der Verletzung von Reichspflichten bezichtigen zu können, um ihm mit „mehr glympff[11]" die Kur abzusprechen. Auch war Rücksicht auf das Reich zu nehmen, daß bei Wahlweigerung „zurissen und ... getrennet[11a]" würde. Die Wahlweigerung war daher politisch und rechtlich gefährlich für Sachsen und das Reichsganze, zudem religiös nicht erforderlich; im Demonstrationseffekt war sie sinnlos, da sie den Wahlakt der übrigen Elektoren nicht unterband oder illegalisierte.

Die Entscheidungen der sächsischen Politik hat Luther mit diesem Votum vom 12. Dezember 1530 nicht mehr beeinflußt. Andererseits versagten sich in Schmalkalden Ansbach und Nürnberg[12], mit dem sich die anderen vertretenen Reichs-

---

9. Ebd., 699, 49. Vgl. dazu Headley, 238 f.

10. Vgl. dazu oben S. 34 ff. – A. Hasenclever, in: Neue Mitteilungen aus dem Gebiet historisch-antiquarischer Forschungen 24/1910, 229 reduziert Luthers Entscheidung unzulässig nur auf taktische und Opportunitätsgründe.

10a. WAB V, 699, 48.

11. Ebd., 698, 19.

11a. Ebd., 699, 51 f.

12. In der von Nürnberg übernommenen Instruktion Georgs von Ansbach für die Tagung in Schmalkalden hieß es in Bezug auf die Königswahl: „Bedarff es nit zweiuels, das allen stenden Teutscher Nacion an ainem haupt, dem in abwesen Kay.r Mat. und an derselben irer Maiestat stat die verwalltung des heiligen Reichs ordenlich zusteen

städte solidarisierten[13], den Bemühungen Kursachsens um eine geschlossene Front der evangelischen Stände in dieser Frage. Die sächsischen Grafen und Herren haben dagegen auf dem Zwickauer Landtag im Januar 1531 die Haltung ihres Landesherrn gebilligt und sich damit gegen Luther entschieden[14].

7. Der Nürnberger Religionsfriede 1532

Die noch vor Ablauf der im Augsburger Reichsabschied festgesetzten Erklärungsfrist für die evangelische Minderheit von den Kurfürsten von Mainz und Pfalz aufgenommenen Ausgleichs- und Friedensbemühungen[1] hat Luther von Anfang an begrüßt, mit seinen Voten unterstützt und vorwärts zu treiben versucht[2]. Über die Motive der Vermittler und die Gründe der Nachgiebigkeit Karls V., der die Hilfe der evangelischen Reichsstände gegen die Türkengefahr benötigte[3], während die konfessionsverwandten Stände in Schmalkalden 1531 beschlossen hatten, diese Hilfe nicht ohne vorherige Friedenssicherung zu gewähren[4], hat Luther sich zwar Rechenschaft gegeben[5], aber von dieser politischen Vordergründigkeit abgesehen und sich auf das Faktum des Friedensangebots konzentriert, ohne dessen Gründe zu analysieren. Ohne Schwanken ist er während der monatelangen Verhandlungen für den Abschluß des Friedens unter den von den Vermittlern vorgelegten Bedingungen eingetreten[6]; für kein anderes politisch-religiöses Problem hat er sich

---

soll, zeitlicher und ewiger wolfart halben, mercklichs gelegen ist." Da die Wahl nur den Kurfürsten zustehe, sei es unnötig, die Tagung der evangelischen Stände damit zu beschäftigen (Nürnberg, Staatsarchiv, S I L 68 Nr. 6 Pr. 12, Bl. 126); vgl. auch Schornbaum, Georg, 475 f. Anm. 739; 158 f.

13. Vgl. Winckelmann, Bund, 51; Fabian, Entstehung, 153.

14. Vgl. Burkhardt, Landtagsakten, 399.

1. Über die Verhandlungen, die zum Nürnberger Religionsfrieden führten, vgl. außer dem noch immer grundlegenden Werk von Winckelmann, Schmalkaldischer Bund, auch Schornbaum, Georg, 199 ff. (über die Haltung Nürnbergs und Ansbachs); G. Müller, Kurie, 189 ff.; Repgen, 40 ff.; zur ersten Verhandlungsphase vgl. Fraenkel. Wenig ergiebig ist Engelhardt, Religionsfriede, 17 ff.

2. Über Luther 1532 vgl. bes. H. Bornkamm, Probleme der Lutherbiographie. In: Lutherforschung heute (Berlin 1958), 19 f.

3. Über den Zusammenhang von Türkengefahr und Nürnberger Frieden vgl. Westermann, passim; Fischer-Galati, 47 ff.; ders., Ottoman Imperialism and the Religious Peace of Nürnberg. In: ARG 47/1956, 160 ff. Vgl. auch Rassow, Kaiser-Idee, 82 ff.

4. Vgl. Fabian, Bundesabschiede 1530–1532, 21; ferner Winckelmann, Bund, 109; Fischer-Galati, 46.

5. Vgl. WAB VII, 95, 16 ff. (zum Datum vgl. WAB XIII, 225): „Magna spes est id [sc. Abschluß einer pax politica] fieri propter Turcam".

6. Das Gutachten WAB XII, 183 ff., das nach Seckendorf III, 21 und Köstlin-Kawerau II, 258 f. in den Rahmen der Religionsverhandlungen von 1532 gehört, ist erst auf 1535(?) zu datieren und kann daher nicht als Beweis einer Änderung der Stellungnahme Luthers verwendet werden. Der Text Enders IX, 69 ff., der von Köstlin-Kawerau II, 257 f. gleichfalls für eine veränderte Stellungnahme Luthers in Anspruch genommen wird, stammt nach WAB VI, 174 nicht von Luther.

derart engagiert, niemals wieder aber ist ihm auch von der eigenen Seite soviel Kritik und Ablehnung entgegengebracht worden. Seine entschiedene Stellungnahme beruhte auf der Überzeugung vom axiomatischen Wert des Friedens, auch des unvollkommenen Friedens, als Geschenk Gottes, dem Wissen um den Frieden als „Telos der Wirksamkeit der göttlichen Ordnungen[7]". Der unbedingte Friedenswille — Zentralpunkt von Luthers politischem und sozialem Denken — war für ihn gefordert von der Weisung Röm. 12, 18: „Quantum in vobis est pacem habentes[8]", wobei er das „quantum", um dessen Limitierung der Streit zwischen Konzessionsbereiten und Intransigenten ging, extensiv ausgelegt hat. Mehr als die Politiker wurde er in seinem Urteil von dem Bewußtsein der einzigartigen Bedeutung des Religionsfriedens bestimmt. Diese Singularität hat er vermutlich auf Grund seiner eigenen rechtlich ungesicherten Stellung tiefer empfunden als die in Schweinfurt und Nürnberg Verhandelnden, die sich bemühten, in einer günstigen Konstellation den maximalen Erfolg zu erringen. Nicht zuletzt ist Luthers Haltung zum Religionsfrieden aber auch zu verstehen als Reflex auf die ihm unheimliche Entwicklung der Politik der evangelischen Stände, zu der er durch seine Zustimmung zur juristischen Herleitung des Widerstandsrechts selbst hatte beitragen müssen. Das Bündnis zum Schutz des Glaubens und die Torgauer Konzession wurden durch einen Frieden zwischen den Religionsparteien ebenso überflüssig wie andererseits der Augsburger Abschied seine Gefährlichkeit verlor.

Durch den Frieden sah Luther auch seine in politischen Krisen früherer Jahre stets erhobene Forderung des Temporisierens, um Gott Zeit zum Eingreifen zu lassen, nachhaltig bestätigt. Wie 1528 das Mandat des Reichsregiments, begrüßte er 1532 den Frieden als Erhörung des Gebets der Gläubigen[9]. In seinen Mahnungen, „dieser Zeit Gelegenheit[10]" nicht auszuschlagen, verbindet sich das antike Bild der „occasio fronte capillata" mit dem christlichen Begriff der Gnadenstunde, des Kairos[10a]. Durch den Kaiser bot für Luther Gott selbst den Frieden an; diese einzigartige Gelegenheit auszuschlagen, war nicht nur Torheit und Ausdruck von Friedensunwilligkeit um vordergründiger politischer Ziele willen, sondern Sünde und eine Versuchung Gottes. Daraus erklärt sich seine Ungeduld und sein Drängen, zum Abschluß zu kommen, seine Furcht, daß durch politische Einwände die Gnadenstunde versäumt werden könnte. Seine Mahnung, einen Abschluß nicht an zu hohen Forderungen oder am Streit um das Detail der Formulierungen scheitern zu lassen, verbunden mit der Aufforderung, Gott auch etwas zuzutrauen und mehr auf das große Gnadenangebot als auf einzelne Interpretamente zu sehen, findet ihre theologische Begründung in 1. Kor. 6, 1 f., die Zeit der Gnade Gottes zu erkennen und wahrzunehmen. Die metaphysische und transpolitische Dimension, in die er die Verhandlungen um den Frieden einfügte, hat er auch in

7. Lau, Ordnung, 132; vgl. dazu oben S. 53 ff.

8. Von Luther 1531/32 mehrmals als Mahnung und Maxime des Handelns zitiert; vgl. WAB VI, 261, 40 f.; 314, 23 f.

9. Vgl. ebd., 327, 57 ff.

10. Ebd., 310, 88.

10a. Vgl. dazu oben S. 33 ff.

der Rückschau bestätigt, wenn er den Friedensschluß zu den „mirabilia“ Gottes zählte[11].

Diese theologische Überhöhung des Friedens zwischen den Religionsparteien im Bewußtsein des von Gott angebotenen Kairos hat ihm jedoch nicht die Sicht verstellt für die grundsätzliche Problematik seiner Ratschläge; er ging dabei so weit, seine Einwirkung auf die politischen Geschäfte als eine „vexatio“ des Teufels hinzustellen, der ihn durch Verleitung zum Fehlverhalten in Gewissenskonflikte stürzen wolle. „Rath ich, so volgt man mir nicht und sprechen, ich woll regirn; rat ich nicht, so mus ich ein conscientz davon haben[12]“. Diese Gewissensentscheidung hat ihn 1532 zu einem intensiven Eintreten für den Religionsfrieden veranlaßt.

Im Frühstadium der Verhandlungen, die durch einen für die Evangelischen relativ ungünstigen Vertragsentwurf vom Herbst 1531 eingeleitet wurden[13], über den Beauftragte Sachsens und Mainz' Ende Dezember berieten [14], entwarf Luther ein auf den ersten Blick großzügiges Konzessionsprogramm, das offenbar vor Kenntnis der ersten Vorschläge der Vermittler entstanden ist und den Rahmen der evangelischen Zugeständnisse, soweit sie theologisch vertretbar schienen, abstecken sollte[15]. Unter Aufschub einer eigentlichen Religionseinigung[16] strebte er wie in Augsburg 1530 eine pax politica an; er hielt zwar dogmatische Zugeständnisse für unmöglich, riet dagegen „umb friede willen[17]“ zu weitgehenden Konzessionen in den Zeremonien. Unter der Bedingung, daß die reine Lehre anerkannt und die evangelischen Geistlichen in ihrem Amt belassen wurden, war Luther auch zur Restitution einer eingeschränkten Jurisdiktion der Bischöfe in den evangelischen Territorien bereit[18], ebenso zur Rückgabe der Kirchengüter, allerdings

---

11. WAB VI, 562, 4 (Dez. 1532).

12. Vgl. WATR II, 191, 24 ff. (Aufzeichnung von Juni/Juli 1532).

13. Vgl. Winckelmann, Bund, 297 f.

14. Vgl. den Bericht des Mainzer Kanzlers Türk bei Bucholtz IX, 23 ff.; dazu Fraenkel, 149.

15. Vgl. WAB VI, 110 ff.; das undatierte Schriftstück ist hier auf Mai 1531 datiert, eine Kopie von der Hand Bugenhagens setzt es in Verbindung mit dem für August 1531 angekündigten Reichstag von Speyer (vgl. ebd., 110 Anm. 2). Sicher ist nur, daß der Text vor den Beginn der eigentlichen Verhandlungen gehört, m. E. kurz vor die Vorlage des ersten Vergleichsentwurfs, also Ende 1531. Für noch spätere Datierung spräche, daß der Nürnberger Rat das Gutachten im März 1532 seinen Theologen vorlegte und die von diesen auf der Grundlage des Wittenberger Votums vorgenommenen Ausarbeitungen seinen Gesandten zu den Schweinfurter Verhandlungen mitgab; vgl. Schornbaum, Georg, 200 f.; Engelhardt II, 298; ders., Religionsfriede, 25 f.; Fraenkel, 128 ff. folgt WAB.

16. Die Limitierung „bis zum Concil“ hat Luther im Begleitbrief an Brück (WAB VI, 108, 5) gestrichen.

17. WAB VI, 111, 21.

18. Vgl. dazu Reuter, 564 ff., der darauf hinweist, daß in diesem Gutachten erstmals der Gedanke: Jurisdiktion gegen Evangeliumsfreiheit, zu Ende gedacht worden sei; vgl. auch Brunner, Amt, 40 f. Über den Inhalt dieser reduzierten Jurisdiktion macht Luther keine Angaben; die Nürnberger Theologen, denen allerdings der Bamberger

ohne Gewährung der Kultusfreiheit[19]. Insgesamt betrafen seine Vorschläge für einen Ausgleich nur äußerliche und materiell nutzbare Rechte oder waren mit für die Gegenseite unannehmbaren Einschränkungen verbunden; die Glaubenssubstanz blieb von jeder Konzession ausgeschlossen.

Diesen Versuch, ein eigenes Verhandlungsprogramm aufzustellen, hat Luther nicht wiederholt, sondern sich auf die Probleme, die sich durch die verschiedenen Vorschläge der Folgezeit ergaben, konzentriert. Den Friedensentwurf der Vermittler vom Herbst 1531[20] akzeptierte er ohne Einschränkungen[21] und riet schon damals zur Nachgiebigkeit in der Frage der Wahlanerkennung Ferdinands – ein Streitpunkt, der die Vergleichsverhandlungen infolge der politisch wenig sinnvollen Starrheit der evangelischen Stände, die sich weigerten, dieses Thema mit dem Religionsfrieden zu verknüpfen[22], lange beschäftigte, bis die Vermittler und Karl V. nachgaben, so daß dieser Punkt unerledigt blieb[23].

Karl V., der schon im Juli 1531 durch eine Anweisung an den Reichsfiskal, die gemäß dem Augsburger Abschied eingeleiteten Prozesse „des artikels der religion halben" zu sistieren[24], zu seinem Teil die Einleitung von Verhandlungen ermöglicht hatte, akzeptierte in einer Instruktion für die Vermittler die Vergleichsvorschläge vom Herbst 1531, wenn er auch an verschiedenen Punkten Modifikationen vornahm[25]. Diese Instruktion bildete die Grundlage einer zweiten Verhandlung zwischen Brück als sächsischem und Türk als Beauftragtem der Vermittlerfürsten am 8./9. Februar 1532 in Bitterfeld, die aber noch zu keinem Ergebnis führte[26]. Offenbar erregte der Artikel über die Wahlanerkennung das besondere Mißfallen des Kurfürsten und seiner Räte, denn Luther, von dem ein Gutachten über die kaiserlichen Vorschläge eingefordert wurde[27], beschäftigte sich in seiner Antwort fast ausschließlich mit dieser Frage, die er in verfrühtem Optimismus für das

---

Bischof gefährlich werden konnte, schränkten die zu konzedierende Gerichtsbarkeit noch stärker ein; vgl. Engelhardt II, 298.

19. Die Geistlichen sollten zwar „fressen und sauffen ynn yhres Gottes namen", aber „nicht widder das Euangelion leren noch leben noch yhr lesterliche Gottes dienste widder auff richten"; WAB VI, 115, 197 ff.

20. Vgl. oben Anm. 13.

21. Vgl. Luthers Stellungnahme zu den wichtigsten Bestimmungen des Entwurfs; WAB VI, 265 zu spät eingeordnet.

22. Westermann, 39 weist auf den Fehler der Evangelischen hin, die Wahldiskussion auszuklammern und damit den neben der Türkenhilfe wichtigsten Trumpf aus der Hand zu geben. Ein sächsisches Gutachten zur Königswahl, das während der Religionsverhandlungen 1532 aufgesetzt worden ist, vgl. bei M. Goldast, Politische Reichshändel, 135 ff.

23. Die Annahme bei Fischer-Galati, 54, daß der Frieden die Wahlerkennung gebracht habe, ist irrig.

24. Vgl. Buchholtz IV, 9; Fabian, Urkunden, 37.

25. Vgl. Lanz, Staatspapiere, 81 ff. (Schreiben vom 10. Jan. 1532).

26. Vgl. Winckelmann, Bund, 181.

27. Der Verweis WAB VI, 262 Anm. 1 ist irrig, da in dem Gutachten ebd., 259 ff. nicht der Mainzer Vergleichsvorschlag untersucht wird, sondern die Artikel vom 10. Jan. 1532.

einzige Hindernis des Friedens hielt[28]; auch in einem Gutachten im Mai 1532 ging er noch einmal auf dieses Problem ein[29]. Wie er im Dezember 1530 geraten hatte, an der Wahl teilzunehmen[30], forderte er jetzt um des Gewissens willen, den Frieden nicht am Wahlprotest scheitern zu lassen[31]. Stärker noch als durch Verknüpfung des juristischen Problems mit der Gewissensentscheidung zog Luther die Frage in den religiösen Bereich, indem er die Sündenvergebung in diesen Zusammenhang einführte. Angesichts der Gefahr für das ganze Reich, falls das Beharren auf dem eigenen Recht, die „Härtigkeit[32]", nicht aufgegeben wurde, mußte die „kleine Sunde odder Unrecht[33]", die in der Verletzung von Rechtsvorschriften bei der Wahl bestand, vergeben werden. Da der Kurfürst und seine Berater sich durch diesen Rat Luthers offensichtlich nicht beeindrucken ließen, warnte dieser im Mai 1532 nachdrücklich vor unchristlichem Pharisäismus und Selbstgerechtigkeit in der sächsischen Haltung.

Auf den übrigen Inhalt der kaiserlichen Instruktion ist Luther im Februar 1532 nicht eingegangen, sondern hat ihn pauschal als „wohl leidlich und anzunehmen" beurteilt[34]. Er riet daher, die Gelegenheit zum Friedensschluß nicht zu versäumen, da es auch taktisch geboten schien, nicht lange zu zögern, nachdem „der unwille und grolle ihenes teils yhe lenger, yhe grosser[35]" wurde und der Frieden daher immer schwieriger erreichbar sein mußte.

Der Beginn der Ausgleichsverhandlungen zwischen den evangelischen Ständen und den Vermittlerfürsten, für die Karl V. am 7. Februar 1532 eine neue Instruktion ausstellte[36], wurde auf den 30. März 1532 in Schweinfurt festgesetzt. Der neue Vertragsentwurf, den die Vermittler am 1. April vorlegten[37], wurde in einem Gutachten der evangelischen Städte[38], das jedoch in die Antwort der evangelischen Stände vom 3. April[39] nicht aufgenommen wurde, als völlig ungenügend bezeichnet, wobei als Hauptschwächen der Ausschluß künftiger Anhänger der CA aus dem Frieden, das Verbot weiterer Änderungen in den Zeremonien und die Untersagung des Schutzes evangelischer Untertanen bei Flucht aus altkirchlichen

---

28. Ebd., 259 ff. (an den Kurfürsten); 262 ff. (an den Kurprinzen). Gegenüber dem Kurfürsten stellt Luther Frieden und Recht heraus, gegenüber dem Kurprinzen die Nutzlosigkeit des Krieges und der Bündnisse.

29. Ebd., 310, 71 ff.

30. Vgl. oben S. 201 f.

31. Auf die Belastung des Gewissens mit einem durch eigene Intransigenz herbeigeführten Krieg wies Luther schon im Dez. 1530 hin; vgl. oben S. 202.

32. WAB VI, 310, 90.

33. Ebd., 310, 89.

34. Ebd., 260, 12.

35. Ebd., 263, 45 f.

36. Vgl. Bucholtz IX, 28 ff.; vgl. auch Lanz, Staatspapiere, 85 ff. und Winckelmann, Bund, 182 ff.

37. Vgl. Pol. Corr. II, 120 f.; zum Urteil der Kurie über diesen Entwurf vgl. Müller, Kurie, 191 f.

38. Pol. Corr. II, 122 ff.

39. Vgl. ebd., 121 f.

Territorien namhaft gemacht wurden. Auch sollte der Frieden nicht von einer gnadenweisen Bewilligung abhängen, da er dann „ex plenitudine potestatis" beliebig revoziert werden konnte.

In diesem Städte-Gutachten sind fast alle Streitpunkte der Verhandlungen bezeichnet, von denen besonders die inclusio futurorum, d. h. die Erstreckung des Friedens auf alle Stände, die sich auf die CA eingelassen haben „oder sich einlassen werden", Gegenstand der Auseinandersetzungen wurde. Daß der Frieden auch für die künftigen Anhänger der CA gelten sollte, hatte Philipp von Hessen schon im Oktober 1531 gefordert[40], während das Problem in den Bitterfelder Verhandlungen offenbar nicht zur Sprache gekommen ist und auch die Antwort der evangelischen Stände vom 3. April darüber noch nichts enthielt. Erst in einem Maximalprogramm, das den Vermittlern am 9. April überreicht wurde[41] und in dem im Gegensatz zu den bisherigen Formulierungen neben der CA die Apologie als Lehrnorm genannt[42], ferner das Recht, Prediger zu evangelischen Untertanen anderer Landesobrigkeiten zu schicken, in Anspruch genommen wurde, erschien auch die inclusio futurorum, wenn es hieß, daß bis zum Konzil[43] der Reichsabschied von Speyer 1526 gelten sollte. Mit dieser indirekten Inklusion war ein allgemeines Reformationsrecht postuliert, während die Gegenseite nur den Sonderfall des einmal Geschehenen interimistisch bis zum Konzil akzeptieren wollte.

Mit dem Problem der inclusio futurorum, die sich auf ganze Stände bezog, stand in engem Zusammenhang die Frage des Interventions- und Unterstützungsrechts, das sich auf einzelne Glaubensgenossen oder Gruppen von ihnen in andersgläubigen Territorien erstreckte, sowie das Recht zur Aufnahme von Glaubensgenossen, die gegen den Willen ihrer andersgläubigen Obrigkeit in evangelisches Hoheitsgebiet geflohen waren. Beides lehnten Mainz und Pfalz ab, da die Anerkennung dieses Prinzips eine Einmischung in die Landeshoheit eines anderen Reichsstands darstellte und zur Zerrüttung der obrigkeitlichen Autorität beitragen mußte[44].

Da trotz der Zurückweisung durch die Vermittler[45] das Programm vom 9. April aufrechterhalten wurde[46], unterbreiteten Mainz und Pfalz nach Einholung neuer Instruktionen bei Karl V., der sich zum Reichstag in Regensburg aufhielt, am 6. Mai neue Vorschläge[47], in denen die Apologie neben der CA als Grundlage für

---

40. In einem zur Weiterleitung an Karl V. bestimmten Schreiben an Ludwig von der Pfalz vom 7. Okt. 1531; vgl. Lanz, Correspondenz I, 555 f.

41. Vgl. Pol. Corr. II, 124 ff. — Zu den innerevangelischen Auseinandersetzungen über die Formulierungen vgl. Schornbaum, Georg, 207 ff.

42. Schon in Augsburg hatten die Evangelischen bekanntlich auf die Frage nach weiteren Artikeln ausweichend für den Bedarfsfall neue Sätze angekündigt, die CA also nicht als endgültige und ausreichende Summe ihrer Lehre betrachtet; vgl. Förstemann, Urkundenbuch II, 9 ff.

43. Die Konzilsdefinition vgl. Winckelmann, Bund, 284 Anm. 408.

44. Vgl. besonders die Verhandlungen Brück-Türk 22./23. April; ebd., 300 f. und 307 ff.

45. Vgl. Pol. Corr. II, 126 ff.

46. Vgl. ebd., 128.

47. Vgl. ebd., 129 f.

Lehre, Zeremonialänderungen, Predigt und Publikationen konzediert wurde; auch sollte Untertanen, „die des gloubens halb hinder einer herschaft lenger nit pliben wolten oder konten", auf ihr Ersuchen und mit Wissen der zuständigen Obrigkeit das beneficium emigrandi zugestanden werden[48]. Den evangelischen Bedenken, durch eine Bewilligung der exclusio futurorum anderen Ständen den Weg zum Bekenntnis der reinen Lehre zu versperren, trug die Klausel Rechnung: „doch wellen Sachsen und iere mitgewanten durch dise abred niemans ires gloubens und confession halben iers teils nit benomen noch abgestrickt haben". Die Antwort der Stände vom 7. Mai[49] beharrte aber auf der inclusio und einer genauen Konzilsdefinition, strich die Wahlanerkennung und akzeptierte nur den Artikel über das Auswanderungsrecht; die von den Vermittlern vorgelegte Klausel wurde durch die die inclusio faktisch enthaltende Einfügung: „sondern einem jeden ier ler ierenthalb vorbehalten werden", ergänzt. Auf diesem Stand wurden die Verhandlungen bis zum 3. Juni vertagt[50].

Die Frage nach der Stellung zur inclusio futurorum wurde rasch Gegenstand innerevangelischer Auseinandersetzungen. Luther sprach sich entschieden dagegen aus, aus Rücksicht auf eine ungewisse Zukunft das konkrete Angebot des Friedens auszuschlagen und die günstige Stunde zu versäumen. Da die Inklusionsformel das größte Hindernis für den Abschluß der Verhandlungen bildete, hat er sich mehrfach mit dieser Frage beschäftigt[51]. Dabei unterlag er jedoch dem Irrtum, die inclusio auch auf evangelische Untertanen in altkirchlichen Territorien zu beziehen, und setzte unzutreffend voraus, daß die Entsendung von evangelischen Predigern in diese Territorien von der Gegenseite konzediert worden sei. Auch sah er die Erlaubnis zur communio sub utraque als bereits gesichert an. Seine Argumente konzentrierten sich auf den Nachweis, daß die inclusio a) von den Evangelischen nicht als Rechtsanspruch durchgesetzt werden konnte, b) für die Altkirchlichen als Minderung der Landeshoheit nicht akzeptabel war und c) die davon Betroffenen sie ablehnen mußten, wenn sie mit Ernst Christen sein wollten, die ihr Kreuz nicht anderen aufladen durften.

Nach Luthers Verfassungsverständnis stand den evangelischen Ständen kein Recht zu, zugunsten fremder Untertanen zu intervenieren[52], indem sie sie in den Frieden einschlossen. Das Interventionsrecht konnte außerdem ungünstige Folgen für die evangelischen Stände zeitigen, insofern die Gegenseite in der Reziprozität

---

48. Zur Bedeutung des ius emigrandi vgl. Scheuner, Auswanderungsfreiheit, 203 ff. 208 f. (1532 dort aber nicht berücksichtigt); ferner M. Heckel, Staat und Kirche, 275 f.; ders., Parität, 350.

49. Vgl. Pol. Corr. II, 131 f. (zur Königswahl vgl. die Berichtigung bei Winckelmann, Bund, 284 Anm. 419).

50. Die Verlegung des Tagungsorts nach Nürnberg geht auf ein Ersuchen Karls V. zurück; vgl. Müller, Kurie, 206 Anm. 108.

51. In den Gutachten von Mai und Juni 1532; vgl. WAB VI, 307 ff.; 313 ff. (mit Bugenhagen); 324 ff.; 328 f. (mit Jonas); 332.

52. Vgl. ebd., 313, 19 f.: Wir „sollen und konnen auch mit Recht nicht andere Oberkeit zwingen, daß sie die Ihren sichern sollten unsers Gefallens".

der Regula aurea beanspruchen konnte, ihrerseits für ihre Glaubensgenossen in evangelischen Territorien zuständig zu sein. „Nu wollte keine Oberkeit dieses Teils, daß andere Nebenfursten sie zwingen wollten, mit ihren Untertanen zu machen, was sie wollten[53]". Mit dieser Ablehnung jedes Anspruchs, sich rechtsverbindlich der Glaubensgenossen außerhalb der eigenen Zuständigkeit annehmen zu dürfen, proklamierte Luther die Selbstbeschränkung der Verantwortung und sanktionierte das geschlossene Territorium in religiös-kirchlicher Hinsicht.

Auf Luthers Beurteilung der inclusio futurorum wirkte sich auch seine Bewertung des Religionsfriedens als freiwillig gewährte Konzession der Obrigkeit aus. Wenn der Kaiser nur die „offiziell" als Anhänger der CA anerkannten Stände im Frieden sichern wollte, konnten diese die Gnade nicht gegen seinen Willen auf andere erstrecken wollen[54]. Dem Vorwurf, sein Verhalten behindere die Ausbreitung des Evangeliums, begegnete Luther mit der Berufung auf die geschichtliche Erfahrung der vergangenen Jahre, die ihm bewies, daß die Predigt des Wortes Gottes keiner obrigkeitlichen Garantie bedurfte, um sich durchzusetzen. Das Risiko des Bekenntnisses war nicht tödlich, denn auch die bisher evangelisch gewordenen Stände hatten sich mit Erfolg ohne reichsrechtliche Sicherung auf das Wagnis des Glaubens eingelassen. Diese Erfahrung konnte die futuri ermutigen, es gleichfalls „auf Gottes Gnad (zu) wagen[55]" und nicht von vornherein auf menschlicher Sicherheit zu bestehen. Der wahre Glaube erwies sich erst in der Bereitschaft, im Notfall die Leidenspflicht des Christen zu erfüllen. Vermutlich erschien ihm die exclusio und die unabgesicherte Reformation unter religiösem Aspekt sogar begrüßenswert, da sie als Filter wirken konnte, um Opportunisten fernzuhalten. Die evangelischen Unterhändler hatten daher nach seinem Rat nur darauf zu achten, daß im Friedensinstrument kein Artikel erschien, demzufolge die Evangelischen selbst die rechtliche Blockierung der Ausbreitung ihrer Lehre unterstützten. Was fast alle anderen theologischen Gutachten als letzte Möglichkeit empfahlen, das schweigende Umgehen des Inklusionsartikels[56], stellte für Luther von vornherein ein akzeptables Verhandlungsergebnis dar. Der Friede besaß absolute Priorität, da er notwendig war; die inclusio war dagegen ein minderes Gut und also nicht notwendig. Zu Unnötigem aber war niemand verpflichtet[57].

Aus der Prämisse, daß die inclusio von der Gegenseite nicht zugestanden werden konnte, gewann Luther ein zusätzliches Argument gegen die Verhandlungstaktik der evangelischen Stände. Das Beharren auf diesem Punkt nützte den futuri nichts, wenn an dieser Bedingung der Frieden überhaupt scheiterte. Sie besaßen dann den gleichen Status wie bisher, während die evangelischen Stände geschädigt waren, da sie das Angebot eigener Sicherung ausgeschlagen hatten zugunsten einer unerreichbaren Forderung. Dagegen konnte sich der Abschluß des Friedens auch ohne diese Klausel für die künftigen Anhäger der CA günstig auswirken, insofern

53. Ebd., 314, 48 ff.
54. Vgl. auch die entsprechende Argumentation Brenz' unten S. 223.
55. WAB VI, 309, 34 f.
56. Vgl. unten S. 219 ff.
57. Vgl. seine Auskunft WAB VI, 313, 9 f.

die allgemeine Beruhigung der Lage auch sie schützte. Eine gewissensbindende Verpflichtung der evangelischen Stände zum Schutz potentieller Glaubensgenossen hat Luther entschieden bestritten. Die christliche Liebespflicht gegenüber unterdrückten Glaubensgenossen mußte zurücktreten bei einem Konflikt mit der auf der gleichen Pflicht fundierten näherliegenden Aufgabe des Fürsten, seinen eigenen Untertanen den Schutz des kaiserlichen Friedens zu gewinnen, die Verantwortung für das eigene Territorium ging der für andere vor. An diesem Punkt wird die konkrete Bedeutung des Kairos-Denkens für Luther deutlich: Der Frieden wurde jetzt den gegenwärtigen Bekennern des Evangeliums angeboten; dieses Angebot eigenmächtig auf die Zukunft und auf potentielle Bekenner zu erstrecken, hieß, die Gnade der Stunde zugunsten einer fragwürdigen futurischen Kalkulation zu übersehen. Das Bewußtsein des „Jetzt" und „uns" durchzieht alle Überlegungen Luthers zu den Schweinfurt-Nürnberger Verhandlungen. Das Ziel des „Später" und „für andere" durfte nicht angestrebt werden, wenn der Friedensschluß dadurch gefährdet wurde; die futuri mußten ihre Gnadenstunde erneut erbitten und ihren Kairos abwarten. Die Solidarität mit den Glaubensbrüdern konnte sich nur auf „freundliches Suchen und Vermahnen" bei der Gegenpartei erstrecken[58].

Anders als in der Frage der Wahlanerkennung hat Luther bei dem Problem der inclusio futurorum seine Ansicht im Einvernehmen mit dem Kurfürsten gegen Johann Friedrich und Brück durchgesetzt. Zwar hatte bereits die sächsische Instruktion vom März 1532 festgelegt, daß bei den Verhandlungen nicht gefordert werden sollte, „daß einem jedem im Reich frei sein sollte, unsere Artikel [= die CA] vor dem Konzil anzunehmen, wie wir dann mit diesen Artikeln solches nicht suchen, sondern es zu der Obrigkeit Verantwortung gegen Gott stellen, weil wir darin niemandem zu gebieten haben[59]", aber in Schweinfurt hatte Kursachsen mit den anderen Ständen auf der Inklusionsformel bestanden. Nach der Rückkehr Johann Friedrichs von der ersten Verhandlungsphase hat der Kurfürst dann „unsere wegereste gelerten der hailigen schrifft zu uns erfordert", um über den Stand der Verhandlungen und besonders die Frage der inclusio futurorum ihren Rat einzuholen, damit die Evangelischen „nit mehr ader weniger theten dan mit got und gewissen bescheen mocht[60]". Den Anstoß zu dieser Beratung hatte der Kurprinz gegeben, als er bei Übersendung der Vorschläge der Vermittler vom 6. Mai und der evangelischen Änderungswünsche vom folgenden Tage seinen Vater gebeten hatte, die Wittenberger Theologen nach Torgau zu berufen, um ihre Meinung zu hören[61]. Ganz im Sinne Luthers ließ der Kurfürst nach dieser Beratung den Landgrafen wissen, daß der Kaiser nicht zum Zugeständnis der inclusio gezwungen werden könne, zumal mit der Friedensverweigerung den exclusi auch

---

58 WAB VI, 314, 27 f.

59. Zitiert bei Winckelmann, Bund, 232 (Instruktion vom 20. März 1532).

60. Kurfürst an Landgraf Philipp, 26. Mai 1532; Original: Marburg, Staatsarchiv SA Schubl. 45 Nr. 13. Ein Aufenthalt Luthers und Bugenhagens ist für den 15./16. Mai in Torgau nachweisbar; vgl. Buchwald, Luther-Kalendarium, 86.

61. Vgl. Mentz I, 139. Das Votum der Wittenberger Theologen einzuholen, hatte Spalatin schon im April geraten; vgl. Höss, Spalatin, 359.

nicht gedient sei. Es sei daher zureichend, wenn die evangelischen Stände verhinderten, daß den futuri „gottes wort durch unsere mithandlung solt entzogen werden, sondern furbehalten sein", zumal das ius emigrandi einen bedeutenden Fortschritt darstelle. Einen solchen Frieden fand Kurfürst Johann „uns nutzlich und ainem andern nit zuwidder noch schedlich[62]". Auf dieser Linie mußten Johann Friedrich und Brück bei den weiteren Verhandlungen in Nürnberg gegen den Widerstand der anderen Stände eine konziliantere Politik verfolgen.

Luther ist über den jeweiligen Verhandlungsstand durch den Kurfürsten unterrichtet worden, der ihm die Akten zugehen ließ und sein Urteil dazu einholte. Im Zusammenhang mit der Beratung in Torgau Mitte Mai 1532 ist ein Votum entstanden[63], das nach Einsicht in die Verhandlungsakten am 16. Mai übergeben wurde[64] und in dem die Vorschläge der Vermittler vom 6. Mai als „leidlich und glimpflich gestellt[65]" beurteilt wurden.

Als Stellungnahme zu einem Schreiben des Landgrafen an den Kurfürsten vom 16. Mai, in dem Philipp noch einmal seine Position in der Frage der inclusio futurorum und der Konzilsdefinition absteckte und Kursachsen aufforderte, in beiden Punkten festzubleiben[66], wurde wenige Tage später in Wittenberg ein weiteres Gutachten aufgesetzt, das neben Luther auch Bugenhagen unterzeichnet hat[67]. Nach nochmaliger, „mit allem Fleiß[68]" vorgenommener Er-

---

62. So in dem oben Anm. 60 zitierten Brief.

63. Für den Kurprinzen bestimmt; WAB VI, 307 irrig unter der Überschrift: an Kurfürst Johann, abgedruckt (vgl. dazu WAB XIV, S. XXX). Auch die Angabe „Wittenberg" als Abfassungsort ist spekulativ, da Luther erst in Torgau die entsprechenden Verhandlungspapiere vorgelegt sein dürften. Allerdings ließ sich nicht feststellen, ob das von ihm benutzte Papier aus der Kanzlei stammt (nach Mitteilung des Staatsarchivs Weimar).

64. Während das Original von Luther allein unterschrieben ist, weist die Abschrift in Marburg, Pol. Arch. 298, 272 ff. als Unterzeichner daneben Bugenhagen und Melanchthon auf; auch ist dort die erste Pers. sing. Luthers in die erste plur. umgewandelt. Diese Veränderung in Text und Unterschriften wurde offensichtlich bei der Herstellung der Kopie in der kurfürstlichen Kanzlei vorgenommen, um dem Votum größere Verbindlichkeit zu verleihen.

65. WAB VI, 308, 2.

66. Kopie in Weimar, Staatsarchiv, Reg. H 75, Bl. 3 f.; vgl. auch Rommel II, 277. Wie aus der Antwort des Kurfürsten vom 26. Mai (vgl. oben Anm. 60) hervorgeht, hat Johann von Sachsen das Schreiben aus Hessen, das er erst am 23. Mai erhalten hatte, seinen Theologen zugänglich gemacht, zumal Philipp ihn ausdrücklich aufgefordert hatte, die Angelegenheit „mit den iren in zeittigem Rat wol (zu) bewegen".

67. Vgl. WAB VI, 313 ff. Nr. 1935. – Zur Datierung: Gegen WAB VI, 313 stellt das Gutachten keine Auseinandersetzung mit dem Votum der hessischen Theologen (vgl. dazu unten 218 f.) dar, da der Landgraf erst am 31. Mai dem Kurfürsten die Übersendung dieses Votum durch einen Boten, „der Ir [sc. E. Liebden] nun mehr zukommen", mitteilt und im gleichen Brief schon den Empfang der aus Torgau mit dem kurfürstlichen Brief vom 26. Mai (vgl. Anm. 60) überschickten „rhatschlege" kurfürstlicher Gelehrter (vgl. in diesem Brief des Kurfürsten: „bedencken und Ratschlege, davon wir E. L. inliegende abschrifft ubersenden") bestätigt (vgl. Rommel III, 45 f.); bei diesen Ratschlägen handelt es sich nach der Inhaltsangabe, die Philipp am 4. Juni bei Überschickung dieser

wägung blieb Luther bei seinem bisherigen Rat, die Forderung nach der inclusio futurorum fallenzulassen. Gegenüber der möglichen Verhinderung des Friedens bei Beharren auf diesem Punkt verlor der Einwand Philipps von Hessen, daß „mit Gott und Gewissen[69]" kein Nachgeben möglich sei[70], für Luther sein Gewicht. Der Frieden war das höherwertige Gut.

In der Auseinandersetzung mit dem Landgrafen ging Luther jetzt auch auf die Kontroverse über die Konzilsdefinition ein. Nachdem im ersten Vorschlag der Unterhändler vom 1. April nur vom „kunftigen concilio" gesprochen worden war[71] und die Stände in ihrer Antwort das Konzil als gemein, frei, christlich und in deutscher Nation zu halten bezeichnet[72] sowie in ihrem Maximalprogramm eine ausführliche Definition vorgelegt hatten[73], war im Vorschlag der Vermittler vom 6. Mai vom „gemeinen, freien, christlichen concilio, wie das uf dem erst gehaltnen reichstag zu Nurenberg [1523] beschlossen und zuogesagt", die Rede gewesen[74]. In den Abänderungsvorschlägen hatten die Evangelischen auf der Ergänzung dieser Formel durch den Zusatz: „in teutscher nation zuo halten, dorinnen allein noch gottes reinen wort zuo determinieren", bestanden[75]. Philipp

---

„zwen Rathschlege, di uns vom Churfursten von Sachßen zukhommen sein, welche irer ... Liebden Theologen gestelt haben" (vgl. Rommel II, 274), an seine Gesandten in Nürnberg gibt, einmal um das Gutachten WAB VI, 313 ff. Nr. 1935, das von Luther und Bugenhagen stammt, und daneben zweifellos um das Gutachten ebd., 307 ff. Nr. 1933. — Auch vom Inhalt her ergibt sich keine Notwendigkeit zu der Annahme, daß das hessische Gutachten Anlaß für die Abfassung von Nr. 1935 gewesen ist; vgl. dazu auch Braune, 58 f. Anm. 2. Dagegen sind die Bezugspunkte zu dem Brief des Landgrafen an den Kurfürsten vom 16. Mai eindeutig. Zu datieren ist das Gutachten demnach: zwischen 23. (vgl. oben Anm. 66) und 26. Mai 1532. Zu den unrichtigen Angaben bei Vogt, 591 vgl. schon Enders IX, 194. — Bugenhagen hat den Text von Nr. 1935 offenbar nur unterzeichnet, aber kaum an seiner Formulierung mitgewirkt, da der Inhalt sich ganz mit Luthers bisherigen Auskünften deckt und der Verfasser Zl. 51 ff. aus der 1. Pers. plur. in die 1. Pers. sing. fällt.

68. WAB VI, 313, 4.

69. Ebd., 313, 13. — Vgl. Philipps Argument: „Mogen bey uns nit sliessen, das wir mit Got und guetem gewissen, auch sonst anderer beweglichen ursachen halben die worth im ersten Artickel „Ader einlassen wurden etc." konnen noch mogen aus den gestelten Artickeln ziehen lassen. Dan so unser glaube uff gottes worth gegrundet und recht ist, wie wir dann nit zweifeln, warumb sol man dann dem Wort und den jenigen, die selbigem begeren, anzuhangen, nit Raum lassen".

70. Philipps Begründung, der Verzicht auf die Inklusion „were yhe der Leher Pauli ubel nachgedacht, das niemandes das sein, sondern der andern hailh und wolfarth suchen sol", wird von Luther WAB VI, 313, 14f. und 314, 26 ff. aufgenommen.

71. Vgl. Pol. Corr. II, 120 § 1.

72. Vgl. ebd., 121 § 1; die Vermittler lehnten diese Formulierung ebd., 124 ab, da sie über die Kompetenz der Verhandelnden hinausging.

73. Vgl. oben S. 208 Anm. 43.

74. Pol. Corr. II, 129 § 1. Die Definition im Nürnberger Reichsabschied vgl. RTA IV, 604, 13 ff.

75. Vgl. Pol. Corr. II, 136.

von Hessen schien das Beharren auf dem Zusatz notwendig zu sein „uß ursachen, das die gantze sach daran gelegen, und wo dasselb nit erhalten werden solt, hetten wir schone die sach verlustig ubergeben[75a]“. Im Gegensatz dazu hielt Luther die Formulierung der Vermittler für ausreichend, da ein Mißbrauch der konziliaren Institution sich auch durch die evangelische Formulierung nicht ausschließen ließ. Aus seiner Abneigung, die zukünftige Entwicklung zu präjudizieren, riet er daher auch in diesem Punkt zu einer flexiblen Politik und, wenn notwendig, zum Nachgeben.

Luthers und Bugenhagens Votum, das Kurfürst Johann neben dem von Luther am 16. Mai eingereichten Ratschlag an Philipp von Hessen übermittelte[76] und das sein Sohn in Nürnberg, wo am 8. Juni die Ausgleichsverhandlungen wieder begonnen hatten, vorlegte[77], wurde hier wie dort scharf kritisiert. Philipp, der sich persönlich angegriffen fühlte durch die Unterstellung, aus Kriegslust den Frieden zu verhindern, schickte es neben einem Gutachten der Lüneburger Theologen seinen Gesandten nach Nürnberg mit dem Auftrag, „angesehn der Sachsischen Theologen gestelten meynung das (zu) suchen, das zu der liebe des nechsten und unser aller heil und wolfart dienet, den wir konten wol abenemen, woruf Luthers meynung im selbigen Rathschlag gefolgt, Nemlich das man dem Luther eingebildet und vorgemalt hat, als stehe unser gemut dahin, das wir mher zu krieg, ufrur und Blutvergießen den zum vertrage und fridden lust hetten[78]“. Die hessischen Räte sollten den Ratschlägen der Wittenberger, wenn die sächsische Delegation sie übernahm, „widderfechten“ und mit einem Mangel an ausreichender Information der Theologen über die hessischen Ziele und Absichten entkräften[79]. Um Sachsen bei der bisherigen Politik festzuhalten, sollten sie außerdem Luthers Votum durch das anderer lutherischer Theologen widerlegen, „alle ratschlege, so allerseits theologen gestellt haben und sonderlich den Mansfeldischen rathschlag fürwenden, dan derselbigen theologen sind doch gar Luthers anhangs[80]“. Philipp versuchte auf diese Weise, Luthers Autorität durch die der anderen Gutachter zu erschüttern.

In der Versammlung der Städteboten am 7. Juni, in der Herzog Johann Friedrich das Votum Luthers und Bugenhagens vorlegte, wurde der Wittenberger Ratschlag in der Tat mit Mehrheit abgelehnt und stattdessen beschlossen, die Kon-

75a. In dem oben S. 212 Anm. 66 zitierten Schreiben.

76. Vgl. oben S. 212 Anm. 67.

77. Vgl. Pol. Corr. II, 162, daß der „ratschlag Luteri und Pomerani gehert ward“.

78. Dies bezieht sich offensichtlich auf die Warnung Luthers WAB VI, 314, 51 ff.

79. Philipp an seine Räte, 4. Juni; Rommel III, 275; vgl. auch ebd.: „Wan Luther des grundts unsers gemuts (das wir in disser sach kein Blutvergießen, kein Krieg noch ufrur, auch kein eigen genieße oder nutzen, sonder allein das suchten, gottes ehre und außpreitung seins worts zu vieler leuthe beßerung in freiem gange zu behalten, das das Concilium nit anderst den nach dem wort gottes determiniren soll, damit der gantzen sach nit hernachmals unwidderpringlicher nachtheil daraus entstunde) recht berichtet were worden, ontzeiffel sein Rathschlag solt anders gelaudt ... haben“.

80. Philipp an seine Räte, 20. Juni; Neudecker, Urkunden, 216. Zum Ratschlag der Mansfelder vgl. unten 221.

stanzer Instruktion über inclusio und Konzilsdefinition, die in eklatantem Widerspruch zu Luther stand, zur gemeinsamen Grundlage der städtischen Politik bei den Verhandlungen zu machen[81], da „dasjhenige, so doctor Martinus und die andern gelerten zu Wittenberg in irem ratschlag und bedenken zugelassen, mit got und gewissen nit bewilliget noch angenommen muge werden[82]". Gegen das Wittenberger Votum beriefen sich die Politiker auf ihr Gewissen und verwarfen die theologische Unterweisung als religiös unzureichend. Auf „vilfeltig gerede und anhalten" der hessischen Gesandten ließen sogar die sächsischen Delegierten, die zunächst an Luthers Ratschlag festgehalten hatten, diesen fallen[83].

Den nach Wiederaufnahme der Verhandlungen von den Vermittlern am 10. Juni vorgelegten neuen Entwurf und die ablehnende Antwort der evangelischen Stände[84] sandte der Kurprinz am 21. Juni an Johann von Sachsen; die Verhandlungsakten sollten auch den Wittenberger Theologen zugänglich gemacht werden, um „dasselbige weiter zu bewegen und E. Gn. darauf ir ferner bedenken anzuzaigen". Dazu sah sich Johann Friedrich vor allem durch die in Nürnberg von den anderen Ständen vorgelegten theologischen Gutachten, die „an einander vhast [= sehr] widerwertig befunden", veranlaßt[85]. Nachdem der Kurfürst dieser Aufforderung entsprochen hatte[86], gaben Luther und Jonas bereits am 29. Juni ein Votum ab[87], in dem sie – anders als bisher – zu verschiedenen Problemen Stellung nahmen. Ihre besondere Aufmerksamkeit galt der Formulierung des beneficium emigrandi[88], die sie derart präzisiert wünschten, daß Annahme und Schutz von aus altgläubigen Gebieten zuziehenden oder flüchtenden Untertanen nicht von einer Abzugsbewilligung abhängen sollte. Zur inclusio wurde auf die früheren Auskünfte verwiesen; eine Auseinandersetzung mit den gegenteiligen Äußerungen anderer Gutachten ersparten sich die Wittenberger: „Lassen wir sie ihre Meinung verantworten[89]." Die evangelischen Einwände gegen die übrigen Artikel beurteilten Luther und Jonas pauschal und ohne Begründung als bloße

---

81. Vgl. Pol. Corr. II, 162; vgl. auch ebd., 152; zur Konstanzer Instruktion vgl. auch unten S. 220 f.

82. So im Bericht des Kurprinzen nach Torgau vom 9. Juni; Mentz I, 50.

83. Vgl. die Berichte der hessischen Gesandten an Philipp vom 6. Juni: Johann Friedrich bezieht sich auf den Ratschlag der Wittenberger Theologen (Braune, 60 Anm. 2); 18. Juni: Die Sachsen haben sich von ihren Ratschlägen gewandt (Neudecker, Urkunden, 208).

84. Vgl. Bucholtz IX, 34 ff.; Pol. Corr. II, 165.

85. Mentz I, 139.

86. Vgl. WAB VI, 323 f. (Schreiben vom 28. Juni an Luther, Jonas, Bugenhagen und Melanchthon).

87. Vgl. ebd., 328 f. Die Beilage ebd., 330 f. gehört sicher nicht in den Zusammenhang der Nürnberger Verhandlungen, auf gar keinen Fall das ebd., 331 abgedruckte Gutachten Melanchthons, das seiner Fragestellung entsprechend eher zu Augsburg 1530 gehört (so auch CR II, 162 datiert); die Überschrift WAB VI, 331, 1 gehört zu ebd., 328 f. (vgl. WAB XIII, 209).

88. Vgl. Pol. Corr. II, 124. 129.

89. WAB VI, 329, 29 f.

„pugnae verborum" und sophistische Streitigkeiten, die nur zur Verzögerung oder Ablehnung des Friedensschlusses führten.

Neben dem angeforderten Gutachten wandte sich Luther in persönlichen Schreiben an seinen Landesherrn und den Kurprinzen[90], um auch auf diesem Wege dringend zum Frieden zu raten und vor „spitze(n) pünctlin setzer(n)[91]" zu warnen. Der Wunsch, einen „undisputierlichen Frieden" zu erreichen, erschien ihm nur als Hochmut, zu großes Zutrauen auf die eigene Vernunft oder Versuch, aus eigennützigen Motiven den Frieden zu verhindern[92]. Wichtiger als die fruchtlose Suche nach besseren Formulierungen war die Annahme des jetzigen Friedens und die Sicherung für den Augenblick. Die Zukunft konnte der Fürsorge Gottes überlassen bleiben.

Während der sächsische Kurfürst sich von Luthers Überzeugung, daß der Kaiser „in diesem großwichtigen Handel" viel nachgab, in seinen politischen Entschlüssen leiten ließ, lehnten die Ständevertreter in Nürnberg den ihnen von Kurfürst Johann als „bedächtiglich, christlich und wol gestalt[93]" empfohlenen Rat Luthers und Jonas' genauso ab wie zuvor das Votum Luthers und Bugenhagens. Johann Friedrich mußte seinem Vater mitteilen, daß trotz der Wittenberger Befürwortung „kein gesandter der mitverwanten und weder die marggrevischen noch die von Nurmberg, ap sie wol auch sere gelinde in dieser handlung sein, dieselbigen artickel [vom 10. Juni] dafur mugen ansehen, das sie ane verletzung gotlicher glori anzunemen gewest weren[94]". Brück war gleichfalls mit dem Inhalt von Luthers und Jonas' Votum nicht einverstanden: „Ich glaube auch, wo doctor martinus aller bedenken gnugsam bericht solt werden, er werde es selber dofhur halten [sc. daß die Artikel unannehmbar seien]. Szo seind auch aller andern gelerten radslage derwider[95]."

Die Differenzen im evangelischen Lager wirkten sich auf die Verhandlungen nicht mehr aus, da zugunsten einer Landfriedensübereinkunft auf Einzelbestimmungen verzichtet wurde. Die Artikel des zwischen Karl V. und den namentlich aufgeführten evangelischen Fürsten und Städten[96] am 23. Juli abgeschlossenen Stillstands proklamierten bis zum Konzil oder zur Reichsversammlung einen „gemeinen bestendigen friden" zwischen allen Ständen und verboten jede bewaffnete Auseinandersetzung „des gloubens noch sonst keiner andern ursach halb". Die

---

90. Vgl. ebd., 324 ff.; 332.

91. Ebd., 332, 11.

92. Vgl. ebd., 326, 6 ff.; 332, 7 f.

93. Eine Formulierung aus dem Brief den Kurfürsten an seinen Sohn vom 30. Juni 1532, mit dem er ihm das Gutachten Luthers übersandte; vgl. ebd., 325.

94. Mentz, I, 142.

95. Brück an den Kurfürsten, 9. Juli 1532 (Bestätigung des Eingangs des Gutachtens); Weimar, Staatsarchiv, Reg. H 70, 72; vgl. Winckelmann, Bund, 232. Es ist also nicht zutreffend, hier Brück mit Luther auf einer Linie zu sehen, wie es bei Dörries, Widerstandsrecht, 231 geschieht.

96. Sie wurden damit offiziell als evangelische Reichsstände (5 Landesterritorien und 24 Städte) anerkannt. Hessen stimmte erst im August zu.

Protestanten versprachen dagegen Beteiligung an der Türkenhilfe[97]. In der Auseinandersetzung zwischen Hessen und Sachsen nach Abschluß des Friedens berief sich Herzog Johann Friedrich zur Begründung des Verzichts auf die Inklusionsklausel nochmals ausdrücklich auf die Ratschläge seiner Theologen[98], was Philipp von Hessen zu einer kritischen Beleuchtung von Luthers Voten veranlaßte[99]: „Wissen wir wol, das Luther ein fromer man ist und haben alwegen von seinen schrifften gehalten, Aber von diesem Rathslag gar nichts, dan der ist der schrifft nicht einlich. Und lassen uns Philippum Melanchthonem nit viel anfechten[100]. Dann Eur lieb wissen selbs, wie bestendig er zu Augspurg gewest ist." Der Landgraf leitete Luthers Ratschläge ausschließlich aus falschen Informationen über die hessische Haltung ab: „Das ... Luther diesen Ratslag gegeben, ist nit wunder. Man kann einen Mhan dermassen informieren, dergestalt das er nit anders weiß, der Lantgraf wolle gerne im bluth waden biß an die Sporn, So muste nach wol Luther darwider ratslagen, das blutvergiessen steuern[101]." Vor allem aber führte Philipp noch einmal die Phalanx der lutherischen Theologen gegen Luther ins Feld, da es offenkundig war, „das mit solchem Rathslag nit allain unsere [sc. die hessischen] gelertten nit aynig, sondern Urbanus Regius, die Luneburgischen, Mansfeldischen, Mägdeburgischen, Kostnitzschen, Straßburgischen[102] und alle frome Christen seint der meynung wie die unsern. ... Es wirdet sich noch wol finden und offenbar werden, waraus solcher Ratslag geflossen".

Die Gutachten, die die evangelischen Stände nach dem Ende der ersten Verhandlungsphase in Schweinfurt über die Streitpunkte: inclusio futurorum und Konzilsdefinition, von ihren Theologen ausarbeiten ließen, unterschieden sich in der Tat teilweise beträchtlich von der Wittenberger Meinung. Lediglich Spalatin hat von sächsischer Seite aus noch in Schweinfurt Luthers Position vorbehaltlos

97. Vgl. Pol. Corr. II, 168 f.; Fabian, Urkunden, 59 ff.; Lünig, Teutsches Reichs-Archiv, pars gen. Cont. I (Leipzig 1713), 605 f.

98. Vgl. Fabian, Urkunden, 66 (Johann Friedrich an Philipp, 29. Juli; so das Datum im Konzept Weimar, Staatsarchiv Reg H 75 Nr. 4). 1537 verwarf aber auch Kurfürst Johann Friedrich die Abmachung von 1532 als einen „gemainen [= unspezifizierten] und tunkeln frieden", in den man sich habe „furen lassen"; Mentz III, 357.

99. Original Weimar, Staatsarchiv, Reg H 75, Nr. 5 (mit Datum: Donnerstag nach Jacobi = 1. August; damit erledigen sich die Vermutungen bei Fabian, Urkunden, 68; ebd., 69 ff. nach einer Marburger Kopie gedruckt). Zitiert ist im Folgenden nach dem Original, das von dem Druck bei Fabian abweicht. Braune, 59 Anm. 1, der gleichfalls die Marburger Kopie benutzte, hat wie Fabian das falsche Datum.

100. Melanchthon hat keines der Gutachten Luthers 1532 unterschrieben oder eigene abgefaßt.

101. Im Folgenden begründet Philipp diese These mit einem Zitat aus dem Mai-Gutachten Luthers und Bugenhagens (WAB VI, 314, 55 f. und 55; die Stellenangabe bei Fabian, Urkunden, 70 Anm. 14 ist falsch), die nach seiner Meinung bedeutet: „also zuverstehen, der Lantgraf sucht zeitliche sachen und wil mit den ewigen die zeitlichen fortbringen". Über Verleumdung seiner Absichten hatte sich Philipp schon im Mai 1532 bei Johann beklagt; vgl. Rommel III, 48 f.

102. Vgl. dazu unten S. 219 ff.

unterstützt und vor allem darauf hingewiesen, daß sich für die inclusio „kein außgedruckter spruch in der heiligen schrifft" fand. Ganz auf der Linie Luthers sah er in der Inklusionsforderung Mißtrauen gegen Gottes Zusage und den Versuch einer unzulässigen Antizipation der Zukunft; als einzige Möglichkeit empfahl er eine Bitte an den Kaiser, „andern auch das wort Gottes, beyder gestalt und andere christliche Ceremonien zuzulassen[103]".

Die Gegenposition zu Luther vertraten 1532 am ausgeprägtesten die hessischen Theologen, die der Landgraf zur Beratung über „etlich puncten in den mitteln und furschlegen, den fried der Religion halben uffzurichten belangende", berufen hatte[104]. Gegen die Wittenberger Überzeugung von der Selbstdurchsetzungskraft des Evangeliums auch ohne menschliches Zutun stellten sie den doppelten Auftrag Gottes an die Gläubigen heraus: die Pflicht zur Ausbreitung seines Wortes und die Liebe zum Bruder, auch zum künftigen Bruder. Eine Zustimmung zur exclusio war für sie daher eine unter Preisgabe der Brüder erkaufte egoistische „pax et securitas[105]". Wo Luther das den augenblicklichen Anhängern der CA angebotene Geschenk Gottes sah, fürchteten die hessischen Theologen eine widergöttliche Versuchung zur Rettung des eigenen Status auf Kosten der noch zu gewinnenden Mitchristen. Auch in der Frage der Konzilsdefinition entschieden die Hessen sich anders als die Wittenberger und rieten, die von den evangelischen Ständen in Schweinfurt vorgelegte Definition aufrechtzuerhalten, da mit „den klugen weltkindern ... vorsichtig zu handeln" sei[106]. Die Formel der Vermittlerfürsten vom „christlichen Konzil" war ihnen zu uneindeutig[107].

Wie keiner der anderen evangelischen Fürsten hat der hessische Landgraf den politischen und religiösen Aspekt der Probleme bei seinen Verhandlungsdirektiven verknüpft. Schon vor dem Votum seiner Theologen hatte er sich gegen die exclusio futurorum entschieden und auf der Freiheit zur ungehinderten Ausbreitung des Evangeliums durch Entsendung von Predigern auf Bitten von „oberkeiten und

---

103. Vgl. Spalatins zwei Bedenken über die exclusio futurorum in Weimar, Staatsarchiv, Reg H 65, 79 ff. und 82 („Dem Herrn Cantzler Gregor Bruck etc. zu eigen handen"), die nach Höss, Spalatin, 358 f. am 13. April 1532 abgefaßt sind. Über Spalatins weitere Gutachtertätigkeit in Schweinfurt vgl. ebd., 358.

104. Vgl. Neudecker, Urkunden, 199 ff.; vgl. auch Braune, 52 ff. und Franz, Urkundliche Quellen II, 152.

105. Neudecker, Urkunden, 203: „Fried ist ein heilsam ding und sere notich und gut, aber wen friede nyt magk gehapt werden anders dann myt verletzung gots und seiner gepoht, so yst creutz und leyden besser dann pax et securitas" (zitiert nach der genaueren Wiedergabe bei Braune, 53 f.).

106. Neudecker, Urkunden, 204.

107. Ein kürzeres Gutachten hessischer Theologen, dessen Unterzeichner unbekannt sind, begründet den Einspruch gegen die Exklusion gleichfalls mit dem Gebot der Nächstenliebe und fordert die Urteile des Konzils nach dem Wort Gottes. Gegen andersartige Beschlüsse müsse der Landgraf protestieren; vgl. Braune, 54 ff. Über einen dritten hessischen Ratschlag vgl. Pol. Corr. II, 162 Anm. 1.

108. Vgl. die Instruktion für Schweinfurt bei Braune, 50 f.; vgl. auch Philipp an seine Räte, 13. April 1532 bei Franz, Urkundliche Quellen II, 150 f.

comunen“ in altkirchliche Territorien bestanden[108]. Außerdem forderte er, den evangelischen Ständen die Freiheit zu garantieren, neue Mitglieder in das Bündnis aufzunehmen, für ihn fraglos ein wichtiger Gesichtspunkt beim Problem der inclusio. Er ließ den sächsischen Kurfürsten wissen[109], daß er fest entschlossen sei, „frey zu stehen, uns nicht zu verpflichten, das wir andern heil, wolfart und nutze nicht suchen sollten, Es bleybe unser nutz, auch leib und gut, wo er wolle“, und ermahnte ihn zu gleichem Verhalten, „den zeittlichen fridde dem ewigen nicht vor(zu)setzen“, versuchte also wie Luther, wenn auch mit gegenteiliger Absicht, an das Gewissen Johanns von Sachsen zu appellieren. Vermutungen Luthers, er habe „mehr lust zu krieg dan zu friden“, wies er entschieden zurück und gab als sein einziges Bestreben an, dafür Sorge zu tragen, „das zu der ehrn Gottes seinem wortt freyer Lauff behalten ... were“, ließ die Frage der Bündniserweiterung also in den Hintergrund treten. Philipp hat, da er seine Politik nicht durchsetzen konnte, den Nürnberger Frieden in einer gereizten Auseinandersetzung mit Johann Friedrich, zu deren Beilegung eigens ein Rätetag zusammentreten mußte, als „unbedachtsam, schimpf- und spöttlich“ verurteilt[110], wobei er Luther nicht wenig Schuld daran zumaß, daß die christliche Liebe einem „treulosen und löcherichen Frieden“ nachgestellt worden sei[111].

Die Straßburger Stellungnahme zu den Religionsgesprächen[112] war weniger kompromißlos als die hessische, ohne aber deswegen mit Luther übereinzustimmen. Hinsichtlich der exclusio futurorum sahen die Theologen der Reichsstadt in einer evangelischen Zustimmung wie die hessischen Geistlichen vor allem ein Verbot des Evangeliums und damit eine Diffamierung der Religion durch die Evangelischen selbst[113], dagegen war die Inklusionsforderung für sie Verwirklichung der Pflicht zur Nächstenliebe. War die inclusio nicht zu erreichen, sollte das Vertragsinstrument wenigstens keinen ausdrücklichen Ausschluß der künftigen Anhänger und kein Verbot der Hilfe an sie enthalten[114]. In der Konzilsdefinition nahm das Straßburger Votum dagegen den gleichen Standpunkt wie Luther ein, wenn es die Qualifikation „christlich, frei“ für ausreichend erklärte[115]; auch im Artikel über das Abzugsrecht stimmte es mit Luther und Jonas überein: „Deren ..., so der Religion halb zu einiger oberkeit fliehen, muß man sich als der pilger und verfolgten Christi in keinem weg begeben.“

---

109. Rommel III, 46. 49 (31. Mai); vgl. auch ebd., II, 277 (an dens., 16. Mai). Vgl. dazu auch oben S. 214.

110. Vgl. Rommel II, 279 (an Johann Friedrich, 23. Sept.).

111. Ebd., 278 (an dens., 1. Aug.). – Zu den Auseinandersetzungen und ihrer Beilegung vgl. ebd., 278 ff.; Mentz I, 92 f.; II, 5 ff.; Fabian, Urkunden, 64 ff.; 86 ff.; 91 ff.

112. Die Instruktion des Rats vgl. Pol. Corr. II, 106 f.; das gleichzeitige Predigergutachten ebd., 107 ff. spricht sich vor allem gegen die Restitution der früheren Kirchengebräuche aus.

113. Vgl. das Predigergutachten zu den Artikeln vom 6. Mai, ebd., 147 ff.

114. Dieser Auffassung schloß sich der Rat an; vgl. ebd., 157.

115. Vgl. auch Bucers Nachschrift zum Predigergutachten vom Juni 1532 (vgl. darüber Pol. Corr. II, 157 Anm. 2): „Des Concilii halb konden wyr noch nit erkennen, was alle worte uns helffen mögen, wenn dise ‚frey, christlich‘ nit helffen werden“.

Bucer deutete wie Luther den angebotenen Frieden als „donum dei" und war gleichfalls der Überzeugung „nostrum non esse Caesarem compellere, ut idem aliis quoque donet[116]"; wenn sich die Evangelischen nicht verpflichten mußten, zukünftige Bekenner nicht zu unterstützen, konnte auf den Inklusionsartikel verzichtet werden. Andererseits stellte aber Bucer seiner Missionstheologie entsprechend den Auftrag an die Christen, das Wort Gottes auszubreiten, in den Vordergrund. Von dieser Basis aus kritisierte er Luthers Stellungnahme zu den Vorschlägen der Vermittler[117].

Die Instruktion der Stadt Ulm entsprach eher der Straßburger als der hessischen Stellungnahme, war jedoch nachgiebiger und konzilianter[118]. Der angebotene Frieden sollte auch dann nicht ausgeschlagen werden, wenn die inclusio futurorum trotz aller Bemühungen nicht zu erreichen war. Konstanz bezog dagegen eine sehr entschiedene Position, die der Luthers entgegengesetzt war[119]. Das wahrscheinlich in der Hauptsache von Johann Zwick[120] für den Rat abgefaßte Gutachten verwarf den Ausschluß zukünftiger Bekenner einschränkungslos und berief sich zur Begründung auf den missionarischen Auftrag des Christen und die Nächstenliebe. Wie Luther lehnte Zwick zwar jedes Sich-Verlassen auf menschliche Sicherung ab, bezog aber dieses Postulat auch auf die gegenwärtigen CA-Stände, für die es besser sei, „mit guottem gewissen sich gentzlich auf den getrewen got (zu) erwegen", als eine kurzfristige irdische Sicherheit mit ewiger Verdammnis zu erkaufen: „Da-

---

116. Schieß I, 351 f. (Bucer an Ambrosius Blaurer, 28. Juni 1532); vgl. auch ebd., 353.

117. Vgl. den bisher ungedruckten Wortlaut des von Bucer geschriebenen Anhangs zum Predigergutachten, das der Straßburger Rat am 28. Juni seinen Gesandten nach Nürnberg schickte (vgl. Pol. Corr. II, 157 und Anm. 2): „Veremur caussam haud synceriter Luthero propositam. Nam cum satis sciat a Caesare caussam ipsam peti, cuius defensionem nemo cuipiam cedere potest, miramur, si pacem iusserit recipere, quae datur nobis, non caussae. Nam si Evangelium non damnatur, illud amplecti nemini debet fraudi esse. Evangelium igitur et Christum prodimus, cum admittimus, unde nobis melius est vel aliquos ab Evangelio deterrendos. Iam quis adeo rerum imperitus, qui istud dubitet futurum, si pontificii de nobis securi facti fuerint? Lutherus indubie nemini impune permittet in ullo homine Evangelium damnare. Sed forsan spes est illis Caesarem nihil quam praetextum querere, quo pontificis a se improbitatem in praesens depellet.

Deinde cum nolit Lutherus armorum metum nostros incutere pontificiis, putat quicquid datur pacis amplectendum esse nec consyderat, quod pax ista cum hostibus Evangelii componitur et in certam iacturam Evangelii, quantum ad illos quidem attinet, cum quibus agitur. Item quod cum his de religione paciscitur. Nulli enim dubium, quin, quantum ad externa attinet, cum quovis pax admitti queat, at de religione cum religiosis tractari debeat. Verum tyrannidem patimur. patiamur ergo hanc cum opportuna professione officii nostri vel in articulis vel ratione commodiore. Caesarem ad suum officium compellere non licet. Dominus det consilium, cuius de causa agitur, amen." Original Straßburg, Stadtarchiv, AA 439, 30 f.

118. Vgl. Fabian, Beschlüsse II, 129 ff. (Instruktion für Nürnberg); ebd., 126 vgl. die Instruktion Ulms für Schweinfurt. Zur Ulmer Haltung bei den Verhandlungen vgl. auch Keim, 217 ff.

119. Zum Folgenden vgl. vor allem Moeller, Zwick, 151 ff.

120. Vgl. ebd., 151.

rum frisch, frölich und unverzagt alles auf in [= Gott] gewagt[121]." In der Frage der Konzilsdefinition riet das Gutachten gleichfalls zur Festigkeit. Zwicks Votum ist in die Instruktion des Rats für seine Gesandten bei den Verhandlungen in Nürnberg eingegangen; die Abschnitte über exclusio und Konzil wurden dort als gemeinsame Plattform der Städte übernommen[122].

Das ausführliche Mansfelder Gutachten, auf das Philipp als Gegenvotum zur Wittenberger Position verwiesen hatte[123], stammte zwar von Luthers Freund Johann Agricola[124], entfernte sich aber weit von Luthers Überlegungen, indem es in allen Punkten die Schweinfurter Politik der Stände billigte. Der Inklusionsartikel „gehort in das glauben und bekennen", denn es geht hier um den Bruder, „er komme heut ader uber ein jar, Er thue es heimlich ader offentlich, Er lebe unter uns ader unter den Tyrannen". Das Argument der Gegenseite, nur mit den gegenwärtigen CA-Ständen zu verhandeln, kann nicht akzeptiert werden, da der Kurfürst in Augsburg sein Bekenntnis für alle Evangelischen abgelegt hat und mithin „die gantze gemeine Christenheit, ob sie wol schweiget und in India und Persien ader in der Turckey ist, jetzt in Europa und Teutschen Landen auf seinem nakken" trägt. Auch in den anderen umstrittenen Punkten plädierte das Gutachten für Unnachgiebigkeit, vor allem in der Frage der Konzilsdefinition.

Nicht so entschieden fiel die Meinungsäußerung der Lüneburger Theologen aus, die die Pflicht zur Ausbreitung des Reichs Christi und zur Nächstenliebe hervorhoben und mit dieser Begründung die exclusio futurorum ablehnten[125]. Urbanus Rhegius, der dem hessischen Landgrafen im Juni ein eigenes Votum einreichte[126], verwarf die ganzen Friedensverhandlungen, da ein „bedreglicher, arglistiger fried" ihm „gar viel gefährlicher den ein offener krieg" schien. Er warnte davor, die Religionsstreitigkeiten rechtlich regeln zu wollen, als ob der Handel um Gottes Wort der Festlegung von Ackergrenzen gleichwertig wäre. Die äußere Sicherung war nach Rhegius mit innerer Unsicherheit erkauft, wenn um des bürgerlichen Friedens willen das „scandalon crucis" eliminiert wurde. In Nürnberg[127] sprachen sich die Ratsjuristen Scheurl und Müller für die Annahme der Artikel der Vermittler vom 11. April aus, ersterer mit der an Luther erinnernden Mahnung, daß

---

121. Ebd., 152.

122. Vgl. Pol. Corr. II, 162; vgl. oben S. 214 f.

123. Vgl. oben S. 214.

124. Agricola wird als Verfasser in der Überschrift der Kopie in Nürnberg, Staatsarchiv, ARA XIX, Bl. 79 ff. genannt: „Magister Johann eislebens bedencken". Braune, 61 Anm. 2 spricht vom „Gutachten von Anhalt und Mansfeld", kennt aber den Verfasser nicht. Bei G. Kawerau, Johann Agricola von Eisleben (Berlin 1881) ist der Text nicht erwähnt.

125. Kopie in Nürnberg, Staatsarchiv, ARA XIX, Bl. 89 ff.; vgl. auch Braune, 59 f. Anm. 3.

126. Vgl. Neudecker, Urkunden, 212 ff.; Rhegius' Brief vom 19. Juni ist die Antwort auf einen ihm überschickten „landgräflichen Ratschlag"; von Braune, 60 Anm. 1 mit dem hessischen Theologengutachten identifiziert.

127. Zur Nürnberger Haltung vgl. Schornbaum, Georg, 200 ff.; Ludewig, 140 f.; Engelhardt, Religionsfriede, 56 ff.; ders., Reformation II, 293 ff.; Franz, Nürnberg, 121 ff.

Gott vor der Tür stehe und der freundlich angebotene Frieden nicht ausgeschlagen werden dürfe[128]. Nach den Vorschlägen des Kaisers vom 10. Juni stimmte Nürnberg mit Sachsen gegen die anderen Stände darin überein, auf die inclusio futurorum zu verzichten. Zwar ließen sich die sächsischen Vertreter von Hessen noch einmal auf die ursprüngliche Position zurückdrängen, „aber von Brandenburgk und Nurmbergk, das sy E.f.g. [sc. Philipp von Hessen] theyls in den treffenlichsten Puncten pleyben sollten, wissen wir nichtzit zu vertrösten[129]". Nachdem der Nürnberger Vertreter wie die anderen Stände Luthers und Jonas' Gutachten vom 29. Juni als zu weitgehend abgelehnt hatte[130], wurde der Vorschlag eines einfachen Stillstands ohne Einzelbestimmungen von Nürnberg unterstützt, obwohl Spengler den Inhalt dieses Stillstands für schlechter hielt als die anfänglich vorgeschlagenen Artikel der Vermittler[131].

Die Nürnberger Theologen waren der Politik des Rates vorausgeeilt. In einem Gutachten hatten sie im März 1532 Luthers Bedenken von 1531 akzeptiert, aber hinsichtlich der Restitution der bischöflichen Jurisdiktion zur Vorsicht geraten und es für ausgeschlossen erklärt, daß die „papistischen" Zeremonien in evangelischen Territorien wieder eingeführt würden, andererseits aber auf der Forderung nach freier Predigt des Evangeliums in den katholischen Territorien bestanden[132]. Ein gesondertes, offenbar während der Schweinfurter Verhandlungen abgefaßtes Bedenken des Nürnberger Predigers Link schloß sich eng an Luther an, indem es den Frieden als ein Geschenk Gottes und als ein Angebot der Obrigkeit, „so in nödten stegkt und villaicht unsser Hülffe begeret, derohalben auch uns friden anbeut", interpretierte[133]. Die evangelischen Bedingungen hinsichtlich der inclusio futurorum und einer genauen Konzilsdefinition, zu der Link das Urteil abgab: „quod est impossibile", wurden dem Frieden nachgeordnet, da die Verantwortung für das Gemeinwohl des Reiches einen Friedensschluß verlangte.

Das zwischen 23. und 31. Mai abgefaßte[134] Gutachten der Nürnberger Geistlichen über die Artikel der Vermittler vom 6. Mai analysierte detailliert die Hauptstreitpunkte: Konzilsdefinition; Verbot, fremde Untertanen an sich zu ziehen; inclusio futurorum[135]. Dabei hielten die Verfasser wie Luther die genauere Konzilsdefinition nicht für gravierend, während sie über den Sinn des Verbots,

---

128. Vgl. Engelhardt, Religionsfriede, 56 f.

129. Hessische Gesandte an Philipp, 18. Juni 1532; Neudecker, Urkunden, 208.

130. Vgl. oben S. 216 den Brief des Kurprinzen an Kurfürst Johann, 9. Juli 1532.

131. Vgl. Meyer, Spengleriana, 100 (Spengler an Dietrich, 29. Juli); Spengler sah auch schon früher den Grund für die Schwierigkeiten bei den „Unsern ..., als ob inen gar nit ernst sey, ainen friden zu haben oder zubewilligen", während der „fromm kaiser" und die Vermittler nicht zu beschuldigen waren; ebd., 95 f. (an Dietrich, 4. Juli 1532).

132. Nürnberg, Staatsarchiv, ARA XVIII, 89 ff. 95 ff.; ein Exzerpt von der Hand Spalatins befindet sich in Weimar, Staatsarchiv, Reg H 65, 114 f. Vgl. auch Schornbaum, Georg, 200 f.

133. Abschrift Spalatins in Weimar a. a. O., 107. 109.

134. So die Datierung bei Seebaß, 22 Nr. 131.

135. Vgl. Engelhardt, Religionsfriede, 79 ff.; vgl. auch Schornbaum, Georg, 220 f.

fremde Untertanen an sich zu ziehen, merkwürdig unsicher waren; nur die Minorität interpretierte es als ein Verbot, die Untertanen altkirchlicher Stände zum evangelischen Glauben zu bekehren, während die Mehrheit in ihm ein Verbot sah, solche Untertanen politisch unter die eigene Herrschaft zu bringen. Entsprechend diesem Verständnis wurde dem Rat empfohlen, gegen den Artikel keine Einwände zu erheben. Der Verzicht auf die inclusio futurorum fiel leicht, da nach ihrer Überzeugung die Gegenseite gegen künftige Anhänger der CA nicht mit Gewalt vorgehen werde.

Wie die Vertreter des Markgrafen Georg von Ansbach zunächst entschiedener als die Nürnberger gegen die exclusio futurorum und zu weitgehende Kompromisse auftraten[136], waren auch die brandenburgischen Theologen weniger bereit, den Artikeln der Vermittler zuzustimmen. Ein erstes Gutachten[137] erklärte sich, gestützt auf zahlreiche Schriftallegate, für den Einschluß künftiger Bekenner in den Frieden, weil niemandem die Annahme des Glaubens verboten werden dürfe. Auch auf der erweiterten Konzilsdefinition im Sinne der evangelischen Formel wurde bestanden. Nachdem dieses Gutachten nicht den Beifall der Statthalter des Markgrafen gefunden hatte, wurde auf einer neuen Zusammenkunft, an der auch Brenz teilnahm, ein verständigungsbereiteres Votum[138] abgefaßt, das Luthers Standpunkt sehr nahekam. Brenz selbst hatte schon früher den Formulierungen der Vermittler im wesentlichen zugestimmt[139]. Wie Luther verstand er den Frieden als Geschenk des Kaisers; während Luther jedoch seine Auffassung vor allem mit religiösen Erwägungen begründete, bezog sich Brenz auf die verfassungsrechtliche Interpretation des Verhältnisses von Fürsten und Kaiser, der zufolge die evangelischen Stände in Schweinfurt als Untertanen mit ihrer „naturlichen, rechten oberkeit" verhandelten[140]. Um den Frieden nicht scheitern zu lassen, begnügte er sich wie Luther mit der Bedingung, nicht selbst dem Ausschluß der künftigen Bekenner zuzustimmen. „Alle weltliche, dem Christlichen gwissen angehörig, bschwerlichkeit[141]" mußte dagegen ertragen werden, um den friedlichen Ausgleich herbeizuführen.

Brenz' Erwägungen sind zu großen Teilen in das zweite Gutachten der Ansbacher Theologen übergegangen, wenn auch anscheinend erst nach gewissem Widerstreben der letzteren[142]. In dem Entwurf der Vermittler vom 6. Mai mit den

---

136. Vgl. ebd., 202 ff.
137. Vgl. ebd., 221 ff.
138. Vgl. Pressel, Anecdota, 123 ff.; vgl. dazu auch Schornbaum, Georg, 223 ff.
139. Das bei Pressel, 131 ff. abgedruckte Gutachten gehört in ein verhältnismäßig frühes Stadium der Verhandlungen, da in ihm noch die Einbeziehung der Apologie neben der CA als Lehrgrundlage erörtert wird, die von den Vermittlern am 6. Mai zugestanden wurde; der Text geht daher wohl auf die Artikel vom 11. April oder die Verhandlungen vom 22./23. April 1532 (wenn auch mit anderer Zählung der Artikel) zurück; vgl. auch die Überschrift bei Schornbaum, Georg, 531 Anm. 964. Kantzenbach, Brenz, 79 spricht von einem „Consilium zu den Schweinfurter Beschlüssen".
140. Pressel, Anecdota, 134.
141. Ebd., 140.
142. Vgl. Schornbaum, Georg, 224 f.

Korrekturen der Stände vom 7. Mai wurden nur für wenige Stellen Änderungen vorgeschlagen[143].

Allen Gutachten zu den Schweinfurt-Nürnberger Verhandlungen fehlt das Movens von Luthers Stellungnahme, das Kairos-Bewußtsein und die präsentische Dimension des „nunc" und „nobis"; selbst aus der Übereinstimmung in der Beurteilung des Friedens als Geschenk Gottes werden je verschiedene Schlüsse gezogen. Andererseits stellen die meisten Voten stärker als die Wittenberger die aus der caritas proximi erwachsenden Pflichten in den Vordergrund. Während Luther im Streit um die inclusio futurorum nur einen friedenshindernden Faktor sah, der ohne Verletzung des Gewissens preisgegeben werden konnte und mußte, war die Mehrzahl der anderen Theologen des evangelischen Lagers vom primären Wert des Friedens offensichtlich dann nicht mehr überzeugt, wenn er nur die eigene Sicherheit unter Aufgabe der Sorge für die Brüder bedeutete; hinzu kam das missionarische Moment. Allerdings waren nur wenige Stände wie Hessen und Konstanz bereit, an dieser Differenz zwischen den Parteien notfalls die Verhandlungen scheitern zu lassen, während die Majorität zwar für die Inklusion eintrat, aber bereit war, äußerstenfalls die Frage im Vertragstext auszuklammern. Die Gleichgültigkeit gegen die äußere Absicherung der Zukunft des Wortes Gottes, wie sie Luther im Vertrauen auf dessen Selbstdurchsetzungskraft besaß, fehlt den anderen Theologen fast ganz.

Daß sich die auf Luthers Voten zurückgehenden Differenzen unter den evangelischen Ständen bei den Verhandlungen nicht auswirkten, wurde nur durch die Einigung auf das allgemeingehaltene Friedensinstrument verhindert, in dem die Streitpunkte zwischen den Parteien nicht erwähnt wurden und damit auch der Gegensatz zwischen Luther und der durch ihn beeinflußten sächsischen Politik auf der einen, den übrigen Ständen auf der anderen Seite nicht offen zutage trat.

8. Probleme des Widerstandsrechts 1536

Nach der mit der Gründung des Schmalkaldischen Bundes abgeschlossenen Phase hat die Konzilsausschreibung durch Paul III.[1] die Diskussion über das Widerstandsrecht im protestantischen Lager neu belebt, da die Torgauer Übereinkunft[2] zwar die Frage der Notwehr gegenüber dem Kaiser als verfassungsrechtlichem magistratus superior gelöst hatte, jetzt aber ein neues Problem auftauchte: der Kaiser als Beauftragter des Konzils und als Exekutor von dessen Beschlüssen, legitimiert durch sein Amt als Kirchenvogt und damit positiv-rechtlich abgesichert[3].

---

143. Den in Ansbach abgeänderten Entwurf der Artikel vom 6./7. Mai vgl. bei Pressel, Anecdota, 126 ff., die dazu gehörige Begründung ebd., 123 ff.

1. Ein Kapitel über die Auseinandersetzungen zwischen Politikern und evangelischen Theologen über das Konzil 1533–1537, das aus Platzgründen aus der vorliegenden Arbeit herausgenommen werden mußte, soll gesondert veröffentlicht werden.

2. Vgl. oben S. 177 ff.

3. In seiner Aufzeichnung über die Beratung der Wittenberger Theologen, die ihren

Für diesen Fall hatten die sächsischen Juristen 1530 festgestellt: „Statuta ... concilii potest (Caesar) manutenere et exequi[4]", also hier eindeutig ein Widerstandsrecht verneint. Der damals für unwahrscheinlich gehaltene Fall war jetzt eingetreten, das Konzil schien vor der Tür zu stehen.

Die Wittenberger diskutierten die neuen Aspekte des Widerstandsrechts auf Anforderung Brücks[5] in ihrem Konzilsgutachten von 1536[6]. Die Beratung dieser Frage am 6. Dezember hat Bugenhagen zusammengefaßt: „Diligenter cogitandum, quid et nos ante faciamus, ne periculum sit principatui neve periculum verbo dei et Evangelio, si tacuerimus aut nihil fecerimus[7]". Die von Luther seinerzeit in Torgau abgesteckten Grenzen hat Melanchthon, der Verfasser des Gutachtens, respektiert und die Applikation der Zwei-Reiche-Lehre auf das Problem der Gegenwehr übernommen, so daß auch das Votum von 1536 der politischen Instanz einen theologiefreien, autonomen Entscheidungsbereich zugesteht: „Evangelium non tollit politica seu leges politicas[8]". Nur wird, was 1530 lediglich zugelassen worden war, jetzt eigenständig begründet. Hatte Luther damals eine Herleitung des Widerstandsrechts aus dem Naturrecht abgelehnt und nur seine Abstützung auf ein „novum ius, ultra naturale, sed politicum et imperiale" zugelassen[9], beruft sich Melanchthon jetzt auch ausdrücklich auf das Naturrecht, wenn er auch die 1530 verworfenen Argumente nicht aufgreift, sondern andere Rechtssätze heranzieht. Die biblische Absicherung — bezeichnenderweise vorwiegend mit Allegaten des Alten Testaments — ist gleichfalls ein Novum gegenüber 1530.

Zwei Fragen wurden 1536 erneut erörtert:

1. Was darf die Obrigkeit in der causa fidei tun, d. h. ist überhaupt Gewaltanwendung, auch wenn sie defensiv erfolgt, erlaubt, wo es um Glaubensverkündigung und Kirche geht?

2. Können bei einem Konflikt zwischen fürstlicher und kaiserlicher Obrigkeit die Vorschriften von Röm. 13 in Anspruch genommen werden?

Niederschlag in dem Gutachten CR III, 126 ff. fand, formuliert Bugenhagen das Problem: „Videtur pro conscientia periculosius in futurum, quando Caesar non ut privatus tyrannus, sed ut praefectus et defensor Ecclesiae hoc [sc.: nos ... vi impetere] forte facturus est"; Volz, Entstehungsgeschichte, 319.

4. Vgl. Müller, Äußerungen, 91.

5. Vgl. CR III, 156.

6. Ebd., 126 ff., ausgearbeitet von Melanchthon, unterschrieben von Luther, Jonas, Bugenhagen, Amsdorf, Cruciger und Melanchthon; der das Widerstandsrecht betreffende Teil auch bei Scheible, 89 ff. (nach der Ausfertigung). Zum Text vgl. Müller, Äußerungen, 65 ff. und Lüthje, 529 f. (dort ist aber 530 f. Melanchthons Entwicklung falsch geschildert, da der zur Beweisführung angezogene Brief an Heinrich von Einsiedel erst von 1546 stammt).

7. Volz, Entstehungsgeschichte, 319.

8. CR III, 128; Scheible, 89. Die Einschränkungslosigkeit dieser Formulierung entspricht Torgau (WAB V, 662, 7 f.). In den gleichzeitigen Loci werden genauere Abgrenzungen vorgenommen; vgl. CR XXI, 552; vgl. aber auch ebd., 550. Zum Nichtwiderspruch zwischen Politik und Theologie vgl. auch ebd., 544.

9. WAB VI, 37, 29; vgl. oben S. 176.

Die zweite Frage beantworten die Wittenberger in Übereinstimmung mit dem Votum Luthers aus dem Oktober 1530 und den Torgauer Argumenten der Juristen im Sinne einer verfassungsrechtlichen Autonomie und Selbstverantwortung der Fürsten. Indem sie die juristischen Einschränkungen der Subordination der Stände unter die Reichsspitze übernehmen, ist das Widerstandsrecht auch 1536 nur noch eine Frage zutreffender, von den Theologen nicht vorzunehmender Gesetzesexegese. Das Gutachten zeigt aber darüber hinaus, in welcher Extension seit 1530 ein innerer Umdenkungsprozeß bei den Theologen stattgefunden hatte. Damals entschied Luther, daß es Aufgabe der Juristen sei, darüber zu befinden, ob die Gesetze ein Widerstandsrecht zulassen; jetzt wird die positive juristische Entscheidung vorausgesetzt und theologisch abgestützt. Die bisherige Verweisung in die Kompetenz der Juristen und die theologische Unzuständigkeitserklärung wird jetzt durch eine positive Argumentation ersetzt, den in Torgau den Juristen überlassenen Schluß auf Pflichten und Rechte des Fürsten in der Notwehrsituation ziehen jetzt die Theologen.

Das Widerstandsrecht wird 1536 zum erstenmal mit der cura religionis[10] begründet, die jetzt als vornehmste Pflicht des christlichen Fürsten erscheint. Damit wird der Institutionalisierung der reformatorischen Bewegung und der Tatsache des evangelischen Territoriums im Gegensatz zu Luthers bisheriger Haltung Rechnung getragen. „Christliche unterthan, dazu auch christliche lahr und eusserliche rechte gottesdienst zu schutzen und zu handhaben[11]", ist kein Superadditum zu anderen obrigkeitlichen Aufgaben mehr oder lediglich ein Derivat der Nächstenliebe, sondern eine zur Definition der Obrigkeit gehörende Pflicht[12], die hergeleitet wird aus der allgemeinen Aufgabe, die Untertanen zu schützen, und aus der Vorschrift des zweiten Gebots, Gotteslästerung zu verhindern[13].

Mit Hilfe der These von der cura religionis war im übrigen auch zum erstenmal eine theoretische Begründung für den Widerstand bei einem Angriff wegen der Religion innerhalb der pares-Relation geliefert. In der superior-inferior-Relation wurde durch sie die Position von Torgau erneut bestätigt, in der Konkurrenz der beiden aus der Schrift abzuleitenden Forderungen an den Fürsten: cura religionis durch das zweite Gebot, Gehorsam gegenüber dem Kaiser durch Röm. 13, entschieden sich die Theologen für die Priorität der cura religionis.

Neben dieser Grundsatzentscheidung ist das Gutachten von 1536 zu einem

---

10. Zur Problematik der cura religionis und der damit verbundenen custodia utriusque tabulae vgl. Heckel, Cura, 6 ff.

11. CR III, 128 f.; Scheible, 90; vgl. auch CR III, 128 = Scheible, 89.

12. Vgl. entsprechende Ausführungen in den Loci von 1535 CR XXI, 552 f. Die „cura magistratus utriusque tabulae quoad doctrinam" wird auch im Gutachten „Quatenus ad Magistratus civilis officium pertineat abolere impios cultus" herausgestellt; vgl. CR III, 225. Teilweise sind in den entsprechenden Ausführungen der Loci und im Gutachten dieselben Bibelzitate verwendet, allerdings wird in den Loci die christliche Aufgabe des Fürsten mehr disziplinär und „innenpolitisch", nicht unter dem Aspekt des Schutzes gegen einen Angriff von außen gesehen.

13. Die Absicherung durch das 2. Gebot auch in den Loci seit 1535; vgl. CR XXI, 552 f.

großen Teil untheologische Rechtsbelehrung. Die in ihm untersuchten zwei Fälle: Gewaltanwendung des Kaisers vor dem Konzil oder auf Grund von Konzilsentscheidungen, erfahren die gleiche Lösung. Bei Einschreiten des Kaisers gegen die Evangelischen vor dem Konzil war die Lage eindeutig, da dann ein flagranter Verstoß gegen die Rechtsordnung vorlag, die verbot, „pendente appellatione" ein Urteil zu exekutieren. Außerdem usurpierte der Kaiser mit dem Anspruch auf ein Richteramt in der causa religionis Rechte, die ihm nicht zustanden. Für die Angegriffenen rückte er damit in den Status des notorie iniustus, gegen den die „naturliche ordnung der regiment[14]" die Gegenwehr gestattete. Seine Einwände von 1530 über das mangelnde Unrechtsbewußtsein des Angreifers, das den Grund der notoria iniustitia rechtlich fragwürdig, wenn nicht unanwendbar machte[15], wiederholte Melanchthon nicht – auch das ein deutliches Zeichen des Akkommodationsprozesses der Theologen seit Torgau.

Enger mit der speziellen Konzilsdiskussion war die zweite Erörterung verknüpft. Wenn der Kaiser, von der Autorität des Konzils formell bevollmächtigt, dessen Mandate zur Exekution bringen sollte, war ein schwierigerer Rechtsfall gegeben, da dann mindestens eine Scheinlegitimation bestand und die Absenz eines Unrechtsbewußtseins ohne weiteres vorauszusetzen war. Es kam daher in diesem Punkt für die evangelische Seite darauf an, die Rechtsverbindlichkeit entsprechender Konzilsbeschlüsse und die Legitimität des ausgeschriebenen Konzils als mandatserteilender Instanz überhaupt zu bestreiten. Als Kriterien für die Ungültigkeit von Beschlüssen des Konzils nannte das Gutachten daher ungerechten Modus, prozedurale Fehler und Verstöße gegen die Schrift als alleinige Urteilsnorm. Wer unter derartigen Umständen zustandegekommene Konzilsmandate exekutierte, handelte in notoria iniustitia. Aber auch wenn der Prozeßmodus den Normen entsprach, konnte dennoch der Fall eintreten, daß das Konzil sich der rechten Erkenntnis verschloß und ein ungerechtes Urteil, das „offentliche idolatria und abgotterey und offentliche iniurien" bestätigte[16], fällte. Die Exekution einer solchen Sentenz, deren Bewertung und rechtliche Würdigung Melanchthon den evangelischen Ständen und ihren Theologen als Prüfungsinstanz unterwerfen wollte, war gleichfalls iniuria notoria mit allen Folgen für den Exekutor und ließ das Widerstandsrecht in Kraft treten. Nach dem zweiten Gebot war der Fürst nicht nur berechtigt, sondern auch verpflichtet, in diesem Fall seine Untertanen zu schützen; als Parallele diente der unter türkischer Oberherrschaft lebende christliche Fürst, der verpflichtet war, sich gegen die Einführung der fremden Religion in seinem Territorium zu wehren.

Die Frage nach dem richtigen Verhalten des Fürsten in der superior-inferior-Relation stellte sich nach den theologisch-juristischen Deduktionen von 1536 also

---

14. CR III, 129; Scheible, 90.
15. Vgl. oben S. 182.
16. CR III, 130; Scheible, 91. – Kaum richtig dürfte die Interpretation bei Müller, Äußerungen, 66 f. sein, der aus dieser Formulierung herausliest, daß der Papst auf dem Konzil von einer Verurteilung absehen könnte und nur die Einführung der „Abgötterei" befehle.

auch bei einem als Mandatar des Konzils handelnden Kaiser nicht, da dieser in jedem Fall, in dem sich die evangelischen Fürsten nicht freiwillig einem Mandat unterwarfen, als Vollstrecker einer iniustitia notoria auftrat und als solcher nach dem juristischen Befund von Torgau keinen Anspruch auf Gehorsam hatte. Die Wittenberger Theologen bestätigten daher ihrem Landesherrn, daß die „fursten und alle oberkeiten schuldig sind, offentliche gewalt und unzucht, als ehezerreissung[17], zu weren. Und viel mehr sind sie schuldig, offentliche abgotterey zu weren, lauts des andern gebots[18]".

Luther hat sich nicht mit der einfachen Unterzeichnung des Votums begnügt, sondern für seine Unterschrift — Melanchthons Argumentation verstärkend — die Form gewählt: „Ich ... wil auch dazu thun mit beten, auch (wo es sein sol) mit der faust[19]." Er hat den Inhalt des Gutachtens gebilligt, wenn er auch kaum Anteil an der Formulierung gehabt haben dürfte[20]. Die Form seiner Unterschrift ist früh als anstößig empfunden worden; beim Abdruck des Textes im 16. Jahrhundert wurde sie daher fortgelassen[21], Seckendorf hat ihren zweiten Teil interpretierend mit „precibus et manu, id est calamo" übersetzt[22]. In der Tat ist der schroffe Ausdruck überraschend, doch täuscht die Radikalität der Formulierung. Luthers Zusatz war offensichtlich nichts anderes als eine Reaktion auf die letzten Sätze des Gutachtens, in denen Melanchthon die rechtliche Klassifizierung eines eventuell vom Konzil geforderten Verbots der Priesterehe und der Auflösung der bestehenden Ehen von Geistlichen behandelt hatte, um daraus den zusammenfassenden Schluß zu ziehen, daß die Obrigkeit zur Abwehr von „offentlicher abgotterey" verpflichtet wäre. An dieser in die Kompetenz des magistratus civilis fallenden Aufgabe wollte Luther sich als unter diesem Regiment Stehender beteiligen, d. h. hier äußerte sich nicht der Theologe, sondern der Untertan, der seine Obrigkeit bei einer ihr von der Schrift übertragenen Pflicht unterstützen mußte. Damit war keine Absage an den Leidensgehorsam des Christen gegenüber ungerechter Gewalt oder auch nur die Proklamation eines allgemeinen Widerstandsrechts verbunden, da Luther hier nicht das Problem des Verhaltens in der Verfolgung sah, sondern die Aufgabe der weltlichen Obrigkeit zur Abwehr von Verstößen gegen das zweite Gebot.

Die Frage des sachgerechten Verhaltens der evangelischen Stände gegenüber der Exekution unannehmbarer Konzilsmandate beschäftigte nicht allein die Wittenberger Theologen, da in den Artikeln, die Kurfürst und Landgraf bei einer Zusammenkunft in Eisenach aufsetzten und an die Mitglieder des Schmalkaldi-

---

17. Bezug auf den zuvor erörterten Fall, daß das Konzil die Priesterehe verbieten würde.

18. CR III, 131; Scheible, 91 f.

19. CR III, 131; Scheible, 92.

20. Auch Melanchthons Aussage von 1539 über das Widerstandsrecht: „Nos cum Luthero ante biennium re deliberata iudicavimus, ὅτι ἐστὶν ὅσιον" (CR III, 647), läßt nicht auf eine unmittelbare Einwirkung Luthers schließen.

21. Vgl. E. Wolgast, Die Wittenberger Luther-Ausgabe (Nieuwkoop 1971), 195.

22. Vgl. Seckendorf III p. 145.

schen Bundes verschickten, auch um für einen Bundesbeschluß ausreichende Instruktion der Vertreter beim nächsten Bundestag darüber ersucht wurde, „wo nun dorinne [sc. im Konzil] determinirt wurde, das unchristenlich und Gottes wortt zuwidder und der babst durch seinen anhang solches volstrecken wollte, was dargegen zuthun und wie solchen handlungen zubegegnen sein mochte[23]". Für wie gefährlich Sachsen und Hessen die Situation ansahen oder es wenigstens vorgaben, um die Verhandlungen über die militärische Organisation des Bundes voranzutreiben, erhellt auch aus der von ihnen gleichfalls in Eisenach ausgearbeiteten Proposition zur Eröffnung des Bundestags[24]. In Übereinstimmung mit einem den Eisenacher Artikeln beigegebenen Zettel[25] wurde in ihr vorgeschlagen, über einen Modus zu beraten, „darmit man des Backenstreichs nit alwegen von inen [sc. den Papisten] gewertig sein darf[26]".

Das Ergebnis der Eisenacher Aufforderung ist, soweit es in Instruktionen und Bedenken seinen Niederschlag gefunden hat, dürftig ausgefallen. Während die Straßburger und Nürnberger Theologen auf diesen Punkt überhaupt nicht eingegangen sind[27], hielten die Frankfurter Geistlichen[28] an der früheren Wittenberger Linie fest, indem sie vor der Antizipation einer für Gottes Eingreifen offenen Zukunft warnten; vor allem aber erhoben sie Einwände gegen das zu große Maß menschlicher ratio, das in derartige Erwägungen einging. Im Verzicht auf die Leidenspflicht des Christen zugunsten einer auf Vernunft gegründeten Lösung sahen sie die Gefahr, „als ob man fayge sey und meine Christum und sein Wort nit mit ernst, Gedenck auch nit, mit freydigem bekentnis beydem beistand zu thun"[29]. Damit antworteten sie allerdings nur auf die Frage nach dem Verhalten des Christen qua persona, ohne die verfassungsrechtliche Stellung der Reichsstände als Obrigkeit mit Schutzpflichten für ihre Untertanen zu berücksichtigen.

Das von Corvinus konzipierte Bedenken hessischer Theologen zu den Eisenacher Artikeln entsprach dagegen in der Antwort auf die Frage nach dem Widerstandsrecht der Höhe der Reflexion der Wittenberger[30]. Es unterschied sich damit von den Ausarbeitungen des Melsunger Pfarrers Johann Lening, der die Berechtigung der Notwehr zur rein juristischen Frage erklärte[31], wie auch von dem Votum der

---

23. Meinardus, 634 § 10.

24. Marburg, Pol. Arch. 464, 251; vgl. Bizer, Verständnis, 67. 76. Vgl. auch Philipps weitgespannte militärische Bündnispläne in diesem Zusammenhang; Braune, 81 f.

25. Vgl. Meinardus, 635 f.

26. Bizer, Verständnis, 76.

27. Das Gutachten der Straßburger Prediger vgl. Pol. Corr. II, 413 f.; die Instruktion des Rats, in der über das Notwehrrecht gleichfalls nichts enthalten ist, ebd., 409 ff. Zu den Nürnberger Bedenken und Instruktionen vgl. Engelhardt II, 349; Seebaß, 152 f. — Spengler war 1534 gestorben, Brenz wurde zwar von Georg von Ansbach um ein Gutachten zu den Eisenacher Artikeln ersucht (vgl. Pressel, Anecdota, 189 f.), sein Text ist aber, falls Brenz dem Wunsch des Markgrafen überhaupt entsprochen hat, unbekannt.

28. Vgl. Neudecker, Urkunden, 274 f.

29. Ebd., 284.

30. Vgl. zu dem Gutachten Braune, 47 f.

31. Vgl. ebd., 72.

Kasseler Theologen Fontius und Melander[32], die einen merkwürdigen Ausweg wählten: Bei „ungewitter am hymel" wie bei „unfried uf erden" sollte die Gemeinde zum Gebet zusammengerufen werden, um sie dann tun zu lassen, „was christlich und recht were". An ein theologisch begründbares Widerstandsrecht scheinen diese Geistlichen nicht gedacht zu haben[33]. Corvinus' Bedenken differenzierte dagegen wie die Wittenberger Theologen zwischen der Pflicht des Christen, Unrecht zu ertragen, und dem Amt des Fürsten. Wie die Eisenacher Artikel spricht auch sein Gutachten nur vom Papst, der im Fall der Gewaltanwendung mit Hilfe seines „Anhangs" aus eigensüchtigen Motiven handelt und als Tyrann „und zerrutter oder verstorer der gemeinen zu achten" sei[34]. Da die Exekutoren päpstlich-konziliarer Entscheidung die gleiche Qualifizierung erfahren, erübrigten sich verfassungsrechtliche und theologische Erörterungen über das Verhältnis Kaiser – Fürst auf der Basis von Röm. 13.

9. Französische und englische Verhandlungen 1535/36 und 1539

Das Anwachsen der politischen Bedeutung des deutschen Protestantismus im Kräftefeld der Mächte und das Interesse, das der Schmalkaldische Bund als potentieller Machtfaktor gegen die habsburgische Macht in Westeuropa fand, erweiterte den Tätigkeitsbereich der Wittenberger Reformatoren auf die internationalen Beziehungen, denn sowohl Frankreich wie England verknüpften ihre politischen Sondierungen fast immer auch mit theologischen Annäherungsversuchen, die aber im wesentlichen nur Mittel zum Zweck waren. Die Schlüsselfigur auf evangelischer Seite ist dabei Melanchthon. Um ihn, nicht um Luther, bemühen sich Engländer und Franzosen, eine Delegation unter seiner Leitung wird von beiden Ländern dringend gewünscht. Nachdem Melanchthon wie Bucer 1534 ein theologisches Gutachten für den französischen König ausgearbeitet hatte[1], wurde er 1535 zu Beratungen über das bevorstehende Konzil nach Frankreich eingeladen[2]. Die mit dieser Einladung verbundenen politisch-propagandistischen Absichten Franz' I., durch eine von ihm zustandegebrachte Union auch auf diesem Feld Karl V. einen Vorteil abzugewinnen, haben die evangelischen Fürsten und erst recht die Wittenberger Reformatoren zweifellos nicht durchschaut, wenngleich sie – im Gegensatz zu ihrer Haltung gegenüber England – eine gewisse, aus Kaiserloyalität und Reichspatriotismus geborene Zurückhaltung gegenüber dem französischen König niemals überwunden haben.

---

32. Vgl. ebd., 47.

33. Auch Braune, 47 interpretiert den Text eher als eine Empfehlung des passiven Ungehorsams denn als Befürwortung der Gegenwehr.

34. Ebd., 48 Anm. 1.

1. Vgl. CR II, 741 ff.; Bourilly, 179 ff.; Stupperich, Humanismus, 32 ff.; Pollet II, 488 ff.; Seidel, 16 f.

2. Vgl. dazu C. Schmidt, Melanchthon, 268 ff.; Seidel, 47 ff.

Melanchthon hat sich trotz seines anfänglichen Zweifels am Nutzen der Reise[3] für die Annahme der Einladung entschieden, vor allem nachdem er durch den Kardinal Jean du Bellay beschworen worden war, „per Christum ... occasionem rei gerendae inter mortales omnium pulcherrimae“ nicht zu versäumen[4]. Kurfürst Johann Friedrich lehnte es allerdings ab, ihm die Erlaubnis zur Reise, die von Melanchthon erbeten wurde, um „diesen großwichtigen Handel der Religion den großen Potentaten und fremden Nationen so viel möglich ein(zu)bilden“[5], zu erteilen; nach seiner Auffassung war das Unternehmen nur geeignet, „Nachtheil und Verhinderung gemeines Friedens teutscher Nation zu verursachen, auch uns an unsern Sachen ... zu verhindern und zu verunruhigen“[6], d. h. seine Pläne für einen Ausgleich mit den Habsburgern zu stören. Zu diesem Grund kamen Rücksicht auf Melanchthons Person, Mißtrauen in die Ernsthaftigkeit der französischen Absichten und in die dogmatische Festigkeit des Unterhändlers, der sich in seinem Eifer, ein positives Ergebnis zu erzielen, vielleicht zu unzulässigen Konzessionen bewegen lassen konnte, hinzu[7].

Luther hat dagegen die Reise Melanchthons befürwortet[8] und ist, obwohl Johann Friedrich ihm selbst seine Ablehnungsgründe vortrug[9], schriftlich zugunsten des Plans vorstellig geworden[10]. Seine Befürwortung ist allein seelsorgerlich und damit unpolitisch motiviert, ist Ausdruck der den Mitchristen geschuldeten Liebe, des Mitleids mit den unterdrückten Glaubensbrüdern, deren Lage vielleicht durch die Ergebnisse einer Reise Melanchthons gebessert werden konnte. Da Luther die Briefe aus Frankreich an Melanchthon kannte[11], wußte er, daß die Verfolgungen dort nur in der Erwartung von Verhandlungen eingestellt worden waren[12]. Mit der Feststellung, daß Melanchthons Gewissen ihn angesichts der Hoffnungen der französischen Glaubensbrüder zur Reise verpflichtete, war die für Luther entscheidende Instanz genannt, gegenüber der alle politischen Überlegungen nur vordergründigen Wert beanspruchen konnten. Luthers Absage an die nur oder primär politische Betrachtung dieses Problems kulminiert in der für sein Denken bezeichnenden Aufforderung an den Landesherrn, „es auff Gottes gnade die drey Monat M. philipps wogen (zu) lassen“[13], d. h. sich von der dem Problem nicht gerecht-

---

3. Vgl. CR II, 874 ff. (Melanchthon an Johann Sturm-Paris).

4. Vgl. CR II, 889.

5. CR II, 903 ff.; richtig zu datieren: 15. Aug. (vgl. ebd., 907). Das Schreiben wurde von Melanchthon selbst in Torgau übergeben.

6. CR II, 911; zur Ablehnung vgl. auch ebd., 908. Vgl. dazu Seidel, 161 ff.

7. Dieser Grund wird von Johann Friedrich in einem eigenhändigen Anhang zu einem Brief an Brück angeführt; vgl. CR II, 909 f.

8. Vgl. WAB VII, 232, 5 f.: „Etiam me consule libens proficisceretur“ (an Jonas, 19. Aug. 1535). Daraus und aus WAB VII, 229 f. erhellt auch, daß Luther die Sorge vor der mangelnden Festigkeit Melanchthons bei der Behandlung der Prinzipien des Glaubens nicht teilte.

9. Vgl. CR II, 908.

10. Vgl. WAB VII, 229 f.

11. Vgl. CR II, 903.

12. Vgl. die Warnung du Bellays vom 16. Juli; CR II, 888.

werdenden verkürzten politischen Beurteilung freizumachen. Mit der Berufung auf Jes. 55, 8 und der Überlegung: „Wer weis, was Gott thun wil“[14], warnte er vor einer zu großen Rationalisierung dieser religiös-pastoralen Aufgabe.

Johann Friedrich hat sich allerdings durch diese Vorstellungen nicht beeindrukken lassen. Die Wittenberger Theologen fügten sich seinem Verbot[15], ohne ihr religiöses Prinzip gegen politische Nützlichkeitserwägungen durchzusetzen.

Hatte sich Luther in diesem Fall auf eine – wenn auch nachdrückliche – Empfehlung der Absichten Melanchthons beschränkt, ist er bei den Kontakten Heinrichs VIII. von England zu den Schmalkaldenern selbst in die Verhandlungen einbezogen worden. Allerdings sind die politischen und theologischen Bemühungen hier auch auf beiden Seiten intensiver gewesen, da – anders als bei Frankreich – das reichspatriotische Bewußtsein nicht hindernd auf die Bündnispolitik einwirkte. Heinrich VIII. betrieb die Bündnispläne entschiedener als Frankreich, empfing wiederholt evangelische Abordnungen, die allerdings nie unter der von England gewünschten Leitung Melanchthons standen, und schickte mehrfach Gesandtschaften nach Sachsen und Hessen[16]. Kompliziert gestalteten sich die Verhandlungen 1535/36 vor allem durch die Vermischung religiös-politischer Materien mit den persönlichen Angelegenheiten des Königs, d. h. dem Bemühen um ein positives Eheurteil Luthers und seiner Kollegen. Der Versuch der Wittenberger, die Eheannullierung von der Substanz der dogmatischen und bündnispolitischen Probleme zu trennen, blieb schon im Ansatz ohne Erfolg, da Heinrich VIII. beide Komplexe miteinander verknüpfte.

Von der politischen Bedeutung einer von ihm unter rechtstheologischem Aspekt getroffenen Entscheidung wollte Luther nichts wissen: „Das gehet die Fursten nichts an“[17]. Bei den Verhandlungen mit einer englischen Theologengesandtschaft 1536 in Wittenberg[18] hat er daher sein 1531 im Rahmen einer Befragung berühmter Gelehrter und der europäischen Unversitäten abgegebenes negatives Votum zur Ehescheidung des englischen Königs[19] mit geringen Modifikationen wiederholt[20]. Auch die neben den Eheverhandlungen laufenden bzw. sich an sie anschließenden dogmatischen Einigungsbemühungen führten letztlich nicht zum Erfolg,

---

13. WAB VII, 229, 18 f. Vgl. auch Zl. 7: der Kurfürst soll die Reise „ym namen Gottes erleuben“.

14. Ebd., 229, 19.

15. Die endgültige Ablehnung vgl. CR II, 910 f.

16. Vgl. zusammenfassend Prüser, England und die Schmalkaldener; Doernberg, 63 ff.; H.-U. Delius, Königlicher Supremat oder evangelische Reformation der Kirche. Heinrich VIII. von England und die Wittenberger 1531–1540. In: Wiss. Zeitschrift der Ernst-Moritz-Arndt-Universität Greifswald Jg. 20, Ges.- und sprachwiss. Reihe Heft 4/5, 283 ff.

17. WAB VII, 268, 20 (an Brück, 12. Sept. 1535).

18. Vgl. dazu Prüser, 38 ff.

19. WAB VI, 177 ff. (A) und 183 ff. (B); vgl. Thieme, passim; Doernberg, 69 ff.

20. Vgl. CR II, 528 f. (von Melanchthon abgefaßt, von ihm, Luther, Bugenhagen, Jonas und Cruciger unterschrieben). Vgl. auch WAB VII, 342, 31 ff. (Antwort Luthers auf die Warnung Johann Friedrichs vor zu großer Nachgiebigkeit; ebd., 341, 33 ff.

obwohl Barnes, einer der englischen Unterhändler und Schüler Luthers[21], vor ihrem Beginn über die Einstellung der Wittenberger Theologen nach England berichtet hatte: „Marten est multo aequior causae quam antea, Jonas non repugnat, Phylippus videtur nobiscum esse, solus Pomeranus [= Bugenhagen] mordicus resistit, sed non despero de felici successu“[22]. Über die Beratungen, deren schleppenden Gang Luther bald beklagte[23], und besonders die Beteiligung Luthers ist im einzelnen nichts bekannt. Obwohl er zunächst glaubte, die führende Rolle übernehmen zu müssen[24], scheint Melanchthon rasch der aktivere Teil geworden zu sein; wenigstens stammen alle Schriftstücke von ihm. Eine „endliche Vergleichung“ ohne seine Genehmigung einzugehen, hatte Johann Friedrich seinen Theologen schon im Herbst 1535 verboten und dieses Verbot bzw. eine Warnung vor zu weitgehenden Konzessionen in der Ehefrage kurz nach Beginn der Verhandlungen wiederholt[25]. Wegen der politischen Implikationen auch der theologischen Entscheidungen behielt sich Johann Friedrich damit die Aufsicht vor[26] und band die Theologen an seine Weisungen; er war entschlossen, ohne Lehrkonsens kein Bündnis einzugehen[27].

Die als Ergebnis der Verhandlungen formulierten „Wittenberger Artikel“[28] fanden zwar die Zustimmung Luthers[29], da aber die englischen Gesandten die wichtigsten Punkte nur ad referendum genommen hatten, war die dogmatische Einheit bei Abschluß der Gespräche noch keineswegs erreicht; Luther erfuhr von den Gesandten sogar, daß Heinrich VIII. kaum in diese Formulierungen einwilligen werde[30]. Er sah sich dadurch in seiner Skepsis gegenüber den Absichten des englischen Königs bestätigt. Schon seine Empfehlung an den Kurfürsten im September 1535, Melanchthon einer Einladung nach England Folge leisten zu lassen[31],

---

21. Über Barnes vgl. DNB III, 253 ff. sowie zuletzt C. R. N. Routh, Who's who in History Bd. 2 (Oxford 1964), 107 ff.

22. Letters and Papers IX, 354.

23. Vgl. WAB VII, 352, 5 ff.; 353, 12 ff.

24. Vgl. ebd., 342, 25 f.

25. Vgl. ebd., 284, 27 ff. und 340, 32 ff.

26. Ähnlich verhielt sich der Kurfürst bei den rein theologischen Konkordienverhandlungen im gleichen Jahr; vgl. ebd., 411, 18 ff.

27. Vgl. Prüser, 296 f. (an Philipp von Hessen, 20. März 1536); CR III, 60 ff. (an die englischen Gesandten zur Übermittlung an Heinrich VIII.; 3. April 1536); vgl. auch Mentz II, 83 und Pol. Corr. II, 366 Anm. 2.

28. Vgl. G. Mentz (Hrsg.), Die Wittenberger Artikel von 1536 (Leipzig 1905; Quellenschriften zur Geschichte des Protestantismus 2).

29. Vgl. WAB VII, 383, 13: „Solche artickel sich mit unser Lere wol reymen“; vgl. auch ebd., 403, 3 ff.

30. Vgl. WA 51, 450, 2 ff. (Vorrede zu Barnes, Bekenntnis, 1540).

31. Vgl. WAB VII, 266 f. (Kollektiveingabe Luthers, Bugenhagens, Crucigers und Jonas'); wesentliches Moment der Empfehlung war die zu vermeidende Kränkung Melanchthons durch eine erneute Absage bzw. ein Verbot; vgl. auch ebd., 268, 23 ff., wo nur dieses Motiv der Rücksichtnahme auf Melanchthon als Empfehlungsgrund genannt wird.

war weit entfernt von dem Nachdruck, mit dem er kurz zuvor dessen Frankreichreise befürwortet hatte, obwohl er auch diesmal, wenn auch abgeschwächt, die gleiche zukunftsoffene Haltung der Erwartung eines nicht im voraus zu berechnenden Eingreifens Gottes durch Melanchthon als sein Werkzeug erkennen ließ. Trotz des enttäuschenden Vorbehalts der Gesandten und seiner pessimistischen Beurteilung des Reformwillens des englischen Königs hat Luther zudem die Absicht, zu weiteren Gesprächen über die Artikel eine Gesandtschaft nach England zu entsenden, Philipp von Hessen und dem sächsischen Vizekanzler Burkhard gegenüber befürwortet[32]. Seinem Votum entsprach das Auftreten der sächsischen Delegation auf dem Frankfurter Bundestag im Mai 1536, die nach Verlesung der Wittenberger Artikel[33] eine schmalkaldische Gesandtschaft nach England beantragte. Der Plan scheiterte jedoch zunächst an der mangelnden Vollmacht der Städtevertreter, schließlich am Widerstand der Mehrheit der Stände überhaupt[34].

Zu den politischen Faktoren der Bemühungen Heinrichs VIII. um den Schmalkaldischen Bund hat Luther nur zurückhaltend Stellung genommen[35]. Dennoch sah er jetzt die 1529 gewünschte[36] und religiös allein vertretbare Konstellation gegeben. Diesmal wurde, anders als bei den Bemühungen Hessens 1529/30, das Bündnis nicht mit politischen Mitteln gesucht und herbeigezwungen, sondern von außen angetragen, verbunden mit dem Erbieten, Gottes Wort frei wirken zu lassen und das Evangelium anzunehmen. Weil „solchs alles von uns ungesucht sich selbs also schickt“[37], durfte diese von Gott durch den englischen König gebotene Gelegenheit nicht ausgeschlagen oder versäumt werden[38], so daß Luther die Aufnahme Englands in den Schmalkaldischen Bund empfahl. Allerdings durfte diese Offenheit für die angebotene Chance nicht zu Konzessionen auf Kosten der Lehre und theologischen Klarheit führen. Wie sehr die positive Beurteilung des Bündnisangebots auf der theologischen Voraussetzung auch einer religiösen Einheit beruhte, zeigt Luthers Zögern bei der Frage, ob ein Bündnis auch ohne vollständige Lehreinheit abgeschlossen werden sollte. In Übereinstimmung mit den in Torgau 1530

---

32. Diese Information findet sich in der sächsischen Instruktion für den Bundestag zu Frankfurt, April 1536; vgl. Mentz II, 84 Anm. 1. Der Brief an Philipp von Hessen ist verloren. Vgl. auch WAB VII, 383, 14 f.

33. Vgl. Pol. Corr. II, 364. Die Artikel wurden durch diese Verlesung auf dem Bundestag in gewisser Weise zu einem Bekenntnisdokument des Schmalkaldischen Bundes. Auch später besaßen sie als Einigungsgrundlage ihre Bedeutung; in einer Anweisung an seine Räte in Hagenau regte Johann Friedrich 1539 an, bei den Religionsgesprächen als Basis „die Handlungen, die Doctor Martinus zu Wittenberg mit den Englischen gehabt“, zu benutzen; vgl. CR III, 1054.

34. Vgl. Pol. Corr. II, 364 ff. sowie Prüser, 96 f.

35. Vgl. WAB VII, 268, 8 ff.; 404, 16 ff.

36. Vgl. oben S. 130.

37. WAB VII, 268, 12.

38. Die 1528 und 1532 gegen ein intransigentes Verhalten benutzten Wendungen, daß Gott „uns also wollt gnädiglich grußen“ und „Fronte capillata post est occasio calva“ werden jetzt ins Feld geführt, um das Bündnis zu empfehlen; vgl. ebd., 268, 14 ff.

abgesteckten Grenzen erklärte er dieses Problem für ein „weltlich Ding“[39], über das die Politiker zu entscheiden hätten, hob aber für seine Beurteilung die Verbindung von religiöser Übereinstimmung und politischem Bündnis nicht auf; Bündnis ohne Bekenntnis schien ihm nach wie vor unmöglich zu sein.

Als im Herbst 1539 neue Bündnissondierungen Heinrichs VIII. erfolgten[40], war auf kursächsischer Seite keine Verhandlungsbereitschaft mehr vorhanden. Johann Friedrich lehnte den Wunsch nach einem Bündnis auch bei offen eingestandenem dogmatischem Dissens[41] brüsk ab und sparte in seiner Antwort nicht mit Vorwürfen wegen der auf die „Six Articles“ gegründeten neuen englischen Kirchenpolitik[42]. In der hessischen Antwort auf die Werbung Monts[43] wurde dagegen der Versuch gemacht, nicht nur zu polemisieren, sondern die Sechs Artikel einer theologischen Prüfung zu unterziehen, um zu ihrer Widerlegung zu kommen. Während Johann Friedrich das Trennende in den Mittelpunkt seines Bescheids rückte, suchte Philipp das Gemeinsame zu bewahren und nutzbar zu machen: die Stellung zu Papst und Konzil. Allerdings sah der Landgraf so wenig wie die sächsische Politik in der augenblicklichen Lage einen Ansatzpunkt für neue Verhandlungen.

Weniger Rücksicht auf die ungünstigen Vorbedingungen wollten der Straßburger Rat und Bucer gelten lassen, die den Landgrafen eindringlich aufforderten, die Verbindung mit England nicht abzubrechen[44]. Vor allem Bucer hat versucht, Philipp von Hessen für seine dynamische Missionstheologie zu gewinnen, bei der es nicht um das Bündnis als Selbstzweck ging, sondern die bestimmt war von der christlichen Pflicht zur Ausbreitung des Wortes Gottes, vom Mitleid mit den Glaubensbrüdern und vom Verantwortungsbewußtsein für das in England begonnene Werk der Evangeliumspredigt[45]. Die Behandlung des englischen Angebots stand für Bucer vor allem unter dem Missionsauftrag von Mk. 16, 15 und der Pflicht, für die verfolgten Evangelischen in England einzutreten. Nicht um den englischen König ging es, sondern um dessen evangelische Untertanen. Schon während der Bündnisverhandlungen 1535 hatte Bucer es als vornehmste Aufgabe der Theologen bezeichnet, für das Reich Christi zu sorgen, und davor gewarnt:

---

39. Ebd., 404, 19.

40. In der Vorphase der zum Anstand führenden Verhandlungen hatte Kursachsen auf dem Frankfurter Bundestag im Februar 1539 noch einmal auf die englische Karte gesetzt; vgl. Meinardus, 645; vgl. dazu auch Prüser, 153 ff.

41. Monts Werbung vgl. bei Prüser, 327 ff.

42. Vgl. die Antwort Johann Friedrichs an Mont, 16. Sept. 1539, bei Mentz III, 437 ff. Der Kurfürst schickte sie am 9. Sept. nach Wittenberg, damit Melanchthon sie ins Lateinische übersetzte; auch Luther sollte sie zur Kenntnis gebracht werden; vgl. WAB VIII, 563.

43. Vgl. Prüser, 329 ff.

44. Vgl. Straßburger Rat an Philipp, 17. Sept. und 16. Okt. (Pol. Corr. II, 630 und 632); Bucer an Philipp, 16. Sept., 14. und 16. Okt. (Lenz I, 99 ff.; 107 f.; 109 ff.). Zur Straßburger Haltung vgl. auch Prüser, 198 f.

45. Zu Bucers Beziehungen zu England vor 1539 vgl. C. Hope, Martin Bucer und England. In: ZKG 71/1960, 83 f., vgl. auch Hope, 6 ff.

„Ista ... cavenda sunt, ne qua praetereatur occasio regni Christi amplificandi“[46]; entsprechend stellte er jetzt fest: „ist kein sache uff erden, derhalben die christen meer versuchen, wagen und understohn sollen, alß wie sie dem herren sein reich erweiteren“[47]. Der sichere und relativ unangefochtene Besitz des Evangeliums verpflichtete dazu, sich nachdrücklich und auch gegen äußere Hoffnung für seine Ausbreitung einzusetzen. Dabei war sich Bucer über die Möglichkeit eines Scheiterns der von ihm vorgeschlagenen Gesandtschaft nicht im Unklaren, berief sich aber — wie Luther 1535 — auf Gottes Möglichkeit jenseits rationalen Kalküls[48]. Luthers Mißtrauen gegen allzu geschäftige Aktivität zugunsten des Wortes Gottes, das sich ohne menschliches Zutun durchsetzen würde, hat Bucer nicht geteilt; er war im Gegenteil bereit, zur Erreichung dieses Ziels auch politische Mittel anzuwenden.

Neben dem Missionsauftrag wurde Bucer 1539 von der Sorge für die „armen gequeleten glider“ in England getrieben[49]. Die von Heinrich VIII. angestrebte Weiterführung des politischen Gesprächs verstand er als Ansatzpunkt, um den König zur Zulassung der Evangeliumspredigt und zur Schonung der unterdrückten Brüder zu bewegen. Wenn Brück als Ratgeber des sächsischen Kurfürsten dem Straßburger unterstellte, er handele in theologischen Fragen „nach der Welt Weise“ und „verstehet nicht deß, das Gottes ist, sondern sieht allein auf den Wind, wie der nach Menschen Gunst und Vorteil fleucht“[50], war damit das Movens von Bucers Überlegungen nicht einmal andeutungsweise zutreffend erfaßt.

Aber auch die Wittenberger Theologen akzeptierten Bucers Voraussetzungen nicht, wenn sie ihm auch im Gegensatz zu Brück lautere Absichten zugestanden. Philipp von Hessen hatte Bucers Schreiben zur Stellungnahme an Johann Friedrich weitergeleitet, der auf dessen Vorwurf, daß die deutschen Protestanten sich „der Schuld in diesem Fall und Jammer in Engelland nit gar [= ganz] rein machen“ könnten[51], höchst gereizt reagierte[52]. Er schickte auf Brücks Rat[53] das Schreiben Bucers an seine Theologen, um ihr Urteil darüber einzuholen, „damit wir unser gewissen halben in dieser sachen weiter mochten haben zu handeln“[54].

46. Bucer an Johann Sturm, 22. Sept. 1535; vgl. V. L. Bourilly, Francois Ier et les Protestants. In: Bulletin historique et littéraire 49/1900, 481.

47. Lenz I, 109; vgl. auch ebd., 110.

48. Vgl. ebd., 104, wo Bucer auf die Abfertigung von Gesandten, „die doch versuchten, was Gott noch geben und helfen wollte“, dringt.

49. Lenz I, 113.

50. CR III, 795. — Stupperich, Humanismus, 37 Anm. 2 zitiert gegenüber Brücks Urteil Calvins Würdigung von Bucers Bestrebungen: „Tanto studio propagandi Evangelii flagrat Bucerus, ut quae praecipua sunt contentus impetrasse, interdum sit aequo lenior in illis concedendis, quae minutela quidem ipse putat“.

51. Lenz I, 102.

52. Die Schärfe des Briefes an Brück vom 7. Okt. mit den Richtlinien für eine von diesem zu entwerfende Antwort an Philipp (Mentz III, 440 ff.) ist in dem Schreiben an den Landgrafen selbst vom 11. Okt. (Prüser, 331 ff.) etwas gemildert.

53. Vgl. CR III, 796.

54. WAB VIII, 565, 20 f. (Schreiben vom 12. Okt. 1539 an Luther, Bugenhagen, Jonas

Allerdings hatte er trotz der erklärten Bereitschaft, sein Handeln dem Urteil der Theologen zu unterwerfen, seine Antwort auf Bucers Vorschläge schon vorher nach Hessen abgesandt[55], so daß die Beratung durch seine Theologen für die Bildung des eigenen Urteils in jedem Fall zu spät kam, das Ganze mithin auf eine nachträgliche Sanktionierung und Bestätigung der kurfürstlichen Stellungnahme hinauslief. Das Wittenberger Gutachten, das Melanchthon verfaßt hat[56] und dem ein Bedenken Luthers zusätzliche Unterstützung gab[57], stellte sich denn auch uneingeschränkt hinter die sächsische Englandpolitik und widersprach Bucer. Luther, an den sich Bucer um Unterstützung seiner Vorstellungen bei den Bundeshäuptern wandte, hatte sich schon vorher festgelegt: „De rege Angliae vereor, ne tua spes sit nihil"[58].

Die Wittenberger behandelten diesmal die englische Frage fast ausschließlich unter dem Aspekt des mangelnden Nutzens weiterer Schritte bei Heinrich VIII. Das Bewußtsein der Verantwortung gegenüber einem von Gott angebotenen Kairos fehlt im Unterschied zu 1535 ganz, das Gutachten ist im Gegenteil bestimmt von der Überzeugung, daß der englische König bewußt gegen seine bessere Überzeugung und sein Gewissen handele, so daß weitere Bemühungen zwecklos seien[59]. Während es Bucer gar nicht um den König ging, über dessen Beurteilung kaum Differenzen zu Luther bestanden, sondern über den König um die Ausbreitung des Evangeliums und den Schutz der Glaubensbrüder, ist die Wittenberger Stellungnahme nahezu ausschließlich auf die Person des Königs fixiert; die weiterführende Dimension von Bucers Gedanken haben die Wittenberger verkannt. Die Verhandlungen mit Heinrich VIII. wurden anders als von Bucer nicht unter dem Aspekt der caritas proximi gesehen, so daß die Theologen auch keine Intervention zugunsten der Verfolgten erwogen, sondern sich mit der kurzen resignierten Auskunft begnügten: „Wissen ... kheinen weg, wie Ihn zuhelffen"[60].

Gedanke und Terminologie Bucers von der Notwendigkeit der Ausbreitung des Wortes Gottes und des Reiches Christi haben die Wittenberger nicht aufgegriffen, da sie wie erstarrt waren in der Überzeugung, in der Vergangenheit alles ihnen Mögliche getan zu haben. Während sich Bucer im Gewissen beschwert fühlte angesichts vermeintlicher früherer Versäumnisse, sahen die Wittenberger diese nicht. Anders als der Straßburger, der die Sechs Artikel als bedauerliche Episode nach guten Anfängen begreifen wollte, interpretierten Luther und seine Kollegen die veränderten Verhältnisse als Beweis für die Unaufrichtigkeit des Königs, der

---

und Melanchthon).

55. Vgl. oben Anm. 52.

56. Vgl. WAB VIII, 572 ff. (Luther, Jonas, Bugenhagen und Melanchthon an den Kurfürsten, 23. Okt. 1539); nach Pezel (zitiert CR III, 796) ist es auch an den Landgrafen gegangen „mutatis saltem titulis". Vgl. auch Prüser, 209 ff. und Doernberg, 117 ff.

57. Vgl. WAB VIII, 577 f.

58. WAB VIII, 569, 22. Der Brief Bucers an Luther ist unbekannt.

59. Im Gegensatz dazu ist Bucer der Überzeugung, daß der König „die Religion Christi noch nit gründlich verstanden" hat; vgl. Lenz I, 100.

60. WAB VIII, 572, 12 f.

jetzt seine eigentlichen Absichten aufgedeckt hatte. Das neue Anerbieten Heinrichs verstand Luther nur noch als eine Versuchung des Satans; die evangeliumsfeindliche Politik wurde daher nahezu begrüßt als ein eindeutiges Zeichen Gottes, daß der König seine wahre Gesinnung jetzt preisgegeben habe. Ohne daß ein Wort über die Verfolgten und über Bucers Überlegungen, wie ihnen geholfen werden könnte, fiel, zeigte sich Luther erleichtert darüber, daß der Gegensatz jetzt scharf und durch Kompromisse nicht mehr überbrückbar zum Vorschein gekommen war.

Bucers Interpretation des biblischen Missionsbefehls lehnten die Wittenberger Theologen ab und spielten gegen sie Luthers Lehre vom Beruf aus. Die Arbeit, die für sie in Deutschland als dem ihnen von Gott zugewiesenen Ort zu tun war, besaß Priorität gegenüber einer Verpflichtung hinsichtlich Englands. Im Widerspruch zu ihren Ausführungen über die nicht länger zu berücksichtigende Verstocktheit des Königs waren sie aber bereit, der vom Landgrafen gegebenen und vom Kurfürsten aufgegriffenen Anregung einer Ermahnungsschrift an den englischen König zu entsprechen[61].

Die politischen Konsequenzen aus ihrer Stellungnahme zu ziehen, überließen sie dem Kurfürsten. Allerdings warnte Luther seinen Landesherrn ausdrücklich, sich auf Verhandlungen einzulassen; daß an ein auch nur politisches Bündnis nicht gedacht werden durfte, machte er dabei deutlich[62]. In diesem Zusammenhang wurde auch das alte Argument des Mitschuldigwerdens an fremder Sünde beim Eingehen politischer Verbindungen mit Heterodoxen aus dem Kampf gegen ein Bündnis mit den „Zwinglianern" wieder aufgenommen. Bucer hatte sich über die politischen Konsequenzen seiner Vorschläge nicht ausgesprochen, sondern in dem Angebot des englischen Königs nur die klare Berufung Gottes für den Landgrafen gesehen und die politischen Motive Heinrichs VIII. in theologischer Überhöhung interpretiert. Sein Bewußtsein aktiver Missionsverpflichtung und seine Sorge für die Brüder stießen auf die resignierte Passivität Luthers und die selbstgerechte Genugtuung über die Entlarvung einer satanischen Versuchung.

Unmittelbare politische Wirkung haben weder Bucers noch Luthers Votum ausgeübt. Der Kurfürst, eben noch von seinen Theologen in seiner negativen Stellungnahme bestätigt, nahm vorübergehend eine politische Wendung zugunsten evangelisch-englischer Verhandlungen vor. Den Ausschlag für die sächsische Entscheidung, die von dem in Arnstadt im November 1539 abgehaltenen Bundestag gebilligt wurde, die Fäden nach England nicht abreißen zu lassen, gaben die optimistischen Berichte, die die sächsischen Gesandten Doltzig und Burkhart, die im Zusammenhang mit der clevischen Heirat in England tätig gewesen waren, über die kirchlich-religiösen Zustände des Königreichs erstatteten[63]. Im Gegensatz zu seinen Theologen ließ der Kurfürst sogar in der Instruktion für Arnstadt festlegen, daß man durch ein Bündnis den englischen König vielleicht auf den

---

61. Vgl. CR III, 804 ff., von Melanchthon verfaßt.

62. Selbst die Bündnisschwankungen Heinrichs VIII. zwischen Maximilian I. und Ludwig XII. zog Luther heran, um die Unzuverlässigkeit des Königs zu beweisen; vgl. WAB VIII, 578, 29 f.

63. Vgl. dazu Mentz II, 209 und Anm. 2; Prüser, 212 ff. 220 ff.

Weg des Evangeliums zurückführen könnte. Seinem Antrag gemäß beschloß der Bundestag die Absendung einer neuen Gesandtschaft zu Verhandlungen über Bündnis und Bekenntniseinheit und die Aufhebung der Sechs Artikel[64]. Erst das Scheitern der Ehe Heinrichs mit Anna von Cleve, einer Schwägerin Johann Friedrichs, und der darauffolgende Sturz Cromwells beendeten auch diese Phase der englisch-protestantischen Bündnisbemühungen.

10. Widerstandspflicht und Präventivkrieg 1538/39

Die mit dem Widerstandsrecht gegen den Kaiser verbundenen Probleme haben die politisch-theologische Diskussion im evangelischen Lager auch nach 1536 noch beschäftigt. 1538 schien der Religionskrieg vor der Tür zu stehen[1]; bedrohliche Symptome einer nahe bevorstehenden gewaltsamen Lösung der zwischen den Konfessionsparteien angestauten Konflikte waren zu verzeichnen, so daß die am 9. Oktober 1538 vom Kammergericht über das Bundesmitglied Minden ausgesprochene Acht[2] in der Deutung des sächsischen Kurfürsten nur das Vorspiel für die Ächtung der übrigen beim Gericht verklagten Bundesverwandten bildete[3].

Schon vor diesem Achtsurteil hatten sich Sachsen und Hessen über eine gemeinsame Politik zu verständigen versucht. Das Dilemma der Alternative, die sich der evangelischen Politik zu bieten schien, umriß Johann Friedrich: „Stille zu sitzen und des backenstraichs oder der widdertail fursprungs zu gewarten, wil schwer sein nach gelegenheit irer macht, so die zusammenkommen solt, aber demselbigen zuvorzukommen, wil auch nit geringe bedencken haben“[4]. Nachdem die Frage des Widerstandsrechts im Verteidigungsfall seit 1530 gelöst war, mußte nun das Problem der offensiven Verteidigung, des Präventivkriegs, erneut untersucht und auf seine juristische und theologische Zulässigkeit hin befragt werden. Um dem Landgrafen mit einer kompetenten Unterlage bei seinen Entschlüssen behilflich zu sein, übersandte ihm der Kurfürst das vor zwei Jahren im Zusammenhang mit der Exekution der Konzilsmandate entstandene Gutachten der Wittenberger Theologen[5], in dem aber die Frage des Präventivkriegs gar nicht erörtert worden war.

---

64. Vgl. Mentz II, 209 ff.; Prüser, 220 ff.

1. Vgl. Johann Friedrich an Philipp, 13. Sept. 1538: „Alle umbstende (stimmen) dermassen zusammen, das es sich ansehen lest, als haben unser aller widderteil etwas fur“; Mentz III, 398; vgl. ebd., II, 169 f. 175 f. — Die altgläubigen Stände befürchteten ihrerseits einen protestantischen Angriff für 1539; vgl. ARC III, 16 ff.

2. Vgl. dazu Hölscher, Die Geschichte der Mindener Reichsacht 1538—1541. In: Zeitschrift der Gesellschaft für niedersächsische Kirchengeschichte 9/1904, 192 ff. Über die negativen Auswirkungen der Achtserklärung auf die von Brandenburg angebahnten Ausgleichsverhandlungen, die zum Frankfurter Anstand führten, vgl. Rosenberg, 68 f.

3. Vgl. Mentz III, 409 (Johann Friedrich an Philipp von Hessen, 4. Nov. 1538). — Eine Liste mit vermeintlich bedrohlichen Anzeichen wurde auf dem Frankfurter Bundestag Febr. 1539 von Sachsen und Hessen vorgelegt; vgl. Meinardus, 636 ff.

4. Mentz III, 399 (Johann Friedrich an Philipp, 13. Sept. 1538).

5. Vgl. ebd. — Der Kurfürst war sich über das Zulässige unsicher, „ob wir wol bei

Diesen Mangel stellte Philipp von Hessen auch sofort heraus[6]. Zwar erklärte er sich auch ohne theologische Entscheidungshilfe von dem Recht der evangelischen Stände auf einen Offensivkrieg für überzeugt, schien aber im Gegensatz zu 1528 jetzt eher zaudernd und bedenklich[7]. Seine Unsicherheit, die durch das unter ganz anderen Voraussetzungen entstandene Wittenberger Gutachten nicht beseitigt war, wird auch in der Bitte an den Straßburger Stättmeister Jakob Sturm sichtbar, ihm sein Urteil darüber mitzuteilen, „ob der widerwertigen packenstreichs, wan sie iren vorteil ersehen, also zu gewarten oder der vorstreich an die hand — wilchs doch beschwerlich und muehselig gnug fallen wurde — zu nemen sein solt oder nicht, oder was man doch mit guten gewiessen thun muge“[8]. Sturm räumte in seiner Antwort zwar ein[9], daß nach menschlicher Vernunft der Präventivkrieg als probates Mittel erschien, sich der Bedrohung zu entziehen, empfahl aber doch, sein Vertrauen auf Gott zu setzen und nur für den Fall eindeutiger Verteidigung Rüstungen zu betreiben. Seine Einwände gegen den „Vorstreich“ begründete er vor allem mit der Erfahrung der vergangenen Jahre, in denen in gleich gefährlicher Situation die evangelische Sache durch Gottes Hilfe bewahrt worden sei. Wurde diese Erwartung auf Gottes Hilfe jetzt zugunsten des Vertrauens auf eigene Unternehmungen aufgegeben, geriet man in Gefahr, solches Mißtrauen mit einer Niederlage bestraft zu sehen.

Vor dem Hintergrund dieser Unsicherheit der Bundeshäupter über das sachgemäße Handeln ist die erneute Inanspruchnahme des Rates der Wittenberger Theologen zu sehen. Zwar waren für die Beantwortung der Frage nach der Zulässigkeit des Präventivkriegs eher die Juristen zuständig, aber Johann Friedrich zielte bei seinem Auftrag offensichtlich vor allem auf eine Beratung seines Gewissens und auf eine bei den Bundesgenossen verwertbare gutachtliche Äußerung ab. Das Votum, das Melanchthon konzipiert hat und das neben ihm von Luther, Jonas und Bucer, der sich damals in Wittenberg aufhielt, unterzeichnet ist[10], ent-

---

unsern theologen derhalben vor zweien jharen unterrichtung genommen, was nach gelegenheit der umbstende, das wir uns dieses teils befaren mussen, mit got und gewissen bescheen mochte, welchs unterrichts wir E. L. hiermit ain abschriefft ubersenden“, die aber geheimgehalten werden solle. Damit ist fraglos das Gutachten CR III, 128 ff. gemeint; vgl. dazu oben S. 225 ff.

6. Vgl. Mentz III, 399 f.

7. Vgl. ebd., 399 ff. (25. Sept. 1538).

8. Pol. Corr. II, 518 f. (Anfang Okt. 1538).

9. Vgl. ebd., 521 f. (11. Okt. 1538). — Vgl. auch ebd., 530.

10. Vgl. Enders XII, 78 ff.; Scheible, 92 ff. Die Irrtümer in der Datierung (vgl. Mentz II, 180 Anm. 6; O. Clemen, in: WAB VIII, 359; Enders XII, 80 f. Anm. 1) sind WAB XIII, 268 richtiggestellt. Mit überzeugenden Gründen fixiert Scheible, 92 f. Anm. 447 das Datum auf 13./14. Nov. 1538. Über das Original, das heute nicht mehr vorhanden ist, heißt es in einem Brief der thüringischen Herzöge an Nikolaus von Amsdorf anläßlich der Meinungsverschiedenheiten über den Abdruck des Textes in der Jenaer Luther-Ausgabe 1556: „ob wol D. Marthini und anderer theologen radschlag, so im 39. jhar hernacher gefertiget, darinnen die gegenwher zugelassen, mit seiner, d. Marthini, und der andern theologen handschrifft undterzeichent, vorhanden, So bericht doch [Lu-

sprach dieser Erwartung allerdings nur zum geringeren Teil, da es sich eingehend nur mit einer erneuten Prüfung und Rechtfertigung des Widerstandsrechts beschäftigte, die in ihrer Tendenz dem Votum von 1536 entsprach[11].

So willkommen den sächsischen Politikern die erneute Bestätigung der Rechtmäßigkeit ihres Verhaltens sein konnte, so war ihr Interesse doch stärker auf eine Stellungnahme zum Präventivkrieg gerichtet, da diese Problematik von den Wittenbergern bisher nicht abschließend behandelt worden war. Luther hatte zwar 1528 in den „Packschen Händeln" entschieden gegen den Präventivkrieg Stellung genommen[12], 1529 die Erörterung aber nur bis zum Faktum der Achtserklärung vorgetrieben, ohne darüber Auskunft zu geben, was nach Verhängung der Acht geschehen mußte bzw. durfte[13]. Jetzt war dieser Fall bei Minden eingetreten, so daß das Gutachten einen Schritt über 1529 hinausgehen und Festsetzungen treffen mußte, die Luther damals offengelassen hatte[14]. In diesem Punkt enttäuschte das Votum jedoch die Erwartungen, insofern es keine theologische Begründung für oder gegen die Zulässigkeit und Zweckmäßigkeit des Präventivkriegs gab, sondern nur den Status des Geächteten beschrieb und eine Rechtsbelehrung enthielt, die zwar zu dem positiven Resultat kam: „Naturliche und geschriebene recht"[15] erlauben es, dem Angriff des Gegners durch offensive Verteidigung zuvorzukommen, nachdem durch die Verhängung der Acht juristisch der Krieg erklärt worden ist[16], dem aber keine theologische Stellungnahme hinzufügte. Im Gegenteil wurde die Entscheidung über die Opportunität des Präventivkriegs ausdrücklich den Politikern überlassen: „(Uns) gepurt ... nicht zu schliessen, das darumb alsobalt anzufaen, Sondern die Herren wollen selbst bewegen, ob es nuzlich"[17]. Die Politiker blieben damit ohne einen die gegenwärtige Lage berücksichtigenden situationsgebundenen Rat, ihre Selbstverantwortung wurde in keinem Punkt gemindert. Luther hat diese Urteilsenthaltung der Theologen wenige Monate später noch eindeutiger festgelegt, wenn er zwar seine Sympathie für den Entschluß, einen Präventivkrieg zu beginnen, nicht verhehlte[18], aber hinzufügte: „Non licet mihi concionatori hoc consulere".

Das Wittenberger Votum bot dem Kurfürsten mithin nicht die erhoffte Entscheidungshilfe, so daß Johann Friedrich unentschlossen blieb. In einer umfang-

---

thers damaliger Amanuensis] Rorer, das solchs eines andern stellung sey." (Konzept Weimar, Staatsarchiv, Reg O 775, 47 v). Zum Gutachten vgl. Müller, Äußerungen, 68 f.; Lüthje, 531 f.; Dörries, Widerstandsrecht, 238.

11. Vgl. dazu oben S. 225 ff.

12. Vgl. dazu oben S. 116 ff.

13. Vgl. oben S. 145 f.

14. Anders Müller, Äußerungen, 67, für den das Gutachten von 1538 die Achtsfrage genau so löst wie Luther schon 1529. Diese Interpretation ergibt sich aus dem m. E. falschen Verständnis von Luthers damaliger Stellungnahme; vgl. oben S. 144 ff.

15. Enders XII, 80, 57; Scheible, 94.

16. Vgl. die gleiche Beurteilung bei Sturm; vgl. Pol. Corr. II, 524.

17. Enders XII, 80, 67 ff.; Scheible, 94.

18. Vgl. WATR IV, 309, 8 f.: „Melius est praevenire quam praeveniri".

reichen Aufzeichnung[19] akzeptierte er zwar nicht nur den ersten Teil des Gutachtens über die Widerstandspflicht, sondern zeigte sich auch von der Rechtsauskunft über den Präventivkrieg befriedigt, in die er von sich aus den im Gutachten fehlenden religiösen Gedanken der Warnung, durch unzeitigen Krieg und durch Vertrauen auf die eigenen Waffen Gott zu versuchen, eintrug[20], konnte jedoch auch jetzt keinen konkreten Vorschlag für das Verhalten der Schmalkaldener in der gegenwärtigen Krise formulieren. Er entschied sich daher, zunächst die Frankfurter Verhandlungen abzuwarten und auf dem Bundestag die Verbündeten auf ihre grundsätzliche Bereitschaft zum Präventivschlag festzulegen, wobei es ihm taktisch geschickter schien, „das die stende mher in uns [= die Bundeshauptleute] dan wir in die stende, zu dem furstreich zu greifen, dringen und ursach geben, auf das wir sie dester eher dermassen zu verpflichten, das wir mit dem gelde und anderer notturft von inen nicht geseumbt werden"[21]. Nachdem er das Wittenberger Gutachten schon vor der Tagung Philipp von Hessen zugänglich gemacht hatte[22], benutzten die sächsischen und hessischen Räte auf dem Frankfurter Bundestag im Februar 1539[23] den Text, um den Widerstand der anderen Stände gegen den Gedanken der offensiven Verteidigung zu überwinden[24].

Trotz des sächsisch-hessischen Drängens[25] und der Berufung auf die Wittenberger Autoritäten war jedoch kein Bundesstand bereit, sich schon jetzt für den Fall eines Scheiterns der Frankfurter Verhandlungen auf ein präventives Vorgehen der eigenen Seite festzulegen. Vor allem Franz von Lüneburg machte religiöse Bedenken gegen den Präventivkrieg geltend[26]; das Wittenberger Votum über-

---

19. Vgl. Mentz III, 417 ff. Vgl. dazu ebd., II, 175. 227 sowie Dörries, Widerstandsrecht, 238 ff.

20. Vgl. Mentz III, 418; dieser Zusatz im sonst korrekten Referat des Votums durch den Kurfürsten ist auffallend und könnte auf ein weiteres Wittenberger Votum schließen lassen, das diesen Gedanken enthalten hätte; davon findet sich jedoch keine Spur.

21. Ebd., 423.

22. Auf der hessischen Kopie in Marburg befindet sich der Vermerk: „Pres(entatum) in Weimar ultima Januarii anno etc. 39"; vgl. Scheible, 92 Anm. 447. In den letzten Januartagen hatten Kurfürst und Landgraf eine Zusammenkunft in Weimar abgehalten; vgl. Mentz II, 180.

23. Zum Frankfurter Tag vgl. Meinardus, 636 ff.; ferner Mentz II, 181 f.; Fuchtel, 160 ff.

24. Vgl. die auf das Wittenberger Gutachten bezügliche Protokollnotiz über die Ausführungen Kursachsens: „Theologi sagen, weil das recht zulasset, den ersten streich nit zu erwarten, so sey es defensiv, so der krieg vor der thüre, auch furkommen"; Meinardus, 646. Vgl. ebd., 653: „Was des mit Gott und gewissen geschehen mag, ist aus der theologen ratschlag gehort"; vgl. auch ebd., 650 die hessische Argumentation: „So haben die theologi beschlossen, das es mit gutem gewissen geschehen moge und das man es schuldig sey".

25. Das aus dem Protokoll bei Meinardus, 636 ff. ersichtliche gemeinsame Bemühen Sachsens und Hessens, die Stände zur Billigung des Präventivkrieges zu bewegen, verbietet es, den sächsischen Kurfürsten lediglich als unter dem Einfluß des Landgrafen handelnd zu denken (so Fuchtel, 163).

26. Vgl. Meinardus, 640. 647 ff.

zeugte ihn bezeichnenderweise nicht, da seine eigenen Einwände auf einer unjuristischen Ebene lagen, die von den Theologen nicht berührt worden war. Aber auch den Wert der Rechtsbelehrung zweifelte er an, indem er auf die Ungesichertheit ihrer Voraussetzungen hinwies: „Obwohl etliche gelerten ihr bedenken gestalt, das man den vorstreich als ein defension nemen moge, so ist doch dasselbig allein uff das gewiß gestalt, so man gewiß weiß, das der ander teil schlagen wolle“[27].

Die wegen des Widerstands der Bundesverwandten verschobene Entscheidung über eine Politik des „Vorstreichs“ erübrigte sich dann durch den positiven Ausgang der Verhandlungen über den Frankfurter Anstand. Der Mißerfolg Sachsens, die religiös motivierten Einwände der Bundesverwandten mit Hilfe Luthers und seiner Kollegen zu überwinden, zeigte jedoch erneut, daß die Wittenberger Autorität bei der Behandlung politischer Materien keineswegs uneingeschränkt galt. Da dem Gutachten die theologische Dimension und die Gewissensberatung fehlte, konnte es die ihm vom Kurfürsten zugewiesene Funktion allerdings ohnehin nur sehr begrenzt ausüben.

In der Krise von 1538/39 hat Luther auch seine seit der Torgauer Erklärung 1530 geübte Zurückhaltung in der Diskussion des Widerstandsrechts aufgegeben und sich noch einmal — unter gewandelten Bedingungen und Voraussetzungen — eingehend mit der theologischen Grundlegung dieser von den evangelischen Ständen in Anspruch genommenen Waffe gegen Übergriffe von seiten der kaiserlichen Obrigkeit beschäftigt[28], nachdem er sich 1536 und 1538 auf die Billigung von Texten aus der Feder Melanchthons beschränkt hatte. Auslösendes Moment war die Anfrage des brandenburgischen Pfarrers Ludicke[29], die Ausarbeitung erfolgte in den Disputationsthesen über Mt. 19, 21 und den Responsiones in der Zirkulardisputation am 9. Mai 1539. Luther versuchte dabei, im Unterschied zu den Kollektivgutachten der vergangenen Jahre, die sehr stark rechtlich argumentiert hatten, das biblische Gehorsamsgebot und das Widerstandsrecht ohne Heranziehung juristischer Normen zur Deckung zu bringen. Das Resultat, die Bejahung des Notwehrrechts und auch der Notwehrpflicht, blieb jedoch dasselbe, da Luther in den Disputationsthesen das Theologumenon vom Papst als dem apokalyptischen Wider-

---

27. Ebd., 648 (das gewiß = die Gewißheit).

28. Unter dem ungünstigen Eindruck der Verhandlungen über einen Religionsanstand und aus Anlaß von Diskussionen unter „nonnulli“ der in Frankfurt versammelten Evangelischen hat auch Melanchthon sich noch einmal der theoretischen Grundlagen des Problemkreises Widerstandsrecht vergewissert; im März 1539 verfaßte er in Frankfurt „oratiunculas germanicas tres“ zur Rechtfertigung der Notwehr, zur Belehrung von „boni viri subditi“ der Gegner der evangelischen Stände, nicht an einem Krieg gegen die Evangelischen teilzunehmen, zur Unterrichtung aller Frommen, im Konfliktfall den Evangelischen zur Hilfe zu kommen. „Has materias volui colligere, ut paratas haberemus, si opus esset“; CR III, 647 (an J. Brenz, 13. März 1539). Brenz wird in diesem Zusammenhang aufgefordert, ebenfalls „aliquid“ zu diesem Thema zusammenzustellen und Melanchthon zu übersenden. Melanchthons „oratiunculae“ sind unbekannt.

29. Vgl. WAB VIII, 366 ff. Zur Veranlassung des Briefes vgl. Müller, Äußerungen, 69 Anm. 2 und WAB VIII, 365.

sacher Gottes in die Debatte über das Widerstandsrecht einführte, daraus dann gleichfalls eine Widerstandspflicht entwickelte und sogar den in den Wittenberger Voten sonst stets zurückgewiesenen „concursus popularis" empfahl, da der Einbruch des Eschatons die politischen Rangordnungen und ihre Subordinationszwänge außer Kraft setzte. Erst mit der Entfaltung dieser Konzeption stieß Luther zur vollen Bejahung des Widerstandsrechts vor, schuf aber mit dem eschatologischen Verständnis zugleich neue Ausnahmekategorien.

Priorität besitzt in Luthers Untersuchung erneut die Festlegung des Machterstreckungsbereichs des Oberherrn und das Problem der exzedierenden Obrigkeit. Eine gewisse Verhaltenheit bei der Wiedergabe des Standpunkts der „nostri"[30] läßt sich dabei zunächst deutlich erkennen[31]. Seine frühere Stellungnahme gegen das Notwehrrecht der Stände begründet er Ludicke gegenüber mit seinem Verständnis des kaiserlichen Amts als autonomer Machtfunktion, während in der gegenwärtigen Situation der Kaiser nur mehr als Agent des Papstes anzusehen sei. Die Formel vom „caesar miles papae" bildet in der Diskussion 1539 überhaupt die Brücke zwischen früheren und jetzigen Aussagen und stellt eine Klammer zwischen neutestamentlichem Gehorsamsbefehl und politischer Wirklichkeit dar[32]. Wenn allerdings in diesem Zusammenhang die frühere Auffassung mit dem Hinweis erklärt werden soll, daß damals der Gehorsam gegen einen „tyrannus gentilis" zur Diskussion stand, so liegt hier eine beträchtliche Verschiebung vor, da bis 1530 keineswegs vom Kaiser als heidnischer Obrigkeit die Rede war, sondern vom magistratus superior ohne religiöse Qualifizierung. Innerhalb dieser Neuakzentuierung der früheren Stellungnahme bekennt sich Luther aber trotz Torgau noch 1539 zu seiner vorigen Position: „suadebo, ut prius, ut gentilibus tyrannis cedamus"[33]. Neu ist also nicht die Einführung der tyrannus-Vorstellung in die Debatte über Notwehr und Widerstand, sondern die Differenzierung zwischen heidnischer und vorgeblich christlicher, den christlichen Namen usurpierender

---

30. Zu „nostri" ist aber keineswegs immer „principes" zu ergänzen, wie Müller, Äußerungen, 70 Anm. 2 vorschlägt, sondern es handelt sich um die seit 1530 sanktionierte Wittenberger Anschauung.

31. Vgl. im Schreiben an Ludicke bes. WAB VIII, 366, 10 f.; 367, 13 f. 23 f. Auch der Beginn des Schreibens: Die Politiker haben sich längst festgelegt, was bedeutet da mein Votum noch, läßt Resignation oder aber Verstimmung über die Anfrage und die dadurch bedingte Notwendigkeit neuer Stellungnahme erkennen. Andererseits sollte die Distanzierung von der Meinung der „nostri" nicht überschätzt werden; die Formulierung könnte auch summierend die opinio communis der sächsischen Theologen und Politiker meinen, von der Luther seine eigene frühere („ego vero ... consului"; 367, 25 f.) absetzt; vgl. Dörries, Widerstandsrecht, 248. Kern, Luther, 338 Anm. 1 betont die Diskrepanz zwischen „nostri" und „ego vero" zu scharf.

32. Daß dieser Gedanke nicht von Luther ursprünglich stammt, wie Hermann, Zirkulardisputation, 220 f. hervorhebt, sondern übernommen ist (vgl. dazu auch Dörries, Widerstandsrecht, 246 Anm. 117), ändert nichts an seiner Wichtigkeit für Luther.

33. WAB VIII, 366, 32 f. Vgl. auch WATR IV, 388, 9 ff.: „Si ... futurus esset Diocletianus aliquis, tunc libenter illi cedamus patiendo".

Tyrannis[34]. Wer als Heide tyrannische Obrigkeit ist, darf nach dieser Doktrin das Evangelium und seine Bekenner verfolgen, ohne von seinen Untertanen oder den magistratus inferiores zur Rechenschaft gezogen zu werden; ihm ist bis zur Grenze der clausula Petri Gehorsam zu leisten, da ihm der subjektiv gute Wille nicht abgesprochen werden kann, wie er auch durch die mangelnde Einsicht exkulpiert ist[35]. Damit ist der Gehorsamsbefehl von Röm. 13 in seiner Stringenz gerettet. Unerträglich aber und nicht durch Röm. 13 gedeckt ist das Handeln einer mit religiöser Begründung gegen das Evangelium vorgehenden tyrannischen Obrigkeit, deren Träger den Anspruch auf den christlichen Namen erhebt. Der „christliche" Tyrann handelt bewußt gegen Gott, weil er in Kenntnis der von Gott gestifteten Ordnung durch Usurpation von ihm nicht zustehenden Rechten diese Ordnung umstürzt und sich damit der Gotteslästerung schuldig macht. Gewaltsamer Widerstand ist hier nichts als die Exekution des Urteils Gottes an den Pseudochristen, die magistratus inferiores handeln als Vollstrecker der in der Schrift festgesetzten Strafe für Blasphemie[36].

Eigentlicher, allerdings usurpatorischer magistratus superior ist für Luther in der gegenwärtigen Auseinandersetzung der Papst, während der Kaiser lediglich als sein Mandatar in Erscheinung tritt, der, obwohl er in der causa fidei keine Richterfunktion und damit keinen legitimen Grund zum Vorgehen gegen die Protestanten besitzt[37], im bewußten Auftrag antichristlicher Mächte als „mancipia Satanae"[38] handelt. Eine subjektive bona-fide-Einstellung des Kaisers läßt Luther dabei nicht gelten: „Si ipse nescit tales esse causas, satis est nos esse certos"[39]. Wie im Votum von 1536 wird aus der Erlaubtheit des Widerstands gegen die Türken der Analogieschluß auf den Papst und seine Helfer gezogen[40]; beide sind keine Obrigkeit, der Papst als Seelenmörder ist sogar noch gefährlicher als der Türke.

Luthers neue theologische Formel zur Begründung des Widerstandsrechts läßt sich demnach zusammenfassen: Gegenüber exzedierender heidnischer Obrigkeit gibt es keine Dispensation vom Leidensungehorsam, Widerstand gegen die sich als christlich deklarierende, aber Gottes Wort verfolgende antichristliche Tyrannis

---

34. Der These von Kern, Luther, 337 f., daß Luther hier die mittelalterlichen Konstruktionen der rex-tyrannus-Lehre benutzt, ist m. E. nicht zuzustimmen. Die Belege bei dems., Gottesgnadentum, 186 ff. und 334 ff. gehen nicht über den herkömmlichen Tyrannenbegriff hinaus, während Luthers Tyrannenvorstellung 1539 nur vor dem eschatologischen Hintergrund zu verstehen ist (vgl. dazu auch oben S. 81 f.). Die Konstruktion der häretischen Obrigkeit trifft auf Luthers Konzeption 1539 ebenfalls nicht zu, da der Papst für ihn nicht Obrigkeit und Ketzer, sondern Antichrist ist.

35. Vgl. WA 39/II, 41, 21 f.

36. Insofern ist es berechtigt, wenn für Kern, Luther, 338 Anm. 2 dieses Verhalten keinen spezifischen Fall des Widerstandsrechts darstellt.

37. Vgl. WAB VIII, 367, 18 ff.

38. Ebd., 367, 32.

39. Ebd., 368, 53.

40. Die Parallele Papst (Kaiser) — Türke mit den positiven Folgerungen für das Widerstandsrecht war schon in der Notwehrdiskussion 1529/30 von Philipp von Hessen gezogen, aber u. a. von Spengler und Brenz verworfen worden; vgl. Scheible, 46. 56.

ist Bestrafung des Verstoßes gegen das zweite Gebot[41]. Damit ist zugleich die Spannung zwischen biblischem Verbot des Aufruhrs gegen die Obrigkeit — gilt gegenüber der heidnischen Tyrannis — und der politisch-juristischen Bejahung des Widerstandsrechts — gilt gegenüber einer Gewalt, die im Widerstandsfall keinen Obrigkeitsanspruch mehr erheben kann — beseitigt. Zur Vervollständigung der Argumentation führt Luther auch die bekannten Thesen von der durch die Verfassung des Reiches eingeschränkten Macht des Kaisers an[42], allerdings ohne besonderen Nachdruck und nur als juristisches Supplement zur theologischen Beweisführung[43]. Daß Einwände gegen die von ihm vorgetragenen Deduktionen bestehen, räumt Luther ein[43a], wenn er auch Ludicke solche Gründe nicht nennen will, um den Gegnern des Evangeliums nicht die Furcht vor einer aktiven Abwehr seitens der evangelischen Stände zu nehmen[44]. Vermutlich führen diese Bedenken hinter die Torgauer Erklärung von 1530 zurück oder reflektieren den damals erteilten Rat der Theologen, von der Ermächtigung zum Widerstand durch das positive Recht keinen Gebrauch zu machen. Wenn Ludicke auf Mt. 22, 21 als generelle Leitlinie für das Verhalten in der Notwehrfrage verwiesen wird, so bleibt bei dieser Auskunft wie früher der entscheidende Punkt der inhaltlichen Bestimmung von „des Kaisers“ offen. Eine Entscheidungshilfe für politisches Handeln war aus diesem Schriftwort angesichts der weitgespannten Interpretationsmöglichkeiten jedenfalls nicht herzuleiten, wie Luther im Oktober 1530 selbst erfahren hatte.

Die die Debatte über das Widerstandsrecht weiterführende These vom pseudochristlichen Tyrannen, der unter christlichem Signum die Geschäfte der widergöttlichen Mächte betreibt, wird in der Zirkulardisputation vom 9. Mai ausgebaut und systematisiert[45]. Das Obrigkeits-Untertan-Verhältnis, das nach Röm. 13 Gehorsam bis zur Grenze der Forderung von Act. 5, 29 verlangt[46] und bei Kollision

---

41. Forck, 41 interpretiert die je verschiedene Tyrannis von ihrer Wirkung auf die Kirche, erkennt aber das eschatologische Moment, das hier zutage tritt, nicht in seiner Wichtigkeit für Luther.

42. Vgl. WAB VIII, 367, 47 ff.; zur gleichen Zeit hat diese Überlegung auch in einer Tischredenaufzeichnung ihren Niederschlag gefunden; vgl. WATR IV, 236, 14 ff. Vgl. dazu auch oben S. 92 f.

43. Stolzenau, 59 legt diesem Verweis auf das Verfassungsrecht zu großes Gewicht bei.

43a. Vgl. dazu Müller, Äußerungen, 72 f.; Dörries, Widerstandsrecht, 249.

44. Vgl. WAB VIII, 367, 36 ff.; vgl. die gleichlautende Aussage in der „Warnung“ von 1531; oben S. 186.

45. Vgl. WA 39/II, 39 ff., die Disputationsaufzeichnung ebd., 52 ff. Zur Interpretation vgl. vor allem Hermann, Zirkulardisputation, 206 ff., ferner Merz, Gesetz, 129 ff.; Forck, Königsherrschaft, 40 f. Zum Inhalt von These 51—70 vgl. auch Dörries, Widerstandsrecht, 241 ff., der zu Recht davor warnt, die unsicher überlieferte Nachschrift der Disputation ungeprüft heranzuziehen. Merz arbeitet vor allem das Verhältnis der beiden Tafeln heraus, während Hermann eine Gesamtinterpretation der Thesen unternimmt.

Unter dem Gesichtspunkt des Widerstandsrechts untersucht Heckel, Lex, 157 ff. die Disputation und überträgt die angebliche „Großtyrann“-Vorstellung Luthers auf den modernen Typus der tyrannischen Staatsmacht, die dämonische Zustände herbeiführt, wie

mit dieser clausula Petri nur Widerstand mit dem Wort und Leidensungehorsam gestattet, behält Luther dabei ohne Abstriche bei. Eine plane Applikation auf die Herrschaftsrelation Kaiser-Fürst[47] ist aber wegen der von ihm seit 1530 akzeptierten und auch in der Disputation vorgetragenen[48] verfassungsrechtlichen Stellung der Reichsstände nicht möglich, da die Fürsten nicht unter die Kategorie der Untertanen fallen und gegenüber dem Kaiser keine personae privatae sind[49].

Für das daneben untersuchte Verhalten des einzelnen Untertanen zu seiner Obrigkeit ist der von Luther in den Thesen dargelegte Zusammenhang der beiden Tafeln[50] des Dekalogs wichtig. Der magistratus besitzt unabhängig von seiner religiösen Qualität (Th. 48/49) seine Zweckdefinition nur in der zweiten Tafel, die das Leben „pro hac vita" regelt, so daß der Schutz dieser zweiten Tafel mit dem Obrigkeitsbegriff untrennbar verbunden ist. In diesem Bereich ist eine Konfliktmöglichkeit zwischen Obrigkeit und Untertan nicht gegeben[51], da die Obrigkeit nach ihrer Amtsdefinition nicht „contra nos, sed nobiscum et pro nobis, in secunda tabula" (Th. 38) handelt. Ein Problem ergibt sich erst gegenüber dem

---

er bei Berggrav, Staat und Kirche, 283 erscheint. Schumann, 35. 41 f. folgt Heckel. Zur Problematik des unlutherischen Begriffs des Groß- oder Welttyrannen (tyrannus universalis) vgl. zuletzt Dörries, Widerstandsrecht, 241 f. Anm. 109.

46. Entgegen Hermann, Zirkulardisputation, 226 f. kann sich Luther These 30 zufolge durchaus Situationen vorstellen „extra causam confessionis", in denen der Christ als „civis huius mundi" agiert und gehorcht, wo also kein Zwiespalt zwischen confessio und weltlicher Arbeit besteht. Vgl. auch Merz, Gesetz, 131.

47. Wie Hermann, Zirkulardisputation, mehrfach versucht; vgl. 228 f. 232 f.; vgl. dagegen auch Heckel, Lex, 187 Anm. 1466. Hermann, 232 sieht daher in der Betonung des Leidensgehorsams (Th. 42 ff.) angesichts der Überzeugung Luthers von der Rechtmäßigkeit eines Widerstandsrechts der Fürsten gegen den Kaiser eine Unklarheit, die aber dann nicht besteht, wenn man auf die Übertragung der lutherischen Relation Untertan-Magistrat auf die Beziehung Fürst-Kaiser verzichtet.

48. Vgl. WA 39/II, 78, 3 ff.

49. Gegen Hermann, Zirkulardisputation, 233 ist aus der Attribuierung „privatae, quales quales sint" (Th. 40) nichts an Interpretation zu gewinnen, da es sich hier lediglich um eine Entsprechung zu Th. 39: „magistratus, qualis qualis sit" handelt.

50. Über das Verhältnis beider Tafeln vgl. Merz, Gesetz, 131 ff. und Heckel, Lex, 152 Anm. 1213. Als lex sind beide Tafeln nach Luthers Auskunft in der Disputation in genere gleich, in specie inaequales; vgl. WA 39/II, 64, 3 f. Vgl. auch ebd., 70, 18 f.

51. In These 45 hebt Luther heraus, daß der Magistrat nur „propter primam tabulam (aliam causam habere non potest)" den Untertanen schadet. Gegen Hermann, 233 ist dies zweifellos nicht ironisch gemeint. Auch die Interpretation von Heckel, Lex, 188 Anm. 1476, daß der einzige Fall eines Zusammenstoßes von evangelischen Untertanen mit der Obrigkeit ein Befehl gegen die Gebote der ersten Tafel sein könne, weil die Untertanen in Sachen der zweiten den strikten Gehorsam beachten, scheint zu einfach zu sein und berücksichtigt das in der Disputation stark ausgeprägte Obrigkeitsverständnis nicht hinreichend. Merz, Gesetz, 133: Luther erkennt die unbedingte Geltung der weltlichen Obrigkeit für den Bereich der zweiten Tafel an; hinzugefügt werden muß aber: Er kann sie so uneingeschränkt anerkennen, weil die Obrigkeit, versteht sie ihr Amt zutreffend, in diesem Bereich kein Unrecht begehen wird; vgl. WA 39/II, 41, 30 f. (These 45).

„magistratus, inferens malum propter primam tabulam" (Th. 34). Hier besteht eine Verfehlungsmöglichkeit für die Obrigkeit, wenn sie eine Handlung gegen die erste Tafel als zum Schutz derselben geschehen verstanden wissen will[52]. Eine Verfolgung der Christen durch die Obrigkeit, die sich an ihre Amtsaufgabe hält, unter Berufung auf die erste Tafel ist für Luther nur denkbar bei falschem Verständnis und irriger Auslegung ihrer Pflichten oder bei Ignoranz des Sinngehalts der ersten drei Gebote. Aber auch dieser „magistratus, inferens malum propter primam tabulam", bleibt Obrigkeit; die exzedierende Gewalt setzt sich nicht selbst ab, sondern behält den grundsätzlichen Anspruch auf Gehorsam. Für die Untertanen gilt bei der Verfolgung die „doctrina Christi: Vade, vende, relinque, cede, perde omnia, etiam ipsam animam" (Th. 42). Widerstand darf nicht mit Gewalt, sondern nur mit dem Bekenntnis der Wahrheit geleistet werden, da es verboten ist, in Gottes Amt einzugreifen und „propria temeritate" (Th. 49) die trotz aller Verfehlung von Gott bestimmte Obrigkeit zu stürzen[53]. Das aus früheren Erörterungen dieses Themas bekannte Verhaltensmuster für die Untertanen prägt auch 1539 Luthers Vorstellung von der Relation Untertan-Obrigkeit; über das Verhältnis Fürst-Kaiser ist damit jedoch nichts ausgesagt.

Die betonte Herausstellung der Obrigkeit und die theologische Klärung ihrer Stellung zur ersten und zweiten Tafel dient Luther im Zusammenhang der Thesen vor allem dazu, vor diesem Hintergrund das Bild der Nicht-Obrigkeit, die sich außerhalb jeder Ordnung herrschaftliche Rechte anmaßt, umso deutlicher zu zeichnen. Hier ist dann auch der Bezug auf die aktuelle Situation gegeben. Mag die von Gott geordnete Obrigkeit auch „male christianus" oder gar tyrannisch sein, verliert sie doch ihre ursprüngliche Dignität nicht[54], so daß auch der Tyrann innerhalb der Ordnung Gottes und des mit ihr gegebenen Rechtssystems bleibt, sei es auch als Negativpol und im Mißbrauch der Ordnung. Trotz seiner Exzesse gehört er in eine der drei das irdische Leben regelnden Hierarchien[55], „manet in re publica legibus constituta"[56], wenn auch im Abusus dieser Gesetze. Dagegen kann der Papst keine Obrigkeitsrechte für sich in Anspruch nehmen, da er qualitativ vom Tyrannen unterschieden ist. Er ist mehr als die mit diesem Begriff umfaßte Ausnahme von der Regel, wird „aus aller empirischen Vergleichbarkeit"

---

52. Das ist offenbar der Sinn von These 41: „Magistratus impii propter religionem, id est propter primam tabulam, volunt videri agere, quod agunt".

53. Diese Auskunft gilt für das Verhalten Obrigkeit-Untertan ohne Applikation auf die Relation Fürst-Kaiser. Das ist m. E. von Dörries, Widerstandsrecht, 246 übersehen, wenn es dort heißt, daß es gegen den Kaiser als Kaiser keine Gegenwehr gibt, ohne daß gleichzeitig die Einschränkung: für den subditus simplex, gemacht wird. Luther setzt sich nicht in Widerspruch zum Torgauer Votum, sondern wehrt nur ein allgemeines Aufruhrrecht der Untertanen ab.

54. Dem entspricht im Brief an Ludicke das Weichen gegenüber dem „tyrannus gentilis"; vgl. oben S. 244 f.

55. Vgl. dazu Maurer, Luthers Lehre, 18 ff.

56. WA 39/II, 85, 22. Vgl. auch ebd., 55, 14 f. und 60, 2 f.: „Tyrannus ... magna ex parte subiectus est legibus"; vgl. auch ebd., 61, 21.

herausgenommen und tritt in der eschatologischen Interpretation Luthers „als singulares ungeheuerliches Prinzip" hervor[57], das in keine der Hierarchien gehört und ἄνομος ist[58], außerhalb jeder Ordnung Gottes und daher gegen sie steht. Das entscheidende Kriterium für die Qualität des Papstes als des apokalyptischen, d. h. „staatsrechtlich" nicht zu definierenden Tyrannen ist für Luther der intendierte Wille, die Seelen ins Verderben zu führen[59]. Erst durch diese mit der Institution als solcher gegebenen Absicht fällt das Papsttum aus jeder Norm der göttlichen Ordnung heraus und steht als Verkörperung oder wenigstens Präfiguration des Antichrists Gott und seiner Schöpfung als Feind gegenüber. Seine ἀνομία sprengt alle Ordnung, durch deren Schutz sich sonst die Obrigkeit als solche legitimiert. Der Papst als wissentlicher und willentlicher Verderber der Seelen bildet 1539 den Schlüssel zum Verständnis der Explikation des Widerstandsrechts gegen ihn und seine Helfer.

Als „res sine exemplo" unterliegt das Papsttum kraft dieser Definition einem Ausnahmegesetz, das mit den Kategorien politischen Denkens und Handelns nicht zu fassen ist. Diese Singularität, die den Begriff der politischen Tyrannis weit übersteigt, erfordert auch singuläres Handeln. Zur Verdeutlichung wird das mittelalterliche Bild des Werwolfs als des Prinzips absoluter Friedlosigkeit eingeführt[60], um damit den Widerstand zu rechtfertigen, der, anders als bei Konflikten zwischen Gewalten, die in der Ordnung Gottes stehen, notfalls auch „per seditionem" in einer „actio popularis" geleistet werden muß[61]. Die Ausdehnung des Kampfes gegen das danielische „Tier aus dem Abgrund" auf dessen Helfer und Mitstreiter bereitet keine Schwierigkeiten. "Qui sub latrone militat (quisquis fuerit), militiae suae periculum cum aeterna damnatione expectet" (Th. 69)[62]. Wer die päpstlichen Machtansprüche schützt, handelt pflichtvergessen und ist nicht als Obrigkeit zu respektieren, welchen Rechtstitel er auch immer für sich ins Feld führt. Unwissenheit schützt in diesem Fall nicht vor dem objektiven Faktum der notoria iniustitia; das Vorgeben, im Papst die Kirche zu verteidigen, gilt nicht, da „principes, reges vel ipsi caesares"[63] als Christen wissen müssen, daß die Identifikation von Papst und Kirche unzutreffend ist. Auf die subjektiv berechtigte

---

57. Hermann, Zirkulardisputation, 248. In der Disputation bezeichnet Luther den Papst u. a. als „novum et singulare monstrum" (WA 39/II, 61, 21 f.) und als „res sine exemplo" (ebd., 65, 1 f.; Rez. C: „sine Christo").

58. Luther erklärt diese Formulierung in der Disputation ebd., 82, 10 f.: „Papa ἄνομος quod non solum ultra omnes leges, sed etiam supra scripturam sanctam pro sua voluntate sistit, omnes leges vult esse falsas".

59. Vgl. ebd., 57, 4 ff.; 58, 23 ff.; 60, 3 f. 11.

60. Vgl. dazu O. Brunner, Land und Herrschaft, 31 f. 93.

61. Vgl. WA 39/II, 57, 4 ff. 18 f. 26; 59, 30 f.

62. Auch hier trifft die These von Kern, Luther, 338, daß Luther 1539 die mittelalterliche Auffassung von der häretischen Obrigkeit benutzt, nicht zu, da der Papst als „vastatrix omnium belua", die mehr als häretisch sei, bezeichnet wird (These 67); seine Parteigänger fallen unter das gleiche Verdikt.

63. Ebd., 42, 37 f.

Unkenntnis des heidnischen Magistrats können sich der Papst und seine Parteigänger nicht berufen.

In der Abstraktion theologischer Reflexionen und in der Sicherheit der Überzeugung von der Wahrheit der eigenen Lehre war dieser Gedankengang schlüssig. Dennoch blieb auch die auf die Konstruktion des apokalyptischen Tyrannen gegründete Widerstandspflicht diesseits der religiösen Implikationen vorwiegend ein juristisch-politisches Problem; es mußte im konkreten Fall der politischen Entscheidung überlassen werden, ob ein vom Papst provozierter casus defensionis vorlag. In der Disputation ist Luther scheinbar über die in den Thesen abgesteckte Linie hinausgegangen, indem er den Fürsten ein Recht zum Widerstand auch gegen den proprio motu als Tyrannen auftretenden Kaiser zugestand[64]. Allerdings müssen hier zwei Verhaltensweisen unterschieden werden: das seit der Torgauer Erklärung von 1530 den Fürsten konzedierte Handeln für ihre Untertanen gegen den ungerecht handelnden Kaiser und ein 1539 neu formuliertes Verhalten, das jeden[65] auch ohne Amtsauftrag zum Widerstand gegen den Papst als die danielische „vastatrix omnium belua“ und – das ist das eigentlich Wichtige – gegen seine Helfer und Verteidiger verpflichtete[66]. Nur ließ sich aus dem Verständnis des Papstes als des zu bekämpfenden Welttyrannen kein handhabbares Kriterium für den einzelnen amtlosen Untertanen ableiten, wann seine Obrigkeit im Amtsexzeß die Christen verfolgte, was nicht mit Gewalt beantwortet werden durfte, und wann sie als Mandatar des Papsts auftrat und den bewaffneten Widerstand aller gegen sich in Kraft setzte[67]. Luther mußte zur Klarstellung daher doch auf die juristische Begründung des Widerstandsrechts zurückgreifen: „Iura dicunt et recte consulunt resistendum esse Caesari in notoria vi“[68], was nur auf die Reichsstände als magistratus inferiores, nicht auf die einfachen Untertanen zutraf, um die theologische Erörterung in die Praxis umsetzen zu können. Der große religiöse Entwurf vom aktiven Widerstand aller gegen den Welttyrannen ließ sich politisch nur mit Hilfe der Torgauer Erklärung und der juristischen Argumente

---

64. Vgl. WA 39/II, 77, 5 f. Dörries, Widerstandsrecht, 245 Anm. 114 lehnt diesen Gedanken als unlutherisch ab; nach der Torgauer Erklärung war dieses Zugeständnis aber weder neu noch überraschend.

65. Vgl. WA 39/II, 57, 17 f.: „singuli et soli“; vgl. auch ebd., 58, 9.

66. Diese Pflicht beinhaltet kein Recht zur „Revolution“, wie es Heckel, Lex, 159 interpretiert. Der moderne Terminus paßt nicht für Luthers theologische Vorstellung, denn eine „neue, durch Umsturz zu erreichende Ordnung“ ist bei Luther nicht im Blick; vgl. Dörries, Widerstandsrecht, 242 Anm. 109. Überhaupt läßt sich eine Tradition aktiven Widerstands aus der Konzeption der Abwehr des seelenmordenden Tyrannus universalis nicht ableiten; der Ansatz von W. Schulze, Reformation und Widerstandsrecht. In: Evangelische Theologie 8/1948–49, 372 ff. ist unzutreffend und generalisiert die religiöse und politische Ausnahmesituation, in die Luthers Konzeption hineingestellt ist, in unzulässiger Weise.

67. Auf diese Entscheidungsnot macht Hermann, Zirkulardisputation, 234 Anm. 61 aufmerksam.

68. WA 39/II, 75, 14 f.

fruchtbar machen, ohne daß sich daraus eine praktikable Lösung für die Frage, wann der Widerstand der „singuli" angezeigt und gefordert war, ergab.

Schon wenige Wochen nach der theoretischen Klärung der Widerstandsrechtsprobleme in der Zirkulardisputation haben die Wittenberger erneut Gelegenheit gehabt, ihren Standpunkt in dieser Frage zu formulieren, als von ihnen ein Urteil über die Darlegungen zu Widerstandsrecht und Bündnis in der Reformschrift des Meißener Bischofs Johann von Maltitz[69] gefordert wurde. In dieser Schrift war nicht nur den Untertanen eingeschärft worden, sich bei Beschwerden ausschließlich des Rechtswegs zu bedienen[70], sondern auch das Verhältnis von magistratus inferior und superior im Sinne von Luthers vortorgauischer Stellungnahme erörtert worden[71]. Danach war der niederen Obrigkeit gegen die höhere gleichfalls lediglich der Rechtsweg freigegeben; wurde er durch Gewalt abgeschnitten, blieb ihr nur das christliche Ertragen des Unrechts.

Das anscheinend von Justus Jonas abgefaßte[72], von ihm, Luther und Bugenhagen unterschriebene Gutachten[73], mit dem wahrscheinlich ebenfalls auf Heinrich von Sachsen eingewirkt werden sollte, enthält zu den Darlegungen des „Liber Misnicus" keine neuen Gedanken, sondern beschränkt sich auf eine Wiederholung bereits bekannter Argumente, wobei das Widerstandsrecht der Stände aus der Bibel und dem Naturrecht abgeleitet wird.

---

69. Der in irenischem Geist abgefaßte „Liber Misnicus", auf dessen Text vermutlich Julius Pflug stark eingewirkt hat, sollte Heinrich von Sachsen von lutherisch-konfessionellen Reformen im Herzogtum Sachsen abhalten. Zum Konflikt Heinrichs und Moritz' mit dem Hochstift vgl. H. M. Kühn, 92 ff. Der Text des „Liber Misnicus" ist gedruckt bei Moufang, 135 ff. Zur Entstehung vgl. A. Lobeck, Das Hochstift Meißen im Zeitalter der Reformation bis zum Tode Herzog Heinrichs 1541 (Köln-Wien 1971), 90 ff. Über seine geistesgeschichtliche Einordnung vgl. Stupperich, Humanismus, 40 ff. Auf Anforderung des sächsischen Kurfürsten (vgl. WAB VIII, 461 f.) hatten Luther, Jonas und Melanchthon bereits am 1. Juli in einem umfangreichen Gutachten (vgl. ebd., 469 ff.) „der Meyßnischen pfaffen getichte" (ebd., 469, 3) scharf kritisiert und vor allem die Ausklammerung der kontroversen Punkte zugunsten der Befürwortung einer formalen Einigkeit gerügt, waren aber auf die Aussagen über Widerstandsrecht und Bündnis nicht eingegangen (vgl. ebd., 475, 254 ff.).

70. Vgl. Moufang, 219 f.

71. Vgl. ebd., 219: Gott als oberste Obrigkeit, dem „in weltlicher regierung" im Reich der Kaiser folgt. Unter dessen Obrigkeit sind „Fürsten und herrn etc., welche ihre land und leutte vom Kaiser zur lehen tragen, etc."

72. Daß der Text nicht von Melanchthon stammt, scheint daraus hervorzugehen, daß er ihn nicht unterzeichnet hat. Bugenhagen fällt als Verfasser aus, da er erst am 4. Juli aus Dänemark nach Wittenberg zurückgekehrt war. Entgegen Delius, Jonas, 78 f. gibt es sonst keine Gutachten Jonas' zum Problem des Widerstandsrechts; er erscheint nur als Unterzeichner fremder Texte. Müller, Äußerungen, 68 will das Gutachten Luther zwar nicht unbedingt absprechen, nimmt aber auch eher Jonas oder Bugenhagen als Verfasser an.

73. Vgl. WAB VIII, 515 ff. (ca. 4. Juli 1539). Für die Erörterung des Widerstandsrechts vgl. vor allem ebd., 516, 52 ff. Müller, Äußerungen, 67 f. stellt einen engen Zusammenhang mit dem Votum von 1538 her.

Wichtiger als die Ausführungen über das Widerstandsrecht waren als Symptom fortschreitender Anpassung theologischer Postulate an die Erfordernisse der Politik der evangelischen Stände die Belehrungen der Wittenberger zu dem Problem des Bündnisses. Der „Liber Misnicus" hatte Herzog Heinrich davor gewarnt, die von Gott dem Menschen gegebenen Mittel höher zu bewerten als den Geber selbst und unter den dafür angeführten Beispielen die Bündnisse genannt[74]; auch hier war die Anlehnung an Luther deutlich, vor allem in der Feststellung: „die großen bündtnüß richten selten etwas guts auß, dann sie werden gemeinglich auß ... unordenlichem vertrawen auffgericht"[75]. Der Zweck der Warnung des „Liber Misnicus" war eindeutig: die Einwirkung auf den neuen Landesherrn, das Herzogtum nicht dem Schmalkaldischen Bund zuzuführen[76].

Bei einer ablehnenden Stellungnahme schien Luther in Widerspruch zu seinen bisherigen Postulaten zu kommen. Das Wittenberger Gutachten[77] stimmte denn auch in der Verwerfung des Vertrauens auf weltliche Hilfe statt auf Gott grundsätzlich dem „Liber Misnicus" zu, verband jedoch die Bündnisthematik nicht ganz im Sinn früherer Erörterungen mit der Frage nach der Erlaubtheit von Rüstungen. Nachdem Rüstung und Vorsorge für die Wittenberger schon immer zur Pflicht des fürstlichen Amts gehört hatten, wurde diese Pflicht jetzt auch auf die Bündnisse als Bestandteil dieser Vorsorge erstreckt. Als casus foederis läßt das Gutachten dabei alle mit dem Recht vereinbaren geistlichen und weltlichen Angelegenheiten gelten[78]; den spiritualia wird sogar der Vorrang zugestanden, da die Obrigkeit auf ihren Schutz besonders verpflichtet ist[79]. In einem sehr emotionalen Zusatz[80] zu dem Votum hat Luther diese Formalprinzipien konkretisiert, indem er direkt den Schmalkaldischen Bund als „unser notige und gegenwerliche bundnis" gegen die Kritik des „Liber Misnicus" verteidigte. Die Kausalzusammenhänge umkehrend, rechnete er den Nürnberger Bund als provokativ und friedensbedrohend auf gegen das zum Selbstschutz und zur Verteidigung notwendige Bündnis der evangelischen Stände, das er für „gantz billich und recht" hielt. Wenn er auch die von ihm selbst früher so nachdrücklich aufgezeigten Gefahren eines Bündnisses, wie sie jetzt der „Liber Misnicus" hervorhob, nicht relativierte, so kam er doch aus der polemischen Stellung heraus zu einer eindeutig positiven Entscheidung für das eigene Bündnis. Mit diesen Einwänden gegen die Darlegungen des „Liber Misnicus" zu Widerstand und Bündnis, obwohl diese von der früher in Wittenberg formu-

---

74. Vgl. Moufang, 195 f.

75. Ebd., 195.

76. Zur Frage des Beitritts des Herzogtums Sachsen zum Schmalkaldischen Bund vgl. E. Brandenburg, Herzog Heinrich der Fromme von Sachsen und die Religionsparteien im Reiche (1537–1541). In: Neues Archiv für sächsische Geschichte und Altertumskunde 17/1896, 134 f. 255 ff.

77. Die Bündnisausführungen des „Liber Misnicus" behandelt der erste Teil des Gutachtens; vgl. WAB VIII, 515, 13 ff.

78. Vgl. ebd., 516, 22 f.: „rechte sachen, geistlich oder weltlich".

79. Vgl. ebd., 516, 40 f.

80. Vgl. ebd., 517, 71 ff. Vgl. dazu auch Dörries, Widerstandsrecht, 240.

lierten Position so wenig abwichen, ist das Votum ein bezeichnendes Zeugnis dafür, wie weit sich Luther und seine Freunde tatsächlich von ihren früheren Stellungnahmen entfernt hatten, wie sehr sie auch im Prinzipiellen ihrer Haltung den aktuellen Erfordernissen der Schmalkaldischen Politik entgegenkamen.

11. Der Streit um das Burggrafenamt in Halle 1541/42

Die erste Hälfte der vierziger Jahre hat Luther auch erneut zu intensiver Beschäftigung mit tagespolitischen Problemen geführt. Die Aktivität Johann Friedrichs, die in auffallendem Gegensatz zu seiner früheren, eher passiven Politik steht, drängte die Wittenberger Theologen auf verschiedenen Feldern der Religions- und profanen Politik in eine Beraterrolle, ohne daß sie aber in den meisten Fällen den Gang der Entwicklung beeinflussen konnten. Im Streit mit dem Hochstift Magdeburg über Rechte und Kompetenzen des sächsischen Burggrafenamts in Halle[1] hat Luther allerdings durch seine Handlungsanleitungen zeitweise richtungweisend gewirkt und nicht nur die Politik seines Landesherrn religiös abgesichert.

Das Burggrafenamt, das schon im 15. Jahrhundert in seiner Ausdehnung umstritten war und seit der Ablösung des wettinischen Erzbischofs Ernst durch den Hohenzollern Albrecht 1513 in die Rivalität der Dynastien und den Kampf um die Vormachtstellung in Mittel- und Norddeutschland hineingezogen worden war, wurde von Johann Friedrich 1534 aktiviert, als ihn die aus Halle ausgewiesenen evangelischen Ratsmitglieder auf seine vermeintlichen Rechte, die bei dieser Aktion verletzt worden seien, aufmerksam machten, um dadurch die sächsische Unterstützung zu gewinnen. Ob seitdem vor allem religiöser Eifer, d. h. Schutz der evangelischen Glaubensbrüder und Ausbreitung der reinen Lehre, oder aber der Versuch, über das Burggrafenamt, dessen Befugnisse von ihm im Verlauf des Streits immer extensiver ausgelegt wurden, wenigstens Teile des Erzstifts, besonders Halle und den Saalekreis, in seine Hand zu bringen, die Politik der Kurfürsten bestimmt haben, ist schwer auszumachen. Das religiöse Engagement, das von ihm gern herausgestellt wurde, ging jedenfalls nicht so weit, daß Johann Friedrich darüber seinen materiellen Vorteil aus dem Auge gelassen hätte[2], und die Sorge um den Fortgang des Evangeliums kombinierte er durchaus mit seinem territorialen Interesse, wenn er als Entschädigung für die Ablehnung eines vorteilhaften Angebots des Erzbischofs 1542[3] von Halle die Unterwerfung unter seine Landeshoheit verlangte; die von ihm in diesem Zusammenhang gestellten Bedin-

1. Vgl. dazu Hertzberg I, 61 ff.; S. Streeck, Verfassung und Verwaltung der Stadt Halle (Saale) in der Zeit von 1487–1807 (phil. Diss. Halle-Wittenberg 1953), 291 ff. Zum Folgenden vgl. auch Hülße, 113 ff.; Brandenburg, Luther, 259 ff.; Mentz II, 508 ff.; Patze-Schlesinger III, 236 f.

2. Nach Delius, Halle, 92 war es dem Kurfürsten sogar in erster Linie um die materiellen Vorteile der Sache zu tun.

3. Vgl. unten S. 259 f.

gungen hätten die nahezu unabhängige Stadt auf den Status einer kursächsischen Landstadt herabgedrückt[4].

1538 hatten die Fürsten der hessisch-hohenzollern-wettinischen Erbeinung im Zerbster Spruch zwar die Rechte des Kurfürsten auf das Grafenamt bestätigt, zugleich aber festgesetzt, daß das Erzstift diese Rechte gegen Abtretung von zwei Ämtern von Sachsen erwerben sollte[5]. Johann Friedrich nahm den Spruch nicht an, die Intervention des Kaisers, die Ladung vor das Kammergericht und dessen Rekusation durch Kursachsen, das die Frage als Religionssache deklarierte[6], zogen den Streit weiter hin, der zusätzlich kompliziert wurde durch die Durchsetzung der Reformation in Halle im März 1541[7]. Durch die Berufung seines Freundes und Wittenberger Kollegen Justus Jonas[8] und die fortdauernde Verbindung mit ihm[9] wurde Luther persönlich von den Schwierigkeiten berührt und hat entschieden Partei ergriffen.

Luther hat wie sein Landesherr Kompetenz und Wirkungsmöglichkeit des Burggrafenamts sehr hoch veranschlagt, wobei er 1542 den Kurfürsten sogar für den eigentlichen Herrn in Halle hielt, von dessen Genehmigung der Aufenthalt des Bischofs in der Stadt abhing[10]. Das Verhalten Johann Friedrichs bedeutete daher für ihn nicht einen unrechtmäßig ausgeübten Zwang oder Rechtsbruch, sondern die Inanspruchnahme landesherrlicher Kompetenzen. Durch die ungeprüfte Übernahme der von Sachsen behaupteten Rechtsposition ergaben sich für ihn auch keine Kollisionen mit seinen Prinzipien der Nichteinmischung und der exclusio futurorum um des Friedens des Status quo willen, da der Kurfürst nach Luthers Beurteilung der Rechtslage im Fall eines Vertrags mit Albrecht ein Stück seiner eigenen Landeshoheit abtrat und mithin seine obrigkeitliche Pflicht zum Schutz von Untertanen verletzte.

Schon 1538 hatte er seine Autorität gegen die Verwirklichung des Zerbster Vertrags geltend gemacht, da durch ihn die Intervention zugunsten evangelischer Einwohner von Halle unterbunden worden wäre und er es für schimpflich hielt, Glaubensbrüder aus Gewinnsucht preiszugeben. Das Burggrafenamt bewertete er damals allerdings nur „propter pietatem et honestatem" verhältnismäßig hoch[11],

---

4. Vgl. Brandenburg, Luther, 276 f.; Delius, Halle 92. Zu ähnlichen Forderungen von 1541 vgl. Delius, Jonas, 160 f.

5. Vgl. Hülße, 275 ff.

6. Vgl. ebd., 369 f.

7. Vgl. dazu Delius, Jonas, 81 ff.; ders., Halle, 70 ff. (die beigegebenen Texte sind durch offenkundige Lesefehler leider z. T. erheblich entstellt und unverständlich).

8. Bemerkenswerterweise war Jonas der einzige aus dem engeren Kreis um Luther, der Wittenberg für dauernd verließ, während Bugenhagen trotz seiner oft jahrelangen Abwesenheiten stets zurückkehrte und Cruciger 1539 für Leipzig nicht auf Dauer freigegeben wurde.

9. Die Briefe Jonas' an Luther, in denen offenbar unaufhörlich um Intervention bei den politischen Spitzen des Landes zugunsten Halles gebeten wurde, sind unbekannt.

10. Vgl. WAB X, 154, 56 ff. (an Johann Friedrich, 6. Okt. 1542).

11. Vgl. WATR III, 608 f. und 616 f. 616, 30 f. heißt es ausdrücklich, der Zerbster Vertrag sei „etiam hortante Luthero" zu Fall gebracht worden. 1541 bezieht sich Luther auch

ohne im einzelnen an materiell nutzbare Rechte zu erinnern. Einzelheiten seiner Einflußnahme auf die sächsische Politik 1538 sind unbekannt; wieweit er für das Scheitern der Vermittlung verantwortlich ist, steht nicht fest.

1541 kamen zu dem prinzipiellen Einwand der verbotenen Preisgabe von Glaubensgenossen als Untertanen zwei stark persönlich gefärbte Motive hinzu: die Einwirkung Jonas', der beständig in Sorge über die Zukunft des Evangeliums in Halle war[12], und der alte Haß auf Albrecht von Mainz[13], der ihm die klare Sicht bei der Analyse der Situation verstellte, so daß er 1542 trotz eingestandener Unkenntnis der einzelnen Vorgänge[14] gegen einen Vertrag intervenierte und für den Fall seines Abschlusses als letztes Mittel den Gegner „totbeten" wollte, ehe dieser gegen Halle vorgehen konnte[15].

Luthers nachdrückliches Eintreten für die postulierte kurfürstliche Schutzfunktion für Halle beinhaltete nur faktisch, nicht aber intentional eine Absage an das Prinzip des Risikos des Glaubens. Daß „die von Halle wol schuldig weren, auch on vertrostung menschlichs schutzes fur sich selbs das Euangelion wider yhren tyrannen anzunemen"[16], hat er zwar selbst festgestellt, aber gemäß der sächsischen Rechtskonstruktion hatte für ihn Johann Friedrich als Burggraf einen Rechtsanspruch und damit die obrigkeitliche Pflicht zum Schutz und zur Förderung der in Halle begonnenen Reformation, während der tatsächlichen Rechtslage nach Kursachsen die Sorgepflicht für Glaubensbrüder übernahm, die einer anderen Landeshoheit unterstanden. 1541 ist Luther in der Frage der kurfürstlichen Rechte von sich aus aktiv geworden, als Jonas ihn wenige Tage nach Amtsantritt[17] bat, gegen den Verkauf des Burggrafenamts zu intervenieren. Luther hat das Schreiben an Brück weitergeleitet, verbunden mit einer kurzen Empfehlung, die sächsischen Rechte aufrechtzuerhalten[18]. Jonas selbst hat wenig später direkt Brück die in Zukunft aus dem jetzigen Status erwachsenden Vorteile für Kursach-

---

auf seine frühere Stellungnahme (vgl. WAB IX, 394, 5 f.). In Konsequenz seines Rates gegen den Zerbster Vertrag hat Luther von diesem Zeitpunkt an bei Adressen der bisher von ihm verwendeten Titulatur des Kurfürsten stets „Burggraf zu Magdeburg" hinzugefügt, erstmals im Juni 1539 (vgl. WAB VIII, 443, 3; 448, 3 f.).

12. Vgl. z. B. Kawerau, Jonas II, 11 f.

13. Vgl. z. B. WAB X, 144, 26: der leidige pfaff; 143, 34: der Hellische trache; 143, 43: dieser teuffelskopff; 149, 4: Moguntinus Satan; 149, 12: diabolissimus diabolus. — Eine Monographie über die Beziehungen Luthers zu Albrecht von Mainz in der späteren Zeit ist ein dringendes Desiderat. H. Volz, Erzbischof Albrecht von Mainz und Martin Luthers 95 Thesen. In: Jahrbuch der Hessischen Kirchengeschichtlichen Vereinigung 13/1962, 187 ff. geht nur der Anfangszeit nach. Über Luthers Briefe an Albrecht in der Schönitz-Affäre vgl. Aland, Luther als Staatsbürger, 424 ff.

14. Vgl. WAB X, 144, 21; 154, 35 f.

15. Vgl. ebd., 145, 35 ff.; 146, 13 f. Zum „Totbeten" vgl. etwa auch WATR V, 135, 3 ff. (Georg von Sachsen); 144, 17 ff. (Moritz von Sachsen).

16. WAB X, 142, 12 ff. (an Brück, 3. Sept. 1542).

17. Am 15. April 1541 wurde Jonas vom Rat als Prediger angenommen; vgl. Delius, Jonas, 84; ders., Halle, 77.

18. Vgl. WAB IX, 394 (an Brück, 1. Mai 1541).

sen dargelegt[19] und das aktuelle materielle Interesse der kurfürstlichen Politik mit dem Angebot einer von Halle zu leistenden Ausgleichszahlung für die Einkünfte aus den 1538 festgesetzten Entschädigungsämtern zufriedenstellen wollen[20]. Dieser Argumentation Jonas' hat sich Luther nicht angeschlossen, sondern sich auf die durch das Burggrafenamt zu bewirkende Förderung des Evangeliums konzentriert. Nach Röm. 4, 17 b erwartete er, daß Gott „vocabit ... ex hoc parvo titulo magna, quae non sunt, ut sint"[21]. Die Verwirklichung überließ er der Zukunft; nur der in Übereinstimmung mit dem Recht zu behauptende Ansatz dazu durfte nicht aus der Hand gegeben werden.

Diese religiöse Motivierung bestimmte auch seine weiteren Stellungnahmen in dem Streit, in dem er laufend konsultiert wurde. So erhielt Brück, als Albrecht von Mainz im August 1541 inoffiziell territoriale Abtretungen gegen die Zession der Burggrafenrechte anbot[22], von Johann Friedrich die Anweisung, Luthers Ansicht einzuholen[23]. Da dessen Stellungnahme unbekannt ist, läßt sich nicht sagen, ob sie auf die Formulierung der sächsischen Gegenbedingung: Sicherstellung der evangelischen Konfession in Halle und Beibehaltung aller Bündnisverpflichtungen, was auf Mainzer Seite auf eine noch gar nicht existierende Abmachung zwischen Sachsen und Halle bezogen wurde, Einfluß gehabt hat. Daß die Verhandlungen an dieser geforderten Einschränkung der erzbischöflichen Landeshoheit scheiterten, war aber zweifellos im Sinne Luthers.

Im folgenden Jahr verknüpften sich neue Verhandlungen über die Beilegung des Streits mit dem Krieg der Schmalkaldener gegen Heinrich von Wolfenbüttel[24]. Da Sachsen vor dem Feldzug keine weitere Zuspitzung wünschte, versuchte es, den Ausbruch des von Jonas mit seiner Forderung an den Rat, alle Klöster in der Stadt zu schließen, herbeigeführten neuen Konflikts hinauszuschieben. Auch der mehrheitlich noch altkirchliche oder wenigstens antisächsisch gesinnte Rat bemühte sich um Vertagung[25] und ordnete eine Gesandtschaft nach Wittenberg ab, um Luther zu konsultieren. Vor der Verhandlung mit dieser Ratsdeputation gab Brück Luther und Melanchthon Hinweise und Direktiven, um ihre Antwort der aktuellen sächsischen Politik anzupassen[26]. Brück legte dabei den Wittenbergern zwei mögliche Antworten nahe: Entweder sollten sie der Gesandtschaft die sofortige Auflösung der Klöster empfehlen, was den Vorteil hatte, die Stadt zum Bruch mit

---

19. Vgl. Delius, Jonas, 149 ff. Besonders wichtig sind in diesem Zusammenhang Art. 6 und 14 (S. 152 ff.). – Jonas weist ausdrücklich auf seine Briefe an Luther hin, die dieser an Brück weitergeleitet hatte.

20. Das Urteil von Brandenburg, Luther, 266, Jonas habe Brück die Erwerbung der Schutzherrschaft über alle stiftischen Protestanten in Aussicht stellen wollen, ist angesichts der Angebote Jonas' noch zu eingeschränkt formuliert.

21. WAB IX, 417, 16 f. (an Jonas, 22. Mai 1541).

22. Zu den Verhandlungen Aug./Sept. 1541 vgl. Brandenburg, Luther, 266 f.; Mentz II, 522 f.

23. Vgl. Brandenburg, Luther, 267 (Johann Friedrich an Brück, 14. Aug. 1541).

24. Vgl. dazu auch unten S. 275 ff.

25. Zu den Verhandlungen zwischen Rat und Bürgerschaft vgl. Hertzberg II, 172 ff.

26. Vgl. Brandenburg, Luther, 280 ff. (Brücks Bericht an den Kurfürsten, 9. Juli 1542).

dem Erzbischof und als Folge davon zur engeren Anlehnung an Kursachsen zu zwingen, zumal Brück die politische Standfestigkeit von Halle durchaus skeptisch beurteilte: „die leute (hetten) noch zur zeit gerne an beiden orten [= bei Kurfürst und Erzbischof] gnade und gunst“[27]. Erwünschter war im Augenblick aber der dilatorische Rat, alle Maßnahmen bis zum Ende des Feldzugs gegen Braunschweig aufzuschieben und bei einem für Kursachsen günstigen Ausgang nach der Weisung von 1. Kor. 7, 21 zu handeln. Dieses von Brück als „Kannst du frei werden, so tue es“ zitierte und von Luther aufgenommene Schriftwort war allerdings auf den aktuellen Fall nur sehr bedingt anwendbar. Melanchthon zog die radikalere Lösung vor, während Luther „ezliche erbare bedenken“, die nicht näher bekannt sind, geltend machte.

Brücks Erwartung, daß die Wittenberger der Gesandtschaft dilatorisches Verhalten für den Augenblick, für die zukünftige Entwicklung aber den „Artickel der freiwerdung“ nahelegen würden, war zutreffend. Zwar ist ihre Auskunft nicht im Wortlaut bekannt[28], aber ihr Inhalt läßt sich aus dem für Jonas bestimmten Gutachten Luthers, Melanchthons, Bugenhagens und Crucigers vom 18. August 1542 – also nach der Niederlage Heinrichs von Wolfenbüttel – erschließen, in dem auf eine von jenem offenbar unmittelbar nach Wittenberg gerichtete Anfrage wegen der Moritzkirche der Bescheid erteilt wurde: „Isti sunt dies, quos expectandos esse censuimus proximo consilio“[29].

War Luther in diesem Fall dem Wunsch der Politiker gefolgt, konnte er wenig später bei einer bedeutend wichtigeren Entscheidung seine Ansicht gegen die aktivistische Partei am sächsischen Hof durchsetzen. Nach dem raschen Sieg über Heinrich von Wolfenbüttel ließ der Kurfürst Luther wissen[30], er sei „wol gneigt“, mit den für den Braunschweiger Feldzug angeworbenen Truppen in das Erzstift einzufallen, Halle zu okkupieren und den Koadjutor mit der erzbischöflichen Regierung zu vertreiben[30a]. Die Begründung dieses Friedensbruchs zeigt die Zerrüttung der Rechtszustände und vor allem des Rechtsbewußtseins Johann Friedrichs: Die burggräflichen Rechte über Halle wären nie wirksam anzuwenden, wenn die „Pfaffen“ dort die Herrschaft in der Hand behielten, „zu dem, das es abgötterer und verfolger des evangelii sein“. Daß den Kurfürsten in diesem Augenblick nicht so sehr die Sorge um den Schutz des Evangeliums als vielmehr territoriale Interessen leiteten, zeigt seine Befürchtung, Halle bei geschickterem

---

27. Brandenburg, Luther, 283. Zum Mißtrauen gegen die Ehrlichkeit der Politik der Stadt gegenüber Sachsen vgl. auch Delius, Jonas, 157 (Mai 1541); WAB X, 121, 59 f. (Aug. 1542); Brandenburg, Luther, 275 (Sept. 1542).

28. Nach Hertzberg II, 175, der auf Dreyhaupt (unten Anm. 55), 208 und 981 zurückgeht, stammte die Antwort von Luther, Melanchthon und Bugenhagen.

29. WAB X, 118, 4 f.

30. Vgl. WAB X, 120 ff. (Johann Friedrich an Luther, 18. Aug. 1542).

30a. Einen kombinierten Angriff auf Heinrich von Wolfenbüttel und auf Magdeburg hatte der Kurfürst schon Ende 1539 erwogen; vgl. Mentz II, 305 und Anm. 4. Zu Gerüchten darüber aus dem Jahre 1542 vgl. auch Brandenburg, Korrespondenz I, 468 Anm. 1 und Mentz II, 327.

Verhalten des Erzbischofs in der Frage der freien Religionsausübung zu verlieren. Da er aber nicht sicher war, was „mit gott, gewissen und fuge" geschehen durfte, zumal die Kriegsfürsten wenige Tage zuvor dem Nürnberger Reichstag gegenüber die Verpflichtung, keinen Reichsstand anzugreifen, der Herzog Heinrich nicht unterstützte[31], eingegangen waren, suchte er Luthers Rat, ob trotz dieses Erbietens ein Krieg gegen den Erzbischof unternommen werden konnte.

Daß Johann Friedrich ein Votum Luthers wünschte, das sein Vorhaben unterstützte, steht nach dem Tenor seines Briefes außer Zweifel. Er konnte eine solche Stellungnahme auch umso eher erwarten, als er im Juli 1542 durch Brück von Gerüchten („Flugreden") unterrichtet worden war, daß die Wittenberger Theologen, besonders Melanchthon, für eine rasche Beendigung des braunschweigischen Feldzuges eintraten, um durch vorübergehende Besetzung einiger geistlicher Territorien – gedacht war natürlich in erster Linie an das Magdeburger Erzstift – die Zulassung der evangelischen Predigt in ihnen zu erzwingen[32].

Mit der Anfrage bei Luther war in gewisser Weise die Entscheidung über eine Ausweitung des Krieges in dessen Hand gelegt. Luther hat sich dem Aktivismus Kursachsens zwar nicht gänzlich entzogen, erteilte aber doch keine religiöse Vollmacht zur Verwirklichung der Pläne. Vielmehr riet er dazu, die gegenüber dem Reichstag eingegangene Verpflichtung strikt zu beachten[33], sprach sich dabei aber nicht schlechthin gegen den Kriegszug als unerlaubtes Offensivvorgehen und als Landfriedensbruch aus, sondern bemühte sich, die Aktion für den Fall des Ausbleibens einer Friedenszusage durch den Reichstag[34] theologisch zu rechtfertigen. Das von ihm in politischen Voten oft als Trost in Ungewißheit und als Mahnung zum Abwarten zitierte Schriftwort Phil. 1, 6 verwendete er diesmal in aktivistischem Sinn: Wurde die Friedenszusage nicht gegeben, war dies ein Zeichen, daß Gott, der das Werk in Halle angefangen hatte, es durch seine Engel, in diesem Fall den Kurfürsten als Instrument seines Handelns, weitertreiben und vollenden wollte. Die politisch-militärische Aktion hob er in die eschatologische Dimension von Eph. 6, 12. Wie er in enthusiastischer Überhöhung den Sieg über Heinrich von Wolfenbüttel als „Epiphania domini"[35] verstand, war er auch bereit, dem Zug gegen das Erzstift diese religiöse Interpretation zu geben. Er schloß die Möglich-

31. Vgl. dazu Mentz II, 329; vgl. auch Lanz, Korrespondenz II, 356.

32. Vgl. Brandenburg, Luther, 283. Das Gerücht war vermutlich ohne reale Basis; weder im Briefwechsel Luthers noch Melanchthons finden sich Hinweise auf eine solche Einstellung.

33. Vgl. WAB X, 126 ff. (an Johann Friedrich, 21. Aug. 1542). Daß Luthers Rat aus einer ganz an das Wort Gottes gebundenen Haltung geschöpft sei, wie Delius, Halle, 92, meint, läßt sich mit diesem Brief nicht ganz zur Deckung bringen, so sehr Luther subjektiv auch in diesem Fall von der Weisung der Schrift überzeugt gewesen sein mag. Vgl. auch Zahrnt, 115 f.

34. Die mündliche Friedensversicherung Ferdinands im Gegenzug zur Erklärung der Schmalkaldener (vgl. Anm. 31) erfolgte am 24. Aug.; vgl. Pol. Corr. III, 307, die folgende schriftliche Zusage vgl. bei Walch 17, 1395 f.

35. WAB X, 118, 8 (an Jonas, 18. Aug. 1542).

keit nicht aus, daß Gott durch den Kurfürsten die Papstkirche in ihrer Machtstellung zerstören wollte und der Kurfürst daher nicht nur das Erzstift erobern, sondern „noch mehr dazu einnemen und fort dringen" mußte[36].

Allerdings hielt er die Voraussetzung dieser Erwägungen, die Verweigerung des Friedens durch den Reichstag, für so wenig wahrscheinlich, daß er seine Überlegungen selbst als Phantasie beurteilte[37]. In einer Friedensgewährung, die aber die Freiheit der evangelischen Predigt einschließen mußte, durch die altkirchlichen Stände hatte der Kurfürst ein Zeichen zu sehen, daß Gott sich den weiteren Gang der Ereignisse selbst vorbehielt. Erst an dieser Stelle wird der religiöse Topos der Warnung vor einer Antizipation der in Gottes Hand liegenden Zukunft, der Luthers politische Ratschläge bisher fast ausnahmslos bestimmt hatte, wieder wirksam. Dieses Handlungsprinzip gilt, abweichend von früheren Empfehlungen, jedoch nur mehr für den Fall der eindeutigen Friedenszusage; blieb diese Garantie, deren Erteilung zusätzlich durch die Forderung der freien Evangeliumspredigt erschwert wurde, aus, hielt Luther den Kriegszustand für gerechtfertigt[38]. Da keine Anzeichen für militärische Vorbereitungen auf seiten Kardinal Albrechts zu erkennen waren, hätte es sich allerdings, was Luther nicht berücksichtigte, um einen eindeutigen Aggressionsakt gehandelt.

Ob allein sein Votum das weitere Verhalten des Kurfürsten bestimmt hat, läßt sich nicht nachweisen; jedenfalls bewegte sich die sächsische Politik auf der von Luther vorgezeichneten Bahn. Nachdem Ferdinand die Friedensversicherung abgegeben hatte, löste Johann Friedrich sein Heer auf. Militärisch war damit eine günstige Konstellation zur Erweiterung der sächsischen und gesamtprotestantischen Machtstellung nicht genutzt, eine politische, rechtliche und moralische Niederlage jedoch vermieden worden.

In dem fortbestehenden Dilemma der sächsischen Politik, welche der zwei Möglichkeiten in der Burggrafenfrage realisiert werden sollte, das Schutzbündnis mit Halle oder ein neues, sehr weitgehendes Angebot des Erzbischofs, ist Luther mit Nachdruck für einen Vertrag mit Halle eingetreten, nachdem er in dieser Frage erneut von Jonas in Anspruch genommen worden war[39] und auch vom Kurfürsten um sein Votum ersucht wurde[40]. Zwar schien ihm unglaubhaft, daß es Albrecht mit seinem Angebot ernst war, das hinderte ihn jedoch nicht, sich in einem von ihm selbst als „theologisch bedencken" klassifizierten Schreiben[41] Brück gegenüber entschieden gegen einen Vertrag mit dem Erzbischof auszusprechen. Ein gleichzeitiges, für den Kurfürsten bestimmtes Votum war zurückhaltender; in ihm verwarf er den Vertrag nicht gänzlich, bestand aber auf einer Schutzklausel zugunsten der hallischen Reformation, wenn er auch zugleich die Vertragstreue

---

36. Ebd., 126, 17; vgl. vor allem auch 127, 38 ff.
37. Vgl. ebd., 126, 18: „solch disputation fantasier ich bey mir selbs".
38. Brandenburg, Luther, 271 f. hat diesen Teil der Auskunft Luthers bei der Analyse des Schreibens unbeachtet gelassen.
39. Vgl. WAB X, 141, 3 ff.; 144, 2 ff.
40. Vgl. ebd., 142, 3 f.
41. Vgl. ebd., 142 f. (an Brück).

des Erzbischofs bezweifelte[42]. Brück und Johann Friedrich waren geneigt, den Vertrag wegen seiner materiellen Vorteile zu akzeptieren, zumal die Gegenangebote der Stadt dürftig ausfielen. In diesem Sinne versuchte Brück Luther und Melanchthon zu beeinflussen[43], allerdings ohne die territorialen und ökonomischen Vorteile als Hauptantrieb für den Vertragsabschluß zu erwähnen. Stattdessen stellte er die Stadt Halle als unzuverlässigen Partner hin, da sie den Streit um das Burggrafenamt nur für eigene Zwecke ausnutzen wolle[44]. Vor allem aber bestritt er jetzt die bisherige Basis der sächsischen Politik und der Argumentation der Theologen: Die Sachen ständen „des rechten halben" noch im Zweifel, auf jeden Fall sei das Burggrafenamt kein Mittel, „das die von Halle der Religion halben sich dorauf verlassen könnten"[45].

Luther und Melanchthon müssen nach allem Vorhergegangenen von dieser Belehrung völlig überrascht worden sein, haben aber anscheinend sofort resigniert. Brücks Gründe konnten sie nicht widerlegen. Luther hat erklärt, „er hette nicht gewust, das die sachen souihl bedenckens hetten, er forchte sich allein, das, wo sich e. c. f. g. mit dem bischoffe vortragen liessen und nhemen eine abestatung vor ihre gerechtigkeit, so werde man sehr ubel davon rheden und solchs e. c. f. g. zum ergsten deuten, das wolte er jhe e. c. f. g. nicht gerne gonnen"[46]. Diese Rücksicht auf den guten Ruf Johann Friedrichs wollte Brück allerdings nicht gelten lassen, da die Evangelischen von Halle die Reformation der Stadt nicht auf Rat des Kurfürsten vorgenommen und auch ihre Prediger zunächst von Leipzig hätten beziehen wollen. Zwar hat Luther ein neues Gutachten versprochen, zwei Tage später aber begreiflicherweise erklärt, nicht zu wissen, was er schreiben solle[47].

Johann Friedrich hat vor einer endgültigen Entscheidung über den Vertragsabschluß noch einmal versucht, religiöse und materielle Antriebe zu konkordieren, indem er den Schutzvertrag mit Halle zu einem Äquivalent der Vorteile, die der Erzbischof anbot, ausbauen wollte[48]. Veranlaßt durch das „kleglich heulen der zu Halle", die offenbar erneut um seine Fürsprache gebeten hatten, wandte sich Luther im Oktober 1542 noch einmal an den Kurfürsten, um seinen Einfluß gegen einen Vertrag mit Erzbischof Albrecht geltend zu machen[49]. Von einer Nachwir-

42. Vgl. ebd., 144 f. (4. Sept.).

43. Vgl. zum Folgenden Brücks Bericht an den Kurfürsten über die Unterredung in Wittenberg, 17. Sept. 1542; Original Dresden, Staatsarchiv, Loc. 9655 „Des Kurfürsten ...", Bl. 39 ff. Vgl. auch Brandenburg, Luther, 275 f.; Mentz II, 526.

44. Vgl. Bericht, Bl. 41 r: Wenn sie einen ihnen freundlich gesinnten Bischof hätten, „so muste die burggraffs gerechtigkait nhur ein schein und schatten sein".

45. Ebd., Bl. 42 v.

46. Ebd., Bl. 43 r f. Melanchthon hätte dem Bericht zufolge am liebsten gesehen, „das die sachen unserm hergot befohlen wurden und blieben stehen, wie sie stunden".

47. Vgl. ebd., Bl. 43 v. Brück fügte hinzu, Luther sei zu Melanchthon „ganz wunderlich gewest". — In die Tage der Besprechungen fallen Krankheit und Tod von Luthers Tochter Magdalena.

48. Die Forderungen sind in einem Schreiben an Brück vom 21. Sept. 1542 enthalten; vgl. Brandenburg, Luther, 276 f.

49. Vgl. WAB X, 153 ff. (an Johann Friedrich, 6. Okt. 1542). Zum Brief vgl. auch

kung der Belehrung Brücks in der September-Unterredung ist in dem Schreiben nichts mehr zu spüren. Obwohl er den Anspruch erhebt, gegen die juristische Sicht der Dinge die theologische zur Geltung zu bringen, und sein Schreiben als Frucht des Gebets hinstellt, ihm damit eine Autorität zuspricht, die über unverbindliche Unterrichtung oder Empfehlung hinausgeht, stehen Erwägungen der Opportunität und Utilität im Vordergrund. Zudem gesteht er seine Unkenntnis von Einzelheiten der geplanten Abmachung unumwunden ein[50].

Großes Gewicht legte Luther erneut auf die moralische Komponente der Angelegenheit, den Ruf des Kurfürsten als Verteidiger des Evangeliums, auf die er schon früher aufmerksam gemacht hatte[51], zweifellos in der Erwartung, seinem Votum dadurch den nötigen Nachdruck zu verleihen. „Fur der welt werden die papisten schreien und jauchtzen, das die Evangelischen geld fur ehre nemen“[52]. Hatte Johann Friedrich früher Luther erklärt, er wolle sich seine Rechte nicht um einen „papenstil“ nehmen lassen[53], so versuchte dieser ihn jetzt davon zu überzeugen[54], daß er bei Eingehen auf den ihm so günstig erscheinenden Vertrag in eben diese Situation komme.

Wieweit Luthers Argumente den Ausschlag für die endgültige Festlegung der sächsischen Politik, die durch den Abschluß eines geheimen Schutzbündnisses mit Halle zu ermäßigten Konditionen am 6.November 1542 erfolgte[55], gegeben haben, steht dahin. Als sich die Nachteile dieser Entscheidung herausstellten[56], hat Brück jedenfalls 1544 die Schuld auf die Wittenberger Theologen abgeladen[57]. In einer für den Landgrafen bestimmten Aufzeichnung von 1543 hat Johann Friedrich gleichfalls Luther und die „theologi zu Witemberg“ als Initiatoren hingestellt, die ihn auf Veranlassung der Stadt Halle zum erstenmal 1541 aufgefordert hätten, keinen Vertrag mit Erzbischof Albrecht abzuschließen, sondern „Got und sein wort, auch die pflichtige Christliche Lieb gegen den negsten mher dan den zeitlichen nutz darein an(zu)sehen“. Wenn der Kurfürst allerdings erklärte, Luther sei auf Bitten der Evangelischen von Halle nach dem braunschweigischen Feldzug erneut an ihn herangetreten, wodurch er zum Nachdenken über das, „was uns

---

Mentz II, 526; Delius, Halle, 92.

50. Vgl. WAB X, 154, 35 f.

51. Vgl. WAB X, 142, 9 f. (an Brück); 144, 6 f.; 145, 34 (an Johann Friedrich).

52. Ebd., 154, 53 f.

53. Ebd., 121, 67 (an Luther, 18. Aug. 1542).

54. Dabei nimmt er das Wort des Kurfürsten auf; vgl. ebd., 154, 51.

55. Vgl. den Text bei J. Chr. von Dreyhaupt, Pagus nelitici et Nutzici oder Ausführliche diplomatisch-historische Beschreibung des zum ehemaligen Herzogthum Magdeburg gehörigen Saal-Creyses I (Halle 1749), 208 f. Vgl. auch Mentz II, 526 f. und Brandenburg, Luther, 278 f.

56. Vor allem Komplikationen mit den Albertinern, die der Koadjutor gegen die ernestinische Bedrängung ausspielte; vgl. dazu Hülße, 378 ff.; Mentz II, 527 ff.; Brandenburg, Moritz I, 229 ff. (dazu Einl. S. 3). Vgl. auch S. Issleib, Magdeburg und Moritz von Sachsen bis zur Belagerung der Stadt (September 1550). In: Neues Archiv für Sächsische Geschichte und Alterthumskunde 4/1883, 273 ff.

57. Vgl. Mentz II, 526 Anm. 4.

wol mit gewissen zuthun", veranlaßt worden sei, verschleierte er den Kausalnexus zwischen eigener Anfrage und theologischer Beratung[58]. Immerhin ist unbestreitbar, daß die Politik Kursachsens nach mancherlei Schwankungen den Empfehlungen Luthers entsprach. Die Sorge um die Reformation in Halle, die diesen antrieb, dem Kurfürsten den Rat zum Beharren auf dem materiell wenig nutzbaren Burggrafenamt zu geben, schlug den politischen Interessen des Landes, denen Luther allerdings keinen selbständigen Wert in seiner Argumentation einräumte, wenn er auch vordergründig gelegentlich mit ihnen operierte, nicht zum Vorteil aus, zumal sich die weiteren Perspektiven Jonas' nach dem Tode Erzbischof Albrechts 1545 nicht realisieren ließen.

12. Die Wurzener Fehde 1542

Hatte sich der politische Rat Luthers bisher vorwiegend auf die Organisation der Protestanten oder die Beziehungen zu ihren Gegnern erstreckt, sah er sich 1542, als Johann Friedrich von Sachsen eigenmächtig das Amt Wurzen des der gemeinsamen Schutzherrschaft der Wettiner unterstehenden Hochstifts Meißen besetzen ließ[1], einer neuen Situation gegenüber: der bewaffneten Konfrontation evangelischer Fürsten[2]. Denn Moritz von Sachsen, der den Kurfürsten beschuldigte, „an den kleinen sachen nicht genug (zu haben), sondern ... die grossen vor die hand nemen (zu wollen), und denkt vielleicht, in unser jugend das zu vollenden, so er bei unsers herrn vatern und hz. Georgen zeiten im sinne gehabt"[3], war nach fruchtlosem Protest[4] entschlossen, selbst die Gefahr eines „Hauptkrieges" nicht zu scheuen, um sein Recht zu behaupten.

In den Akteuren der Wurzener Fehde wird auch die Bedeutung des Generationswechsels sichtbar, die Melanchthon schon 1541 angesichts der Haltung

58. Vgl. das „Vorzaichnus des berichts, so dem Landgraven der burggrefischen und Hellischen sachen halben gescheen, 1543, Eissenach" Dresden, Staatsarchiv, Loc. 9656 „Des Landgraffen zu Hessen ... Anno 1543–44", Bl. 1: Aus Anlaß des Braunschweigischen Feldzugs im vergangenen Jahr „weren sie [sc. die Hallenser] abermals an doctor Marthinus gefallen mit biet, das er uns wolt als ein christlicher lerer und der furnembste wolt um gotes willen ermanen und seinem wort zu eren, das wir uns in kein abestatung unserer gerechtigkait wolten begeben, darauff doctor Marthinus ain ansehenliche schriftliche ermanung an uns gethan, alß wir auß dem lande zu Braunschweig gezogen". – Hier ist zweifellos das Schreiben WAB X, 126 ff. (vgl. oben S. 258 f.) gemeint.

1. Den Anlaß bildete die Einziehung der Türkensteuer, verbunden mit dem Plan, bei dieser Gelegenheit im Amt Wurzen die Reformation einzuführen; vgl. Hecker, 13.

2. Zur Wurzener Fehde vgl. Ranke IV, 215 ff.; C. A. H. Burkhardt, Die Wurzener Fehde. In: Archiv für die Sächsische Geschichte 4/1866, 57 ff.; Mentz II, 499 ff.; Brandenburg, Korrespondenz I, 343 ff.; ders., Moritz I, 194 ff.; Wartenberg, 57 ff.

3. Brandenburg, Korrespondenz I, 371 (Moritz an Philipp, 26. März 1542). Zur Bedeutung Wurzens vgl. auch ebd., 388 f. die Ausführungen Carlowitz'.

4. Seit 14. März 1542 Briefwechsel zwischen Johann Friedrich und Moritz, in dem letzterer die Forderung sofortiger Räumung des besetzten Gebietes erhob; vgl. ebd., 344 f. 348 ff. 361 ff. 381 ff. 385 f.

Joachims II. von Brandenburg konstatiert hatte: „Novum quoddam genus seu Pyrrhoniorum seu Scepticorum nunc exoritur, quod videri vult alienum a Luthero ac conciliationes molitur cum adversariis“[5]. Die jetzt zur Regierung kommenden evangelischen Fürsten waren vom rigorosen Glaubenseifer der ersten Stunde weniger berührt, ließen wie Moritz, der König Ferdinand und die Erbeinungsverwandten, zu denen auch der Erzbischof von Mainz und der Magdeburger Koadjutor zählten, um Beistand und Rat anrief[6], stärker wieder religionsunabhängige Elemente in ihrer Politik zur Geltung kommen oder versuchten wie Joachim II., das Gemeinsame beider Konfessionsparteien in den Mittelpunkt der Religionspolitik zu stellen.

Die Wittenberger haben die Bedeutung dieses Generationswechsels deutlich erkannt; bezeichnenderweise warfen sie Moritz vor allem seine Jugend und seine mangelnde Erfahrung, auch im Kampf um die reine Lehre, vor. Die Erbitterung spiegelt Melanchthons Klage wider: „Wan wir groß muhe und arbeit gehapt haben in der kirchen, die lehr zu erhalten wider den bapst und die gantze welt, das sich niemants wider uns legen darff, so kompt ein junger lecker und macht uns unter uns selbst ein spiel, das wir nicht wissen, wo wir doheime sindt“[7]. Für ihn wie für Luther war der bis zum bewaffneten Zusammenstoß gesteigerte Konflikt zweier evangelischer Fürsten eine monströse Situation, die sie zutiefst beunruhigen mußte, erwies sich doch hier exemplarisch, daß die Basis des gemeinsamen Glaubens nicht ausreichte, friedliche Regelungen an die Stelle von Gewalt zu setzen. Wahrscheinlich ist vor allem von dieser Voraussetzung her Luthers vehemente Verurteilung Moritz' zu verstehen und zugleich das Bemühen, die Schuldigen am Konflikt in altkirchlichen Kreisen zu suchen[8]. Die Wurzener Fehde erschien in dieser polemischen Interpretation als Versuch, die evangelische Lehre zu kompromittieren[9]. Mit der Formel des bewußt evangeliumsfeindlichen und undankbaren[10] Verhaltens des Herzogs war für Luther die Schuldfrage geklärt, obwohl er zugab, nicht zu wissen, aber auch gar nicht wissen zu wollen, „welches theil recht hatt“[11], und sich zunächst offenbar auch nicht sicher war hinsichtlich des Vorgehens seines Landesherrn[12].

---

5. CR IV, 109.

6. Vgl. Brandenburg, Korrespondenz I, 373, 16 ff. 374.

7. WATR V, 135, 7 ff.

8. Drastischen Ausdruck findet die Konstruktion der Abhängigkeit Moritz' von seinen Ratgebern in Melanchthons Vergleich: „Hertzog Moritz ist gleich wie eine pfeiffe, was die rethe ime einblaßen, das pfeift er“; ebd., 135, 21 f. Über Luthers Beziehungen zu Moritz vgl. anhand ihres Briefwechsels Aland, Luther als Staatsbürger, 438 ff.; vgl. auch Wartenberg, 52 ff.

9. Vgl. WAB X, 29, 13 f. (an Amsdorf, 7. Apr. 1542); vgl. auch WATR V, 145, 38: „Sy meinen Wurtzen gar nit, sonder das euangelium“.

10. Das Argument von der ingratitudo principis begegnet mehrmals, das erste Mal schon 7. April; vgl. WAB X, 29, 21 ff.; 45, 5 ff.; 47, 17 ff.

11. Ebd., 41, 16 (an Philipp von Hessen, 9. April 1542).

12. Vgl. WATR V, 142, 19 ff. 145, 6 f.

Zunächst hatte sich Luther offensichtlich nicht um den drohenden Konflikt gekümmert und war auch nicht unterrichtet worden. Obwohl Melanchthon schon am 4. April 1542 berichtete: „Exortus est tumultus propter oppidum Wurtzen“[13], ist Luther „solch ernst furnemen und plotzlicher zorn zwischen beiden, E. k. und f. g., ... heute [am 7. April] erst recht kund worden“[14]. In großer Besorgnis über die Zuspitzung hat er dann allerdings unverzüglich mit einem offenen Brief an die beiden Fürsten und ihre Landstände reagiert[15]. Als Appell eines, wenn auch noch so angesehenen Untertanen an seinen Fürsten und als Einwirkungsversuch in eine Streitfrage, über deren Rechtsgegenstand der Verfasser offen zugab nicht unterrichtet zu sein, ist das Schriftstück in der Reihe der politischen Ratschläge und Gutachten Luthers von singulärer Bedeutung. Auch die Öffentlichkeit der Mahnung war ein Novum in der Praxis seiner politischen Voten[16]. Erhebt sich der Inhalt des Flugblattes zu einer bei so großer Voreingenommenheit, wie sie aus den gleichzeitigen privaten Äußerungen sichtbar wird, erstaunlichen Objektivität, so war die Aktion in Luthers Absicht doch vor allem gegen Moritz gerichtet. „Weil H. Moritz niemant hat wollen horen“[17], wählte Luther den ungewöhnlichen Weg des öffentlichen Aufrufs, der unmittelbar die Untertanen Moritz' erreichen sollte. Die Gleichheit, mit der beide Fürsten im Text behandelt werden, war damit in Luthers Intention nur formal, die Objektivität nur scheinbar gegeben. Der im Flugblatt über den Parteien stehende und aus einer Position der Unabhängigkeit urteilende Theologe zeigte sich in der eigenen Interpretation seines Schritts einen Tag später bereits als resoluter Parteigänger seines Landesherrn[18].

---

13. CR IV, 795 (an Nikolaus von Amsdorf). Daß damit der Konflikt zwischen Johann Friedrich und Moritz, nicht etwa der mit dem Bischof von Meißen gemeint ist, geht aus ebd., 796 hervor.

14. WAB X, 32, 4 f. (Sendbrief an die Fürsten); vgl. auch ebd., 38, 14 f. „solch Eilend unglück hab ich erst gestern frue erfaren“ (an Brück, 8. April).

15. Vgl. WAB X, 32 ff. Zum Inhalt vgl. auch Dörries, Luther nach dem Bauernkrieg, 53 ff. und Zahrnt, 110 ff. WAB X, 31 sind als Adressaten nur die beiden Fürsten genannt, während die Anrede (Zl. 2 f.) auch an die Stände bzw. die Hauptleute beider Heere gerichtet ist. Daß dem Sendbrief ein anderer Brief vorherging, der aber ohne Antwort blieb, wie ein Tischgenosse Luthers berichtet (vgl. Enders XIV, 249, 84 ff.), läßt sich mit der Chronologie, wie Luther sie selbst darstellt, nicht vereinbaren und dürfte auf einem Irrtum beruhen. Auf falscher Interpretation der Auskunft Melanchthons an den Landgrafen vom 9. April, er habe Luther „vleissig gebeten vor diser zeit, das ehr, als dieser kirchen aller forgenger und prediger, die fursten zum frieden vermanen wöltt“ (Gundlach, 75), beruht die Angabe WAB X, 40, Melanchthon habe den Sendbrief an die Fürsten veranlaßt. Der Ausdruck „vor diser zeit“ deutet aber auf einen länger zurückliegenden Zeitraum und bezieht sich vermutlich auf die seit langem bekannten Differenzen zwischen beiden Ländern über verschiedene Fragen (Münzfragen, Wegerechte u. a.).

16. Eine gewisse Parallele stellen nur die gleichfalls im Druck ausgegangenen „Etlichen Notbriefe“ von 1530 dar, die sich an Joachim I. von Brandenburg, die Bischöfe und die Landstände richteten; vgl. WAB V, 225 ff. Allerdings handelte es sich hier um eine persönliche Affäre.

17. WAB X, 38, 16 (an G. Brück, 8. April).

18. Vgl. WAB X, 37 f. (an G. Brück).

Luther spricht in der Wurzener Fehde aus der Forderung seines Gewissens[19], nicht als „Staatsbürger" oder Untertan, sondern als Seelsorger. Daher will er nicht vermitteln oder das Recht der Kontrahenten prüfen, sondern die Prinzipien des Lebens des Christen in dieser Welt einschärfen und mit einem breiten Aufgebot an Schriftzitaten, die auf den aktuellen Gegenstand ausgerichtet werden, verdeutlichen. Er räumt ein, daß der Fall seinem materiellen Gehalt nach als „eitel weltliche sachen"[20] nicht in seine Kompetenz gehört, soweit es die politische oder juristische Beurteilung betrifft, leitet aber die Berechtigung zur Intervention aus seiner Aufgabe als „Christus diener und Prediger des Euangelii"[21], zu dem sich beide Parteien bekennen, ab. An Gottes Statt stellt er die Fürsten zur Rede und appelliert an sie, gedeckt durch die Legitimation in Luk. 10, 16, so daß er beanspruchen kann: „Wer mich hört, hört Gott".

Luthers theologische Paränese blieb nicht abstrakt, sondern konkretisierte sich in Hinweisen und Anregungen. Sein Axiom bei der Beurteilung politischer Aktionen und Pläne, die Frage nach der Verhältnismäßigkeit der Mittel zum intendierten Zweck, erwies für ihn bei diesem Anlaß erneut seine Gültigkeit; Aufwand und Zweck waren für Luther, der dabei allerdings von der Bedeutung Wurzens für das Herzogtum absah, wenn er überhaupt davon gewußt hat, eindeutig disproportioniert. Die gewichtigeren Gründe für seinen Friedensappell waren aber transpolitischer Natur. Luther berief sich auf die Seligpreisung der Friedfertigen in Mt. 5, 9, die reziprok die Verdammung der Friedensbrecher enthielt, und erinnerte daran, daß dieses Gebot für jeden galt. Auch der Befehlende und Machtausübende war von seiner Befolgung nicht dispensiert, so daß, wer den Krieg anfing, sein Gewissen verletzte und die Seligkeit preisgab. In diesem Zusammenhang stellte Luther mit Nachdruck die Bedeutung des Rechts in seiner friedensstiftenden Funktion heraus. Im gegenwärtigen Konflikt mußte und konnte das Recht als Gabe Gottes genutzt werden, statt in frevelhafter Selbsthilfe das vermeintliche Recht mit Gewalt zu suchen. Die Norm von Dt. 16, 20: „Quod iustum est, iuste exsequaris", war auch von den in den Wurzener Streit verwickelten Fürsten zu beachten[22]. Erst wenn alle Schlichtungsinstanzen versagten[23], weil sich eine Partei ihrem Erkenntnis nicht fügte, war Gewaltanwendung zur Herstellung eines verletzten Rechtszustands als Fall von Notwehr möglich. Luther verlangte also auch 1542 nicht bedingungslosen Verzicht auf Gewalt, sah aber ad hoc niemanden im Stande der Verteidigung gegen offenbares Unrecht, weil noch nicht durch eine Schiedsinstanz festgestellt worden war, wer in seinem Recht gekränkt war.

---

19. Vgl. ebd., 33, 18.

20. Ebd., 32, 7. Vgl. auch ebd., 48, 7 f.: „causa est prorsus prophana per se". WATR V, 145, 1 f. werden von Luther als Grund der Auseinandersetzungen auch die Münzirrungen genannt.

21. WAB X, 33, 23 f.

22. Vgl. ebd., 35, 135; auch von Melanchthon verwendet; vgl. Gundlach, 73. 75.

23. Luther verweist als Möglichkeit für eine Schiedsinstanz auf das gemeinsame Hofgericht, einen Spruch der Erbeinungsfürsten oder eines Juristen- und Adelskonsiliums.

Neben dem Appell zu rechtlichem Austrag und der Belehrung über die Notwehrsituation stand die Unterrichtung über die Konsequenzen, die sich für die Rechtsposition des Angreifers oder Rechtsverweigerers ergaben. Hier stellte Luther ganz unzweideutig fest: Wer angreift, setzt die Gegenpartei ins Recht; wer sich nicht zu rechtlichem Austrag erbietet, verliert selbst dann sein Recht, wenn es objektiv besser ist als das des Kontrahenten. Im nachdrücklichen Aufruf, sich einer rechtlichen Austragung des Konflikts nicht zu widersetzen, verkündete Luther zugleich seine Lösung aus allen Bindungen von Loyalität und Untertanschaft, indem er sich mit der Friedenspartei identifizierte. Wenn für sie die Notwehrsituation gegeben war, konnte sie handeln in der Vollmacht und mit dem Segen Gottes, während die Angriffspartei ohne Glauben und auch in weltlichem Unrecht kämpfen mußte. In Wortwahl und verwendeten Bildern sind diese Aussagen der Aufforderung Luthers von 1525 an die Obrigkeit, die aufständischen Bauern zu bekämpfen, in der Zuversicht, ein vor Gott gutes Werk zu vollbringen, bei aller Verschiedenheit der Ausgangsposition ähnlich[24]. Damals wie jetzt war er bereit, die Verantwortung für das Blutvergießen der das Unrecht bekämpfenden Partei zu übernehmen und den in solchem Kampf Gefallenen die Seligkeit zuzusprechen. Die Landstände des die Rechtslösung ablehnenden Angreifers wurden dagegen aufgefordert, die Heeresfolge zu verweigern, da sich niemand wissentlich an einem ungerechten Krieg beteiligen durfte[25].

Ein starker Antrieb zur Intervention, der den Theologen ganz unmittelbar anging, war die Sorge um die Glaubwürdigkeit der evangelischen Predigt[26]. Luther sah in dem Konflikt letztlich das Wirken des Teufels, der „unserm heiligen Euangelio ein ewige schande" antun wollte[27]; wer sich nicht um den Frieden bemühte, wurde Handlanger des Satans und unterstützte die propagandistischen Bemühungen der Papisten. Melanchthon ging sogar so weit, die Ausbreitung des Evangeliums in Frage gestellt zu sehen, und beschwor die beiden Fürsten, das Ärgernis

---

24. Diese Parallele macht Dörries, Luthers Verständnis, 55 deutlich durch Verbindung seiner Ausführungen über Wurzen mit den zuvor erörterten Bauernkriegs-Schriften. Die Beobachtung, daß an die Fürsten dieselben Weisungen ergehen wie damals an die Bauern, scheint mir jedoch nicht zutreffend zu sein, da Luther den Bauern in erster Linie entgegentrat wegen der mißbräuchlichen Verwendung des Evangeliums für irdische Zwecke, während er den Fürsten 1542 in einer Sache, für die er sich ausdrücklich als nicht zuständig erklärt, ihre Verantwortung für den rechten Gebauch ihres Amtes vor Augen stellt. Außerdem waren die Folgerungen verschieden; Luther hat den Bauern niemals zugesagt, daß sie bei Rechtsverweigerung im Stande der Notwehr wären und dementsprechend handeln dürften.

25. Vgl. zu diesem Problem auch oben S. 79.

26. Von daher ist die Kritik von Brandenburg, Moritz I, 204 am Eingreifen Luthers und Melanchthons ungerechtfertigt; vgl. WAB X, 34, 78 ff. und WATR V, 133 f. (11. April).

27. Vgl. WAB XIV, 202: „Ermahnung D. M. L. am Ostertage 42"; ähnlich auch Philipp von Hessen; vgl. Lenz II, 76 f.

einer bewaffneten Auseinandersetzung zu verhüten, um „der ehre Gottes hierinn zu schonen und die leut nit abzuschrecken von christlicher reyner lehr"[28].

Die Abfassung des Flugblatts war ein außergewöhnliches, aber wirkungsloses Unternehmen. Als Luther am 8. April „gute newe zeitunge"[29], d. h. die Nachricht von der Vermittlung des Landgrafen erhielt, inhibierte er den Druck und schickte das Manuskript an Brück, der es dem Landgrafen zur Einsicht übermittelte[30], es aber nicht zurückerhielt. Der Text wurde anscheinend geheimgehalten[31], von den beteiligten Fürsten hat ihn offenbar keiner zu Gesicht bekommen[32].

Wie Luther hat sich auch Melanchthon mit einem Friedensappell, den er auf Bitten des Landgrafen in der Nacht des 8./9. Aprils abfaßte[32a], an die Fürsten gewandt, obwohl er sich über die Wirkung keinen Illusionen hingab, da „uff beiden seitten nit mangel ist an verstand, sondern es will sunst kheiner dem andern umb ettwas weichen"[33]. Seine „Erinderung der krigsubungen halben"[34] zielt dennoch mehr als Luthers Flugblatt auf die rationale Einsicht der Beteiligten und stellt den Appell an die Christenpflicht, die Luther in den Vordergrund seiner Paränese gerückt hatte, hinter einer sachlichen Erörterung der Gründe gegen die bewaffnete Lösung zurück. Anders als Luther verweist er nicht auf ein schiedsgerichtliches Verfahren, sondern führt die Epikie in die Diskussion ein; es ist nicht möglich, „in menschlichem leben einigen friden in regimenten oder sunst zu erhalden, so man alle ding nach der scherff streiten wille"[35]. Aus dieser Maxime entwickelte er die Verpflichtung, nicht auf der eigenen Rechtsposition zu beharren, sondern bereit zu sein, um des Friedens willen etwas vom eigenen Recht aufzugeben. Auch sein Text, den er am 9. April an den Landgrafen schickte mit der Vollmacht, ihn „auch an die herrn gelangen (zu) lassen"[36], hat auf die Entscheidungen der Beteiligten vermutlich nicht eingewirkt[37].

Auf Ersuchen des Landgrafen, der um die Befürwortung seiner Vermittlungsaktion beim Kurfürsten bat[38], hat Luther nach Abfassung seines Flugblatts noch

---

28. Gundlach, 74 („Erinnerung" Melanchthons an die Fürsten).

29. WAB X, 37, 5 (an Brück).

30. Vgl. dazu Brandenburg, Korrespondenz I, 400 Anm. 1.

31. Vgl. Besold an Dietrich, er könne den Text nicht schicken: „celatur enim"; Enders XIV, 100, 249 f. Zwar ist dort von dem „Scriptum Lutheri ad Mauricium" die Rede, damit ist aber offensichtlich das Flugblatt gemeint.

32. Wartenberg, 58 Anm. 21 weist allerdings auf eine Kopie im Dresdener Archiv hin, die darauf deuten könnte, daß Moritz und seine Räte den Text doch gekannt haben.

32a. Vgl. Gundlach, 72 (an Philipp, 9. April 1542); bei Gundlach ist die Reihenfolge des Textabdrucks umgekehrt: der erste Brief Melanchthons an den Landgrafen vom 9. April ist ebd., 75 f. gedruckt, der ebd., 72 stehende ist der zweite.

33. Ebd., 75.

34. Vgl. ebd., 72 ff.

35. Ebd., 74.

36. Ebd., 72 (an Philipp, 9. April 1542).

37. Das Original befindet sich im Marburger Archiv, ist also von Philipp nicht weitergeleitet worden.

38. Vgl. WAB X, 38 f. (an Luther und Melanchthon, 8. April 1542). Vgl. auch Philipp

einmal direkt auf den Konflikt Einfluß zu nehmen versucht. Wenn auch ohne die Vermittlungsvorschläge Philipps zu empfehlen, forderte er Johann Friedrich auf, „Gott zu ehren und solchen iamer zuverkomen sich sanfft und gutig finden" zu lassen[39]; ohne sein Recht aufzugeben, sollte er sich im Nachgeben als der Klügere erweisen. Seinerseits bat Luther den Landgrafen, auf Herzog Moritz einzuwirken und ihm vorzustellen, daß jener vor einem Rechtsspruch nicht mit gutem Gewissen den Kampf aufnehmen könne[40]. Obwohl Philipp der Schwiegervater des Herzogs war, scheute sich Luther nicht, diesen mit diffamierenden Bemerkungen aufs schärfste anzugreifen[41]. Drei Tage nach der Abfassung des Sendbriefs verlangte er bereits, daß Moritz Buße tun müsse „fur solche bose that"[42], und verstieg sich in seinem Affekt bis zur Ablehnung des Türkenzugs des Herzogs, der wegen des Zorns Gottes ohne Zweifel scheitern werde. Nach einer in den Zusammenhang der Wurzener Fehde gehörenden Aufzeichnung eines Tischgesprächs stellte sich Luther sogar die Aufgabe, nach seinem alten Gegner Georg nun auch Moritz totzubeten; die Albertiner sollten aussterben, damit das Land „widerumb" an die Ernestiner fiel[43]. Einseitiger konnte die Parteinahme für den kurfürstlichen Landesherrn nicht ausfallen.

Luthers Rat kam zu spät, um die Entscheidungen des Kurfürsten noch zu beeinflussen[44]. Ohne die Argumente der Theologen zu berücksichtigen, wurde der Zwischenfall aus politischen Erwägungen beigelegt[45].

Luthers Beurteilung der herzoglichen Partei als Kriegstreiber hätte leicht ein Nachspiel von der Art seiner Auseinandersetzungen mit Herzog Georg haben können, als ein Privatbrief von ihm, in dem er die „Centauri Mysnici et Lerna Lypsensis fallaces et perfidi simulatores in Euangelio fovendo" scharf kritisierte[46],

---

an Melanchthon, 9. April 1542: „seint desfalls schier lebendig im Fegfeuer, dann uns kaumpt ein beschwerlicher Ding uf Erdreich dann dieser Irrthumb begegnen und furfallen mocht"; M. Lenz, Nachlese zum Briefwechsel des Landgrafen Philipp mit Luther und Melanchthon. In: ZKG 4/1881, 146.

39. WAB X, 42, 18 f. (9. April).

40. Vgl. ebd., 41, 8 ff. (an Philipp, 9. April).

41. Vgl. ebd., 45, 4 ff. (10. April); vgl. dazu WAB XIII, 305.

42. WAB X, 45, 9.

43. Vgl. WATR V, 144, 15 ff.

44. Daß Johann Friedrich den Vorstellungen Luthers Gehör gab, wie Dörries, Luthers Verständnis, 55 bemerkt, ist kaum nachzuweisen; den Sendbrief kannte er, wenn überhaupt je, mindestens zu dieser Zeit wahrscheinlich noch gar nicht, da Luther ihn erst am 8. April an Brück schickte, von dem er am gleichen Tag an Philipp weitergeleitet wurde, der ihn am 9. bekam; eine evtl. angefertigte Kopie wird den Kurfürsten nicht früher erreicht haben. Der Brief vom 9. April kann auch erst am 10., d. h. am Tage des Vertragsabschlusses in Johann Friedrichs Hand gelangt sein. Ebensowenig ist sicher, daß Philipp seinem Schwiegersohn den Sendbrief Luthers gezeigt hat (vgl. aber Anm. 32), so daß nicht eindeutig zu sagen ist, ob der Brief zu der dauernden Verstimmung zwischen Luther und Moritz beigetragen hat, wie bei Dörries, Luthers Verständnis, 56 f. angegeben.

45. Vgl. den Vertrag vom 10. Apr. 1542 bei Brandenburg, Korrespondenz I, 407 ff.

46. Vgl. WAB X, 52, 2 f. (Luther an Hieronymus Weller, 19. April 1542).

in die Hände des Leipziger Rates fiel, der ihn Herzog Moritz zusandte[47]. Auf die Anfrage des Statthalters gab sich Moritz jedoch gelassen, „in betrachtung, dass er [= Luther] seinem gebrauch nach nit allein adelsgenossen, sondern die grossen potentaten als kaiser, konig und fursten anzutasten pflegt, daran dann soviel nit gelegen“[48]. Die Gefahr, daß sich im Gefolge der Wurzener Fehde eine offene Auseinandersetzung zwischen Moritz und Luther entwickelte, war dadurch vermieden.

13. Erweiterung und Verlängerung des Schmalkaldischen Bundes 1542 und 1545

13.1 Die Aufnahme der evangelischen Einwohner von Metz 1542

Mit der Bitte der evangelischen Minorität von Metz[1], die aber mit dem Schöffenmeister Gaspard de Heu das Stadtoberhaupt stellte[2], an den Rat von Straßburg im August 1542, ihr gegen die altkirchliche Majorität die Hilfe des Schmalkaldischen Bundes zu vermitteln, ergab sich die Möglichkeit, den Bund aus einem Zusammenschluß von Reichsständen zu einer politischen Organisation aller Protestanten im Reich auszuweiten, aber auch die Gefahr, in die bestehenden Herrschaftsverhältnisse und -zuständigkeiten nachhaltig einzugreifen. Straßburg hat die Bitte aus Metz dennoch ohne Zögern unterstützt. Verfassungsrechtliche Bedenken suchten der Straßburger Rat[3] und Bucer[4] in ihren Empfehlungsschreiben für die Metzer Gesandtschaft, die die beiden Bundeshäupter Sachsen und Hessen aufsuchen wollte[5], vorbeugend als entweder nicht vorhanden oder doch leicht behebbar zu interpretieren. Während der Rat juristische Hindernisse verneinte, da mit dem Schöffenmeister „das recht haupt der stadt“ zu der bündnissuchenden Minorität gehörte, und zudem dem Landgrafen vorstellte, daß die Bitte „on nachteil der Lieb, grossen anstoss anderer gutherzigen und zu sonderm frolocken der widerwertigen“ nicht abgeschlagen werden könne, berief sich Bucer auf die sanior pars[6];

---

47. Vgl. Brandenburg, Korrespondenz I, 416 Anm. 2.

48. Ebd., 452 f.; vgl. auch 454.

1. Zur Reformationsgeschichte von Metz vgl. Kleinwaechter und Winckelmann, Anteil, 202 ff. sowie Wagner, 200 ff.

2. Zu den politischen Zuständigkeiten und Verhältnissen in Metz vgl. G. Zeller, La réunion de Metz à la France (1552–1648) I (Paris 1926), 181 ff.; H. Tribout de Morembert, La réforme à Metz I (Nancy 1969), passim.

3. Vgl. Pol. Corr. III, 310 f. (Rat von Straßburg an Philipp und Johann Friedrich, 31. Aug. 1542).

4. Vgl. Lenz II, 83 ff. (1. Sept. 1542).

5. Da die Braunschweiger Tagung, auf der sie beide Fürsten zu treffen gehofft hatten, schon beendet war, begnügten sich die Metzer Abgesandten mit einem Besuch bei Philipp und entschuldigten sich in Sachsen unter Übersendung ihrer Werbung; vgl. Kleinwaechter, 48.

6. Der Begriff der sanior pars begegnet auch in einem Brief von Bucer an Calvin, 6. Okt. 1542; vgl. CR Calv. XI, 451. In Straßburg übernahmen ihn offenbar die Metzer Gesandten, wenn sie in ihrem Brief an den Kurfürsten vom „besseren und vermöglichen Teil“ der Bürgerschaft sprachen, den sie vertraten; vgl. Kleinwaechter, 43 Anm. 1.

bei Aufnahme in den Bund wurden nicht widerrechtlich Untertanen gegen ihre Obrigkeit geschützt, sondern die freie Stadt Metz wurde „in ihrem bessern theil" Mitglied. Auch eine Einmischung in fremde Landeshoheit lag in Straßburger Sicht nicht vor, weil die Aufnahmesuchenden „die stadt Metz nach allen rechten in der sachen vertretten"[7], insofern das vertragschließende Stadtoberhaupt zum Kreis der Bittsteller gehörte. Aber auch ein etwaiger formaler Verstoß schien sich rasch von selbst zu korrigieren, da nach Auskunft des Schöffenmeisters bei Bekanntwerden des Schutzes der evangelischen Bürger durch den Bund und der Garantie der Evangeliumspredigt in einem Jahr die ganze Stadt „gar herbei gebracht" werden würde[8]. Bucer und der Straßburger Rat sahen in dem Schutzersuchen der Metzer sogar noch mehr als nur die Chance, dem Evangelium in dieser Stadt zum Durchbruch zu verhelfen, nämlich die Möglichkeit zur Einwirkung auf die benachbarten Landstriche[9]. Diese Gelegenheit zur Förderung des Reiches Christi in aktiver Missionsarbeit durfte nicht außer acht gelassen werden.

Philipp von Hessen war sofort für den Plan gewonnen, so daß schon am 28. September 1542 eine Gesandtschaft, zu der auch Johann Friedrich seine Einwilligung nachträglich erteilt hatte, vor den Toren von Metz eintraf, um vom Rat die Freigabe der Evangeliumspredigt zu fordern[10]. Dieser, von Lothringen gestützt, lehnte jedoch unter Berufung auf ein Schreiben des Kaisers, das die Stadt aufforderte, keine religiösen Neuerungen einzuführen[11], ab, so daß der erste Schritt der Schmalkaldener ohne Erfolg blieb.

Als die Metzer Evangelischen angesichts sich verstärkender Verfolgungen Ende Oktober durch de Heu ausdrücklich um Aufnahme in den Schmalkaldischen Bund baten, übernahm Philipp von Hessen, dem die Straßburger hiervon wiederum befürwortend Kenntnis gaben[12], Bucers und des Rates Argumente weitgehend in sein Schreiben an Johann Friedrich vom 12. November[13], darunter vor allem die Erwartung, in kurzer Zeit die ganze Stadt zu gewinnen, und die Missionsaussichten für Frankreich und Burgund[14]. Er forderte den Kurfürsten auf, auf dem

---

7. Lenz II, 88.

8. Der Rat von Straßburg referierte in einem Brief an Philipp, 24. Okt. 1542 als Auskunft des Schöffenmeisters sogar, daß in solchem Fall binnen zwei Monaten 2/3 der Stadt und des Rates das Evangelium annehmen würden; vgl. Pol. Corr. III, 331 f.

9. Der Rat wies in diesem Zusammenhang auf Frankreich, Lothringen, Brabant, Flandern, Luxemburg und Burgund hin, die „der sprach halber" von Metz aus zu erreichen waren; vgl. ebd., 311.

10. Zu dieser Gesandtschaft und ihrer Vorbereitung vgl. Pol. Corr. III, 317. 319 ff. 323 f.; Mentz II, 338; Kleinwaechter, 48 ff. Weitere Bittschriften des Straßburger Rates zugunsten der Metzer Protestanten und die Antworten des dortigen Rates vgl. Pol. Corr. III, 323 f. 328 f. 341.

11. Vgl. ebd., 329 Anm. 1.

12. Vgl. ebd., 331 f. (24. Okt. 1542).

13. Vgl. WAB X, 191.

14. Die günstige Gelegenheit, von Metz aus das Evangelium nach Burgund, Frankreich und Lothringen zu verbreiten, erwähnt Philipp noch im April 1543 gegenüber seinen Räten in Nürnberg; vgl. Wagner, 202.

gerade stattfindenden Schweinfurter Bundestag für die Aufnahme der Metzer Bürger in den Bund einzutreten oder sie wenigstens „in Schutz und Schirm unser christlichen Vereins" zu nehmen.

Johann Friedrich ersuchte über Brück[15] die Wittenberger Theologen um ein Gutachten zu dieser Frage; vermutlich hat er ihnen zur Orientierung über die Sachlage auch das Schreiben des Landgrafen übersandt[16]. Luther ließ zunächst die ihm überbrachten Unterlagen durch Melanchthon an den Altkanzler zurückgehen mit der Bemerkung, er wüßte „uff das Stuckwerk nichts anzuzeigen, dann es wäre ihm zu seltsam. ... Sein Pater noster wollt er gerne darzu legen, daß es der Allmächtige zu den Wegen schicken wolle, die ihme gefällig"[17]. Er war offenbar in der Beurteilung der Vorgänge ebenso unsicher wie sein Landesherr; zwar erkannte er, daß das Gesuch der Metzer Evangelischen außerhalb der bisherigen Bündnisnorm lag, wagte aber nicht, zu- oder abzuraten. Auch das auf Brücks Bitte von Melanchthon ausgearbeitete und von Luther unterzeichnete Votum[18] enthielt keine eindeutige, auf juristische Deduktionen oder auf Schriftallegate fundierte Stellungnahme, sondern begnügte sich im wesentlichen damit, auf das Außergewöhnliche[19] und daher unter Umständen mit Gefahren Verbundene des Antrags hinzuweisen. Das Argument der Straßburger, daß die Metzer Evangelischen durch die Teilnahme des Schöffenmeisters zu ihrem Gesuch legitimiert waren, wurde in Wittenberg nicht übernommen, wenn das Gutachten als Problemgegenstand das Bündnis zwischen „potestat" und „privat personen, als da mit einem teil der Stadt" heraushob[20]; das Argument der sanior pars wurde gleichfalls abgelehnt. Vor allem wandte sich das Votum gegen die Straßburger Voraussetzung, daß der Christ einschränkungslos zum Beistand am Nächsten verpflichtet sei. Die Weisung 1. Joh. 3, 16, das Leben für die Brüder zu lassen[21], galt für die Wittenberger nicht unlimitiert, sondern nur soweit es jedem kraft Amts erlaubt war innerhalb der Grenzen seines Berufs. Sie stand außerdem unter der Klausel des „ultra posse nemo obligatur"[22]. Der Missionsaspekt Bucers verschwand in Wittenberg hinter der Überlegung, daß jedes Eingreifen in Metz Verwicklungen mit Frankreich, Lothringen und Burgund, d. h. dem Kaiser, auslösen werde.

---

15. Vgl. WAB X, 191 f. dessen Schreiben an Johann Friedrich (21. Nov. 1542).

16. Diese Annahme bestätigt sich m. E. aus dem Einwand Brücks gegen das vom Landgrafen angeführte Gleichnis vom Schalksknecht. Ob auch die von der ersten Gesandtschaft der Metzer nach Hessen überbrachten Schriftstücke, die sich in Kopien im Weimarer Archiv befinden (vor allem Bucers Schreiben an Philipp vom 1. Sept.; vgl. Kleinwaechter, 47 Anm. 2 und 3), im November an Luther gesandt worden sind, ist nicht auszumachen.

17. WAB X, 191 und 192 (Brücks Bericht an den Kurfürsten).

18. Vgl. ebd., 194 f.

19. Vgl. ebd., 195, 53: Bündnis mit einem Teil ist „frembd und ausser ordenlicher weiß".

20. Ebd., 194, 30.

21. Die Zitatstelle wurde 1539 in der Auseinandersetzung mit dem „Liber Misnicus" zur biblischen Legitimierung der Bündnisse verwendet; vgl. WAB VIII, 516, 33 f.

22. Als Beispiel für „vergeblich ding" führt das Gutachten eine Privatperson an, die

Dennoch wollten auch die Wittenberger Theologen ihre Glaubensbrüder in Metz nicht einfach im Stich lassen. Zwar stellten sie wie bei früheren Gelegenheiten[22a] auch jetzt die Verpflichtung jedes Christen, das Risiko des Glaubens auf sich zu nehmen, heraus, bestanden aber zugleich auf der Verpflichtung der Obrigkeit, „nach moglikeit armen privat personen wieder offentliche tyranney hulf" zu tun[23]. Wie das praktisch geschehen sollte, wußten sie allerdings auch nicht zu sagen, sondern gaben die Frage an „die hern, als die durch gottes gnad selb hoehes verstands sein und gelegenheit viel besser wissen denn wir"[24], zurück. Ihr Votum ließ daher insgesamt die Politiker ohne den erbetenen Rat. Die Unentschiedenheit der Theologen ergänzte Brück durch eine negative Analyse der Metzer Position und der Befürwortung des Aufnahmegesuchs durch den Landgrafen[25]. Obwohl er die theologische Seite des Problems und die brüderliche Solidarität bewußt zugunsten juristischer und politischer Bedenken ausklammerte, war aber auch er letztlich von der Unsicherheit, wie dem Phänomen der Bundeserweiterung durch Aufnahme von Untertanen zu begegnen sei, nicht frei und riet daher dem Kurfürsten, auf eine eigene Entscheidung zu verzichten. Stimmten die anderen Stände in Schweinfurt für die sofortige Aufnahme „ahn alle solche Bedenken und Bewegen, so will zu verhoffen sein, daß des Allmächtigen gnädiger Wille darbei sei und durch das Mittel der Einung die Widersacher des Ortes verzagt machen will".

Johann Friedrich folgte Brücks Rat und instruierte seine Gesandten entsprechend[26]. Da die Tagung in Schweinfurt aber bereits zu Ende gegangen war, konnte sich die kursächsische Direktionslosigkeit dort nicht mehr auswirken. Auf den Zusammenkünften der Schmalkaldener während des Nürnberger Reichstags wurde das Gesuch der Metzer dann abgelehnt, da es der Bundesverfassung und den Reichsabschieden widersprach, Untertanen gegen ihre altkirchliche Obrigkeit zu schützen. Hinter dieser Ablehnung stand neben der Berufung auf das Bundes- und Reichsrecht vor allem die Furcht der evangelischen Stände vor einem entsprechenden Verhalten der altkirchlichen Stände gegenüber glaubensverwandten Untertanen evangelischer Obrigkeiten, „daraus nichts dann Zerrüttung alles Friedens" folgen mußte[27]. Als Ersatz unternommene Interventionen zugunsten der evangelischen Minderheit beim Stadtrat und beim Kaiser blieben ohne Erfolg.

---

sich nach Frankreich begibt, um den verfolgten Evangelischen dort Hilfe zu leisten; vgl. WAB X, 194, 5 ff.

22a. Vgl. oben S. 131 ff. 140 f. 209 f.

23. WAB X, 195, 33 f.

24. Ebd., 195, 51 f.

25. Vgl. ebd., 191 ff. (Brück an Johann Friedrich, 21. Nov. 1542).

26. Vgl. Mentz II, 339.

27. Vgl. Winckelmann, Anteil, 225 f.; Pol. Corr. III, 352 Anm. 2.

2. Das Gutachten zum Frankfurter Bundestag 1545

Im Rahmen der sächsischen Vorbereitungen auf den Bundestag von Frankfurt (16. Dez. 1545 – 9. Febr. 1546), auf dem die Zukunft des Bündnisses[1] zur Entscheidung anstand, haben die Wittenberger Theologen in einem vermutlich von Melanchthon abgefaßten[2], neben ihm von Luther, Bugenhagen, Cruciger und Major unterzeichneten Gutachten[3] im November 1545[4] ihre Ansicht zur Verlängerung und Erweiterung des Schmalkaldischen Bundes dargelegt[5]. Das Gutachten spiegelt die Wandlung wider, die sich bei der Wittenberger Beurteilung politischer Institutionen, Vorgänge und Ereignisse vollzogen hat, zugleich aber auch das Beharren auf früher festgelegten Prinzipien. Während Luther den Anfängen des Zusammenschlusses der evangelischen Stände abratend gegenübergestanden hatte, befand 1545 das von ihm mitunterzeichnete Votum, daß das Bündnis zur inneren und äußeren Festigung der evangelischen Sache beigetragen habe. Waren 1529/30 Schriftallegate zur Warnung vor dem Abschluß der Verbindung beigebracht worden, wurde jetzt der Bund mit der von den Wittenberger Theologen in den letzten Jahren mehrfach angezogenen[6] Schriftstelle 1. Joh. 3, 16 abgestützt und religiös legimitiert.

Aber trotz dieser positiven Stellungnahme hält auch das Gutachten von 1545 an den früheren Kriterien eines Bündnisses fest:

1. Verzicht auf den Gebrauch dieses Instruments für die Durchsetzung eigensüchtiger Ziele;
2. Beharren auf der dogmatischen Uniformität der Partner;

---

1. Zum Frankfurter Bundestag vgl. Pol. Corr. III, 697 ff.; G. Schmidt, 71 ff.; Mentz II, 433 ff.; Hasenclever, 100 ff.

2. Bei Selnecker, Historie, 337 heißt es: „hat Philippus die Antwort selbst gestellt"; Müller, Äußerungen, 84 Anm. 2 ist vorsichtiger: vielleicht von Melanchthon verfaßt. In CR V, 720 wird Melanchthon ohne Angabe von Gründen als Verfasser abgelehnt und der Text Bugenhagen oder Cruciger zugewiesen; geschrieben ist das Original von letzterem, was aber keinen Rückschluß auf seine Verfasserschaft zuläßt; vgl. die entsprechende Aktenlage bei den Wittenberger Gutachten zum Naumburger Streit in WAB XII, 314 ff.

3. Vgl. CR V, 719 ff.; der zweite Teil auszugsweise auch in WAB XI, 237 f.

4. Obwohl schon Seckendorf III, 577 festgestellt hat, daß das Gutachten wegen der Gefangennahme Heinrichs von Wolfenbüttel „ante Novembrem mensem scribi non potuit", ist es CR V, 719 f. auf „fere mense Martio" angesetzt worden. Diesen Irrtum hat Pollet I, 237 übernommen, trotz der Berichtigungen bei Hasenclever, 150 Anm. 73; Mentz II, 432 Anm. 2. Die Datierung WAB XI, 236 f. auf 17. Dez. 1545, die auf der Angabe einer Nürnberger Handschrift beruht, ist gleichfalls unzutreffend, da nach Pol. Corr. III, 698 das Votum schon am 16. Dez. auf dem Frankfurter Bundestag verlesen wurde (das Datum der Nürnberger Kopie ist vielleicht das Abschreibedatum). Die Instruktion, in der das Gutachten erwähnt wird, stammt vom 4. Dez. (vgl. unten Anm. 14). Der Text muß also nach 20. Okt. und vor 4. Dez. entstanden sein.

5. Wer die Abfassung des Votums veranlaßt hat, ist nicht bekannt.

6. Vgl. WAB VIII, 516, 33 f. (Stellungnahme zum Liber Misnicus); Gundlach, 74 (Wurzener Fehde); WAB X, 194, 2 f. (Metzer Gesuch).

3. Unantastbarkeit der Glaubenspriorität, d. h. das menschliche Werk darf nicht an die Stelle des Vertrauens auf Gottes Hilfe gesetzt werden. Ein Bündnis darf immer nur der vorletzte, nicht der letzte und ausschlaggebende Faktor in der politischen Rechnung sein, da dieser Platz dem Vertrauen auf Gott gehören muß.

Daß die Verbindung der evangelischen Reichsstände nicht gegen den Willen Gottes eingegangen war, erschlossen die Wittenberger Theologen aus der bisherigen Wirksamkeit des Bundes, die neben der Friedensbewahrung nicht zuletzt darin bestanden habe, die Teilnehmer am gleichen Bekenntnis festzuhalten und damit Irrlehren abzuwehren, und aus dem Schicksal der von Gott offensichtlich verworfenen Gegengründung des Nürnberger Bundes von 1538.

Bei dieser Bewertung der evangelischen Verbindung hätte es nahegelegen, auch die 1545 erneut aufgeworfene Frage nach der Mitgliedschaft der Eidgenossen im Schmalkaldischen Bund mit theologischen Argumenten zu erörtern. Über diesen Punkt waren die Wittenberger offenbar schon zu Anfang des Jahres 1545 vom Kurfürsten befragt worden, da sich Johann Friedrich in der Ablehnung eines solchen Bündnisses Philipp von Hessen gegenüber am 8. Februar auf ein entsprechendes negatives Votum bezog[7]. Das Verbot von Bullingers Gegenschrift zu Luthers „Bekenntnis vom Abendmahl"[8] vertiefte im Laufe des Jahres die Kluft noch, obwohl auf Bitten der Bundesstände Konstanz im September die evangelischen Kantone ersuchte, den deutschen Protestanten im Fall eines Religionskrieges „christliche und freundliche Förderung" zu tun und die Werbung von Söldnern für ihre Gegner zu verbieten[9]. In ihrem Bedenken vom November 1545 votierten die Wittenberger Theologen erneut entschieden gegen eine Verbindung mit den Schweizern[10], die „ohne große Fährlichkeit der Lehre und weltlicher Regiment"[11] nicht eingegangen werden könne, führten aber fast ausschließlich politische Beweggründe für ihre Ablehnung an; lediglich dem Argument, daß die Züricher Prädikanten „wider unsre Kirchen schreiben und etliche Artikel haben, die sträflich sind"[12], und daß die Eidgenossen eine Aufnahme in den Bund als Bestätigung ihrer dogmatischen Haltung und als Möglichkeit zu deren propagandistischer Verbreitung ansehen würden, konnte religiöse Bedeutung zugesprochen werden.

Kurfürst Johann Friedrich hat die Wittenberger Argumente gegen eine Verbindung mit den Schweizern akzeptiert und seine Gesandten auf dem Bundestag angewiesen, für den Fall einer diesbezüglichen Anregung „solchs ... mitt der

---

7. Kurfürst Johann Friedrich an Philipp von Hessen, 8./9. Febr. 1545; vgl. dazu und zur Reaktion des Landgrafen Seckendorf III, 577. In Marburg und Weimar ließ sich der Text des Schreibens nicht auffinden.

8. Vgl. dazu Neudecker, Aktenstücke, 441 f. Anm. 35; Pollet I, 236 ff. 240 f.

9. Zu den Verhandlungen zwischen Konstanz und Basel vgl. Deschwanden IV, 528 ff.; die Tagsatzung zu Basel vom 19. Okt. beschloß Neutralität; vgl. ebd., 551 ff. Vgl. auch Pol. Corr. III, 665. 669 f.

10. Vgl. CR V, 723 f.

11. Ebd., 724.

12. Ebd., 723.

Persuasion ungeuherlich abzuwenden, wie sie aus ainem Rattschlag, den unsere Theologi zu Wittenberg (doch solchs unvermeldett[13], dieweil wir iren Rath dorinnen haben wissen wollen) verfertigett und neulich zugeschicktt"[14]. In Frankfurt ist dieses Thema aber offenbar gar nicht zur Sprache gekommen; in einem Schreiben der Stände wurden die evangelischen Eidgenossen lediglich erneut gebeten, den Durchzug fremden Kriegsvolks nicht zu gestatten[15]. Entsprechend der kurfürstlichen Anweisung sind die Abschnitte des Wittenberger Gutachtens über die Schweizer auf der Tagung nicht bekanntgemacht worden[16], während die positiven Ausführungen über die Verlängerung und Erweiterung des Bundes gleich zu Beginn der Beratung vorgetragen wurden[17]. Sachsen und Hessen begründeten dabei ihre Bereitschaft zur Erstreckung des Bundes denn auch ausdrücklich mit dem Rat der Theologen, „das man die bundnus nit zergon soll lassen"[18].

14. Der Schutz der Reformation im besetzten Herzogtum Braunschweig-Wolfenbüttel 1543 und 1545

Der Feldzug Sachsens und Hessens gegen Heinrich von Braunschweig-Wolfenbüttel im Juli 1542[1], der vordergründig und nach außen hin der Erfüllung einer Beistandspflicht gegenüber den Bundesgliedern Goslar und Braunschweig, die vom

13. Das heißt: die Gesandten sollten sich nicht ausdrücklich auf das Wittenberger Gutachten beziehen, sondern ihm nur die Argumente entnehmen.

14. Sächsische Instruktion vom 4. Dez. 1545; Original Weimar, Staatsarchiv, Reg H fol. 612–630 Fasz. 196 Vol. 1 b, Bl. 54 v; zu ergänzen: „entnehmen können" o. ä.

15. Vgl. Deschwanden, 600. 609 (Tagsatzung von Baden, 12. April 1546). Vgl. dazu auch die sächsische Instruktion Reg H fol. 612–630 Fasz. 196 Vol. 1 b, Bl. 54 r.

16. Der zweite Teil des Gutachtens fehlt im Referat sowohl in dem aus Braunschweiger und Göttinger Akten hergestellten Bericht bei G. Schmidt, 73 f. wie in den Aufzeichnungen Sturms Pol. Corr. III, 698. Dieser Umstand würde auch das Vorhandensein der von Pezel benutzten Weimarer Kopie nur des ersten Teils über das Bündnis erklären; vgl. CR V, 719 f. Da bei G. Schmidt, 73 und Schieß II, 407 nur Luther, Melanchthon und Bugenhagen genannt sind, hat vielleicht der vorgelegte Textabschnitt nur diese als Verfasser ausgewiesen unter Verzicht auf die weniger bekannten Cruciger und Major. Auch die Angabe Ambrosius Blaurers vom 27. Jan. an Bullinger (Schieß II, 413), daß der Ratschlag nur von der Verlängerung des Schmalkaldischen Bundes handele, bestätigt, daß lediglich der erste Teil vorgelegt worden ist, da Blaurer gerade Bullinger die Passagen über die Schweizer nicht verschwiegen haben würde.

17. Vgl. Pol. Corr. III, 698. Daß die dort erwähnte Möglichkeit, das Votum abzuschreiben, genutzt wurde, beweist die von G. Schmidt, 73 f. zitierte Kopie wie auch die WAB XI, 236 f. erwähnte Nürnberger Kopie (zu deren Datum vgl. oben Anm. 4). In Konstanz wurde der Text offenbar im Rat verlesen; vgl. Schieß, II, 407. 413.

18. Pol. Cor. III, 698.

1. Zu den braunschweigischen Feldzügen 1542 und 1545 vgl. vor allem F. Koldewey, Die Reformation des Herzogtums Braunschweig-Wolfenbüttel unter dem Regimente des Schmalkaldischen Bundes 1542–1547. In: Zeitschrift des historischen Vereins für Niedersachsen Jg. 1868, 243 ff.; Issleib, Philipp von Hessen, 1 ff. Vgl. auch Mentz II, 303 ff.

Herzog seit Jahren bedrängt wurden[2], diente, richtete sich in Wirklichkeit von vornherein über dieses begrenzte Ziel hinaus gegen das ganze Territorium. An einem allgemeinen Reichsfrieden waren die Bundeshäupter in diesem Augenblick nicht mehr interessiert. Im Naumburger Vertrag Kursachsens und Hessens mit Herzog Moritz vom 26. Oktober 1541[3] war ausdrücklich festgelegt worden, daß die Gesandten auf dem bevorstehenden Reichstag als Voraussetzung einer Beteiligung an der Türkenhilfe einen langfristigen Reichsfrieden fordern, aber bei Widerspruch der altkirchlichen Stände auf dieser Forderung nicht bestehen sollten, so daß „der fride ufgeschurzt und von jenem teil verschoben werde, damit diese krigsubung nit verhindert und I. Kf. und F. Gn. fridbruch zugerechnet werde"[4]. Dem militärischen Schlag ging außerdem — erstmals in der Reichsgeschichte — eine intensive publizistische Propaganda von beiden Seiten voraus, in der sich Johann Friedrich, Philipp und Heinrich gegenseitig ihre politischen und persönlichen Irrtümer und Fehltritte in großer Ausführlichkeit vorrechneten[5]. In diesen Kampf um die öffentliche Meinung wurde auch Luther hineingezogen, wenn auch sein Beitrag „Wider Hans Worst"[6] trotz der heftigen vordergründigen Polemik eines Pamphlets[7] über die Produkte der fürstlichen Kanzleien durch seine wichtigen ekklesiologischen Aussagen weit herausragt.

Abweichend von der bisherigen Politik des Schmalkaldischen Bundes war auch die Festlegung des Zeitpunkts des Angriffs unabhängig von jeder Berücksichtigung der Reichsbelange vorgenommen worden. Ein Eingreifen des Reiches und damit die Gefahr einer Ausweitung des Konflikts wurde allerdings durch die überraschend schnelle Besetzung des Herzogtums vermieden. Ließ sich bis zu diesem Augenblick der Feldzug und die vorläufige Okkupation des Landes mit der Beistandspflicht für die Bundesstädte Goslar und Braunschweig rechtfertigen, wurde die zwangsweise, durch die Besatzungsmächte angeordnete Einführung der Reformation zur Einmischung in die Hoheitsrechte des Kriegsgegners, selbst wenn sie

---

Zur Vorgeschichte vgl. Bruns.

2. Zum Konflikt mit Goslar vgl. Bruns, 13 ff.; G. Blume, Goslar und der Schmalkaldische Bund 1527/31—1547 (Goslar 1969), 41 ff. Über den Status von Braunschweig, das sich nahezu den Rang einer Reichsstadt verschafft hatte, vgl. Reller, 28 f.; H. J. Querfurth, Die Unterwerfung der Stadt Braunschweig im Jahre 1671 (Braunschweig 1953), 22 ff.

3. Vgl. dazu Brandenburg, Moritz I, 170 f.; ders., Korrespondenz I, 225 ff.

4. Ebd., 231, 23 ff.

5. Die Titel der Streitschriften sind bei Schottenloher III, 143 ff. verzeichnet, die Texte bei Hortleder, Ursachen, IV, 2 ff. p. 900 ff. abgedruckt (mit Unterdrückung der anstößigsten Stellen). Koldewey, 12 ff. verarbeitet die umfangreiche Flugschriftenliteratur; vgl. auch Mentz II, 304 ff.

6. Vgl WA 51, 469 ff.; dazu Koldewey, 25 ff.

7. Diese Seite des Traktats hob Bullinger tadelnd hervor: „In ... Brunswicens(em) ‚Johannem Worstium' praeterito decore et citra omnem modestiam plane scurriliter, non graviter scripsit"; Lenz II, 223. Eine vorsichtige Distanzierung ist auch in Brenz' positiver Beurteilung der Schrift nicht zu verkennen; vgl. Pressel, Anecdota, 217 f.

sich auf den Willen der Mehrheit der Untertanen stützen konnte[8]. Die Reformierung geschah ohne jeden Aufschub, schon am 19. August wurde Bugenhagen nach Braunschweig befohlen[9].

Wie sicher sich der Kurfürst fühlte bei dieser Aktion wie bei dem Feldzug überhaupt, vor dem ihn sein Kanzler Ossa im April 1542 vergeblich als Landfriedensbruch und crimen laesae maiestatis gewarnt hatte, wobei er damals noch von Brück unterstützt worden war[10], erhellt nicht zuletzt daraus, daß er seine Theologen weder zur Rechtfertigung des Kriegs noch zur Einführung der Reformation nach der Besetzung um ihr Gutachten und ihren Rat ersucht hat. Luther, Melanchthon und Bugenhagen wurden am 29. Juni lediglich über den bevorstehenden Krieg unterrichtet und mit der Erklärung abgefunden, Sachsen und Hessen hätten sich entschlossen, „in dem nhamen des hern ... den steten [Goslar und Braunschweig] die zuerkante und gepurende hulff ane weyther vorczihen zu laisten und sie wider den unchristenlichen tirannen vormittelst gotlicher hulf zu schutzen“[11]. Der genaue Feldzugsbeginn sollte den Wittenbergern noch bekanntgegeben werden, damit sie rechtzeitig zum Kirchengebet aufrufen konnten[12].

Luther hat die kurfürstliche Rechtfertigung des Angriffs als Erfüllung einer Beistandspflicht akzeptiert. Noch vor Kriegsbeginn hat er den Feldzug daher als „simpliciter ... necessarium ... pro defendendis multis oppressis“ bezeichnet[13] und nichts unternommen, um Johann Friedrich von der Aktion abzuhalten. Er hat nicht die causa fidei als Kriegsgrund gesehen, sondern den casus foederis; in dieser politischen „defensio multorum oppressorum“ lag für ihn der Sinn des Feldzuges. Nach seinen Prinzipien konnten unter den „oppressi“ allerdings nur die beiden von der braunschweigischen Landeshoheit faktisch unabhängigen Städte verstanden werden, da das Ziel der Befreiung von Untertanen des Herzogs die Proklamation eines Interventionsrechts bedeutet hätte[14]. Der Eindruck des raschen Sieges ist dann offenbar überwältigend gewesen; er veranlaßte Luther zur religiösen Überhöhung der Ereignisse: Gott hat den Sieg gegeben, hat die Hand der Feinde gelähmt und den Vorkämpfer des Papsttums unschädlich gemacht[15]. „Epiphania domini manifestata est[16]“. Von dieser geschichtstheologischen Interpretation her ergab sich zugleich die Mahnung, nicht der eigenen Stärke zuzuschreiben,

8. Zur Einführung der Reformation durch die Schmalkaldener vgl. Reller, 101 ff. sowie die ebd., 101 Anm. 34 zitierte Literatur, vor allem Koldewey, Die Reformation des Herzogtums Braunschweig-Wolfenbüttel (oben Anm. 1); ders., Heinrich von Wolfenbüttel, 55 ff.

9. Vgl. Hering, 131 ff.

10. Vgl. Hecker, 18 f.

11. WAB X, 89, 26 ff.

12. Vgl. ebd., 89, 46 ff. Der Brief, in dem diese Unterrichtung enthalten war, ist unbekannt; vgl. aber WAB X, 98 Anm. 3.

13. Ebd., 98, 16 f. (an Amsdorf, 13. Juli 1542); an diesem Tag erging erst der Fehdebrief der Bundesfürsten.

14. Vgl. die Stellung zu dem Gesuch der Evangelischen von Metz oben S. 271 f.

15. Vgl. z. B. WAB X, 118, 6 ff.; 124 f.; 135, 18 ff.; 138, 15 ff.; 141, 12 ff.

16. Ebd., 118, 8.

was Gottes Werk gewesen war[17]. Luther warnte daher vor überheblicher Selbstgerechtigkeit bei den Siegern und beklagte bald die „magnorum rapacitas“[18], die den Sieg um seinen Sinn brachte. Den prinzipiellen Fragen des braunschweigischen Kriegs, das gewaltsame Ausgreifen der Reformation auf ein anderes Territorium und die Vertreibung einer legitimen Obrigkeit durch eine nach dem Reichsrecht nicht dazu befugte Instanz, hat er sich jedoch nicht gestellt.

Die Inanspruchnahme des Rates der Wittenberger Theologen durch die Politiker erfolgte erst, als Sachsen und Hessen in Schwierigkeiten gerieten, sowohl innerhalb des Bundes[19] als auch im Reich. Zwar bemühte sich König Ferdinand um Dämpfung und Vertagung des Konflikts[20], aber am Reichskammergericht begannen bald auf Antrag des Braunschweigers die rechtlichen Prozeduren gegen die am Krieg beteiligten Stände. Auf dem Bundestag von Schmalkalden im Juli 1543 kam es zudem zwischen den Bundesständen zu offenen Auseinandersetzungen über die Kosten der Okkupationsverwaltung und das Schicksal der braunschweigischen Festungen[21]. Im Oktober 1543 beauftragte Karl V. Moritz von Sachsen mit der Vermittlung zwischen Herzog Heinrich und den Besatzungsmächten und rief damit ein weiteres Spaltungselement im Gefüge des Schmalkaldischen Bundes hervor[22].

Schon vor der offiziellen Eröffnung dieser Vermittlungsaktion[23] hatte der Kurfürst in Wittenberg Rat gesucht für das richtige Verhalten zwischen den konträren Positionen: Friedensbewahrung - Kaisertreue - Interesse des eigenen Territoriums und: fragwürdige Rechtssituation - Verantwortung für die Reformation im Besatzungsgebiet - Schutzpflicht[24]. Für den Fall einer Sequestration, wie sie Herzog Moritz anstrebte, stellte sich für ihn die Frage, ob die Stände notfalls einen Vertrag auch ohne Schutzklausel für die neu eingeführte Reformation abschließen durften oder ob das Beharren auf dieser Klausel selbst auf die Gefahr eines Kriegs hin geboten war[25]. „Was wir zuforderst der Religion und der gewissen

17. Vgl. ebd., 124, 8 ff.; 138, 20 f.; WA 54, 404, 22 f.

18. Vgl. WAB X, 141, 12 ff.; 467, 40 ff.

19. Zur Sprengkraft der Braunschweiger Affäre innerhalb des Bündnisses vgl. vor allem Mentz II, 326 u. ö.; Hasenclever, 14 f.; Pol. Corr. III, 748 f. (s. v. Braunschweiger Frage, Sequestrationsfrage). Über die Reaktion der Oberdeutschen vgl. auch Roth III, 69 ff.

20. Zu Ferdinands Verhalten auf dem Nürnberger Reichstag vgl. oben S. 258; es wurde von Karl V. gebilligt; vgl. Lanz, Korrespondenz II, 360. Vgl. auch Mentz II, 328 f.

21. Vgl. dazu Pol. Corr. III, 418 ff.

22. Vgl. Brandenburg, Korrespondenz I, 689 f.; ders., Moritz I, 254 ff. Vgl. auch Issleib, Philipp von Hessen, 9 ff.

23. Sachsen und Hessen wurden von dem Auftrag an Moritz durch den Kaiser am 17. Okt. 1543 unterrichtet; vgl. Brandenburg, Korrespondenz I, 690 Anm. 1.

24. Vgl. WAB X, 454 ff. (Johann Friedrich an Luther, Bugenhagen und Melanchthon; 2. Dez. 1543).

25. Diese Alternative ist nicht erst von den Theologen herausgearbeitet worden, wie bei Krumwiede, Entstehung, 156 angegeben.

halben hierin uff obberurte felle wol werden thuen mogen oder nit"[26], sollten Luther, Melanchthon und Bugenhagen beurteilen.

Das vermutlich von Melanchthon ausgearbeitete Gutachten[27] gab dem Kurfürsten indessen nicht den erhofften Rat, da es nach Meinung der Wittenberger mehr als menschlicher Voraussicht bedurfte, um alle Faktoren sachgemäß bewerten zu können. Eindeutig war die Stellungnahme nur darin, daß das Evangelium auf menschlichen Schutz nicht angewiesen sei und die Evangelischen im Herzogtum gemäß den bekannten religiösen Postulaten von Glaubensrisiko und Leidenspflicht keinen Anspruch auf Schutz geltend machen könnten. Für die Position des Beharrens auf der Religionsklausel selbst um den Preis eines möglichen Kriegs forderten die Wittenberger als Voraussetzung vor allem die Überzeugung vom eigenen Recht[28]; daneben stellten sie drei Bedingungen auf, die erfüllt sein mußten, um einen Vertrag über das Herzogtum von der Religionsklausel abhängig zu machen: ordnungsgemäße Verwaltung des Landes, bessere Aufsicht über Kirchen und Schulen[29], materielle Möglichkeiten zu effektivem Schutz.

Auf dieser Basis konnte als Regelfall[30] gelten:

1. eine territoriale Restitution, die in ihrem Gefolge zur Restitution der alten Kirche führt, ist nicht zu bewilligen;
2. im Kriegsfall sind die Schmalkaldener zum Schutz verpflichtet.

Dieser Regelfall ist in dem Votum aber nur konstatiert, um desto nachdrücklicher die Bedingungen für sein Inkrafttreten einzuschärfen[31]. Dabei konzentrierte sich die Argumentation auf die materielle Möglichkeit, wirksamen Schutz zu gewähren. Hierzu wurde der Ansatz in dem Gutachten zur Aufnahme der evangelischen Einwohner von Metz[32] aufgegriffen und erweitert; die aus dem Gebot der Nächstenliebe erwachsende Schutzpflicht galt für die Wittenberger nur bei der Bedingung der Möglichkeit, diesen Schutz effektiv und ohne Gefährdung des eigenen Territoriums zu gewähren. „Offentliche unmuglikeit"[33] entband von allen Verpflichtungen, mangelnde Macht durfte nicht durch Hoffnung auf übernatürliche Hilfe suppliert werden, da Gott sich nicht auf diese Weise für menschliches Handeln verfügbar machen ließ.

Die Anwendung dieser Erörterung über die eingeschränkte Verpflichtung auf den aktuellen Fall wurde mit Hilfe der Konstruktion vorgenommen, daß den

---

26. WAB X, 455, 45 ff.

27. Vgl. ebd., 469 ff. (Luther, Bugenhagen und Melanchthon an Johann Friedrich, 30. Dez. 1543). Zum Gutachten vgl. auch Krumwiede, Entstehung, 156 ff.

28. Vgl. WAB X, 470, 37 f.: Wenn die Stände dafür „halten, das sie warhafftiglich und im grund recht gehabt, das Land Brunßwig ein zu nemen".

29. Krumwiede, Entstehung, 156 nennt diese Bedingung den entscheidenden Gesichtspunkt; er erscheint aber nur in einer Reihe mit den übrigen Kautelen.

30. Die „Regel" wird WAB X, 470, 36; 471, 53. 79 erwähnt.

31. Man kann m. E nicht, wie Krumwiede, Entstehung, 156 f. will, von der „Ausnahme von der Regel" sprechen; es handelt sich vielmehr um Bedingungen, die erfüllt sein müssen, um den Regelfall zu ergeben.

32. Vgl. dazu oben S. 271.

33. WAB X, 471, 83.

braunschweigischen Untertanen in Gestalt der Evangeliumspredigt von den Besatzungsmächten ein Almosen gereicht worden sei. Da nach Luk. 11, 41 Almosen vom Vermögen zu geben waren, entfiel bei Fehlen eines solchen jede Forderung[34]. Ein karitativer Akt konnte keine Rechts- oder Gewissensverpflichtung zur Voraussetzung oder Folge haben, wenn die Möglichkeit, die Pflicht zu erfüllen, nicht gegeben war. Eine ultra-posse-Forderung ließ sich aus der Schrift nicht ableiten. Mit Hilfe der Almosenthese waren mithin die Kriegsfürsten von der Verantwortung entlastet, die von ihnen eingeführte evangelische Kirchenorganisation notfalls gewaltsam zu verteidigen, wenn sie nach gewissenhafter Prüfung ihrer Mittel keine Möglichkeit dazu sahen.

Mit dem Postulat der Bedingung der Möglichkeit zur Hilfeleistung wurde das Problem der Religionsklausel unbeantwortet an den Kurfürsten zurückverwiesen. Die Stände, nicht die Theologen hatten zu entscheiden, ob das militärische Potential des Schmalkaldischen Bundes ausreichte oder ob die Schutzpflicht und die Verantwortung für die Evangelischen wegen eigenen Unvermögens erlosch.

Kritik am Wittenberger Votum wurde in einem am kursächsischen Hof angefertigten Gegengutachten geübt[35], in dem umgekehrt die Vorbedingung für die Erfüllung der Schutzpflicht nicht in rationaler Prüfung der materiellen Möglichkeiten und persönlichen Fähigkeiten gesehen wurde, sondern im Vertrauen auf Gottes Beistand im Notfall. Die Verpflichtung zum Schutz der braunschweigischen Christen ist hier absolut gesetzt[36]. Der Wittenberger Entscheidung wurde vorgeworfen, nur dazu geeignet zu sein, die ohnehin zurückhaltenden Bundesstände zu weiteren Überlegungen über die Liquidierung der braunschweigischen Angelegenheit anzuregen und ihre Bedenken zu verstärken. Das Gegengutachten bemühte sich dementsprechend besonders darum, die Bedingung der materiellen Hilfsmöglichkeit, die von den Wittenbergern in den Mittelpunkt gestellt worden war, bei Einigkeit der Bundesstände als erfüllt hinzustellen[37]. Mit der These der Identität und Gleichrangigkeit der Interessen des eigenen und des eroberten Territoriums entzog es sich andererseits den Folgen der Almosentheorie der Wittenberger.

---

34. Ergänzt wird diese Vorschrift durch Berufung auf 2. Kor. 8, 14. – Im Gegensatz zum Gutachten über Metz, in dem die Almosenthese angewendet wird, um die Beschränkung auf das Amt zu markieren (vgl. WAB X, 194, 8 ff.), wird für Braunschweig zugegeben, daß der Schutz zur Amtspflicht gehört, aber bei Unmöglichkeit versagt werden muß.

35. Vgl. WAB X, 473 ff. Nach dem Dorsalvermerk „Des Kurfürsten zu Sachsen Bedenken ...“ nach Clemen, ebd., 473 von den „juristischen und staatsmännischen(?) Räten des Kurfürsten“ verfaßt. Zum Text vgl. auch Krumwiede, Entstehung, 157 f., wo m. E. die religiöse Komponente des Votums nicht genügend berücksichtigt bzw. als mehr oder weniger vorgeschoben behandelt wird.

36. Auch in politischer Hinsicht befürchtet das Gutachten Nachteile von der Restitution, da der Gegner daraus auf die Schwäche des Schmalkaldischen Bundes schließen und sich zum Angriff auf seine Mitglieder ermutigt fühlen könnte.

37. Krumwiede, Entstehung, 158 verabsolutiert diesen Aspekt, ohne zu berücksichtigen, daß hier auf eine der Kautelen des theologischen Gutachtens eingegangen wird.

Johann Friedrich bestätigte den Theologen den Empfang ihres Gutachtens, aus dem er ihren „vleis zu gnedigem gefallen vermerckt" hatte[38], griff aber bezeichnenderweise nur die Bemerkung über die zu verbessernde Kirchen- und Schulaufsicht auf, ohne zu dem übrigen Inhalt Stellung zu nehmen[39]. In der Diskussion mit dem Landgrafen über die Herzog Moritz zu erteilende Antwort auf seine Vermittlungsvorschläge hat der Kurfürst dem gemeinsamen Schreiben auch das Wittenberger Gutachten – oder wenigstens den eine Sequestration aus religiösen Gründen ablehnenden Teil – beifügen wollen, um die Motive der Bundeshäupter zu verdeutlichen; Philipp von Hessen hielt dagegen die Betonung der religiösen Schwierigkeit als Haupthinderungsgrund für eine Einwilligung in die Sequestration für ungeschickt und inhibierte die Beilage[40].

Mit dem Problem der Sequestration war der Schmalkaldische Bund auch die folgenden Jahre hindurch beschäftigt. Auf dem Speyerer Reichstag 1544 gelang es der Opposition der oberdeutschen Städte, Pommerns und Württembergs[41], Sachsen und Hessen zur Aufgabe ihres Widerstands gegen diese Lösung zu veranlassen[42]. Als einzige oberdeutsche Stadt hatte sich Konstanz gegen die Sequestration erklärt[43], nachdem der Rat aus Besorgnis vor zu großer Konzessionsbereitschaft der evangelischen Stände schon nicht am Speyerer Reichstag teilgenommen und die Bundesstädte zur Kompromißlosigkeit aufgefordert hatte[44]. In einer für Ulm bestimmten umfangreichen Denkschrift vom 25. Juni 1545, die auch dem Landgrafen zugeleitet wurde, verwarf er bei der Entscheidung über die Zukunft des Herzogtums alle Rücksichtnahme auf die politischen Umstände, da die braunschweigische Sache für ihn keine profane Angelegenheit war, sondern Glauben und Gewissen der Obrigkeit, die die Verantwortung für die Kirche trug, anging[45]. Wenn sich auch die Konstanzer Argumente in ihrer Substanz teilweise mit dem sächsischen Gegengutachten von Dezember 1543 berührten, war ihre Basis noch uneingeschränkter das Vertrauen auf Gott ohne jede menschliche Absicherung. Ganz unreflektiert wurde die Eroberung des Herzogtums als Geschenk Gottes verstanden und daraus der Vorwurf der Kleingläubigkeit abgeleitet, Gott jetzt nicht zuzutrauen, diesen Besitz den Evangelischen erhalten zu können. Eine Seque-

---

38. WAB X, 483, 5 f.

39. Clemen, ebd., 483 ist der Meinung, daß der Ratschlag dem Kurfürsten „in die Quere" gekommen sei, während ihm das Gegengutachten mehr zugesagt hätte. Diese Vermutung erscheint glaubhaft, läßt sich aber aus der Antwort des Kurfürsten an die Theologen nicht belegen.

40. Vgl. Brandenburg, Moritz I, 259 Anm. 1; ders., Korrespondenz II, 6 f. Anm. 2. Zur sächsischen Reaktion vgl. ebd., 7 Anm. 2 (Johann Friedrich an Philipp, 8. Jan. 1544).

41. Zur Ständeversammlung vom 4. Juni vgl. Pol. Corr. III, 516 f.

42. Zu den Verhandlungen in Speyer vgl. de Boor, 26 ff.; Pol. Corr. III, 454 ff.; Mentz II, 392 ff.

43. Vgl. Roth III, 79. Nach ebd., 87 f. Anm. 36 war selbst Lindau, dessen Politik sich im allgemeinen nach der von Konstanz richtete, unter den Befürwortern der Sequestration.

44. Vgl. Pol. Corr. III, 529 Anm. 2.

45. Vgl. den Abdruck in WAB X, 627 ff. Das Konstanzer Stadtarchiv enthält keine Akten bezüglich der Entstehung oder Verfasserschaft des Gutachtens.

stration konnte daher „mit Gott und gutem Gewissen nit beschehen“[46]. Diese von allen politischen Rücksichten absehende Rigorosität, die die Konstanzer Beschlüsse in Fragen der Religionspolitik in der Reformationszeit auch sonst oft ausgezeichnet hat[47], ist umso höher zu veranschlagen, als die Stadt aus der Okkupation nicht den geringsten Nutzen ziehen konnte, während die Sequestration möglicherweise eine Kriegskostenerstattung erlaubte.

Zustimmung fand die Konstanzer Denkschrift bei den oberdeutschen Städten wahrscheinlich nicht, kam aber andererseits zu spät, um Sachsen und Hessen für ihren Widerstand gegen die Sequestration den Rücken zu stärken. Der Straßburger Jakob Sturm beharrte trotz der Konstanzer Argumentation und der Mahnung, den religiösen Gesichtspunkt absolut zu setzen, auf der Gültigkeit und Verbindlichkeit der juristischen Auskunft, derzufolge das dem Friedensbrecher abgenommene Gebiet gegen Erstattung der Unkosten dessen Lehnsherrn überstellt werden mußte und die Stände kein Recht hatten, bei dieser Abtretung eine Festsetzung über den Religionsstatus zu treffen[48]. Bucer[49] sah zwar im Unterschied zu Sturm keinen Rechtszwang für eine Sequestration, lehnte aber die Abtretung bzw. die Sequestration nur für den Fall ab, daß Gefahr bestand, daß Heinrich selbst das Land wieder in Besitz bekam.

Die Wittenberger ließen sich durch das Konstanzer Gutachten nicht in ihrer bisherigen Beurteilung beirren, sondern stellten dem bedingungslosen Vertrauen auf den Beistand Gottes wiederum die Empfehlung unvoreingenommener Lageprüfung entgegen[50]. Ließ sich der Konstanzer Rat ausschließlich von der Rücksicht auf das Evangelium und seine Bekenner in Braunschweig leiten, so ging es für die Wittenberger bei dem Problem primär um das sachgerechte Verhalten der weltlichen Obrigkeit der Okkupationsmächte; die religiöse Interpretation einer von ihnen als politisch verstandenen Entscheidung wurde zurückgewiesen. Gegen die Konstanzer Denkschrift wurde die Almosenthese erneuert und über den Entwurf von 1543 hinaus weitergeführt, wenn unter Berufung auf 1. Tim. 5, 8 die Sorgepflicht der Obrigkeit ausdrücklich auf ihr eigenes Territorium, das ihr in besonderer Weise zum Schutz anvertraut ist und über das sie Rechenschaft als ihr von Gott anvertrautes Gut abzulegen hat, restringiert wird.

---

46. Ebd., 633.

47. Das beruht zu einem hervorragenden Teil auf dem für das Reich wohl einzigartigen engen Zusammenhang von Theologen und Politikern in der Reichsstadt; vgl. Moeller, Zwick, 79 ff.

48. Vgl. Lenz II, 258 (Bucer an Philipp, 5. Aug. 1544). Der Landgraf hatte das Konstanzer Schreiben am 27. Juli an Sturm und Bucer mit der Bitte um gutachtliche Äußerung geschickt; vgl. Pol. Corr. III, 529.

49. Vgl. Lenz II, 259 f.

50. Vgl. WAB X, 635 ff. Das Votum zum „Ratschlag zu Costentz gestellet vom Herzogthumb Brunßwig“ ist von Melanchthon verfaßt (vgl. ebd., 634) und von Luther und Bugenhagen unterschrieben. Der Text muß vor 11. Aug. 1544 niedergeschrieben worden sein, da Luther an diesem Tag seine Reise nach Zeitz antrat; vgl. Buchwald, Luther-Kalendarium, 152. Der Kurfürst schickte das Votum kurz nach 16./17. Aug. an den Landgrafen; vgl. WAB X, 634.

Durch das Konstanzer Verlangen nach Aufrechterhaltung des gegenwärtigen Status um jeden Preis waren nun auch die Wittenberger Theologen herausgefordert zu erklären, welche konkrete Lösung anzustreben war, wenn sich die Unmöglichkeit zureichender Hilfeleistung herausstellte. Sie begnügten sich jedoch mit der Formel, daß die Stände in diesem Fall „einen leidlichen friden, den Gottes Wort nicht verbeut"[51], eingehen sollten, ohne daß die Definition eines solchen Friedens gegeben worden wäre; das zur Illustration gewählte Beispiel, daß die Juden rechtlich legitimiert gewesen wären, die Römer aus Palästina zu vertreiben, aber wegen ihrer militärischen Schwäche einen Frieden, der ihnen Tempel und Gottesdienst beließ, schließen durften, trug wenig zur Aufhellung bei, da nicht klar wurde, ob damit eine Religionsklausel zum Schutz der Braunschweiger Evangelischen als unabdingbarer Bestandteil des intendierten Vertrages postuliert werden sollte. Zwar erklärten die Theologen dem Kurfürsten, daß bei Abtretung des eroberten Gebiets wegen Unmöglichkeit, es zu behaupten, das Gewissen entschuldigt sei, „besonder, so sie dennoch in dieser Abtrettung dieses vorbehalten, das rechte bestellung der Kirchen nicht zerruttet werde"[52], ob aber ein Frieden auch ohne diese Klausel als „leidlich" und durch Gottes Wort nicht verboten akzeptiert werden durfte, blieb ohne eindeutige Antwort. Vor der Spekulation auf den „Wundermann Gottes", von der nach ihrer Meinung das Konstanzer Gutachten getragen war, warnten sie dagegen eindringlich. Die evangelischen Stände durften sich nicht als solche viri dei verstehen, sondern mußten in den Grenzen von Beruf und Amt bleiben: „Der Christen weißheit und stercke ist, nicht one gewissen beruf eilen, sondern im glauben still halten und der zeit erwarten"[53]. Gegen die Ungeduld und den Aktivismus des Missionseifers setzten sie wie 1543 den Rat zur Geduld, ohne im einzelnen eine praktische Lösung anzubieten[54].

In die weiteren, bis 1546 fortgeführten Verhandlungen über die Zukunft Braunschweigs ist Luther nicht mehr eingeschaltet worden, obwohl Bucer, nachdem er Kenntnis von weitgespannten Plänen des Landgrafen erhalten hatte[55], diesem nahelegte, die Wittenberger darüber zu befragen[56]. Der neue Feldzug gegen den in sein Land zurückkehrenden Herzog Heinrich[57], der mit dessen Gefangennahme endete, machte diese Überlegungen hinfällig.

---

51. Ebd., 636, 20.

52. Ebd., 637, 54 f.

53. Ebd., 637, 76 ff.

54. Eine Reaktion aus Konstanz auf das Wittenberger Gutachten liegt nicht vor. Da der Text sich nicht im dortigen Stadtarchiv befindet, ist zu vermuten, daß er dem Rat unbekannt geblieben ist.

55. Vgl. Lenz II, 365 (Philipp an Bucer und Sturm, 9. Sept. 1545); vgl. auch Pol. Corr. III, 629 f.

56. Vgl. Lenz II, 375: „Gern wolt ich wissen, was D. Luther und Philippus hierin riethen". – Bucer erinnerte an ein Wort Melanchthons, der einmal gesagt habe, „er hoffe, E. f. g. müssen nach ein rechten, wichtigen dienst der kirchen thun".

57. Zu diesem Feldzug und den politischen Folgen vgl. Hasenclever, 6 ff. Zum Verlauf im Einzelnen vgl. auch Issleib, Braunschweigischer Krieg, 33 ff. Zum Verhalten Moritz' von Sachsen vgl. Brandenburg, Moritz I, 399 ff.

Luther, der von seinem Landesherrn sowohl über den bevorstehenden Krieg wie von dessen glücklicher Beendigung unterrichtet worden war[58], hat wie 1542 diesen Ausgang als „laeta et divina victoria" gefeiert[59], nachdem er zunächst befürchtet hatte, daß die Rückkehr Heinrichs den Auftakt zu dem von ihm seit mehr als zwanzig Jahren erwarteten „bellum ... pfaffense" bilden könnte[60]. Rechtlich wie theologisch stellte dieser Krieg keine Probleme, die ein Votum aus Wittenberg erforderlich gemacht hätten. Erst gegen Jahresende verfaßte Luther im Auftrag des Kurfürsten eine Schrift an diesen und an den Landgrafen mit der Mahnung, den gefangenen Herzog nicht freizugeben[61]. Wie bei der Wurzener Fehde wandte er sich formal an beide Adressaten, während in Wahrheit nur Philipp angesprochen werden sollte, da der Kurfürst befürchtete, jener könnte den Pressionen von seiten des Kaisers oder Verwandten des Welfen auf Freilassung Heinrichs nachgeben[62]. Luthers Publikation trug mithin fast offiziösen Charakter, wenn er auch den Inhalt durchaus selbständig gestaltete[63].

Die Schrift wurde auf dem Frankfurter Bundestag von den kursächsischen Delegierten verteilt[64]; wieweit sie zu dem Beschluß der Stände beigetragen hat, die Entscheidung über die Gefangenschaft Heinrichs auf eine spätere Zusammenkunft zu vertagen, ist nicht zu klären. In jedem Fall stellt sie einen sinnfälligen Abschluß der unmittelbaren politischen Wirksamkeit des Wittenberger Reformators dar, die Unterstützung der Mitglieder des evangelischen Bündnisses für die Politik seines Landesherrn zu gewinnen.

---

58. Vgl. WAB XI, 182 f. 208 f.

59. Vgl. ebd., 207, 3 f.

60. Vgl. ebd., 201, 12 ff.; ähnlich der Kurfürst ebd., 183, 25 ff. Vgl. auch WA 54, 396, 19 ff.

61. Vgl. WA 54, 389 ff. (An den Kurfürsten zu Sachsen und Landgrafen zu Hessen von dem gefangenen Herzog zu Braunschweig). Zur Entstehungsgeschichte der Schrift vgl. A. v. Druffel, Über Luthers Schrift ... wegen des gefangenen Herzogs Heinrich zu Braunschweig 1545. In: Sitzungsberichte der Kgl. Bayer. Akademie der Wissenschaften Philos.-philol. und histor. Kl. Jg. 1888, 279 ff.; WA 54, 374 ff. Zur Schrift vgl. auch Koldewey, 65 f.; Krumwiede, Entstehung, 160 ff.

62. Vgl. dazu Hasenclever, 172 f.

63. Einen Versuch Brücks zur Einflußnahme auf die Schrift wies er zurück; vgl. Kolde, Analecta, 419 f. — Wieviel dem Kurfürsten an dem Text lag, zeigt seine Bitte um Beschleunigung WAB XI, 233, 10 ff.

64. Vgl. Hasenclever, 173 und Anm. 12 (die Bundesverwandten erhielten Exemplare ausgehändigt, die religionsverwandten Stände durften nur Einsicht nehmen). Damit erledigt sich die Vermutung WA 54, 382, daß die Schrift nicht von den sächsischen Vertretern auf der Frankfurter Tagung ausgenutzt worden sei. Der braunschweigische Gesandte auf dem Bundestag führt in seiner Abrechnung 1 Batzen „für D. Martin Luthers Buch auf H. Heinrichs Gefängnis" auf; vgl. G. Schmidt, 97.

III. Ergebnisse

1. Luthers Selbstverständnis als politischer Ratgeber

Obwohl im Deutschland der Reformationszeit jede kirchliche Frage zugleich zur politischen wurde und umgekehrt[1] und die Handlungsantriebe der Beteiligten oft unentwirrbar von religiösen und politischen Elementen bestimmt sind, hat Luther sich nie als Politiker verstanden und es daher auch abgelehnt, in politischen Situationen politisch zu antworten oder Handlungsanweisungen zu geben, die lediglich auf rationalem Kalkül basierten und ausschließlich die vorfindlichen Machtgruppierungen und Kräftepotentiale berücksichtigten[2]. Wenn er von seinen Landesherren um ein Votum ersucht wurde oder aus eigenem Entschluß intervenierte, sah er sich stets in seinem geistlichen Amt in Anspruch genommen, nicht als Ratgeber über die politischen und juristischen Aspekte des jeweils der Klärung bedürftigen Problems. Seine Gutachten sind deshalb immer von seelsorgerlich-pastoraler Absicht inspiriert, dazu bestimmt, der Gewissensberatung der Handelnden zu dienen[3], auch wenn aus theologischen Erwägungen dann sehr oft direkte programmatische Vorschläge für das aktuelle politische Tun abgeleitet werden[4].

Die Sorge für die res politicae in ihrer Auswirkung auf die Menschen ist für Luther Bestandteil des geistlichen Auftrags gewesen, der Welt das Evangelium zu verkündigen und die Menschen in den verschiedenen sozialen Gruppen und Verantwortlichkeiten an ihre Verpflichtungen als Christen gegenüber dem Mitmenschen zu erinnern. Weil er jedes politische Problem als religiöse Herausforderung verstand und nach dem in ihm zum Ausdruck kommenden Willen Gottes fragte, sah er sich überall zur kompetenten Stellungnahme legitimiert. Die weltliche Ordnung wurde bei dieser extensiven Amtsauffassung zur Gänze zum Feld theologischer Intervention, wobei der Prediger ein Wächteramt wahrnahm, wenn er das Verantwortungsbewußtsein der weltlichen Instanzen schärfte oder die Vernachlässigung der ihnen übertragenen Aufgaben tadelte und sie an ihre Pflicht erinnerte. Dieser Vikariatsdienst an der weltlichen Obrigkeit reichte zwar über den unmittelbaren geistlich-kirchlichen Kompetenzbereich hinaus, überschritt aber für Luther in der Verpflichtung, die Menschen über die ihnen von Gott gesetzten Aufgaben zu belehren, nicht die Kompetenz des Theologen. Die konkreten Folgen

---

1. Vgl. Ranke IV, 63: „An jeder Stelle greifen Politik und Theologie ineinander".

2. Das Verdikt von Rüstow, Ortsbestimmung II, 278, daß nichts gemeingefährlicher und furchtbarer sei als ein Politiker, der sich nicht von politischen, sondern ausschließlich von metapolitischen, religiösen und theologischen Motiven leiten lasse, trifft auf Luther, dem es gelten soll, nicht zu, da dieser eben nicht „Politiker" sein wollte, sondern Theologe.

3. Vgl. dazu im Einzelnen oben S. 95 ff.; auch für Luthers „politische" Schriften trifft zu, daß sie „keine staatstheoretischen oder sozialethischen Abhandlungen, sondern Gewissensratschläge" waren, was zumeist auch schon aus ihrem Titel hervorgeht; Bornkamm, Schriftsteller, 28.

4. Zu Luthers grundsätzlicher, theologisch motivierter Abneigung und Feindschaft gegen alle „religiöse Politik" vgl. Campenhausen, Selbstbewußtsein, 338 f.

dieses Verantwortungsbewußtseins zeigen sich dann allerdings in der Klage: „In me ruit tota moles ecclesiastica et politica, adeo neque ecclesiastici neque magistratus suum officium faciunt“[5]. Im Bewußtsein dieser Verantwortung hat er etwa auch 1525 den neuen Kurfürsten ersucht, eine Visitation der weltlichen Verwaltung vornehmen zu lassen, weil „grosse klage allenthalben uber bose regiment beide, ynn stedten und auff dem lande“[6]; auch in vielen anderen Fragen, die eindeutig in die Kompetenz des weltlichen Regiments gehörten, wie der Erhebung von Steuern, der Linderung von Teuerungen, der Kritik am Wittenberger Festungsbau auf Kosten und zum Nachteil der Stadtbewohner, hat Luther nicht nur als betroffener Privatmann und Untertan, sondern vor allem als Theologe bei seinem Landesherrn interveniert[7].

Die Politik gehörte für Luthers Selbstverständnis nicht nur zum Erstreckungsbereich des geistlichen Verantwortungsauftrags, sofern es die Sorge für die Menschen betraf, sondern er hat sie zugleich vor allem auch als Anfechtung des Theologen verstanden, da er sich der Zwiespältigkeit und der Gefahren für seine geistliche Integrität durchaus bewußt war, in die er bei Versuchen geriet, auf die Politik der evangelischen Stände einzuwirken[8]; während Zurückhaltung und Verzicht auf die gewissensberatende Unterrichtung das eigene Gewissen mit der Vernachlässigung der seelsorgerlichen Pflicht belastete, konnte der theologische Rat an den Christen im obrigkeitlichen Amt und in der politischen Verantwortung, der, aus den Geboten der Schrift abgeleitet, höchste Verbindlichkeit beanspruchen mußte, der Mißdeutung unterliegen, eine neue gewissensbindende und -verpflichtende geistliche Autorität aufzurichten, die sich bei böswilliger Interpretation nur wenig vom Papsttum unterschied[9].

---

5. WAB V, 100, 20 f. (an W. Link, 20. Juni 1529). Dort heißt es im Folgenden noch verstärkend: „Nos ... etiam aulae negotiis vexamur, quae parum ecclesiasticae causae sunt.“

6. WAB III, 595, 59 f. (an Johann von Sachsen, 31. Oktober 1525).

7. Aland, Luther, 445 ff. legt aus dem Briefwechsel Luthers eine Fülle solcher Interventionen vor; zu der ersten nachweisbaren Beteiligung am öffentlichen Leben, der Bitte um Abschaffung einer Steuer an Kurfürst Friedrich, vgl. WAB I, 120, 25 ff. (zum Datum vgl. XIII, 11). Vgl. dazu jetzt auch H. Kunst, Evangelischer Glaube und politische Verantwortung (Stuttgart 1976).

8. Vgl. etwa oben S. 205.

9. Vgl. eine entsprechende Reaktion in der Abwehr der Schwabacher Artikel als Bekenntnisartikel während der Bündnisverhandlungen 1529 seitens der Stadt Ulm: „Ulmenses idem [sc. die Annahme der Artikel] fortissime reiecerunt et testati sunt, si per religionem liceret ab homine compositis articulis fidem habere, se papam citius passuros fidei suae articulatorem quam Lutherum, cum per hoc possent gratia frui Caesaris nec opus haberent ullis foederibus“ (Bucer an Zwingli, 12. Jan. 1530; CR Zw. X, 395 f.). Vgl. auch die von Melanchthon schon 1528 berichtete Stellungnahme Albrechts von Mansfeld, die evangelischen Fürsten müßten aufpassen, „ut eam libertatem, quam nunc sint consecuti, retineant, alioqui futurum, ut iterum a nobis [sc. theologis] redigerentur in servitutem. Nos paulatim veteres traditiones renovare“ (CR I, 998; zitiert nach Melanchthon-Studienausgabe VII/2, 66; an Camerarius, 15. Sept. 1528).

Für Warnungen und Ratschläge in Fragen, die politische Vorgänge betrafen, besaß Luther zufolge der Theologe eine doppelte Legitimation: durch die biblische Weisung in 1. Tim. 2, 1 f. und durch die Aufgabe des Predigers, Gottes Wort zu verkündigen und dessen Befehle zu Gehör zu bringen, mit der Zielsetzung der Tröstung und Ermahnung[10]. Gottes Befehl an die Obrigkeit bestand in dem Auftrag, den Frieden zu wahren und die Ordnung zu sichern. Da jeder Versuch einer Störung dieser Ordnung in religiöser Interpretation als Kampf gegen Gott, mithin vom Teufel inspiriert erschien, mußte jeder Konflikt letztlich mit theologischem Maßstab gemessen und unter theologischen Kategorien beurteilt werden. Daraus ergab sich dann ohne Verletzung der durch die Zwei-Reiche-Lehre gewonnenen Abgrenzung zwischen beiden Regimenten die Berechtigung des Theologen zur Stellungnahme und zur Belehrung des Handelnden über die Hintergründe der Vorgänge und die Folgen seines Tuns.

Mit der in 1. Tim. 2, 1 f. verlangten Fürbitte für die Obrigkeit war für Luther zugleich die Verpflichtung begründet, notfalls die Amtsinhaber an ihre Aufgabe zu erinnern und etwaige Verfehlungen aufzuzeigen. Damit wurde Unterrichtung und Ermahnung der Obrigkeit ein wichtiger Faktor der öffentlichen Tätigkeit des Geistlichen. Bei Luther vollzog sie sich im Einzelfall in schriftlichen Gutachten, generell aber in der Predigt, deren Paränese besonders dem, der Verantwortung für andere trägt, galt[11]. Bei der Unterrichtung der Obrigkeit hatte der Prediger nicht die Aufgabe, konkrete Anweisungen über Regierungsform und -programm zu erteilen, sondern sollte aufzeigen, wie im weltlichen Regiment das christliche Gebot der Nächstenliebe realisiert werden konnte. Verfehlte die Obrigkeit ihre Pflicht, wurde aus der belehrenden Predigt eine koerzitive, die die Übertretungen kritisierte und Abhilfe verlangte, notfalls auch mit Kirchenzucht in Strafe nahm[12]. Die soziale Strafpredigt[13] hatte zudem die Funktion, die irdische Strafe Gottes für Übertretungen in Gestalt von Krieg, Pest und Türkennot zu verkündigen.

Zu Tadel und Kritik an der Obrigkeit im Fall ihres Fehlverhaltens besaß jedoch nur der durch seine Berufung ausgewiesene Prediger Mandat und Legitimation[14]. Nur gestützt auf die vocatio, die sein Amt legitimierte, konnte er den

---

10. Vgl. WAB X, 32, 8 ff. die Rechtfertigung Luthers für seine Intervention in der Wurzener Fehde 1542; vgl. dazu oben S. 265.

11. Zum vikarischen Dienst des Predigtamts vgl. G. Heintze, 197 ff. Ivarsson, 144 ff. untersucht neben der sozialen Strafpredigt die gewissensberatende Predigt Luthers, während die eigentlich politische Predigt noch einer eingehenden Untersuchung bedarf, einmal unter dem Gesichtspunkt, wieweit sich Luther bei seinen Predigten vor Fürst und Hof auf seine besonders zusammengesetzte Zuhörerschaft eingestellt hat im Gegensatz zu seinem üblichen Wittenberger Publikum, zum anderen hinsichtlich seiner Behandlung politischer Ereignisse auf der Kanzel überhaupt.

12. Vgl. dazu R. Götze, Wie Luther Kirchenzucht übte (Theologische Arbeiten 9, Berlin 1959), bes., 15 ff. 46 ff.

13. Vgl. Ivarsson, 158 ff. Zum Predigtamt als Strafamt vgl. besonders WA 31/I, 97, 29 ff.; vgl. auch Lau, Lehre, 76 f. Anm. 176.

14. Vgl. für Luther den starken Rückhalt seines Selbstbewußtseins an seinem Doktorat

Anspruch erheben, in der Vollmacht des Wortes Gottes die Amtsinhaber zur Rede zu stellen, da seine Predigt nicht die Autorität der weltlichen Gewalt erschüttern oder beseitigen, sondern sie zum Nutzen des Gemeinwohls zu ihrer Pflicht zurückführen sollte. Die öffentliche Kritik war daher kein Übergriff in andere Kompetenzen, sondern ein „sonderlicher grosser Gottes dienst"[15]. Von Gott dazu verordnet, „ydermans diener zu sein", sah Luther es als seine und aller Evangeliumsprediger Aufgabe an, die Christen aller Stände zu lehren, „was nuczlich und seligklich" war[16], und dabei notfalls Mahnung und Kritik nicht zurückzuhalten.

Wie die Predigt hat auch das unmittelbar der Beratung der sächsischen Kurfürsten dienende Gutachten für Luther nicht die Funktion, politisch motivierte Handlungsanweisungen zu erteilen oder eine Situation in politischer Analyse zu beurteilen[17]. „Ich sol und wil nicht mich des welltlichen Regiments annemen"[18] – in diesem Verzicht auf die eigentliche politische Tätigkeit sind zwei Motive enthalten: das Bewußtsein sachlicher Inkompetenz und das Gefühl persönlicher Ignoranz. Luther kannte die Schranken, die sein Amt als Theologe selbst bei extensiver Auslegung von dessen Pflichten ihm setzte, gerade auch in Bezug auf den zur Beurteilung politischer Fragen nötigen Sachverstand, und blieb daher bei der seelsorgerlichen Beratung und Weisung, ohne sich in Verantwortungen drängen zu lassen, die ihm nicht zukamen[19]. Zu dieser prinzipiellen Selbstbeschränkung auf die Aufgabe des Predigers kommt seine Selbstbeurteilung, daß ihm für das spezifisch Politische eines Problems Wissen und Interesse fehlten, hinzu[20].

---

und seinem Amt in Wittenberg; vgl. Holl, Luthers Urteile über sich selbst. In: Luther, 393; Campenhausen, Selbstbewußtsein, 327 f.

15. Vgl. WA 31/I, 197, 29 ff.

16. WA 19, 261, 23 f.

17. Vgl. in diesem Zusammenhang auch seine Bemerkungen zu den Erfurter Artikeln von 1525, über die der Erfurter Rat seine Stellungnahme erbeten hatte; WA 18, 534 ff. Während Luther sich zu den meisten Forderungen mit ironischen Glossen begnügte, stellte er verschiedene Punkte „dem erkenntnis des raths" anheim (ebd., 536, 20) oder enthielt sich als inkompetent der Meinungsäußerung: „Der [Artikel] ist auch weltlich und geht meyn Untterricht nicht an" (ebd. 536, 29). Abschließend beschied er den Rat: „... viel [Punkte] gantz weltlichen handel treffend, darynn mir nicht gebürt zu richten noch zu raten, Ich kans auch nicht" (ebd., 540, 20 ff.).

18. WAB VI, 122, 4 f. (an Johann von Sachsen, 16. Juni 1531). Nach Fehr, 21 handelt es sich bei der betonten Inkompetenz in weltlichen Fragen bei Luther lediglich um eine Ausflucht, was fraglos nicht zutrifft.

19. Vgl. etwa WAB X, 47, 6 f.: Ich bin „nicht furwitzig ..., zu forschen der fursten und hoher stende gelegenheit" (an G. Brück, 12. Apr. 1542).

20. Das Problem wird allerdings unzulässig simplifiziert, wenn Preuß, Luther, 182 von Luthers „Kindeseinfalt" bei der Beurteilung politischer Fragen spricht, auch wenn er sich dabei an eine Selbstbewertung Luthers anschließt (WAB V, 699, 73). Die These von Luthers Verständnislosigkeit in politischen Dingen wird auch vertreten von Troeltsch, Soziallehren, 563; Hauck, Luther, 11 u. a.; vorsichtiger Allen, 15. Gegen diese unzulässige Generalisierung hat sich zu Recht Aland, Luther als Staatsbürger, 450 ausgesprochen.

Daß Luther bei seiner Beurteilung politischer Situationen häufig nicht das Richtige traf, ist unbestreitbar[21]. Wieviel er von den Zusammenhängen der europäischen Politik, die für das Schicksal seiner Lehre mitentscheidend geworden sind, gewußt und verstanden hat, steht dahin. Sein unmittelbarer Erfahrungshorizont war von vornherein verhältnismäßig begrenzt und konnte sich aus Mangel an Informationsmöglichkeiten nur wenig erweitern. Im Vergleich mit dem politischen Wirken Zwinglis in Zürich, Bucers in Straßburg, später Calvins in Genf wird unmittelbar deutlich, wie beengt Luther in Wittenberg, „in hoc culo mundi"[22], lebte, wo er sich neben der Universität und ihren Lehrern mit dem Zuschnitt einer Ackerbürgerstadt und ihrer Honoratioren begnügen mußte[23], ohne in lebendige Verbindung mit anderen politischen, sozialen und geistigen Verhältnissen zu kommen.

Dennoch ist der Topos von Luthers Weltfremdheit nur bedingt richtig. Luther hatte gelegentlich ein gutes Gespür für das in einer Situation Erreichbare, auch wenn er es vielleicht oft zu niedrig ansetzte; vor allem besaß er aber ein empfindliches Sensorium für die propagandistische Ausnutzung günstiger Konstellationen, für das, was er seinen Landesherren oft als die Rücksichtnahme auf den „Glimpf vor der Welt", das Bemühen um die Gewinnung und Erhaltung der „öffentlichen Meinung" für die eigene Sache vor Augen führte[24]. Allerdings gingen derartige Rücksichtnahmen niemals zu Lasten der grundsätzlichen Stellungnahme und Gewissensberatung, der „Glimpf vor der Welt" stellte keinen absoluten Wert dar, sondern besaß nur subsidiäre Bedeutung. Wenn Luther von den Vorstellungen der Politiker abwich, wie es oft und in entscheidenden Fragen geschah, beruhte diese Disjunktion nicht auf einer unreflektiert-naiven Weltfremdheit, sondern auf der Weigerung, die Gesetze, die in dieser Welt galten, als letztlich verbindlich zu akzeptieren, da das politische Handeln für ihn nicht Selbstzweck war, sondern Teil des Handelns Gottes in der Welt. Der Gegensatz von Theologen und Politikern war das Resultat verschiedener Maßstäbe bei der Beurteilung; nicht aus politischer Blindheit kam Luther zu anderen Ergebnissen in der Situationsanalyse, sondern weil er von anderen, transpolitischen Voraussetzungen ausging. „Auff Gottes gnaden ym tunckel hinein far(en)"[25] – diesen Rat konnten evangelische

---

21. Vgl. dazu Holl, Luther, 394 und Anm. 1. Das Urteil von Hermelink, Idealgemeinden, 488, Luther zähle „zu den größten Realpolitikern unserer Nation", ist, abgesehen von der Unschärfe des Begriffs, angesichts der zahlreichen Fehlbewertungen politischer Situationen durch Luther unhaltbar.

22. WAB IV, 162, 2 (an W. Link in Nürnberg, 23. Jan. 1527). Freilich waren die Nürnberger, von denen Luther im Gegensatz zum Wittenberger „culus mundi" annahm, sie säßen „in vertice mundi", mindestens so begrenzt in ihrer politischen Perspektive wie Luther selbst.

23. Zu Wittenberg im Reformationszeitalter vgl. E. Eschenhagen, Beiträge zur Sozial- und Wirtschaftsgeschichte der Stadt Wittenberg in der Reformationszeit. In: Luther-Jahrbuch 9/1927, 9 ff; H. Schöffler, Die Reformation (Frankfurt o. J.), 14 ff.

24. Vgl. dazu z. B. oben S. 119. 202.

25. WAB VIII, 235, 57 f. (Bedenken über die Türkenhilfe, 1538).

Politiker auch im 16. Jahrhundert, das von Theologie getränkt gewesen ist, nicht uneingeschränkt zur Handlungsmaxime machen, während er für den Theologen die einzig adäquate Prämisse sein mußte. Welche Konflikte an diesen verschiedenartigen Voraussetzungen aufbrachen, wann und inwieweit sich der Rat der Theologen durchsetzte und eine rationale Politik des sächsischen Kurfürstentums und später der evangelischen Stände behindern konnte, wird deutlich bei der Untersuchung der einzelnen politischen Situationen, in denen Luther als Gutachter tätig gewesen ist.

2. Bedeutung und Grenze von Luthers politischem Einfluß

Luther ist zu keiner Zeit seiner öffentlichen Wirksamkeit „Hoftheologe" gewesen. Er hat weder zur ständigen Umgebung seiner Landesherren gehört und dadurch Gelegenheit gehabt, im täglichen Verkehr Einfluß auf die politischen Entscheidungsprozesse und ihre Resultate zu gewinnen – durch direkte Einwirkung auf den Kurfürsten, durch permanente Verbindung zu dessen Beratern oder als ausführendes Organ in der Erledigung politisch-diplomatischer Geschäfte – noch hat er in einem beichtväterlichen Amt seinen Landesherrn beeinflussen können[1]. Seine Position war formal eher der eines „Rates von Haus aus" vergleichbar, der als Experte fallweise zur Beratung von Fragen herangezogen wurde, soweit sie in seine Kompetenz fielen.

Seine exzeptionelle Stellung ist nur durch die besondere Verschränkung von Politischem und Religiösem in der Reformationszeit erklärbar, wobei immer davon auszugehen ist, daß seit 1521 jede positive Haltung zur neuen Lehre und ihren institutionellen Auswirkungen zugleich ein Verstoß gegen geltendes Reichsgesetz war mit allen Folgen, die sich aus dieser Rechtsunsicherheit ergeben mußten[2]. Durch die Erschütterung und Infragestellung bisher unangefochten geltender Lebensnormen und Autoritäten mußten sich zudem die evangelisch gewordenen Fürsten ihres Handlungsspielraumes und der Verwendung bislang gültiger politisch-juristischer Mittel immer wieder am Maßstab der für sie verbindlich gewordenen neuen Lehre vergewissern; auch hier liegt ein Grund für die Heranziehung der Theologen bei der Entscheidung scheinbar rein politischer Fragen. Dieses Faktum bedeutet nicht von vornherein unselbständige Abhängigkeit von unzuständigen Beratern, sondern beweist die Einsicht in die Notwendigkeit sachgemäßer

---

1. Eine solche Stellung, wenn auch ohne erkennbaren politischen Ehrgeiz, besaß bis 1525 eher Luthers Freund Spalatin bei Friedrich dem Weisen; vgl. dazu Höss, Spalatin, 83 ff. – Zum Einfluß der Beichtväter auf Handlungen der Territorialherren vgl. die Bemerkungen von Hashagen, 410 ff.; ebd., 200 ff. vgl. über Kleriker als Beamte der weltlichen Gewalt.

2. Vgl. Rosenstock-Huessy, 219, daß verfassungsrechtlich die ganze Reformation ein Streit um die Ausführung des Wormser Edikts gewesen sei. Ebd., 232 über die persönliche Rechtsunsicherheit Luthers, der bis zu seinem Tode von der Gnade seines Landesherrn lebte.

Orientierung über das mit dem Gewissen und den Vorschriften des Evangeliums vereinbare Handeln in bestimmter Situation, zumal die Theologen auch über die Kompetenz zu naturrechtlichen Auskünften verfügten, während die Juristen primär auf die Exegese des positiven Rechtes beschränkt waren.

Bei der Inanspruchnahme seines Rates konnte sich Luther nur auf die eigene Autorität stützen, die er fundiert wußte auf das zutreffende Verständnis der Schrift. Dies enthält zugleich einen unerhörten, von seiner Glaubensumwelt aber akzeptierten und nur selten in Frage gestellten Anspruch und eine ebenso starke Gewissensbelastung, nachdem er von den Repräsentanten des bisher verbindlich geltenden Welt- und Wertsystems verworfen worden war: von der weltlichen Autorität in Gestalt des Kaisers, der kirchlichen Autorität in Gestalt von Papst und Hierarchie, von den wissenschaftlichen Autoritäten sowohl herkömmlicher Art, der Scholastik, wie weithin neuer Art, des Humanismus. Gegen die Einwirkungen dieser tradierten oder neuen einflußreichen Autoritäten hatte er seine eigene bei seinen Landesherren und in der evangelischen Glaubenspartei durchzusetzen, nicht nur in den dogmatischen und Lehrfragen, sondern auch, wenn er seinen Einfluß in den res politicae geltend machen wollte zugunsten der Beachtung der Normen der Schrift.

Es ist allerdings deutlich, daß Luthers Einfluß auf die sächsischen Kurfürsten und darüber hinaus auf die Politik der glaubensverwandten Stände nicht zu allen Zeiten seiner öffentlichen Wirksamkeit gleich bedeutend gewesen ist. Der unterschiedliche Grad dieser Einwirkung läßt sich ungefähr mit den Regierungszeiten der drei ernestinischen Kurfürsten synchronisieren. Als verhältnismäßig gering hat sich Luthers Einwirkung auf Friedrich den Weisen herausgestellt[2a]. Andererseits fällt in dessen Regierungszeit die Epoche seiner unmittelbaren öffentlichen Wirksamkeit, die dann schon 1521 mit Worms endet. Bis zu diesem Reichstag und seinem Auftreten dort trifft Luther die Entscheidungen, die auch nur für seine Person gelten, selbständig, ist handelndes Subjekt; nach der offiziellen Verurteilung durch das Reich wird er in politischer Hinsicht weithin zum Objekt. Den Entschluß zur Rückkehr von der Wartburg faßt er allerdings gegen die Absicht und den Willen des Kurfürsten und ohne diesen vorher nach der Opportunität dieses Schrittes zu fragen. Die Unterrichtung über das Problem der Notwehr um des Glaubens willen Anfang 1523 ergeht an Spalatin, stellt mithin nur ein indirekt an Friedrich gerichtetes Gutachten dar, da es an dessen Sekretär lag, ob ihm dieses Votum vorgelegt wurde oder nicht; außerdem war Luthers Autorität in diesem Fall durch die gleichzeitige Befragung anderer Wittenberger Theologen relativiert. Der Grund für diesen sachlich wie umfangmäßig geringen Einfluß liegt schon in den Personen begründet. Luther ist in diesen ersten Jahren intensiv mit seiner Theologie und dem Ausbau und der Sicherung seiner Lehre beschäftigt; Kurfürst Friedrich konnte sich auf Grund seines Lebensalters – er war zwanzig Jahre älter als Luther –, seiner in der Praxis jahrzehntelanger Regierungstätig-

2a. Eine Übersicht über Luthers Briefe an Friedrich von Sachsen vgl. bei Kunst, 322 ff. Vgl. auch ders., Evangelischer Glaube und politische Verantwortung (Stuttgart 1976), 35 ff.

keit (seit 1486) erworbenen Erfahrung und seiner Kenntnis der politischen Welt im wesentlichen den an ihn gestellten Anforderungen gewachsen fühlen[3]. Er mußte die Normen seines Handelns selbst finden; wo er unschlüssig war, half ihm auch ein Ratschlag Luthers nicht weiter. Wenn auch sein Bestreben, Entscheidungen, deren Folgen er nicht übersah, durch die Taktik des Temporisierens hinauszuschieben[4], es nahegelegt hätte, jeweils Luthers Meinung einzuholen, so stand dem schon die Abneigung entgegen, sich vom Rat anderer abhängig zu machen, so daß er, wurde ihm etwas aufzudrängen versucht, dem dann geradezu entgegengesetzt handelte[5]. Vielleicht genügte ihm neben seinen politisch-juristisch kompetenten Beratern auch Georg Spalatin, der als Sekretär und weltlicher Rat einerseits, als geistlicher Ratgeber und Seelsorger andererseits fungierte[6]. Lediglich zu Formulierungsfragen wurden Wittenberger Vorschläge eingeholt, wobei Melanchthon gleichberechtigt neben Luther erscheint[7].

Aber auch sachliche Gründe erklären die Zurückhaltung Friedrichs des Weisen gegenüber der Kompetenz der Theologen. Noch war die Religionsfrage nach außen und in der diplomatischen Behandlung weithin kein Politicum, sondern galt als auf die Person Luthers konzentriert, so daß keine Entscheidungen not-

---

3. Zu Friedrich von Sachsen, über den eine zureichende Biographie immer noch fehlt, vgl. außer Kirn jetzt Th. Klein, in: Patze-Schlesinger, Geschichte Thüringens III, 178 ff., wo eine negative außen- und innenpolitische Bilanz der Regierung Friedrichs am Vorabend der Reformation gezogen wird: Gespanntes Verhältnis zum Kaiser, Scheitern der „ergebnis- und sinnlosen" Reichspolitik, schlechtes Verhältnis zum albertinischen Vetter Georg, der eine politische Begabung ersten Ranges gewesen ist (vgl. dazu zuletzt Vossler, 247 ff.), und zu den Hohenzollern, deren Bistumspolitik die wettinische Machtstellung in Preußen, Mainz, Magdeburg und Halberstadt ablöste, sowie zur hessischen Vormundschaftsregierung. Allgemein wichtig für Friedrich auch Blaschke, Friedrich, 316 ff.

4. Blaschke, ebd., 326 weist darauf hin, daß dieses Verhalten nicht unbedingt auf den Charakter des Kurfürsten zurückzuführen ist, sondern einer allgemein geübten Taktik der deutschen Reichsfürsten entsprach. Zur Entscheidungsscheu Friedrichs vgl. Kirn, 7 und das Urteil Spalatins bei Neudecker-Preller, 25 f.

5. Vgl. dazu ebd., 48; Kirn, 24.

6. Zu Spalatins Stellung vgl. Höss, Spalatin, 91 ff. Genau definiert war seine Position offensichtlich nicht, zum Hofprediger wurde er erst 1522 ernannt, wirkte aber seit 1516 in der unmittelbaren Umgebung des Kurfürsten. Zu seinen Aufgaben vgl. ebd., 86 ff.

7. Luther erhielt im Juli 1520 die Entwürfe der Antwort auf die Briefe des Kardinals Riario und des Mainzer Geschäftsträgers in Rom Tetleben zur Begutachtung; vgl. WAB II, 134 ff. Melanchthon setzte für den Kurfürsten Ende August 1521 ein Schreiben an den Franziskanerkonvent in Weimar auf, das unverändert vom Hof übernommen wurde; vgl. CR I, 449 f. und Melanchthon-Studienausgabe VII/1, 129 ff. Ende 1522 lieferte er den Entwurf für ein Schreiben des Kurfürsten an Hadrian VI.; vgl. CR I, 585 ff. — Im Fall des Mainzer Auslieferungsbegehrens hinsichtlich des Kemberger Propstes Bernhardi Feldkirch wegen dessen Verheiratung verlangte der Kurfürst bezeichnenderweise lediglich von seinen Universitätsjuristen ein Gutachten. Melanchthon arbeitete die Rechtfertigungsschrift für den Propst aus, die dieser im Juli 1521 bei den Juristen einreichte; vgl. CR I, 421 ff. Diese Apologie übermittelte der Kurfürst dann den erzbischöflichen Räten in Magdeburg.

wendig schienen, die die Position und den Bestand des Kurfürstentums bzw. seiner Dynastie betrafen. Bis zum Tode Friedrichs blieb die Lage offen und ungeklärt, nicht zuletzt wegen der beharrlichen Neutralitätspolitik des Kurfürsten, aber auch infolge der Passivität und Ineffizienz der Reichsspitze, die durch das Reichsregiment, an dem sich als ständischem Organ die widersprechenden Interessen kreuzten, repräsentiert wurde[8].

Nach dem Regierungswechsel tritt sehr bald eine Veränderung der Situation ein, der eine neue Beziehung Luthers zu seinem Landesherrn korrespondiert. Nach dem Bauernkrieg und der Erfahrung des „Aufruhrs des gemeinen Mannes", der vielfach als unmittelbare Folge der neuen Lehre erscheint, lassen sich die Entscheidungen nicht länger hinauszögern; sie fallen in verhältnismäßig kurzer Folge in der Zeit zwischen 1526 und 1532, bezeichnet durch die Stichworte: Freigabe der Reformation in Speyer I, Protestation in Speyer II, Bekenntnis in Augsburg, Bündnispolitik und Schmalkaldischer Bund, Nürnberger Religionsfriede. Für Luther selbst bringt der Regierungsantritt Johanns die neue Erfahrung des bewußt evangelischen Fürsten[9], was zu ganz anderen Beratungsnotwendigkeiten und Einwirkungsmöglichkeiten führt, da aus dem offenen Bekenntnis zur evangelischen Predigt für Johann eine bedeutend stärkere Inanspruchnahme theologischen Rats und eine größere Abhängigkeit von ihm resultiert. Das Verhältnis des neuen Kurfürsten zu Luther ist daher auch hinsichtlich dessen Urteil in politischen Fragen weitaus weniger distanziert als das seines Bruders, so daß alle wichtigen Probleme dem Reformator zur Begutachtung unterbreitet werden und dem aus Wittenberg ergehenden Rat im abschließenden Entscheidungsprozeß oft die entscheidende Stimme zufällt. Zu Differenzen zwischen Kurfürst und Theologen ist es offenbar kaum je gekommen, da es Luther fast immer gelang, die Linie der kursächsischen Politik in seinem Sinne festzulegen[10], wobei die Neigung Johanns von Sachsen zur Zurückhaltung und zum Verzicht auf Extrempositionen, zum Versuch, die Reformation möglichst nicht im Kampf gegen die Reichsgewalt, sondern auf friedlichem Wege durchsetzen, der Haltung Luthers weitgehend entsprochen hat. Philipp von Hessen hat die Abhängigkeit des Kurfürsten von Luthers Rat frühzeitig erkannt und für seine politischen Pläne auszuwerten versucht, wenn er etwa im

---

8. Zum Reichsregiment von 1521 und seinen politischen Anschauungen vgl. H. Angermeier, Die Reichsregimenter und ihre Staatsidee. In: HZ 211/1970, 271 ff.

9. Eine Biographie Johanns von Sachsen fehlt noch mehr als für seinen Bruder Friedrich; die nur bis 1528 reichende Diss. von Becker ist außerordentlich dürftig und erhellt gerade das Wesentliche nicht. Vgl. jetzt die kurze Skizze seiner Regierungstätigkeit von Th. Klein, in: Patze-Schlesinger III, 181 f. 210 ff. Johann war schon seit 1520 ein Anhänger der Lehre Luthers; damals widmete dieser ihm den „Sermon von den guten Werken" (vgl. WA 6, 202 ff.). Vgl. den Briefwechsel Johann-Friedrich bei Förstemann, Neues Urkundenbuch, 1 ff.; Kolde, Friedrich der Weise, 42 ff. Vgl. auch die Verschärfung im Ton in den permanenten Auseinandersetzungen über Luther mit Georg von Sachsen gegenüber der Zeit vor 1525 bei Geß II, 393 ff.

10. Eine Ausnahme bildet – außer Torgau 1530 – die Frage der Königswahl Ferdinands Ende 1530; vgl. dazu oben S. 201 f.

Juni 1526 Johann aufforderte, unbedingt den ausgeschriebenen Reichstag zu besuchen und möglichst umgehend aufzubrechen: „Wir habens auch dafur, wan e. l. Luther unser schreiben furhalten, seinen rath darin zu haben, er werde dieser unser meinung zufall thun und e. l. seine weiter bedencken hierin auch mitteilen"[11], d. h. auf den Fürsten im hessischen Interesse einwirken.

Unabhängig von dem an die Person gebundenen besonderen Verhältnis des Landesherrn zu seinem Theologen bestanden aber, wie die Fallstudien erweisen, gewichtige sachliche Gründe für eine enge Korrespondenz und Interdependenz von Politik und Theologie in dieser Periode, da in die kurze Regierungszeit Johanns, wie erwähnt, der Zwang zu prinzipiellen Entscheidungen, die das Geschehen des nächsten Jahrzehnts und das Verhalten der Beteiligten weithin determinieren, fällt. Dem verstärkten Interesse des Politikers am Rat des Theologen entspricht die wachsende Bedeutung der fürstlichen Autorität für die Durchsetzung der Reformation. Die durch den Bauernkrieg hervorgerufene Absage Luthers an die unmittelbare Selbsterneuerungskraft und die bisher herrschende Improvisation einerseits, die Erklärung der Reformation zu einer Frage der Landeshoheit durch Speyer I auf der anderen Seite führt zum Appell an den Landesherrn, durch das Instrument der Visitation die spontane und ungeordnete Ausbreitung des evangelischen Kirchenwesens organisatorisch aufzufangen und in geordnete Bahnen zu lenken[11a]. Mit Hilfe des evangelischen Fürsten wird in konkreter Bedrohung erstmals die stabilisierende Wirkung der neuen Lehre erprobt[12].

Während Luther 1526 bei den ersten Versuchen zur Schaffung einer politischen Organisation der sich herausbildenden evangelischen Territorien nicht beratend tätig gewesen ist, sondern erst herangezogen wurde, als es um die Gewinnung weiterer Mitglieder ging[13], entfaltete er 1529 ein hohes Maß an Aktivität, um die in Speyer getroffene Abmachung für eine politisch-militärische Absicherung des Evangeliums durch Fürsten und Reichsstädte zu Fall zu bringen. An der Protestation als Rechtsakt und der damit ausgedrückten Separation einer Minder-

---

11. Friedensburg, Speier, 543. Einen ähnlichen Versuch unternahm Philipp von Hessen im Dez. 1529, als er Luther veranlassen wollte, falls dieser über die Türkenhilfe befragt werde, im Sinne der hessischen Konzeption einer Verweigerung ohne ausreichende Sicherstellung sich zu äußern, worauf Luther allerdings ausweichend reagierte; vgl. WAB V, 198, 36 ff.; 203, 14 ff.

11a. Vgl. dazu oben S. 66.

12. Die eigentliche Landesinnenpolitik blieb dagegen weitgehend von theologischer Einflußnahme frei, so daß Luther nicht zu Ratschlägen hinsichtlich der Behandlung oder Beeinflussung der Landstände aufgefordert wurde, obwohl 1531 und 1532 wichtige Ständeversammlungen stattfanden; so wurde auf dem Zwickauer Landtag im Jan. 1531 über die Folgen von Augsburg und der Verweigerung der Beteiligung an der Königswahl verhandelt (vgl. Burkhardt, Landtagsakten, 210 ff.; E. Müller, 200 f.), auf den Ausschußtagen in Torgau im März 1531 über Sequestration und Gegenwehr (vgl. Burkhardt, 215 ff.; Müller, 201 f.), im Febr. 1532 über Geldbewilligungen für den Fall der Gegenwehr (vgl. Burkhardt, 256 ff.; Müller, 203). Zur Bedeutung der sächsischen Landstände vgl. Blaschke, Wechselwirkungen, 352.

13. Vgl. oben S. 111 ff.

heit von Majoritätsbeschlüssen war er dagegen nicht beteiligt, sondern wurde erst mit deren unmittelbarer Auswirkung, der Bündnisabsprache, konfrontiert[14]. Wie zu Kurfürst Friedrichs Zeit hielt er dabei am Postulat des Glaubens auf eigene Gefahr fest, ohne die veränderte Situation, in der nicht mehr der einzelne Bekenner, sondern das evangelische Territorium und dessen Landeskirche auf dem Spiel stand, hinreichend zu berücksichtigen. In der Verpflichtung des Kurfürsten auf die Bekenntniseinheit als Bedingung des politischen Bündnisses und auf Gewaltlosigkeit gegenüber dem magistratus superior durch das Gutachten vom 6. März 1530 kulminierte Luthers Einfluß auf die sächsische Politik, nachdem er schon 1528 in den „Packschen Händeln" einen ersten Höhepunkt erreicht hatte, als es gelang, Johann zum Abrücken von dem bereits mit Hessen abgeschlossenen Vertrag zu präventiver Kriegführung zu veranlassen[15]. Damals war Luther zum erstenmal von den Politikern intensiv in Anspruch genommen worden, um seinen Rat in dieser wesentlich politischen Krise zu erteilen und dem Gewissen der Handelnden die Richtung zu weisen.

Der Erfolg in der Festlegung Johanns von Sachsen auf eine Negation des Widerstandsrechts gegen die übergeordnete Obrigkeit blieb allerdings temporär, da die Zuspitzung der Situation durch den Fehlschlag des Augsburger Reichstags ihn sofort nachhaltig in Frage stellte. In der Diskussion mit den juristischen Beratern des Kurfürsten mußte sich Luther den seinen Vorstellungen vom planen Verhältnis Obrigkeit-Untertan fremden Konklusionen aus seinen eigenen Prämissen von der Freiheit der leges politicae und der für diese verantwortlichen Zuständigkeit der Politiker beugen und überließ in Konsequenz davon dieses Feld der Kompetenz der Juristen und Politiker[16]. Unmittelbare Auswirkungen für die Auseinandersetzung zwischen evangelischen Fürsten und dem Reich hat allerdings weder sein Sieg im März noch das Scheitern seiner Konzeption im Oktober 1530 zur Folge gehabt, da die Probe auf die Tragfähigkeit seiner ursprünglichen wie der geänderten Meinung nicht schon damals, sondern erst 1546 stattgefunden hat. Allerdings machte sein Zugeständnis in Torgau den Weg frei für das gute Gewissen der Handelnden beim Abschluß des Schmalkaldischen Bündnisses. Der Kurfürst ist Luther wie im März, so auch im Oktober 1530 gefolgt.

Auch in den Verhandlungen über einen Religionsfrieden 1531/32 ist Luther mehrfach über die Angebote der Vermittler und die von evangelischer Seite aufrechtzuerhaltenden Bedingungen konsultiert worden[17], wobei er seinen Einfluß erfolgreich auf die Abfassung der Verhandlungsrichtlinien der sächsischen Gesandtschaft geltend machen konnte, obwohl der Kurfürst, indem er sich Luthers Votum anschloß, gegen seinen Sohn und Brück entschied. Die Autorität Luthers gegenüber Johann ist damit bis zum Ende von dessen Regierungszeit unvermindert wirksam geblieben.

---

14. Vgl. dazu oben S. 127 ff.
15. Vgl. dazu oben S. 116 ff.
16. Vgl. dazu oben S. 177 ff.
17. Vgl. oben S. 203 ff.

Unter Johann Friedrich läßt dieser Einfluß auf den Landesherrn spürbar nach. Zwar ist die Anhänglichkeit dieses dritten Ernestiners, dem Luther mit seinem Rat gedient hat, an die neue Lehre vielleicht noch stärker und vorbehaltloser als bei seinem Vater ausgebildet gewesen[18], aber der junge Kurfürst – Luther war zwanzig Jahre älter als er – hat sich trotz weitaus geringerer Erfahrung und Befähigung für das politische Geschäft von den Ratgebern seiner Vorgänger zu emanzipieren bemüht. Er legte in ganz besonderer Weise Wert auf die eigene Entscheidungsbefugnis und ging über Empfehlung und Widerspruch seiner Berater oft in unbelehrbarer Starrheit hinweg[19]. Das Zurücktreten des theologischen Einflusses ist aber nicht nur in der Person Johann Friedrichs begründet, sondern ebenso durch die Aufgaben der Politik in den dreißiger und vierziger Jahren bedingt. Die für die evangelische Politik prinzipiell wichtige Entscheidung zugunsten einer Abwehrmöglichkeit gegen Übergriffe des Kaisers war in Torgau 1530 gefallen, das Verfassungsverständnis verbindlich geklärt und diese Festlegung von Luther als der Kenntnis und dem Gewissen der Juristen anheimgestellt respektiert worden. Damit war der Weg vorgezeichnet, neue Probleme konnten jetzt von einer gesicherten Grundlage aus angegangen werden, ohne daß es ständiger Vergewisserung und immer erneuter Erörterung konszientialer Grundfragen bedurfte. Zusehends wuchs außerdem durch die zunehmende Politisierung der Reformation und die Konfessionalisierung der territorialen und Reichsgegensätze die Dominanz politischer Beurteilungskriterien, was den Spielraum der theologischen Voten zwangsläufig beschränken mußte. Die Breite der zukünftigen Handlungsmöglichkeiten verengte sich mit jeder tagespolitischen Entscheidung. Angesichts der kontinuierlichen Komplizierung der ineinander verschlungenen Fragen von Politik und Konfession zieht sich Luther aus der unmittelbaren Erörterung der Probleme der Reichs- und Territorialpolitik zurück. Nachdem in Torgau die Festlegung des Inhalts der leges politicae den Juristen überlassen worden war, resultierte schon daraus ein gewisses Zurücktreten der Theologen[20]. Anläßlich der Verhandlungen Sachsens mit Frankreich sprach sich Luther dankbar über diese Entlastung aus und begrüßte die Rolle des Zuschauers, in die ihn der Hof drängte: „Incipio … nunc unice gaudere nos ab aula contemni et excludi, et inter-

18. Zum Verhältnis Johann Friedrichs zur Reformation vgl. Mentz I, 29 ff. Das persönliche Verhältnis zu Luther kennzeichnet vermutlich das Schreiben des Kurfürsten nach Empfang der Schmalkaldischen Artikel vom 7. Jan. 1537 am besten; vgl. WAB VIII, 4 ff. (originaler Textabdruck bei Volz, Urkunden, 83 ff.).

19. Vgl. bei Hecker, 26 die entsprechende Klage des Kanzlers Ossa von 1543 bei Gelegenheit des Braunschweiger Feldzugs. – Johann Friedrichs Abhängigkeit von Luther wird unterschiedlich beurteilt. Während Ranke glaubt, daß er Luther „vielleicht weniger Gehör gegeben (habe), als gut gewesen wäre“, urteilt Brandenburg, Moritz I, 22 gerade umgekehrt: „Gab gelegentlich in politischen Fragen auf Luthers Wort mehr als auf staatsmännische Überlegung“.

20. Ritter, Luther, 161 f. sieht das Zurücktreten Luthers und die Ablösung des Werkes vom Urheber schon seit 1525 wirksam im Ausbau der Landeskirchen. Der persönliche Einfluß Luthers auf Kurfürst Johann reicht aber fraglos bis zu dessen Tod.

pretor hoc favente Deo fieri, ne istis turbis misceamur, de quibus forte olim ingemiscere cogemur. At nunc tuti sumus, sine conscientia nostra fieri, quicquid fit, et hoc, quod Demosthenes sero optavit, nos mane iam obtinemus, sc. ne ad rempublicam adhibeamur"[21].

In auffälliger Weise geht die Führung an Melanchthon über, an die Stelle der Voten Luthers treten solche der Wittenberger Theologen, nachdem unter Friedrich und Johann nur gelegentlich Sondervoten neben denen Luthers eingereicht worden waren[22]. Die Praxis der Kollektivgutachten beginnt 1533 bei der Erörterung der Konzilsbedingungen[23]. Von dieser Sachlage aus erhält auch die Frage nach der Bedeutung des alten Luther für das Teilgebiet seines politischen Einflusses eine neue Akzentuierung. Die Autorität Luthers wird nach außen hin ersetzt durch die Wittenberger Gesamtautorität, obwohl diese wiederum nur aus der hinter ihr stehenden Autorität des Reformators auch nach außen hin lebt und ihre Legitimation bezieht. Luther tritt, nachdem ein Konsens über die Grundsatzentscheidungen unter den Theologen und mit den Politikern erreicht worden ist, hinter Melanchthons Formulierungen zurück und wird zumeist nur noch dann aktiv, wenn jener nicht in Wittenberg ist[24]. Dieser Rückzug bedeutet allerdings nicht, daß er nur noch seinen Namen als Draperie für die Kollektivgutachten leiht, sondern diese Voten gehen gelegentlich nachweisbar aus gemeinsamen Beratungen der Unterzeichner hervor[25]. Sein Verstummen setzt mithin keinen prinzipiellen Entschluß zur politischen Enthaltung voraus und wird auch immer wieder unterbrochen, aber in den vielfältigen schwierigen Fragen wird die Formulierung der gemeinsamen Meinung Melanchthon überlassen, zumal es vielfach um Entscheidungen geht, die festgelegte Positionen zur Voraussetzung haben. Daß gerade Melanchthon zum Verwalter der Wittenberger Gesamtautorität wurde und ihr Ausdruck verlieh, lag auch deswegen nahe, da er durch seine Anwesenheit auf zahlreichen Reichs- und schmalkaldischen Bundestagen wie auch bei den Religionsgesprächen sehr viel unmittelbarer mit der Politik in actu in Berührung gekommen ist als Luther, dem die Foren der Reichspolitik seit 1521 verschlossen waren und der durch die Reichsacht bis zu seinem Tode gefährdet blieb.

Die für Johann Friedrich konstatierte Eigenständigkeit seiner Politik und seiner Entscheidungen ist, wie die Fallstudien zeigen, nicht dadurch charakterisiert, daß die Theologen bewußt und grundsätzlich bei der Entscheidung politischer Fragen ausgeschaltet worden wären. Im Gegenteil wird ihr Rat zu zahlreichen Fragen der Reichs-, Bundes- und Territorialpolitik, von der Kirchenpolitik ganz abge-

---

21. WAB VII, 246, 6 ff. (an J. Jonas, 1. Sept. 1535).

22. Bugenhagen 1523 und 1528, Melanchthon 1523, 1528 und 1530. – Schon bei der Einwirkung auf Kurfürst Johann in den „Packschen Händeln" hatte ein enges Zusammenspiel Luthers und Melanchthons stattgefunden; vgl. oben S. 121 ff.

23. Vgl. WAB VI, 487 f.

24. Etwa bei den Religionsverhandlungen 1541; vgl. seine Gutachten WAB IX, 355 ff. 406 ff. 456 f. 460 ff.

25. Vgl. die Aufzeichnung Bugenhagens von Ende 1536 bei Volz, Entstehungsgeschichte, 318 f.

sehen, in Anspruch genommen; nur steht sehr oft, wie die Resonanz auf die Wittenberger Erwägungen zeigt, die politische Linie schon vorher fest, ohne daß ihre Argumente Berücksichtigung gefunden hätten[26]. Die Autorität Luthers und seiner Kollegen dient offensichtlich zumeist einem anderen Zweck: Immer wieder wird das Bemühen sichtbar, die Theologen auf die bereits gefaßten Entscheidungen zu verpflichten, ihre Zustimmung dazu zu gewinnen und sie für die Durchsetzung der kurfürstlichen Konzeption bei den anderen evangelischen Ständen zu benutzen. Der ursprüngliche Zweck der Wittenberger Voten, die Gewissenberatung, wird von Johann Friedrich zunehmend in die Funktion einer Gewissensentlastung umgewandelt, als religiöse Sanktionierung und Absicherung der im übrigen autonomen und oft bereits vorweg festgelegten Entscheidung der Politiker. Durch Instruktionen und Belehrungen wird den geforderten Gutachten die offiziell gewünschte Richtung gewiesen[26a], so daß sie, zumal wenn sie in ihrer ersten Konzeption als für den angestrebten politischen Zweck unbrauchbar zurückgewiesen worden waren, keine eigentliche Handlungsanleitung mehr geben oder Vorschläge enthalten, sondern lediglich der schon vorher festgelegten Politik folgen und sie theoretisch abstützen[27]. Den Gang der Ereignisse bestimmen sie nur noch selten.

Zugleich erhebt Johann Friedrich im Bewußtsein landesherrlicher Verantwortung für seine Kirche und einer damit vermeintlich identischen Verantwortung für das Werk der Reformation generell den den theologischen Forderungen gegenläufigen Anspruch, auch in den unmittelbaren Bereich von Religion und Theologie überzugreifen, indem er sich ein Aufsichts- und Akzeptationsrecht bei Beschlußfassungen über dogmatische Übereinkünfte reserviert. Sowohl bei den Beratungen über die Konkordie 1536 wie bei den Verhandlungen mit der englischen Gesandtschaft über einen Lehrkonsens im gleichen Jahr werden Luther und die anderen Wittenberger Theologen von ihm gewarnt, ihren Partnern in dogmatischen Fragen zu weit entgegenzukommen[28]; gleichermaßen ergeht im Zusammenhang mit der Abfassung der Schmalkaldischen Artikel als Programm für eine evangelische Konzilsgesandtschaft die Weisung, das Ergebnis der Theologenberatung dem Kurfürsten vorzulegen, der sich die letzte Entscheidung vorbehält[29]. Ein solches Mandat haben sich Friedrich und Johann von Sachsen nie zugesprochen; hier wird der Beginn des Weges sichtbar, der in der zweiten Hälfte des 16. Jahrhunderts zum Amtsverständnis der Fürsten als der Herren auch über die Kirche mit Entscheidungsrecht in theologischen Fragen führt[30].

---

26. Die markanteste Ausnahme stellt wohl die Anfrage des Kurfürsten 1542 dar, ob er mit den für den braunschweigischen Feldzug gesammelten Truppen sein Recht auf Halle mit Gewalt durchsetzen dürfe; vgl. oben S. 257 ff.

26a. Vgl. vor allem oben S. 260; vgl. auch WAB XII, 316 f.

27. Vgl. dazu auch Hermann, Zirkulardisputation, 217.

28. Vgl. WAB VII, 411, 18 ff. und oben S. 233.

29. Eine Untersuchung über die Schmalkaldischen Artikel im Rahmen der Konzilsdiskussion mußte aus Raumgründen aus der Arbeit herausgelassen werden; daher kann hier nur auf WAB VIII, 613 ff. verwiesen werden.

30. Vgl. dazu für Kursachsen und Braunschweig anhand der Kirchenordnungen Krum-

Die beschränkte Wirksamkeit der Voten Luthers und seiner Kollegen zu politischen Fragen muß im Ergebnis zu dem Schluß führen, daß die Grenze der Rücksichtnahme der Politiker auf das Wittenberger Urteil jeweils dann erreicht war, wenn dieses mit wesentlichen Interessen der Territorial- oder Reichspolitik Kursachsens kollidierte oder die Konzeptionen der Politik und – wie im Falle der Ablehnung eines Widerstandsrechts gegen den Kaiser – die Existenz des Territoriums ernsthaft zu bedrohen schien. Letztlich setzt sich Luthers Rat immer nur dort durch, wo die Politiker selbst unsicher sind, nämlich in einer verhältnismäßig sehr begrenzten Phase zwischen 1528 und Mitte 1530: Präventivkrieg, Bündnis, Widerstandsrecht, dann noch einmal 1532 bei den Schweinfurt-Nürnberger Verhandlungen und 1542 bei der Erörterung der Zweckmäßigkeit eines Angriffs auf das Erzstift Magdeburg. Der festgelegten Politik widersprechende Gutachten wurden entweder schweigend übergangen oder es wurde versucht, ein der eigenen Überzeugung besser entsprechendes Votum zu extrahieren. Das Wort des hessischen Landgrafen von 1531: „Er Doctor, ir radtet wol fein, wie aber, wen wir euch nicht folgeten?"[31], faßt in seiner Direktheit die bei der Untersuchung der Gutachten oft belegte hessische Opposition gegen die Ratschläge aus Wittenberg zusammen, gilt aber zu großen Teilen auch für die kursächsische Politik, die sich den durch die Zwei-Reiche-Lehre und das Torgauer Ergebnis von 1530 gewonnenen Freiraum nicht durch Rücksichtnahme auf Urteile und Ratschläge der Theologen verkümmern lassen wollte.

---

wiede, Entstehung, 171 ff. 199 ff. Über die Verquickung dogmatischer Lehrgegensätze und landesfürstlicher Interessen vgl. Ritter, Luther, 163.

31. WATR II, 405, 2 f. Vgl. auch ebd., Nr. 1476 die den Gegensatz von Handelndem und Ratendem aufweisende Aufzeichnung einer Äußerung Luthers von 1532: „Ego laudo landgravium, quod non consulit nos sicut prius, sed cogitat: ‚Predig, Luther, so will ich die weill sehen, das man die pferd satle'".

Abkürzungsverzeichnis

ARG	Archiv für Reformationsgeschichte
CR	Corpus Reformatorum
DtRWb	Deutsches Rechtswörterbuch
EKL	Evangelisches Kirchenlexikon
EA	Erlanger Ausgabe der Werke Luthers
FGLP	Forschungen zur Geschichte und Lehre des Protestantismus
FKDG	Forschungen zur Kirchen- und Dogmengeschichte
HZ	Historische Zeitschrift
LThK	Lexikon für Theologie und Kirche
ML	Mennonitisches Lexikon
NB	s. u. Friedensburg — Cardauns
Pol. Corr.	s. u. Virck — Winckelmann
QFIAB	Quellen und Forschungen aus italienischen Archiven und Bibliotheken
QFRG	Quellen und Forschungen zur Reformationsgeschichte
RE	Realencyklopädie für protestantische Theologie und Kirche (3. Aufl.)
RGG	Die Religion in Geschichte und Gegenwart (3. Aufl.)
RTA	Reichstagsakten, jüngere Reihe
SVRG	Schriften des Vereins für Reformationsgeschichte
ThLZ	Theologische Literaturzeitung
WA	Luther, Werke, Abt. Schriften
WAB	Luther, Werke, Abt. Briefwechsel
WADB	Luther, Werke, Abt. Deutsche Bibel
WATR	Luther, Werke, Abt. Tischreden
ZKG	Zeitschrift für Kirchengeschichte
ZRG	Zeitschrift der Savignystiftung für Rechtsgeschichte

Quellen- und Literaturverzeichnis

(enthält nur die mehrfach und daher abgekürzt zitierten Titel)

Dresden, Staatsarchiv: Loc. 9655 „Des Kurfürsten . . .“
9656 „Des Landgrafen . . . Anno 1543–44“.
Jena, Universitätsbibliothek: Cod. Bos. q 24 s.
Göttingen, Staatliches Archivlager (Staatsarchiv Königsberg – Archivbestände Preuß. Kulturbesitz): HBA A 4.
Ostpr. Fol. 84.
Marburg, Hessisches Staatsarchiv: SA Schubl. 45.
Pol. Arch. (PA) 240. 249. 256. 298. 464. 465. 2544. 2607. 2918.
Nürnberg, Bayerisches Staatsarchiv: ARA XVI. XVII. XVIII. XIX. XX.
Suppl. I. I a.
S I L 68 Nr. 6.
Straßburg, Stadtarchiv: AA 439.
Weimar, Staatsarchiv: Reg. H 1. 7. 9. 11–13. 21. 48. 65. 70. 75. 85. 178.
Reg. H p 165 Nr. 78.
fol. 603–609 Fasz. 194
fol. 612–630 Fasz. 196 Vol. 1 b.
Reg. O 775. 781

Aland, Kurt Hilfsbuch zum Lutherstudium, 3. Aufl. Witten 1970.
Luther als Staatsbürger. In: Kirchengeschichtliche Entwürfe (Gütersloh 1960), 420 ff.

Alanen, Yrjö J. E. Das Gewissen bei Luther, Helsinki 1934 (Annales Academiae Scientiarum Fennicae, B, XXIX, 2).

Allen, John W. A History of Political Thought in the Sixteenth Century, 3. Aufl. London 1951.

Althaus, Paul Luthers Gedanken über die letzten Dinge. In: Luther-Jahrbuch 23/1941, 9 ff.

–, Luthers Lehre von den beiden Reichen im Feuer der Kritik. In: Luther-Jahrbuch 24/1957, 40 ff.

–, Die Ethik Martin Luthers, Gütersloh 1965.

Andreas, Willi Deutschland vor der Reformation, 5. Aufl. Stuttgart 1948.

Asendorf, Ulrich Eschatologie bei Luther, Göttingen 1967.

Baeumer, Max L. Die Menschenrechte in Martin Luthers Schrift an den Adel. In: Zeitschrift für Sozialreform 7/1961, 1 ff.

–, Martin Luthers soziale Reformen in seiner Schrift an den Adel. In: ebd., 65 ff.

Bainton, Roland H. Martin Luther, 6. Aufl. Göttingen 1967.

Bard, Paul Luthers Lehre von der Obrigkeit in ihren Grundzügen. In: Evangelische Theologie 10/1950–51, 126 ff.

Barge, Hermann Frühprotestantisches Gemeindechristentum in Wittenberg und Orlamünde, Leipzig 1909.

Baron, Hans Religion and Politics in the German Imperial Cities during the Reformation. In: English Historical Review 52/1937, 405 ff. 614 ff.

Barth, Hans-Martin Der Teufel und Jesus Christus in der Theologie Martin Luthers, Göttingen 1967 (FKDG 19).

Bauer, Karl Die Wittenberger Universitätstheologie und die Anfänge der Deutschen Reformation, Tübingen 1928.

Bäumer, Remigius Luthers Ansichten über die Irrtumsfähigkeit des Konzils und ihre theologiegeschichtlichen Grundlagen. In: Wahrheit und Verkündigung. Festschrift Michael Schmaus Bd. 2 (München-Paderborn-Wien 1967), 987 ff.

Becker, Johann Kurfürst Johann von Sachsen und seine Beziehungen zu Luther, Teil 1 (einziger): 1520–1528, phil. Diss. Leipzig 1890.

Becker, Karl-Heinz Der Christ als Untertan nach lutherischem Bekenntnis. In: Evangelische Theologie 3/1936, 276 ff.

Beisser, Friedrich Claritas scripturae bei Martin Luther, Göttingen 1966 (FKDG 18).

Berges, Wilhelm Die Fürstenspiegel des hohen und späten Mittelalters, Leipzig 1938 (Schriften des Reichsinstituts für ältere deutsche Geschichtskunde 2).

Berggrav, Eivind Der Staat und der Mensch, Hamburg (1946).

–, Staat und Kirche heute in lutherischer Sicht. In: Informationsblatt für die Gemeinden in den niederdeutschen Landeskirchen 1/1952, 283 ff.

Bertrams, Wilhelm Der neuzeitliche Staatsgedanke und die Konkordate des ausgehenden Mittelalters, 2. Aufl. Rom 1950 (Analecta Gregoriana Bd. 30).

Beyer, Hermann Wolfgang Der Christ und die Bergpredigt nach Luthers Deutung. In: Luther-Jahrbuch 14/1932, 33 ff.

–, Glaube und Recht im Denken Luthers. In: Luther-Jahrbuch 17/1935, 56 ff.

Bezold, Friedrich von Geschichte der deutschen Reformation, Berlin 1890.

–, Luthers Rückkehr von der Wartburg. In: ZKG 20/1900, 186 ff.

Bidinger, Joseph Zur Hermeneutik der Rechtslehre Martin Luthers. In: Archiv für Rechts- und Sozialphilosophie 51/1965, 337 ff.

Binder, Julius Luthers Staatsauffassung, Erfurt 1924 (Beiträge zur Philosophie des deutschen Idealismus, Beiheft 13).

Bindseil, Heinrich Ernst (Hrsg.) Philippi Melanchthonis epistolae, iudicia, consilia, testimonia aliorumque ad eum epistolae, quae in Corpore Reformatorum desiderantur, Halle 1874.

Bizer, Ernst Zum geschichtlichen Verständnis von Luthers Schmalkaldischen Artikeln. In: ZKG 67/1955–56, 61 ff.

Blaschke, Karlheinz Sachsen im Zeitalter der Reformation, Gütersloh 1970 (SVRG 185).

–, Wechselwirkungen zwischen der Reformation und dem Aufbau des Territorialstaates. In: Der Staat 9/1970, 347 ff.

–, Kurfürst Friedrich der Weise von Sachsen und die Luthersache. In: F. Reuter (Hrsg.), Der Reichstag zu Worms von 1521 (Worms 1971), 316 ff.

Böhmer, Heinrich Luther im Lichte der neueren Forschung, 5. Aufl. Leipzig-Berlin 1918.

Bohateč, Joseph Calvin und das Recht, Feudingen 1934.

Bonin, Burkhard von Die praktische Bedeutung des Jus reformandi, Stuttgart 1902 (Kirchenrechtliche Abhandlungen 1).

de Boor, Albert Beiträge zur Geschichte des Speirer Reichstages vom Jahre 1544, phil. Diss. Straßburg 1878.

Bornkamm, Heinrich Luther und das Alte Testament, Tübingen 1948.

–, Luthers Lehre von den zwei Reichen im Zusammenhang seiner Theologie, 2. Aufl. Gütersloh 1960.

–, Luthers geistige Welt, 4. Aufl. Gütersloh 1960.

–, Das Jahrhundert der Reformation, 2. Aufl. Göttingen 1966.

–, Luther als Schriftsteller, Heidelberg 1965 (Sitzungsberichte der Heidelberger Akademie der Wissenschaften. Phil-hist. Kl. Jg. 1965 Abh. 1).

Borth, Wilhelm Die Luthersache (Causa Lutheri) 1517–1524, Lübeck-Hamburg 1970 (Historische Studien 414).

Bourilly. V-L. Guillaume du Bellay, Seigneur de Langney, Paris 1904.

Brandenburg, Erich Luther, Kursachsen und Magdeburg in den Jahren 1541 und 1542. In: Deutsche Zeitschrift für Geschichtswissenschaft N. F. 1/1896–97, 259 ff.

–, Moritz von Sachsen Bd. 1, Leipzig 1898.

–, (Hrsg.) Politische Korrespondenz des Herzogs und Kurfürsten Moritz von Sachsen, 2 Bde., Leipzig 1900–1904 (Schriften der Kgl. Sächs. Kommission für Geschichte).

–, Martin Luthers Anschauung von Staat und Gesellschaft, Halle 1901 (SVRG 70).

Brandi, Karl Kaiser Karl V., Bd. 1, 5. Aufl. Darmstadt 1959; Bd. 2, 2. Aufl. ebd., 1967.

Braune, Ernst Die Stellung der hessischen Geistlichen zu den kirchenpolitischen Fragen der Reformationszeit, theol Diss. Marburg 1933.

Brecht, Martin Die frühe Theologie des Johannes Brenz, Tübingen 1966 (Beiträge zur historischen Theologie 36).

Brenz, Johannes Werke – Frühschriften Teil 1, hrsg. von M. Brecht, G. Schäfer und F. Wolf, Tübingen 1970.

Brieger, Theodor Die kirchliche Gewalt der Obrigkeit nach der Anschauung Luthers. In: Zeitschrift für Theologie und Kirche 2/1892, 513 ff.

Bring, Ragnar Der Glaube und das Recht nach Luther. In: Beiträge zur historischen und systematischen Theologie. Gedenkschrift Werner Elert, Berlin 1955, 140 ff.

–, Das Verhältnis von Glauben und Werken in der lutherischen Theologie, München 1955 (FGLP X, 7).

Brunner, Otto Land und Herrschaft, 5. Aufl. Wien 1965.

Brunner, Peter Vom Amt des Bischofs. In: Schriften des Theol. Konvents Augsburgischen Bekenntnisses 9, Berlin 1955.

–, Luther und die Welt des 20. Jahrhunderts, Göttingen 1961 (Kleine Vandenhoeck-Reihe 109).

Bruns, Friedrich Die Vertreibung Herzog Heinrichs von Braunschweig durch den Schmalkaldischen Bund, Teil 1 (mehr nicht erschienen) phil. Diss. Marburg 1889.

Bucholtz, Franz Bernhard von Geschichte der Regierung Ferdinands des Ersten, Bd. 1–9, Wien 1831–1838.

Buchwald, Georg Luther-Kalendarium, 2. Aufl. Leipzig 1929 (SVRG 147).

Buisson, Ludwig Potestas und Caritas. Die päpstliche Gewalt im Spätmittelalter, Köln-Graz 1958 (Forschungen zur kirchlichen Rechtsgeschichte und zum Kirchenrecht 2).

Burkhardt, Carl August Hugo Dr. Martin Luther's Briefwechsel, Leipzig 1866.

—, Neue Forschungen zu Luthers Leben. In: Zeitschrift für kirchliche Wissenschaft und kirchliches Leben 3/1882, 585 ff.

—, Ernestinische Landtagsakten I: Die Landtage von 1487—1532, Jena 1902.

Campenhausen, Hans Frh. von Reformatorisches Selbstbewußtsein und reformatorisches Geschichtsbewußtsein bei Luther 1517—1522. In: Tradition und Leben (Tübingen 1960), 318 ff. (zuerst 1940 erschienen).

Cardauns, Ludwig Die Lehre vom Widerstandsrecht des Volkes gegen die rechtmäßige Obrigkeit im Luthertum und im Calvinismus des 16. Jahrhunderts, phil. Diss. Bonn 1903.

Carlyle, R. W. und A. J. A History of medieval political theory in the West, Bd. 6, Edinburg-London 1936.

Clausert, Dieter Das Problem der Gewalt in Luthers Zwei-Reiche-Lehre. In: Evangelische Theologie 26/1966, 36 ff.

Cranz, F. Edward An Essay on the Development of Luther's Thought on Justice, Law, and Society, Cambridge 1959 (Harvard Theological Studies 19).

Delius, Walter Justus Jonas, Berlin 1952.

—, Die Reformationsgeschichte der Stadt Halle a./S., Berlin 1953 (Beiträge zur Kirchengeschichte in Deutschland 1).

Deschwanden, Karl (Hrsg.) Amtliche Sammlung der ältern Eidgenössischen Abschiede, Bd. 4 Abt. 1 d, Luzern 1882.

Deutelmoser, Arno Luther, Staat und Glaube, Jena 1937.

Diem, Harald Luthers Lehre von den zwei Reichen, untersucht von seinem Verständnis der Bergpredigt aus, München 1938 (Evgl. Theologie, Beiheft 5).

Doernberg, Erwin Henry VIII and Luther. An account of their personal relations, Stanford/Calif. 1961.

Dörries, Hermann Gottesgehorsam und Menschengehorsam bei Luther. In: ARG 39/1942, 47 ff. (erweitert in: Wort und Stunde Bd. 3, Göttingen 1970, 109 ff.).

—, Luther nach dem Bauernkrieg. In: Ecclesia und Republica. Festschrift K. D. Schmidt, Göttingen 1961 (jetzt in: Wort und Stunde Bd. 3, 36 ff.).

—, Luther und das Widerstandsrecht. In: ebd., 195 ff.

Duchrow, Ulrich Christenheit und Weltverantwortung. Traditionsgeschichte und systematische Struktur der Zweireichelehre, Stuttgart 1970 (Forschungen und Berichte der Evgl. Studiengemeinschaft 25).

Dülfer, Kurt Die Packschen Händel. Darstellung und Quellen, Marburg 1958 (Veröffentlichung der Histor. Komm. für Hessen und Waldeck 24, 3).

Ebeling, Gerhard Die Notwendigkeit der Lehre von den beiden Reichen. In: Wort und Glaube (Tübingen 1960), 407 ff.

—, Luther. Einführung in sein Denken, Tübingen 1964.

Elert, Werner Morphologie des Lutherthums, 2 Bde., München 1931/32.

Elliger, Walter Luthers politisches Denken und Handeln, Berlin 1952.

—, Luthers Stellung zu Staat, Gesellschaft und Wirtschaft in der Frühzeit seines Wirkens. In: 450 Jahre Martin-Luther-Universität Halle-Wittenberg Bd. 1 (o. O. u. J. [1952]), 283 ff.

Ellinger, Georg Philipp Melanchthon, Berlin 1902.

Enders, Ernst Ludwig (Hrsg.) Dr. Martin Luther's Briefwechsel, 19 Bde. Frankfurt-Leipzig 1884–1932.

Engelhardt, Adolf Der Nürnberger Religionsfriede von 1532. In: Mitteilungen des Vereins für Geschichte der Stadt Nürnberg 31/1933, 17 ff.

–, Die Reformation in Nürnberg I–III. In: Mitteilungen des Vereins für Geschichte der Stadt Nürnberg 33/1936, 1 ff.; 34/1937, 1 ff.; 36/1939, 1 ff.

Erdmann, Carl Die Entstehung des Kreuzzugsgedankens, Stuttgart 1935 (Forschungen zur Kirchen- und Geistesgeschichte 6).

Erichsen, Hans Der Staatsbegriff Luthers, jur. Diss. Hamburg 1926.

Fabian, Ekkehart Die Entstehung des Schmalkaldischen Bundes und seiner Verfassung 1529–1531/33, 2. Aufl., Tübingen 1962 (1. Aufl. mit Quellenanhang ebd. 1956) (Schriften zur Kirchen- und Rechtsgeschichte 1).

–, Die Schmalkaldischen Bundesabschiede 1530–1532, 1533–1536, 2. Bde. Tübingen 1958 (Schriften ... 7. 8).

–, Die Beschlüsse der oberdeutschen Schmalkaldischen Städtetage, 2 Bde. Tübingen 1959 (Schriften ... 9/10. 14/15).

–, Die Abschiede der Bündnis- und Bekenntnistage protestierender Fürsten und Städte zwischen den Reichstagen zu Speyer und zu Augsburg 1529–1530, Tübingen 1960 (Schriften ... 6).

–, Urkunden und Akten der Reformationsprozesse am Reichskammergericht, am kaiserlichen Hofgericht zu Rottweil und an anderen Gerichten Teil 1, Tübingen 1961 (Schriften ... 16/17).

Fabiunke, Günter Martin Luther als Nationalökonom, Berlin 1963 (Deutsche Akademie der Wissenschaften zu Berlin. Schriften des Instituts für Wirtschaftswissenschaften 15).

Fehr, Hans Das Widerstandsrecht. In: Mitteilungen des Instituts für österreichische Geschichtsforschung 38/1920, 1 ff.

Fischer-Galati, Stephan A. Ottoman Imperialism and German Protestantism 1521–1551, Cambridge 1959 (Harvard Historical Monographies 43).

Förstemann, Karl Eduard (Hrsg.) Urkundenbuch zu der Geschichte des Reichstages zu Augsburg im Jahre 1530, 2 Bde., Halle 1833–35.

–, Neues Urkundenbuch zur Geschichte der Kirchen-Reformation Bd. 1, Hamburg 1842.

Foerster, Erich Fragen zu Luthers Kirchenbegriff aus der Gedankenwelt seines Alters. In: Festschrift Julius Kaftan (Tübingen 1920), 87 ff.

Foerster, Sabine Das jüngste Gericht bei Luther, masch.-schriftl. phil. Diss. Frankfurt 1922.

Forck, Gottfried Die Königsherrschaft Christi und das Handeln des Christen in den weltlichen Ordnungen nach Luther. In: Kerygma und Dogma 3/1957, 23 ff.

Fraenkel, Peter Utraquism or Co-Existence: Some Notes on the earliest Negotiations before the Pacification of Nuernberg, 1531–32. In: Studia Theologica 18/1964, 119 ff.

Franz, Eugen Nürnberg, Kaiser und Reich, München 1930.

Franz, Günther Urkundliche Quellen zur hessischen Reformationsgeschichte Bd. 2: 1525–1547, Marburg 1954 (Veröffentlichungen der Histor. Komm. für Hessen und Waldeck 11, 2).

Friedensburg, Walter Zur Vorgeschichte des Gotha-Torgauischen Bündnisses der Evangelischen 1525–1526, Marburg 1884.

–, Der Regensburger Convent von 1524. In: Historische Aufsätze, dem Andenken an Georg Waitz gewidmet (Hannover 1886), 502 ff.

–, Der Reichstag zu Speier 1526 im Zusammenhang der politischen und kirchlichen Entwicklung Deutschlands im Reformationszeitalter, Berlin 1887 (Historische Untersuchungen 5).

Friedensburg, Walter und Cardauns, Ludwig (Hrsg.) Nuntiaturberichte aus Deutschland nebst ergänzenden Actenstücken, Abt. 1 Bd. 1–8, Gotha 1892–1912.

Fuchtel, Paul Der Frankfurter Anstand vom Jahre 1539. In: ARG 28/1931, 145 ff.

Gerstenkorn, Hans Robert Weltlich Regiment zwischen Gottesreich und Teufelsmacht. Die staatstheoretischen Auffassungen Martin Luthers und ihre politische Bedeutung, Bonn 1956 (Schriften zur Rechtslehre und Politik 7).

Gess, Felician Akten und Briefe zur Kirchenpolitik Herzog Georgs von Sachsen, 2 Bde., Leipzig-Berlin 1905–17.

Gloege, Gerhard Politia divina. Die Überwindung des mittelalterlichen Sozialdenkens durch Luthers Lehre von der Obrigkeit. In: Verkündigung und Verantwortung. Theologische Traktate II, Göttingen 1967, 69 ff.

–, Thesen zu Luthers Zwei-Reiche-Lehre. In: Kirche und Staat. Festschrift Hermann Kunst, Berlin 1967, 79 ff.

Görnitz, Volkmar Die Begründung des Staates bei Luther und den Berliner Aufklärungstheologen, phil. Diss. Berlin 1960.

Gollwitzer, Helmut Bürger und Untertan. In: Politik und Ethik, hrsg. von H.-D. Wendland, Darmstadt 1969 (Wege der Forschung 139), 151 ff.

Gravier, Maurice Luther et l' opinion publique (Université de Paris. Faculté des Lettres. Cahiers de l' Institut d' Études Germaniques 2, Aubier-Paris [1942]).

Griewank, Karl Der neuzeitliche Revolutionsbegriff. 2. Aufl. Frankfurt/M. 1969.

Grimm, Harold J. Luther's Contribution to Sixteenth-Century Organization of Poor Relief. In: ARG 61/1970, 222 ff.

Grundmann, Herbert Landgraf Philipp von Hessen auf dem Augsburger Reichstag 1530, Gütersloh 1959 (SVRG 176).

Grundmann, Siegfried Kirche und Staat nach der Zwei-Reiche-Lehre. In: Im Dienste des Rechtes in Kirche und Staat. Festschrift für Franz Arnold, Wien 1963 (Kirche und Recht 4), 38 ff.

Gundlach, Franz Nachträge zum Briefwechsel des Landgrafen Philipp mit Luther und Melanchthon. In: Zeitschrift des Vereins für hessische Geschichte und Landeskunde N. F. 28/1904 (Festschrift zum Gedächtnis Philipps des Großmütigen), 63 ff.

Gussmann, Wilhelm Quellen und Forschungen zur Geschichte des Augsburger Glaubensbekenntnisses, Bd. 1/1 u. 2, Leipzig-Berlin 1911.

Haar, Johann Initium creaturae Dei. Eine Untersuchung über Luthers Begriff der „neuen Creatur“ im Zusammenhang mit seinem Verständnis von Jakobus 1, 18 und mit seinem „Zeit“-Bedenken, Gütersloh 1939.

Hägglund, Bengt Theologie und Philosophie bei Luther und in der occamistischen Tradition. Luthers Stellung zur Theorie der doppelten Wahrheit, Lunds Universitets Årsskrift N. F. Avd. 1 Bd. 51 Nr. 4 1955.

Hakamies, Ahti „Eigengesetzlichkeit" der natürlichen Ordnungen als Grundproblem der neueren Lutherdeutung. Studien zur Geschichte und Problematik der Zwei-Reiche-Lehre Luthers, Witten 1971 (Untersuchungen zur Kirchengeschichte 7).

Hartmann, Julius Johann Brenz, Elberfeld 1862 (Leben und ausgewählte Schriften der Väter und Begründer der lutherischen Kirche 6).

Hartmann, Julius-Jäger, Karl Johann Brenz, 2 Bde., Hamburg 1840–1842.

Hartung, Fritz Karl V. und die deutschen Reichsstände von 1546–1555, Tübingen 1910.

Hasenclever, Adolf Die Politik der Schmalkaldener vor Ausbruch des Schmalkaldischen Krieges, Berlin 1901 (Eberings Historische Studien 23).

Hashagen, Justus Staat und Kirche vor der Reformation, Essen 1931.

Hauck, Albert Luther und der Staat. In: Süddeutsche Monatshefte Jg. 1917, 11 ff.

–, Die Reformation in ihrer Wirkung auf das Leben, Leipzig-Berlin 1918.

Hauswirth, René Landgraf Philipp von Hessen und Zwingli. Ihre politischen Beziehungen von 1529 bis 1530(1531), phil. Diss. Zürich 1963.

Headley, John M. Luther's View of Church History, New Haven-London 1963 (Yale Publications in Religion 6).

Heckel, Johannes Recht und Gesetz, Kirche und Obrigkeit in Luthers Lehre vor dem Thesenanschlag von 1517. In: ZRG 70 Kanon. Abt. 26/1937, 370 ff.

–, Lex charitatis. München 1953 (Abhandlungen der Bayerischen Akademie der Wissenschaften. Phil.-hist. Kl. NF 36).

–, Widerstandsrecht. In: B. Pfister – G. Hildmann (Hrsg.), Widerstandsrecht und Grenzen der Staatsgewalt (Berlin 1956), 32 ff.

–, Im Irrgarten der Zwei-Reiche-Lehre, München 1957 (Theologische Existenz heute NF 55).

–, Marsilius von Padua und Luther. Ein Vergleich ihrer Rechts- und Soziallehre. In: ZRG 75 Kanon. Abt. 44/1958, 268 ff.

–, Cura religionis, ius in sacra, ius circa sacra, 2. Aufl. Darmstadt 1962.

Heckel, Martin Staat und Kirche nach den Lehren der evangelischen Juristen Deutschlands in der ersten Hälfte des 17. Jahrhunderts. In: ZRG 73 Kanon. Abt. 42/1956, 117 ff.; 74 Kanon. Abt. 43/1957, 202 ff.

–, Autonomia und Compositio Pacis. In: ZRG 76 Kanon. Abt. 45/1959, 141 ff.

–, Parität. In: ZRG 80 Kanon. Abt. 49/1963, 261 ff.

–, Zur Entwicklung des deutschen Staatskirchenrechts von der Reformation bis zur Schwelle der Weimarer Verfassung. In: Zeitschrift für evangelisches Kirchenrecht 12/1966–67, 1 ff.

–, Zum Sinn und Wandel der Freiheitsidee im Kirchenrecht der Neuzeit. In: ZRG 86 Kanon. Abt. 55/1969, 395 ff.

Hecker, Oswald Artur (Hrsg.) Schriften Dr. Melchiors von Osse, Leipzig-Berlin 1922.

Heidrich, Paul Karl V. und die deutschen Protestanten am Vorabend des Schmalkaldischen Krieges, 2 Bde. Frankfurt/M. 1911/12 (Frankfurter Historische Forschungen Heft 5/6).

Heinemeyer, Walter Landgraf Philipps des Großmütigen Weg in die Politik. In: Hessisches Jahrbuch für Landesgeschichte 5/1955, 176 ff.

Heintze, Gerhard Luthers Predigt von Gesetz und Evangelium, München 1958 (FGLP X, 11).

Heinze, Martin Reich (regnum) und Regiment (regimen). Die sogenannte Zwei-Reiche-Lehre im Spiegel von Luthers Briefwechsel. In: ... und fragten nach Jesus. Festschrift Ernst Barnikol, Berlin 1964, 147 ff.

Hering, Hermann Doktor Pomeranus, Johannes Bugenhagen, Halle 1888 (SVRG 22).

Hermann, Rudolf Luthers These „Gerecht und Sünder zugleich", Gütersloh 1930.

—, Die Gestalt Simsons bei Luther. In: Gesammelte Studien zur Theologie Luthers und der Reformation (Göttingen 1960), 427 ff. (zuerst erschienen: Berlin 1952).

—, Luthers Zirkulardisputation über Mt. 19, 21. In: Gesammelte Studien ..., 206 ff. (zuerst erschienen in: Luther-Jahrbuch 23/1941, 35 ff.).

—, Luthers Theologie, hrsg. von H. Beintker, Göttingen 1967.

Hermelink, Heinrich Luthers Gedanken über Idealgemeinden und von weltlicher Obrigkeit. In: ZKG 29/1908, 267 ff. 479 ff.

—, Der Toleranzgedanke im Reformationszeitalter, Leipzig 1908 (SVRG 96).

Hertzberg, Gustav Friedrich Geschichte der Stadt Halle an der Saale von den Anfängen bis zur Neuzeit, 2 Bde. Halle 1889—91.

Hillerbrand, Hans Joachim Die politische Ethik des oberdeutschen Täufertums, Leiden-Köln 1962 (Beihefte der Zeitschrift für Religions- und Geistesgeschichte 7).

Hillerdal, Gunnar Luthers Geschichtsauffassung. In: Studia Theologica 7/1953, 28 ff.

—, Prophetische Züge in Luthers Geschichtsdeutung. In: ebd., 105 ff.
Gehorsam gegen Gott und Menschen, Göttingen 1955.

—, Luther och tysk evangelisk politik 1530. In: Kyrkohistorik Årsskrift 55/1955, 124 ff.

Hirsch, Emanuel Die Theologie des Andreas Osiander und ihre geschichtlichen Voraussetzungen, Göttingen 1919.

His, Rudolf Das Strafrecht des deutschen Mittelalters, 2 Bde. Weimar 1920—35.

Hoffmann, Heinrich Reformation und Gewissensfreiheit, Gießen 1932 (Aus der Welt der Religion. Religionswiss. Reihe 18).

Holborn, Hajo Machtpolitik und lutherische Sozialethik. In: ARG 57/1966, 23 ff.

—, Ulrich von Hutten, 2. Aufl. Göttingen 1968 (Kleine Vandenhoeck-Reihe 266).

Holl, Karl Gesammelte Aufsätze zur Kirchengeschichte I: Luther, 7. Aufl. Tübingen 1948.

Holstein, Günther Die Staatsauffassung Schleiermachers, Bonn 1923 (Bonner staatswissenschaftliche Untersuchungen 8).

—, Luther und die deutsche Staatsidee, Tübingen 1926 (Recht und Staat 45).

—, Die Grundlagen des evangelischen Kirchenrechts, Tübingen 1928.

Hope, Constantin Martin Bucer and the English Reformation, Oxford 1946.

Hortleder, Friedrich Der Römischen Keyser- vnd Königlichen Maiesteten, Auch deß Heiligen Römischen Reichs, Geistlicher vnd Weltlicher Stände, Churfürsten, Fürsten, Graven, Herren, Reichs- vnd anderer Städte, zusampt der heiligen Schrifft, Geistlicher vnd Weltlicher Rechte Gelehrte Handlungen vnd Außschreiben ... Von *Rechtmäßigkeit,* Anfang, Fort vnd endlichen Außgang deß Teutschen Kriegs Keyser Carls deß Fünfften wider die Schmalkaldische Bundsoberste, Chur- vnd Fürsten, Sachsen und Hessen vnd J. Chur- vnd Fürstl. G. G. Mitverwandte. Vom Jahr 1546 biß auff das Jahr 1558. 2. Aufl. Gotha 1645.

–, … Von den *Vrsachen* deß Teutschen Kriegs Kaiser Carls des Fünfften. wider die Schmalkaldische Bunds-Oberste, Chur- vnd Fürsten, Sachsen vnd Hessen vnd Ihrer Chur- vnd F. G. G. Mitverwandte. Anno 1545 vnd 47. 2. Aufl. Gotha 1645.

Höss, Irmgard Georg Spalatin auf dem Reichstag zu Augsburg 1530 und seine Stellungnahme zur Frage des Widerstandsrechts. In: ARG 44/1953, 64 ff.

–, Georg Spalatin 1484–1545, Weimar 1956.

Hülße, Fr. Der Streit Kardinals Albrecht, Erzbischofs von Magdeburg mit dem Kurfürsten Johann Friedrich von Sachsen um die magdeburgische Burggrafschaft. In: Geschichts-Blätter für Stadt und Land Magdeburg 22/1887, 113 ff. 261 ff. 360 ff.

Huschke, Rolf Bernhard Melanchthons Lehre vom Ordo politicus, Gütersloh 1968 (Studien zur evang. Ethik 4).

Issleib, S. Der braunschweigische Krieg im Jahre 1545. In: Mittheilungen des Kgl. Sächsischen Alterthums-Vereins 26–27/1877, 1 ff.

–, Philipp von Hessen, Heinrich von Braunschweig und Moritz von Sachsen 1541–1547. In: Jahrbuch des Geschichtsvereins für das Herzogtum Braunschweig 2/1903, 1 ff.

Ivarsson, Henrik Predikans uppgift. En typologisk undersökning med särskild hänsyn till reformatorisk och pietistisk predikan, theol. Diss. Lund 1956.

Jacob, Günter Der Gewissensbegriff in der Theologie Luthers, Tübingen 1929 (Beiträge zur historischen Theologie 4).

–, Das Bild vom „Weg in der Mitte“ in der Theologie Luthers. In: Kosmos und Ekklesia. Festschrift Wilhelm Stählin, Kassel 1953, 84 ff.

Joachimsen, Paul Sozialethik des Luthertums, München 1929.

–, Die Reformation, München 1950.

Joest, Wilfried Gesetz und Freiheit. Das Problem des Tertius usus legis bei Luther und die neutestamentliche Parainese, 3. Aufl. Göttingen 1961.

–, Ontologie der Person bei Luther, Göttingen 1967.

Jordan, Hermann Luthers Staatsauffassung, München 1917.

Kalkoff, Paul Zu Luthers römischem Prozeß. In: ZKG 25/1904, 562 ff.

–, Luthers Verhältnis zur Reichsverfassung und die Rezeption des Wormser Edikts. In: Historische Vierteljahrsschrift 18/1916–18, 265 ff.

Kantorowicz, Ernst H. The King's Two Bodies. A Study in Mediaeval Political Theology, Princeton N. J. 1957.

Kantzenbach, Friedrich Wilhelm Das Ringen um die Einheit der Kirche im Jahrhundert der Reformation, Stuttgart 1957.

–, Johannes Brenz in markgräflichem Dienst auf dem Reichstag in Augsburg. In: Jahrbuch des historischen Vereins für Mittelfranken 82/1964–65, 50 ff.

Kattenbusch, Ferdinand Die Doppelschichtigkeit in Luthers Kirchenbegriff. In: Theologische Studien und Kritiken 100/1927–28, 316 ff.

Kawerau, Gustav (Hrsg.) Der Briefwechsel des Justus Jonas, 2 Bde., Halle 1884/85 (Geschichtsquellen der Provinz Sachsen und angrenzender Gebiete 17).

–, Luthers Rückkehr von der Wartburg nach Wittenberg, Halle 1902 (Neujahrsblätter, hrsg. von der Hist. Kommission der Provinz Sachsen 26).

Keim, Karl Theodor Die Reformation der Reichsstadt Ulm, Stuttgart 1851.

Kern, Fritz Gottesgnadentum und Widerstandsrecht, 2. Aufl. Darmstadt 1952.

–, Luther und das Widerstandsrecht. In: ZRG 37 Kanon. Abt. 6/1916, 331 ff.

—, Recht und Verfassung im Mittelalter. In: HZ 120/1919, 1 ff. (Neudruck Darmstadt 1965).

Kinder, Ernst Geistliches und weltliches Regiment nach Luther, Weimar 1940 (Schriftenreihe der Luther-Gesellschaft 12).

—, Gottesreich und Weltreich bei Augustin und Luther. In: Beiträge zur historischen und systematischen Theologie. Gedenkschrift Werner Elert, Berlin 1955, 24 ff.

Kirn, Paul Friedrich der Weise und die Kirche, Leipzig-Berlin 1926 (Beiträge zur Kulturgeschichte des Mittelalters Bd. 30).

Kisch, Guido Melanchthons Rechts- und Soziallehre, Berlin 1967.

Kleinwaechter, Emil Der Metzer Reformationsversuch 1542–1543 Teil 1 (mehr nicht ersch.), phil. Diss. Marburg 1894.

Klempt, Adalbert Die Säkularisierung der universalhistorischen Auffassung, Göttingen 1960 (Göttinger Bausteine zur Geschichtswissenschaft 31).

[*Koch,* Ernst-August] Neue und vollständige Sammlung der Reichs-Abschiede, Tl. 2, Frankfurt/M. 1747.

Köhler, Walther Luthers Schrift An den christlichen Adel deutscher Nation im Spiegel der Kultur- und Zeitgeschichte, Halle 1895.

—, Brentiana und andere Reformatoria III und V. In: ARG 10/1913, 166 ff. und 13/1916, 228 ff.

—, Zwingli und Luther, 2 Bde., Leipzig-Gütersloh 1924–1951 (QFRG 6. 7).

—, Die deutsche Kaiseridee am Anfang des 16. Jahrhunderts. In: HZ 149/1934, 35 ff.

—, Der deutsche Reichsgedanke bei den Humanisten und Luther. In: Neue Jahrbücher für deutsche Wissenschaft 15/1937, 101 ff.

Kolde, Theodor Friedrich der Weise und die Anfänge der Reformation, Erlangen 1881.

—, Analecta Lutherana, Gotha 1883.

—, Der Tag von Schleiz und die Anfänge der Schwabacher Artikel. In: Beiträge zur Reformationsgeschichte. Festschrift Julius Köstlin (Gotha 1896), 94 ff.

Koldewey, Friedrich Heinz von Wolfenbüttel, Halle 1883 (SVRG 2).

Kooiman, W. J. Gods maskerspel in de theologie van Luther. In: Maskerspel. Festschrift W. Leendertz (Bussum 1955), 49 ff.

Köstlin, Julius-Kawerau, Gustav Martin Luther. Sein Leben und seine Schriften. 2 Bde. 5. Aufl. Berlin 1903.

Koschaker, Paul Europa und das römische Recht, 3. Aufl. Berlin 1958.

Kraske, Konrad Der Einfluß der mittelalterlichen Reichsidee auf Luthers historisches Bewußtsein, masch.-schriftl. phil. Diss. Freiburg i. Br. 1951.

Krumwiede, Hans-Walter Glaube und Geschichte in der Theologie Luthers, Göttingen 1952 (FKDG 2).

—, Usus legis und usus historiarum. In: Kerygma und Dogma 8/1962, 238 ff.

—, Zur Entstehung des landesherrlichen Kirchenregiments in Kursachsen und Braunschweig-Wolfenbüttel, Göttingen 1967 (Studien zur Kirchengeschichte Niedersachsens 16).

Kühn, Helga-Maria Die Einziehung des geistlichen Gutes im albertinischen Sachsen 1539 bis 1553, Köln-Graz 1966 (Mitteldeutsche Forschungen 43).

Kühn, Johannes Toleranz und Offenbarung, Leipzig 1923.

—, Wer trägt die Verantwortung an der Entstehung des politischen Protestantismus? In:

Kultur- und Universalgeschichte. Festschrift Walther Goetz (Berlin 1927), S. 215 ff.

—, Landgraf Philipp von Hessen. Der politische Sinn der sogenannten Packschen Händel. In: Staat und Persönlichkeit. Festschrift Erich Brandenburg (Leipzig 1928), S. 107 ff.

—, Die Geschichte des Speyerer Reichstags 1529, Leipzig 1929 (SVRG 146).

Künneth, Walther Politik zwischen Dämon und Gott, Berlin 1954.

Kunst, Hermann Martin Luther als politischer Berater seines Landesherrn. In: Festschrift Ulrich Scheuner (Berlin 1973), 307 ff.

Lamparter, Helmut Luthers Stellung zum Türkenkrieg, München 1940 (FGLP IX, 4).

—, Krieg und Frieden im Urteil Luthers. In: W. Jentsch (Hrsg.), Christliche Stimmen zur Wehrdienstfrage (Kassel 1952), 85 ff.

Lanz, Karl Correspondenz des Kaisers Karl V. 2 Bde. Leipzig 1844–45.

—, Staatspapiere zur Geschichte Karls V. Stuttgart 1845 (Bibliothek des Literar. Vereins in Stuttgart 11).

Lau, Franz „Äußerliche Ordnung" und „weltlich Ding" in Luthers Theologie, Göttingen 1933 (Studien zur systematischen Theologie 12).

—, Luthers Lehre von den beiden Reichen, Berlin 1953.

—, *u. Bizer,* Ernst Reformationsgeschichte Deutschlands bis 1555. In: Die Kirche in ihrer Geschichte Bd. 3 Lieferung K Göttingen 1964.

Lecler, Joseph, S. J. Histoire de la tolérance au siècle de la réforme, Aubier 1955 (Théologie 31).

Lehnert, Hans Kirchengut und Reformation, Erlangen 1935 (Erlanger Abhandlungen zur mittleren und neueren Geschichte 20).

Lenz, Max Briefwechsel Landgraf Philipp's des Großmüthigen von Hessen mit Bucer, 3 Bde., Leipzig 1880–91 (Publikationen aus den Kgl. Preuß. Staatsarchiven 5. 28. 47).

—, Luthers Lehre von der Obrigkeit. In: Preußische Jahrbücher 75/1894, 427 ff.

Lezius, Friedrich Gleichheit und Ungleichheit. Aphorismen zur Theologie und Staatsanschauung Luthers. In: Greifswalder Studien. Festschrift H. Cremer (Gütersloh 1895), 285 ff.

Lieberg, Hellmut Amt und Ordination bei Luther und Melanchthon, Göttingen 1962 (FKDG 11).

Liermann, Hans Untersuchungen zum Sakralrecht des protestantischen Herrschers. In: ZRG 61 Kanon. Abt. 30/1941, 311 ff.

Lilje, Hanns Luthers Geschichtsanschauung, Berlin 1932 (Furche-Studien 2).

Lind, Richard Luthers Stellung zum Kreuz- und Türkenkrieg, theol. Diss. Gießen 1940.

Link, Wilhelm Das Ringen Luthers um die Freiheit der Theologie von der Philosophie, 2. Aufl. München 1955 (FGLP IX, 3).

Lipgens, Walter Theologischer Standort fürstlicher Räte im sechzehnten Jahrhundert. In: ARG 43/1952, 28 ff.

Löfgren, David Die Theologie der Schöpfung bei Luther, Göttingen 1960 (FKDG 10).

Loewenich, Walther von Luthers Theologia crucis, München 1929 (FGLP II, 2).

—, Das Neue in Luthers Gedanken über den Staat. In: Von Augustin zu Luther (Witten 1959), 210 ff.

Lohse, Bernhard Ratio und Fides. Eine Untersuchung über die ratio in der Theologie Luthers, Göttingen 1958 (FKDG 8).

Ludewig, Georg Die Politik Nürnbergs im Zeitalter der Reformation, Göttingen 1893.

Lüthje, Hans Melanchthons Anschauung über das Recht des Widerstands gegen die Staatsgewalt. In: ZKG 47/1928, 512 ff.

Maier, Hans Die ältere deutsche Staats- und Verwaltungslehre (Polizeiwissenschaft), Neuwied 1966 (Politica. Abhandlungen und Texte zur politischen Wissenschaft 13).

Mann, Ulrich Ethisches und Ontisches in Luthers Theologie. In: Kerygma und Dogma 3/1957, 171 ff.

Matthes, Kurt Das Corpus Christianum bei Luther im Lichte seiner Erforschung, Berlin 1929 (Studien zur Geschichte der Wirtschaft und Geisteskultur 5).

—, Luther und die Obrigkeit, München 1937 (Aus der Welt christlicher Frömmigkeit 12).

Maurenbrecher, Wilhelm Karl V. und die deutschen Protestanten 1545—55, Düsseldorf 1865.

Maurer, Wilhelm Von der Freiheit eines Christenmenschen. Göttingen 1949.

—, Luther und die Schwärmer. In: Schriften des Theol. Konvents Augsburgischen Bekenntnisses 6 (Berlin 1952), 7 ff.

—, Erwägungen und Verhandlungen über die geistliche Jurisdiktion der Bischöfe vor und während des Augsburger Reichstags von 1530. In: ZRG 86 Kanon. Abt. 55/1969, 348 ff.

—, Luthers Lehre von den drei Hierarchien und ihr mittelalterlicher Hintergrund. (Sitzungsberichte der Bayerischen Akademie der Wissenschaften. Phil.-hist. Klasse Jg. 1970 Heft 4).

Mayer, Hellmuth Die Strafrechtstheorie bei Luther und Melanchthon. In: Rechtsidee und Staatsgedanke. Festgabe für Julius Binder (Berlin 1930), 77 ff.

—, Darf der Christ sein eigenes Recht suchen? In: Zeitwende 12, 2/1936, 354 ff.

Mayer, Moritz Maximilian Spengleriana, Nürnberg 1830.

Meinardus, Otto Die Verhandlungen des Schmalkaldischen Bundes vom 14.—18. Febr. 1539 in Frankfurt a. M. In: Forschungen zur Deutschen Geschichte 22/1882, 605 ff.

Meinecke, Friedrich Luther über christliches Gemeinwesen und christlichen Staat. In: HZ 121/1920, 1 ff.

Meißner, Erich Die Rechtsprechung über die Wiedertäufer und die antitäuferische Publizistik, masch.-schrift. phil. Diss. Göttingen 1921.

Mentz, Georg Zur Geschichte der Packschen Händel. In: ARG 1/1904, 172 ff.

—, Johann Friedrich der Großmütige, 3 Bde. Jena 1903—08 (Beiträge zur neueren Geschichte Thüringens Bd. 1).

—, Beiträge zur Charakteristik des kursächsischen Kanzlers Dr. Gregor Brück. In: Archiv für Urkundenforschung 6/1918, 299 ff.

Merz, Georg Glaube und Politik im Handeln Luthers. In: Um Glauben und Leben nach Luthers Lehre (Theol. Bücherei 15; München 1961), 66 ff. (zuerst erschienen 1933).

—, Gesetz Gottes und Volksnomos bei Luther. In: ebd., 111 ff. (zuerst erschienen 1934).

Meyer, Ernst Wilhelm Forschungen zur Politik Karls V. während des Augsburger Reichstags. In: ARG 13/1916, 40 ff. 124 ff.

Mitteis, Heinrich Der Staat des hohen Mittelalters, 5. Aufl. Weimar 1955.

Modalsli, Ole Das Gericht nach den Werken. Ein Beitrag zu Luthers Lehre vom Gesetz, Göttingen 1963 (FKDG 13).

Möller, W. Andreas Osiander. Leben und ausgewählte Schriften, Elberfeld 1870 (Leben und ausgewählte Schriften der Väter und Begründer der lutherischen Kirche 5).

Moeller, Bernd Johannes Zwick und die Reformation in Konstanz, Gütersloh 1961 (QFRG 28).

—, Reichsstadt und Reformation, Gütersloh 1962 (SVRG 180).

Monsheimer, Otto Der Kirchenbegriff und die Sozialethik Luthers in den Streitschriften und Predigten 1537/40, phil. Diss. Frankfurt a. M. 1930.

Morel-Fatio, Alfred Historiographie de Charles-Quint, Paris 1913 (Bibliothèque de l'École des Hautes Études 202).

Moufang, Christoph Katholische Katechismen des sechzehnten Jahrhunderts in deutscher Sprache, Mainz 1881.

Müller, Ernst Die ernestinischen Landtage in der Zeit von 1485 bis 1572 unter besonderer Berücksichtigung des Steuerwesens. In: Forschungen zur thüringischen Landesgeschichte. Festschrift Friedrich Schneider (Veröffentlichungen des Thüring. Landeshauptarchivs Weimar 1; Weimar 1958), 188 ff.

Müller, Gerhard Die römische Kurie und die Reformation 1523—1534. Kirche und Politik während des Pontifikates Clemens' VII. Gütersloh 1969 (QFRG 38).

Müller, Johann Joachim Historie Von der Evangelischen Ständte Protestation und Appellation Wieder und von dem Reichs-Abschied zu Speyer 1529, Dann der darauf erfolgten Legation in Spanien an Keys. Maj. Karl V. Wie auch ferner Dem zu Augspurg auf dem Reichstage 1530 übergebenen Glaubens-Bekentniß, die Augspurgische Confession genannt. Jena 1705.

Müller, Karl Luther und Karlstadt, Tübingen 1907.

—, Kirche, Gemeinde und Obrigkeit nach Luther, Tübingen 1910.

—, Luthers Äußerungen über das Recht des bewaffneten Widerstands gegen den Kaiser, München 1915 (Sitzungsberichte der Kgl. Bayerischen Akademie der Wissenschaften. Philosophisch-philologische und historische Klasse Jg. 1915 Abh. 8).

—, Luther und Melanchthon über das ius gladii. In: Geschichtliche Studien für Albert Hauck (Leipzig 1916), 235 ff.

Naujoks, Eberhard Obrigkeitsgedanke, Zunftverfassung und Reformation. Studien zur Verfassungsgeschichte von Ulm, Eßlingen und Schwäb. Gmünd; Stuttgart 1958 (Veröff. der Kommission für geschichtliche Landeskunde in Baden-Württemberg, Reihe B Bd. 3).

Neudecker, Chr. Gottlieb Urkunden aus der Reformationszeit, Kassel 1836.

—, Merkwürdige Aktenstücke aus dem Zeitalter der Reformation, Nürnberg 1838.

Neuser, Wilhelm H. Kirche und Staat im Reformationsjahrhundert. In: Kirche und Staat. Festschrift H. Kunst (Berlin 1967), 51 ff.

Ney, Julius Geschichte des Reichstags zu Speier im Jahre 1529. In: Mitteilungen des Historischen Vereins der Pfalz 8/1879, 1 ff.

Nilsson, Kjell Ove Simul. Das Miteinander von Göttlichem und Menschlichem in Luthers Theologie, Göttingen 1966 (FKDG 17).

Noack, Friedrich Die Exception Sachsens von der Wahl Ferdinands I. und ihre reichsrechtliche Begründung. Schulprogramm der Realschule zu Crefeld 1886.

Nürnberger, Richard Kirche und weltliche Obrigkeit bei Melanchthon, phil. Diss. Freiburg 1937.

—, Exousia, Macht und Recht im modernen Staat. In: Macht und Recht, hrsg. von H. Dombois — E. Wilkens (Berlin 1956), 89 ff.

—, Reformation und Säkularisierung. In: Im Lichte der Reformation. Jahrbuch des Evangelischen Bundes 11/1968, 18 ff.

Østergaard-Nielsen, Harald Scriptura sacra et viva vox. Eine Lutherstudie, München 1957 (FGLP X, 10).

Oyer, John S. Lutheran Reformers against Anabaptists. Luther, Melanchthon, and Menius and the Anabaptists of Central Germany, Den Haag 1964.

Pallas, Karl Die Entstehung des landesherrlichen Kirchenregiments in Kursachsen vor der Reformation. In: Neue Mitteilungen aus dem Gebiet historisch-antiquarischer Forschungen 24/1910, S. 129 ff.

Patze, Hans — Schlesinger, Walter (Hrsg.) Geschichte Thüringens, Bd. 3, Köln-Graz 1967 (Mitteldeutsche Forschungen 48/III).

Pauls, Theodor Luthers Auffassung von Staat und Volk, 2. Aufl. Halle 1927.

Pfeiffer, Arthur Der Gedanke des Widerstandsrechts des Staatsbürgers gegen die unrechtmäßige Ausübung der Staatsgewalt; seine geschichtliche Entwicklung und seine Stellung im geltenden deutschen Recht, jur. Diss. Hamburg 1934.

Pflanz, Hans Henning Geschichte und Eschatologie bei Martin Luther, Stuttgart 1939.

Pinomaa, Lennart Der Zorn Gottes in der Theologie Luthers. In: Annales Academiae Scientiarum Fennicae Ser. B Nr. 41 (Helsinki 1938), 1 ff.

—, Sieg des Glaubens. Grundlinien der Theologie Luthers, Berlin 1964.

Poetsch, Joseph Die Reichsacht im Mittelalter und besonders in der neueren Zeit, Breslau 1911 (Untersuchungen zu deutschen Staats- und Rechtsgeschichte 105).

Pollet, Jacques-V. Martin Bucer, Études sur la correspondance avec de nombreux textes inédits 2 Bde., Paris 1958/62.

Pressel, Theodor Lazarus Spengler, Elberfeld 1862 (Leben und ausgewählte Schriften der Väter und Begründer der luth. Kirche 8).

—, Anecdota Brentiana, Tübingen 1868.

Preuss, Hans Die Vorstellung vom Antichrist im späteren Mittelalter, bei Luther und in der konfessionellen Polemik, Leipzig 1906.

—, Martin Luther. Der Prophet, Gütersloh 1933.

Prüser, Friedrich England und die Schmalkaldener 1535—1540, Leipzig 1929 (QFRG 11).

Ranke, Leopold von Deutsche Geschichte im Zeitalter der Reformation, 6 Bde. (Akademie-Ausgabe) München 1925.

Rassow, Peter Die Kaiser-Idee Karls V., Berlin 1932 (Historische Studien 217).

—, Die politische Welt Karls V., München 1943.

Reller, Horst Vorreformatorische und reformatorische Kirchenverfassung im Fürstentum Braunschweig-Wolfenbüttel, Göttingen 1959 (Studien zur Kirchengeschichte Niedersachsens 10).

Repgen, Konrad Die römische Kurie und der Westfälische Friede. Idee und Wirklichkeit des Papsttums im 16. und 17. Jahrhundert. Bd. I, 1: Papst, Kaiser und Reich 1521—1644. Tübingen 1962 (Bibliothek des Deutschen Histor. Instituts in Rom. 24).

Reuter, Alfred Luthers und Melanchthons Stellung zur iurisdictio episcoporum. In: Neue Kirchliche Zeitschrift 36/1925, 549 ff.

Reuter, Fritz (Hrsg.) Der Reichstag zu Worms von 1521, Worms 1971.

Richter, Julius Kriegsdienst und Kriegsdienstverweigerung bei Luther. In: Luther. Mitteilungen der Luther-Gesellschaft 28/1957, 28 ff.

—, Luthers Gedanken über „gerechten Krieg". In: Evangelische Theologie 20/1960, 125 ff.

Rieker, Karl Die rechtliche Stellung der evangelischen Kirche Deutschlands in ihrer geschichtlichen Entwicklung bis zur Gegenwart, Leipzig 1893.

Ritter, Gerhard Luther, Gestalt und Tat, 6. Aufl. München 1959.

—, Die Weltwirkung der Reformation, 2. Aufl. München 1959.

Rommel, Christoph von Philipp der Großmütige, Landgraf von Hessen, 3 Bde. Gießen 1830.

Rosenberg, Walter Der Kaiser und die Protestanten in den Jahren 1537—1539, Halle 1903 (SVRG 77).

Rosenstock-Huessy, Eugen Die europäischen Revolutionen und der Charakter der Nationen, Stuttgart 1951.

Roth, Friedrich Augsburgs Reformationsgeschichte, Bd. 2. 3, München 1904—07.

Rückert, Hanns Die Bedeutung der württembergischen Reformation für den Gang der deutschen Reformationsgeschichte. In: Blätter für württembergische Kirchengeschichte 38/1934, 267 ff.

Rüstow, Alexander Ortsbestimmung der Gegenwart, Bd. 1 u. 2 (2. Aufl.) Erlenbach-Zürich 1950. 1963.

Scharffenorth, Gerta Römer 13 in der Geschichte des politischen Denkens. Ein Beitrag zur Klärung der politischen Traditionen in Deutschland seit dem 15. Jahrhundert, theol. Diss. Heidelberg 1964.

Scheel, Otto Evangelium, Kirche und Volk bei Luther, Leipzig 1934 (SVRG 156).

Scheffler, Gerhard Der Staatsgedanke Dr. M. Luthers, masch.-schrift. kulturwiss. Diss. TH Braunschweig 1942.

Scheible, Heinz Das Widerstandsrecht als Problem der deutschen Protestanten 1523—1546, Gütersloh 1969 (Texte zur Kirchen- und Theologiegeschichte 10).

Scheuner, Ulrich Die Auswanderungsfreiheit in der Verfassungsgeschichte und im Verfassungsrecht Deutschlands. In: Festschrift Richard Thoma (Tübingen 1950), 199 ff.

Schieß, Traugott Briefwechsel der Brüder Ambrosius und Thomas Blaurer 1509—1548, Bd. 1. 2, Freiburg i. Br. 1908—1910.

Schmauch, Werner Reich Gottes und menschliche Existenz nach der Bergpredigt. In: W. Schmauch-E. Wolf, Königsherrschaft Christi (Theologische Existenz heute NF 64; 2. Aufl. München 1958), 5 ff.

Schmidt, Carl Philipp Melanchthon. Leben und ausgewählte Schriften, Elberfeld 1861.

Schmidt, Gustav Zur Geschichte des Schmalkalder Bundes. In: Forschungen zur Deutschen Geschichte 25/1885, 69 ff.

Schmidt, Kurt Dietrich Luthers Staatsauffassung. In: Gesammelte Aufsätze (Göttingen 1967), 157 ff. (zuerst in: Luther. Mitteilungen der Luther-Ges. 1961, 97 ff.).

Scholz, Richard Krisis und Wandlungen des Reichsgedankens am Ausgange des Mittelalters. In: Neue Jahrbücher für deutsche Wissenschaft 13/1937, 22 ff.

Schornbaum, Karl Die Stellung des Markgrafen Kasimir von Brandenburg zur reformatorischen Bewegung in den Jahren 1524—1527 auf Grund archivalischer Forschungen, phil. Diss. Erlangen 1900.

–, Georg von Brandenburg und die sächsisch-hessischen Bündnisbestrebungen vom Jahre 1528. In: Beiträge zur bayerischen Kirchengeschichte 8/1902, 193 ff.

–, Zur Politik des Markgrafen Georg von Brandenburg vom Beginn seiner selbständigen Regierung bis zum Nürnberger Anstand 1528–1532, München 1906.

–, Zur Politik der Reichsstadt Nürnberg vom Ende des Reichstages zu Speier 1529 bis zur Übergabe der Augsburgischen Konfession 1530. In: Mitteilungen des Vereins für Geschichte der Stadt Nürnberg 17/1906, 178 ff.

Schott, Erdmann Fleisch und Geist nach Luthers Lehre unter besonderer Berücksichtigung des Begriffs „totus homo", Leipzig 1928.

–, Luthers Anthropologie und seine Lehre von der manducatio oralis in wechselseitiger Beleuchtung. In: Zeitschrift für systematische Theologie 9/1932, 585 ff.

Schraepler, Horst, W. Die rechtliche Behandlung der Täufer in der deutschen Schweiz, Südwestdeutschland und Hessen 1525–1618, Tübingen 1957 (Schriften zur Kirchen- und Rechtsgeschichte 4).

Schrey, Heinz Horst (Hrsg.) Reich Gottes und Welt. Die Lehre Luthers von den zwei Reichen, Darmstadt 1969 (Wege der Forschung 107).

Schubert, Friedrich Hermann Die deutschen Reichstage in der Staatslehre der frühen Neuzeit, Göttingen 1966 (Schriftenreihe der Historischen Kommission bei der Bayerischen Akademie der Wissenschaften 7).

Schubert, Hans von Bekenntnisbildung und Religionspolitik 1529/30 (1524–1534), Gotha 1910 (zit.: v. Schubert).

–, Revolution und Reformation im XVI. Jahrhundert, Tübingen 1927 (Sammlung gemeinverständlicher Vorträge und Schriften 128).

–, Die Anfänge der evangelischen Bekenntnisbildung bis 1529/30, Leipzig 1928 (SVRG 143).

–, Der Reichstag von Augsburg im Zusammenhang der Reformationsgeschichte, Leipzig 1930 (SVRG 150).

–, Lazarus Spengler und die Reformation in Nürnberg, Leipzig 1934 (QFRG 17).

Schumann, Friedrich Karl Widerstandsrecht und Rechtfertigung. In: Macht und Recht, hrsg. von H. Dombois und E. Wilkens (Berlin 1956), 34 ff.

Schuurman, Lambert Confusio regnorum. Studie zu einem Thema aus Luthers Ethik, theol. Diss. Amsterdam 1965.

Schwarz, Hilar Landgraf Philipp von Hessen und die Pack'schen Händel, Leipzig 1884 (Historische Studien 13).

Schweitzer, Wolfgang Der entmythologisierte Staat. Studien zur Revision der evangelischen Ethik des Politischen, Gütersloh 1968 (Studien zur evangel. Ethik 3).

Schwiebert, Ernest G. The medieval patterns in Luther's views of the state. In: Church History 12/1943, 98 ff.

Seckendorf, Veit Ludwig von Commentarius historicus et apologeticus de Lutheranismo, 2. Aufl. Leipzig 1694.

Seebaß, Gottfried Das reformatorische Werk des Andreas Osiander, Nürnberg 1967 (Einzelarbeiten aus der Kirchengeschichte Bayerns Bd. 44).

Sehling, Emil Die evangelischen Kirchenordnungen des XVI. Jahrhunderts Abt. I, 1. 2, Leipzig 1902–1904.

Seidemann, Johann Karl Friedrich Das dessauer Bündnis vom 26. Juni 1525. In: Zeitschrift für die historische Theologie 17/1847, 638 ff.

Seils, Martin Der Gedanke vom Zusammenwirken Gottes und des Menschen in Luthers Theologie, Berlin 1962.

[*Selnecker,* Nikolaus – Kirchner, Johann, – Chemnitz, Martin] Gründliche Warhafftige Historia: Von der Augspurgischen Confession ... Item, Von der Concordia, so Anno 1536 zu Wittenberg von gedachtem Artickel auffgerichtet ... Leipzig 1584.

Siegfried, Theodor Luther und Kant. Ein geistesgeschichtlicher Vergleich im Anschluß an den Gewissensbegriff, Gießen 1930 (Aus der Welt der Religion. Religionsphilosophische Reihe 3).

Skalweit, Stephan Reichsverfassung und Reformation. In: Probleme der Kirchenspaltung im 16. Jahrhundert, hrsg. von R. Kottje u. J. Staber (Regensburg 1970), 33 ff.

Smend, Rudolf Das Reichskammergericht, Bd. 1, Weimar 1911 (Quellen und Studien zur Verf.-gesch. des Deutschen Reiches in Mittelalter und Neuzeit Bd. 4, 3).

–, Zur Geschichte der Formel „Kaiser und Reich" in den letzten Jahrhunderten des alten Reiches. In: Staatsrechtliche Abhandlungen und andere Aufsätze (2. Aufl. Berlin 1968), 9 ff. (zuerst erschienen 1910).

Soden, Franz Frh. von Beiträge zur Geschichte der Reformation und der Sitten seiner Zeit mit besonderem Hinblick auf Christoph Scheuerl II, Nürnberg 1855.

Sohm, Rudolf Kirchenrecht, Bd. 1, Leipzig 1892.

Sohm, Walter Territorium und Reformation in der hessischen Geschichte 1525–1555, Marburg 1915 (Veröffentlichungen der Histor. Komm. für Hessen und Waldeck 11, 1).

Sperl, Adolf Melanchthon zwischen Humanismus und Reformation, München 1959 (FGLP X, 15).

Srbik, Heinrich Ritter von Deutsche Einheit. Idee und Wirklichkeit vom Heiligen Reich bis Königgrätz, Bd. 1, 3. Aufl. München 1940.

Steglich, Wolfgang Die Stellung der evangelischen Reichsstände und Reichsstädte zu Karl V. zwischen Protestation und Konfession 1529/30. In: ARG 62/1971, 161 ff.

Steinmüller, Wilhelm Evangelische Rechtstheologie. Zweireichelehre – Christokratie – Gnadenrecht, 2 Bde. Köln-Graz 1968 (Forschungen zur kirchlichen Rechtsgeschichte und zum Kirchenrecht 8).

Stintzing, Roderich Geschichte der deutschen Rechtswissenschaft, Bd. 1, München-Leipzig 1880.

Stolzenau, Karl Friedrich Die Frage des Widerstandes gegen die Obrigkeit bei Luther zugleich in ihrer Bedeutung für die Gegenwart, theol. Diss. Münster 1962.

Stomps, M. A. H. Die Anthropologie Martin Luthers, Frankfurt 1935 (Philosophische Abhandlungen 4).

Stoy, Stephan Erste Bündnisbestrebungen evangelischer Stände. In: Zeitschrift des Vereins für thüringische Geschichte und Alterthumskunde N. F. 6/1889, 3 ff.

Strobel, Georg Theodor Protokoll über einen von den Protestanten zu Schmalkalden im J. 1529 gehaltenen Convent. In: Miscellaneen Literarischen Inhalts 4 (Nürnberg 1781), 113 ff.

Stupperich, Robert Der Humanismus und die Wiedervereinigung der Konfessionen, Leipzig 1936 (SVRG 160).

–, Melanchthon und die Täufer. In: Kerygma und Dogma 3/1957, 150 ff.

Thieme, Hans Die Ehescheidung Heinrichs VIII. und die europäischen Universitäten, Karlsruhe 1957 (Juristische Studiengesellschaft Karlsruhe 31).

Törnvall, Gustaf Geistliches und weltliches Regiment bei Luther, München 1947 (FGLP X, 2).

—, Der Christ in den zwei Reichen. In: Evangelische Theologie 10/1950—51, 66 ff.

Torrance, T. F. The Eschatology of the Reformation. In: Eschatology — Beiheft 2 des Scotish Journal of Theology (Edinburg-London 1953), 36 ff.

—, Kingdom and Church. A Study in the Theology of the Reformation, London 1956.

Trillhaas, Wolfgang Die lutherische Lehre von der weltlichen Gewalt und der moderne Staat. In: Macht und Recht, hrsg. von H. Dombois und E. Wilkens (Berlin 1956), 22 ff.

Uhlhorn, Gerhard Urbanus Rhegius. Leben und ausgewählte Schriften, Elberfeld 1861 (Leben und ausgewählte Schriften der Väter und Begründer der lutherischen Kirche 7).

Virck, Hans — Winckelmann, Otto (Hrsg.) Politische Correspondenz der Stadt Straßburg im Zeitalter der Reformation, Bd. 1—3, Straßburg 1882—1898 (Urkunden und Akten der Stadt Straßburg Abt. 2).

Vogt, Otto (Hrsg.) Dr. Johannes Bugenhagens Briefwechsel, Hildesheim 1966 (erweiterter Nachdruck der Ausgabe Stettin 1888).

Volz, Hans Urkunden und Aktenstücke zur Geschichte von Martin Luthers Schmalkaldischen Artikeln (1536—1574), Berlin 1957 (Kleine Texte für Vorlesungen und Übungen 179).

—, Zur Entstehungsgeschichte von Luthers Schmalkaldischen Artikeln. In: ZKG 73/1963, 316 ff.

Vossler, Otto Herzog Georg der Bärtige und seine Ablehnung Luthers. In: HZ 184/1957, 272 ff.

Wagner, Johannes Volker Graf Wilhelm von Fürstenberg 1491—1549 und die politischgeistigen Mächte seiner Zeit, Stuttgart 1966 (Pariser Historische Studien 4).

Walch, Johann Georg (Hrsg.) Dr. Martin Luthers Sämmtliche Schriften Bd. 16 2. Aufl. St. Louis 1907.

Walton, Robert C. Zwingli's Theocracy, Toronto 1967.

Wappler, Paul Inquisition und Ketzerprozesse in Zwickau zur Reformationszeit, Leipzig 1908.

—, Die Stellung Kursachsens und des Landgrafen Philipp von Hessen zur Täuferbewegung, Münster 1910 (Reformationsgeschichtliche Studien und Texte 13/14).

—, Die Täuferbewegung in Thüringen von 1526—1584, Jena 1913 (Beiträge zur neueren Geschichte Thüringens 2).

Wartenberg, Günter Martin Luther und Moritz von Sachsen. In: Lutherjahrbuch 42/1975, 52 ff.

Weber, Gottfried Grundlagen und Normen politischer Ethik bei Melanchthon, München 1962 (Theologische Existenz heute N. F. 96).

Welzel, Hans Naturrecht und materiale Gerechtigkeit, 4. Aufl. Göttingen 1962 (Jurisprudenz in Einzeldarstellungen 4).

Wendorf, Hermann Martin Luther. Der Aufbau seiner Persönlichkeit, Leipzig 1930.

Westermann, Ascan Die Türkenhilfe und die politisch-kirchlichen Parteien auf dem Reichstag zu Regensburg 1532, Heidelberg 1910 (Heidelberger Abhandlungen zur mittleren und neueren Geschichte 25).

Winckelmann, Otto Der Schmalkaldische Bund 1530–1532 und der Nürnberger Religionsfriede, Straßburg 1892.

–, Der Anteil der deutschen Protestanten an den kirchlichen Reformbestrebungen in Metz bis 1543. In: Jahr-Buch der Gesellschaft für lothringische Geschichte und Altertumskunde 9/1897, 202 ff.

Wingren, Gustaf Luthers Lehre vom Beruf, München 1952 (FGLP X, 3).

Wintruff, Wilhelm Landesherrliche Kirchenpolitik in Thüringen am Ausgang des Mittelalters, Halle 1914 (Forschungen zur thüringisch-sächsischen Geschichte 5).

Wölfel, Eberhard Luther und die Skepsis. Eine Studie zur Kohelet-Exegese Luthers, München 1958 (FGLP X, 12).

Wohlnick, Helmut Das Widerstandsrecht nach evangelisch-lutherischer Auffassung, jur. Diss. Köln 1961.

Wolf, Erik Idee und Wirklichkeit des Reiches im deutschen Rechtsdenken des 16. und 17. Jahrhunderts. In: Reich und Recht in der deutschen Philosophie, hrsg. von Karl Larenz, Bd. 1 (Stuttgart-Berlin 1943), 33 ff.

Wolf, Ernst Peregrinatio. 2 Bde., München 1954–65.

–, Der christliche Glaube und das Recht. In: Zeitschrift für evangelisches Kirchenrecht 4/1955, 225 ff.

–, Die „lutherische Lehre" von den zwei Reichen in der gegenwärtigen Forschung. In: ebd. 6/1958–59, 255 ff.

–, Die Königsherrschaft Christi und der Staat. In: W. Schmauch – E. Wolf, Königsherrschaft Christi (Theologische Existenz heute NF 64; 2. Aufl. München 1958), 20 ff.

Wolff, Richard Studien zu Luthers Weltanschauung, München-Berlin 1920 (Historische Bibliothek 43).

Wolzendorff, Kurt Staatsrecht und Naturrecht in der Lehre vom Widerstandsrecht des Volkes gegen rechtswidrige Ausübung der Staatsgewalt, Breslau 1916 (Untersuchungen zur Deutschen Staats- und Rechtsgeschichte 126).

Wülcker, Ernst – Virck, Hans (Hrsg.) Des kursächsischen Rates Hans von der Planitz Berichte aus dem Reichsregiment in Nürnberg 1521–1523, Leipzig 1899.

Wünsch, Georg Die Bergpredigt bei Luther. Eine Studie zum Verhältnis von Christentum und Welt, Tübingen 1920.

–, Die Staatsauffassung von Martin Luther, Richard Rothe und Karl Marx in ihrem systematischen Zusammenhang, Gotha 1931 (Marburger theologische Studien 4).

–, Evangelische Ethik des Politischen, Tübingen 1936.

Zahrnt, Heinz Luther deutet Geschichte. Erfolg und Mißerfolg im Licht des Evangeliums, München 1952.

Zeeden, Ernst Walter Die Einwirkung der Reformation auf die Verfassung des Heiligen Römischen Reiches Deutscher Nation. In: Trierer Theologische Zeitschrift 59/1950, 207 ff.

Zieschang, Rudolf Die Anfänge eines landesherrlichen Kirchenregiments in Sachsen am Ausgange des Mittelalters. In: Beiträge zur sächsischen Kirchengeschichte 23/1909, 1 ff.

Zimmermann, Ludwig Der hessische Territorialstaat im Jahrhundert der Reformation, Marburg 1933 (Veröffentlichungen der Histor. Komm. für Hessen und Waldeck, 17, 1).

Zschäbitz, Gerhard Martin Luther. Größe und Grenze, Teil 1, Berlin 1967.